D0634971

Délicieuse séduction

Un audacieux amant

Dans le secret des nuits

TAWNY WEBER

Délicieuse séduction

Passions extrêmes

éditions HARLEQUIN

Collection : PASSIONS

Titre original : NAUGHTY CHRISTMAS NIGHTS

Traduction française de CLAIRE NEYMON

ÉDITIONS HARLEQUIN

83-85, boulevard Vincent Auriol, 75646 PARIS CEDEX 13.

Service Lectrices — Tél. : 01 45 82 47 47

www.harlequin.fr

ISBN 978-2-2803-1354-4 — ISSN 1950-2761

Prologue

Gage Milano détestait les fêtes. Sur le principe, il n'avait rien contre. Commémorer une date ou célébrer un événement faisait partie des traditions et il était le premier à les respecter.

Mais qui disait fêtes disait réunions de famille.

Obligations.

Et question d'héritage. Oui, cela revenait toujours sur le tapis.

Gage leva les yeux de son assiette. Le cristal, la porcelaine et l'argenterie brillaient de tous leurs feux. Une magnifique composition florale, dans les tons d'automne, ornait le centre de l'immense table de bois de rose prévue pour accueillir deux douzaines de convives. C'est-à-dire, vingt et un de plus que les trois qu'ils étaient aujourd'hui.

Ridicule.

Il aurait été si simple de prendre le repas de Thanksgiving dans la salle à manger du petit déjeuner. Mais non. C'eût été impensable. Son père ne renoncerait jamais au faste. Dans la dynastie Milano, on se devait d'avoir ce qu'il y avait de plus grand, de plus beau.

Marcus Milano était ce genre d'homme, à vouloir toujours davantage. La compétition, la puissance, le pouvoir, voilà ce qui le faisait avancer dans la vie et ce qu'il aimait par-dessus tout. Probablement davantage que ses deux fils, Devon et Gage. Il les avait élevés dans cet esprit, faisant d'eux des concurrents féroces dès leur plus jeune âge, dans leurs jeux tout d'abord et, aujourd'hui, au sein de l'entreprise. Il avait toujours placé la barre très haut, leur inculquant de ne jamais se satisfaire que d'une chose : la victoire. Malheureusement, ils n'étaient que deux, il y avait donc toujours un perdant. Une situation dont il trouvait encore le moyen de tirer parti.

Brusquement, comme s'il avait lu dans les pensées de son fils et voulait lui démontrer à quel point il voyait juste, Marcus leva les yeux de son blanc de dinde nappé d'un soupçon de sauce aux airelles et lança d'une voix forte, du bout de la table :

— Gage, j'ai un nouveau projet pour toi.

Et voilà ! Les fameuses injonctions paternelles entre deux bouchées. La conversation version Marcus Milano.

— Je n'ai pas le temps, répondit Gage.

Il piqua une bouchée dans son assiette et décocha un sourire tranquille à son père.

— Je suis toute la semaine en rendez-vous avec *mes* clients et, ensuite, je pars en vacances.

— Tu n'as pas le temps ? Trouve-le ! lança Marcus. Je veux ce contrat.

Ah, les joies de retrouver le cocon familial !

Gage avait beau avoir trente ans, jouir d'une réputation de génie du marketing et posséder sa propre start-up, il n'en demeurait pas moins pour son père le fils censé être à disposition, prêt à relever tous ses défis.

Gage appréciait les nombreuses opportunités qui s'étaient offertes à lui grâce à Milano. En revanche, si l'entreprise était aujourd'hui aussi prospère, c'était en partie grâce à lui. Lorsqu'ils étaient entrés au conseil d'administration, six ans plus tôt, Devon et lui, la société était en très mauvaise posture. Grâce aux restructurations entreprises par son frère et à la politique de marketing qu'il avait lui-même menée, la situation s'était totalement inversée.

Ce n'était toutefois pas ainsi que le vieil homme voyait les choses. Dans son esprit, Milano, c'était lui. Ses fils n'étaient que de simples auxiliaires.

Gage décocha un regard noir à son père. Peine perdue. Ce dernier était myope et assis trop loin pour le remarquer. De toute façon, il n'en aurait fait aucun cas. Marcus Milano avait la réputation de ne se laisser impressionner par personne. Gage reporta sa colère sur son frère, assis en face de lui.

Devon, cheveux noir corbeau et yeux bleus, était le portrait craché de leur père. Il toisa Gage et lui adressa un grand sourire.

— Tu es le roi des bonimenteurs, petit frère. Tu sais à quel point nous comptons sur toi dans ce genre de situation.

Le roi des bonimenteurs, bien sûr ! Lui n'avait pas son pareil pour dire n'importe quoi, en tout cas.

— Je n'ai pas le temps, répéta-t-il. Voilà six mois que je travaille, le nez dans le guidon, sans prendre un seul jour de congé. Lorsque j'ai signé ce contrat de plusieurs millions de dollars pour la branche électronique de la société, il y a un mois, nous étions tous les trois d'accord, il ne fallait plus compter sur moi jusqu'à la fin de l'année. Je partirais enfin en vacances.

Cinq semaines loin de Milano. Le rêve. Du temps pour décompresser, se relaxer. Vol direct pour les Caraïbes où il passerait son temps à paresser sur la plage, à siroter des cocktails et à draguer les jolies filles.

Et à réfléchir à son avenir. A la perspective de quitter Milano. Aux risques de se lancer seul dans la bagarre.

Le vieil homme avait bâti un empire aux branches multiples, touchant de nombreux secteurs de production et visant par conséquent des cibles très variées de consommateurs. Milano fabriquait de tout, de la technologie au textile. Devon dirigeait le département « Recherche et Développement ». Il trouvait les idées, élaborait les nouveaux produits susceptibles de remplir un peu plus encore les coffres déjà bien garnis de l'entreprise.

Gage s'occupait du marketing. Il était capable de vendre n'importe quoi à n'importe qui. Il connaissait parfaitement les rouages de la nature humaine. Il savait d'instinct ce qui intéressait les gens, les emballait. Un trait de sa personnalité qui était un réel atout, tant dans sa vie professionnelle qu'amoureuse.

Un trait de sa personnalité qui lui laissait pressentir qu'il n'allait pas être évident de se sortir du piège que représentait ce repas.

— Il ne fallait pas compter sur toi *sauf* en cas d'urgence, reprit Marcus d'un ton autoritaire. Et c'est une urgence.

— Une urgence, c'est Devon dans une situation compromettante, en couverture d'un magazine people ou notre service financier pris en flagrant délit d'utilisation frauduleuse de nos ordinateurs pour détourner de l'argent au profit d'un gouvernement étranger. Ou encore, ta dernière conquête s'affichant, enceinte, en affirmant que l'enfant est de toi. Quel que soit le nouveau produit que tu veux lancer, il ne s'agit en aucun cas d'une urgence marketing.

— Et moi, je dis que c'en est une.

Gage serra les dents. Avant qu'il ait eu le temps de répondre, son frère l'apostropha.

— Ecoute, c'est un contrat qui ne devrait pas te poser de problème. Il s'agit de notre ligne de lingerie. La marchandise est prête. Nous avons simplement besoin d'une plate-forme pour lancer nos produits. Le service marketing a eu une idée géniale.

— Dans ce cas, pourquoi as-tu besoin de moi ?

— Tu connais les grands magasins Rudolph ?

— Rudolph… Ce vieux séducteur qui transforme tout ce qu'il touche en or et qui fait la pluie et le beau temps dans la mode ?

— Exactement. Si nous décrochons un contrat d'exclusivité avec lui pour le lancement de sa collection de printemps, c'est le succès assuré. Il ne se trompe jamais sur ce qui va marcher. Que ce soit parce qu'il a un œil infaillible ou parce que l'industrie de la mode n'est qu'un troupeau de moutons attendant qu'il définisse la nouvelle tendance, peu importe. Une chose est certaine, si nous parvenons à lui vendre notre ligne de lingerie, Milano vaudra de l'or sur le marché.

Gage secoua la tête. Il était consultant en marketing, spécialisé dans les études de marché, la gestion de serveurs numériques et le développement de stratégies en ligne. Rien qui le prédispose, de près ou de loin, à aller discuter de lingerie féminine avec un milliardaire excentrique.

— Sérieusement, insista Devon, cela ne te prendra que

quelques jours. Rudolph doit dévoiler ses choix le week-end prochain et tout doit être finalisé d'ici Noël. Tu y vas, tu conclus l'affaire et tu es libre.

Avant que Gage ait eu le temps de lui faire remarquer que n'importe qui pouvait s'acquitter de cette tâche, Devon se pencha vers lui, baissant la voix.

— Tu pourras même ajouter à tes vacances le temps que tu auras passé à négocier ce contrat. Pas mal, non ?

— Ce n'est pas une question de vacances, rétorqua Gage. Il s'agit de respecter l'accord que nous avions conclu.

— Ecoute, moi aussi j'ai dû mettre de côté mes projets personnels pour m'occuper du nouveau magasin en ligne que notre père veut lancer. Ça ne va pas te tuer de retarder de quelques jours ton farniente dans les Caraïbes.

C'était donc cela. Devon se voyait déjà à la tête de l'entreprise. Un jour, elle reviendrait à l'un d'eux. La question était, lequel ? Marcus avait clairement spécifié que pour pouvoir prétendre à sa succession, ses fils devaient satisfaire à trois conditions. Etre d'une loyauté à toute épreuve, se montrer plus méritant que son frère. Et, enfin, ne jamais le contrarier.

Gage et Devon avaient compris depuis longtemps que pour prouver leur valeur, ils devaient construire leur propre réussite en dehors de Milano. La difficulté consistait à le faire sans enfreindre les règles numéros un et deux. Et plus important encore, à y parvenir mieux et plus vite que l'autre.

Ou, dans le cas de Devon, en sabotant les chances de son frère.

— Tu ne joues pas loyalement, accusa Gage d'un ton sec.

— Je joue pour gagner.

— Qu'est-que vous marmonnez, tous les deux ? lança soudain Marcus.

— Nous parlons de ce petit jeu auquel nous nous livrons chaque année avec l'os de dinde, rétorqua Gage, fixant son frère droit dans les yeux. Qui restera au crochet ? Je pense que nous devrions pimenter un peu les choses, cette année. En plus des dix mille dollars alloués au gagnant, je propose que le perdant se charge de ce nouveau projet qui te tient tant à cœur.

Le sourire de Devon s'évanouit. A ce jeu-là, il n'avait pas beaucoup d'espoir de l'emporter. Impossible de tricher, de sortir un atout de sa manche. C'était à la chance de décider et, dans ce domaine, Gage en avait toujours eu plus que lui.

— D'accord. Si tu gagnes, je me charge du projet, dit-il. Mais si c'est moi qui l'emporte, j'aurai le droit de choisir ton déguisement pour la soirée Rudolph. Soirée costumée à laquelle tu devras assister. Cela fait partie du projet.

Gage se renfrogna.

Une soirée costumée ? Qu'est-ce que c'était que cette plaisanterie ?

Il n'avait plus faim brusquement et il repoussa son assiette.

Oui, décidément, il détestait les fêtes.

- 1 -

Hailey North adorait les fêtes.

Tout ce qui brillait, pétillait, les visages rayonnants, les petits secrets, l'excitation. Et les cadeaux. Les cadeaux et les surprises. Surtout celles qui venaient récompenser des années de travail lors d'un bal costumé, comme celui de ce soir, où se pressait tout le gratin de la mode californienne, déguisé en personnages de Noël.

Fantastique.

Ce soir, elle allait enfin avoir la confirmation que sa petite entreprise de lingerie ne tomberait pas dans l'oubli dès la fin de l'année.

Elle aurait dû être au comble du bonheur, extatique.

Mais il fallait croire que les problèmes financiers, tout le stress vécu ces derniers mois pour conserver son entreprise lui avaient fait perdre la raison. Elle était là, entourée de mannequins et de créateurs richissimes, parmi les plus beaux spécimens masculins qui se puissent trouver dans tout San Francisco et c'était un individu, certes grand et bien bâti, mais déguisé en ours en peluche, qui venait de capter son attention et lui faisait soudain battre le cœur.

Hailey l'observa avec un peu plus d'attention, s'efforçant de comprendre ce qui se passait.

Il n'y avait rien, absolument rien d'attirant dans le costume en peluche ridicule que portait cet homme, debout près du bar. Mais il émanait de lui une force irrésistible, un mélange incroyable de virilité et de sensualité qui l'attirait tel un aimant.

Un homme en peluche marron, tout de même !

C'était à croire que l'abstinence prolongée finissait par avoir de drôles de répercussions sur la libido d'une femme normalement constituée, songea Hailey.

A moins que ce ne soit la conséquence du travail de toute une année passée à prouver qu'on pouvait être à la fois romantique et sexy, qu'on pouvait rêver d'amour et se vouloir coquine et séduisante et qu'il lui était donc possible de créer une lingerie à cette image qui rende les femmes totalement irrésistibles. Si elles se sentaient sexy dans ses modèles, elles le seraient.

Mais si elle était à ce point troublée, la faute en revenait peut-être aussi à cette flûte de champagne un peu trop vite bue pour se donner du courage en entrant dans la vaste salle pleine de créateurs et de gens influents, dont la plupart disposaient de plus d'argent dans leur portefeuille qu'elle n'en avait sur son compte en banque. Et ils étaient tous venus dans l'espoir d'impressionner Rudy Rudolph, le richissime patron de la chaîne de grands magasins Rudolph. Chacun rêvait de décrocher un contrat d'exclusivité avec cet homme excentrique, imprévisible, prêt à offrir ce soir l'opportunité de travailler avec lui au lancement de sa nouvelle collection de printemps.

Hailey jeta un coup d'œil à sa flûte vide, puis se tourna vers le bar. Elle ferait mieux de choisir une boisson sans alcool. Il était temps qu'elle cesse de fantasmer sur ce genre d'homme ridicule, déguisé en ours.

C'est alors que l'ours en question remonta sa manche pour jeter un coup d'œil à sa montre. La fourrure de sa grosse patte se coinça dans le bracelet en cuir. Il arracha ses gants d'un geste impatient et les jeta sur le bar.

Fascinée, Hailey le regarda tendre la main et saisir son verre. Une main large et ferme, aux doigts élégants. Hum… elle les imaginait déjà effleurant… oh… Voilà qui le rendait très intéressant.

Et lui, sur quel type de personnage fantasmait-il ? Aurait-il par hasard un faible pour les délicats petits elfes ?

Elle avait déjà fait deux pas dans sa direction, impatiente de le découvrir, lorsqu'elle se ressaisit brusquement.

Pas question. Elle était ici pour affaires, pas pour s'amuser, que l'objet du désir ait ou non des mains magnifiques.

— Hailey, chérie !

Hailey se retourna, soulagée d'être brusquement arrachée à ses élucubrations et ravie qu'il y ait au moins une personne dans l'assistance qui connaisse son nom.

Son sourire de circonstance se mua aussitôt en un sourire radieux lorsqu'elle aperçut Jared Jones, l'assistant du plus puissant et plus excentrique patron de toute l'industrie des grands magasins, Rudy Rudolph.

Il l'avait prise sous son aile, l'été précédent, après leur rencontre inopinée dans un ascenseur. Elle montait au sixième étage afin de présenter ses croquis de lingerie à l'équipe de vente et il était dans tous ses états à cause d'un petit accroc qu'il venait de découvrir à sa chemise. Elle avait aussitôt sorti de son sac un morceau de tissu adhésif et effectué une réparation miracle qui lui avait valu de gagner en un instant la reconnaissance éternelle de Jared.

C'était inouï les proportions que pouvait prendre un petit problème esthétique de cet ordre chez certaines personnes !

— Jared ! s'exclama-t-elle, se penchant vers lui pour l'embrasser.

Elle prit soin de ne pas heurter sa coiffure au passage. Il lui avait fallu vingt minutes pour fixer son chapeau d'elfe orné de petites clochettes sur ses cheveux bouclés sans qu'ils prennent l'allure d'oreilles d'épagneul.

— J'adore ton costume ! Un bonhomme en pain d'épices, dit-elle, effleurant de la pointe de l'index les gros boutons de plastique rouge.

Elle écarquilla soudain les yeux et se mit à rire en découvrant ce qui était inscrit dessus :

« Mangez-moi. »

— Eh oui, je suis tout à fait comestible, dit Jared en lui adressant un clin d'œil.

Puis il tourna la tête vers la gauche et fit un petit signe du menton.

— Et si tout se passe bien, ce jeune tambour que tu vois là-bas y aura goûté avant la fin de la nuit.

Hailey était habituée à la sexualité très libre et quelque peu démonstrative de Jared. Elle jeta un coup d'œil en direction du tambour. C'était un très beau jeune homme et elle échangea avec Jared un regard entendu.

— Je parle, je parle, mais regardez-moi cette tenue ! s'exclama-t-il, tout autant pour attirer l'attention du tambour que pour complimenter Hailey. Tu sais, j'ai vu une bonne douzaine d'elfes, ce soir, mais tu es de loin la plus belle. Ce sont des pièces de ta collection de lingerie que tu portes ?

— Oui. Toutes, sauf la jupe, confirma Hailey, effectuant un petit tour sur elle-même pour qu'il puisse tout à loisir admirer ses créations.

Elle portait un bustier rayé, en satin rouge et dentelle blanche, coordonné au rouge de ses bas. Des bas dont la fine couture blanche soulignait la cheville, suivait le galbe de la jambe avant de disparaître sous le tulle blanc de la jupe de ballerine et de se terminer dans le bouillonnement de dentelle de ravissantes jarretelles. Hailey offrait la preuve manifeste qu'une lingerie bien choisie pouvait rendre toute femme extrêmement séduisante et désirable.

Rien de tel qu'une année en salle de fitness, qu'un petit régime et un beau bronzage pour avoir l'air extraordinaire en tenue légère.

Malheureusement, elle n'avait fréquenté la salle de fitness que deux ou trois fois ces douze derniers mois, elle adorait les sucreries et son teint était plus proche de la pâleur hivernale que d'un hâle de retour de vacances.

Mais là résidait toute la magie de Merry Widow, sa ligne de lingerie. Il n'était pas nécessaire d'avoir un corps de mannequin pour être belle et, surtout, pour se sentir belle dans ses modèles.

— Oh ! chérie, quelle merveille ! s'exclama de nouveau Jared lorsqu'il eut fait l'inventaire de sa tenue.

Hailey n'eut pas besoin de suivre son regard pour savoir ce qui le fascinait. Après tout, peu lui importait qu'il soit indifférent au corps féminin fait pour porter sa lingerie, ce qui l'intéressait en lui c'était l'homme passionné de mode, à la pointe de tout ce qui était branché, toujours au fait des dernières tendances.

Et les chaussures qu'elle portait aujourd'hui étaient tout ce qu'il y avait de plus tendance.

Des bottines blanches Manolo, cadeau anticipé de son père pour Noël. Enfin, pas vraiment un cadeau de lui puisqu'il ne savait jamais quoi lui offrir. Mais elle les avait achetées avec le chèque qu'il lui avait envoyé, ce qui en faisait donc son cadeau de Noël.

— Hailey, tu as le goût le plus parfait qui soit en matière de chaussures, soupira Jared. Ces bottines sont parfaites. Elles ont juste l'allure qu'il faut pour donner à ta tenue une touche définitivement couture.

— Merci. Mais, dis-moi, Rudy Rudolph arrive bientôt ? demanda-t-elle, impatiente. Il doit annoncer ses choix pour les collections de printemps. Tu ne crois pas qu'il serait judicieux de le faire avant que les créateurs aient bu trop de champagne ?

Ou tant que le champagne lui faisait encore suffisamment d'effet pour qu'elle prenne prétexte de cette attente pour aller séduire l'ours en peluche !

— Le champagne, la griserie, voilà qui correspond assez bien, je crois, à l'idée que Rudy se fait de la fête.

Il n'ajouta pas un mot concernant le contrat. Hailey était certaine qu'il savait qui avait été choisi et, de son côté, il savait qu'elle savait, mais qu'elle ne poserait pas la question.

— Cesse de te focaliser sur Rudy et sa décision, dit Jared en lui donnant un petit coup d'épaule.

— Peut-être devrais-tu aller voir si ton joli petit tambour est aussi intéressant qu'il en a l'air, répondit Hailey. Moi, je suis trop anxieuse pour songer à m'amuser.

— Ecoute, chérie, je suis venu pour profiter de la fête en compagnie de ma créatrice préférée. Si je pouvais faire quoi que ce soit pour que tu te détendes, je le ferais. Mais tu me connais, je ne suis pas du genre à vendre la mèche.

Cédant à la nervosité, Hailey attrapa une flûte de champagne sur le plateau que lui tendait un serveur et fixa Jared, les sourcils levés.

— Disons que je ne trahis pas les secrets de l'entreprise.

Il hésita, puis fit une petite grimace et se pencha vers elle.

— Ceux, du moins, qui risqueraient de me faire perdre ma place.

L'expression de son visage changea soudain.

— De toute façon, poursuivit-il, les nouvelles ne resteront pas secrètes bien longtemps.

Il agita deux doigts, faisant signe à Hailey de se retourner.

— Le voilà !

L'assistance s'immobilisa, l'attention focalisée sur le trio qui venait d'entrer sur scène. Un Père Noël, petit et maigrichon, flanqué de deux assistantes pour le moins dénudées, virevoltant dans des volutes de fourrure blanche.

Hailey fixait le trio, médusée.

— Eh bien, on peut dire que ton patron n'a pas du tout la même allure sans sa cravate.

Elle n'en revenait pas. Le vieil homme était torse nu sous sa veste en fourrure rouge, ce qui n'était pas le plus séduisant des spectacles. Il avait plus de soixante-dix ans, non ? Hailey jeta un coup d'œil autour d'elle. Personne ne semblait particulièrement surpris.

— Merci à tous d'être là ce soir, commença-t-il, afin de participer au bal costumé de Noël, organisé comme chaque année par les grands magasins Rudolph. Comme vous pouvez le constater, j'ai choisi de me déguiser en Père Noël, ce qui me semble tout à fait approprié puisque c'est moi qui distribue les cadeaux, ce soir.

Une salve d'applaudissements accompagna sa déclaration.

Hailey sentit ses ongles s'enfoncer dans la chair de ses paumes tant elle serrait les poings. Elle était si nerveuse qu'elle en avait des crampes dans l'estomac. Voilà, on y était. Le grand moment était arrivé.

— Cette année, au lieu d'attribuer simplement les contrats aux vainqueurs, j'ai décidé de pimenter un peu les choses et j'ai sélectionné mes deux créateurs préférés dans chaque catégorie, prêt-à-porter, chaussures et lingerie. Ces deux créateurs devront s'affronter pendant la période des fêtes de fin d'année afin de conquérir la première place et donc de se voir attribuer le contrat d'exclusivité avec mes magasins.

Hailey se sentit prise de nausée. S'affronter ? Voilà qui n'annonçait rien de bon. Elle n'était visiblement pas la seule à le penser car un concert de protestations et de sifflements s'éleva soudain dans la foule des invités.

Elle se tourna vers Jared, désemparée. Les contrats ne seraient donc pas attribués ce soir ? Mais il fallait qu'elle sache. Sans contrat, elle pouvait perdre son entreprise.

Jared ignora son regard, fixant ostensiblement son patron afin de lui faire comprendre qu'elle devait écouter.

Hailey se tourna de nouveau vers la scène, la mine renfrognée. Au lieu d'en être affecté, le vieil homme paraissait au contraire ravi des réactions qu'il venait de susciter. Un sourire malicieux flottait sur ses lèvres lorsqu'il leva la main pour réclamer le silence.

Quelques secondes s'écoulèrent avant qu'il l'obtienne.

— Bien, je ne vous ferai pas attendre plus longtemps. Voici donc les résultats et les noms des finalistes. Catégorie prêt-à-porter, annonça-t-il.

Un mannequin portant une tenue de chacun des créateurs retenus traversa la scène tandis qu'il les nommait.

Hailey avala sa salive pour chasser la boule qui s'était formée dans sa gorge. Tout partait à vau-l'eau dans sa vie et ce contrat pouvait la sauver.

Elle s'efforça de se concentrer sur les somptueux modèles de chaussures tandis que Rudy Rudolph annonçait les noms des deux finalistes de cette catégorie. Mais les magnifiques escarpins de cuir noir, délicatement cloutés de strass, ne parvinrent pas à la distraire de son angoisse.

Enfin, ce fut le tour de la lingerie. Hailey n'écouta même pas ce que disait Rudy Rudolph, son attention rivée sur le rideau derrière lequel attendaient les mannequins.

La première apparut, juchée sur des talons vertigineux, toute de cuir vêtue. Un style complètement aux antipodes de ce qu'elle faisait.

Elle fronça les sourcils, examinant de plus près le modèle. La tenue était très réussie, extrêmement érotique pour qui aimait le côté provocateur, agressif, sulfureux que pouvait revêtir la séduction.

Elle hocha la tête, sa curiosité piquée au vif. Aimait-elle ce type de séduction, elle-même ? Elle n'avait jamais eu l'opportunité de le vérifier. Une pensée traversa soudain son esprit. Le bel inconnu dans sa fourrure d'ours aimait-il le cuir, les femmes provocantes ? Mais avant qu'elle ait eu le temps de réfléchir plus avant à la question, les nœuds dans l'estomac reprenaient le dessus. Le mannequin avait disparu.

— Et maintenant, pour terminer en beauté, annonça Rudy Rudolph, Merry Widow !

Pour illustrer l'annonce, un mannequin entra, portant un ravissant ensemble de satin blanc, shorty et caraco, bordés d'un galon orné de petits boutons de roses. Une création qu'elle avait baptisée *Tendre Séduction*.

Dans sa tête, ce fut soudain comme un feu d'artifice, une explosion de lumière et de joie. Son cœur battait à tout rompre.

— Oh, mon Dieu, mon Dieu, mon Dieu ! s'exclama-t-elle, dansant littéralement sur place.

Elle se jeta dans les bras de Jared.

— J'ai réussi. Je l'ai fait !

Elle avait été sélectionnée. Elle avait donc toutes ses chances, à présent.

Une heure plus tard, elle était encore tout étourdie de bonheur. On ne lui proposait pas encore un contrat, mais elle n'avait pas essuyé de refus. La vie lui avait appris très jeune à se satisfaire de ce qu'elle lui donnait.

— C'est fantastique, s'écria-t-elle.

Depuis l'annonce faite par le Père Noël Rudy Rudolph, les gens se succédaient pour la féliciter. C'était génial. Mais ce qui l'était plus encore, c'était les compliments qu'on lui adressait sur ses créations dont les croquis étaient exposés un peu partout dans la salle.

Elle avait l'impression d'être une rock star.

— Je suis ravi pour toi. Je regrette seulement qu'il ne s'agisse pas d'une réponse définitive, dit Jared, le visage inhabituellement grave. Je sais à quel point tu as besoin de ce contrat. J'ai pesé de tout mon poids en ta faveur, mais Rudy s'est mis en tête cette idée farfelue d'une compétition. Selon lui, cela serait nettement plus drôle et rapporterait davantage de publicité. De toute façon, il donnera sa réponse définitive avant le 1er janvier. Il y est contraint pour des raisons de marketing.

Quel genre de publicité ? songea Hailey. A quelle échelle ? Cela lui amènerait-il de nouveaux clients ? Peut-être la possibilité de voir ses modèles figurer dans les pages de quelques magazines de mode.

Elle sentit son cœur s'emballer de nouveau.

— En fait, dit Jared d'un air pincé, je crois qu'il a vraiment improvisé. Nous nous attendions tous à ce qu'il choisisse un seul créateur dans chaque catégorie. Mais, vendredi, il a discuté avec un gourou du marketing qui l'a visiblement convaincu qu'en termes de promotion il avait tout intérêt à créer un événement plutôt que d'annoncer platement son choix.

— Qui prend la décision finale ? demanda Hailey.

Jared eut un haussement d'épaules. Il l'ignorait, ce qui de toute évidence l'agaçait beaucoup.

Hailey s'apprêtait à lui poser une autre question lorsqu'un fringant individu, en costume de renne agrémenté d'un énorme nœud papillon écossais, les rejoignit.

— Félicitations, mademoiselle North. Je suis Trent Lane, le photographe des magasins Rudolph. Je suis très heureux de vous savoir dans la compétition. J'ai pris des clichés de chacun de vos modèles et je vous avoue que votre ligne de lingerie est de loin ma préférée.

— Vraiment ?

— Oui, absolument. Pour moi, elle est l'incarnation même de la féminité et de la séduction. Elle est à la fois raffinée et très sexy et son côté rétro évoque irrésistiblement les photos anciennes aux tons sépia.

Hailey était aux anges.

— Moi aussi, c'est ma ligne de lingerie préférée, dit Jared. Je l'ai dit dès que je l'ai découverte. Elle est parfaite et tout à fait dans l'air du temps. La nouvelle collection pour le printemps prochain mélange nostalgie et passion romanesque. Elle exalte une femme à la fois délicieusement sentimentale et très sûre d'elle.

Hailey sourit. Se rendait-il compte qu'il venait de décrire très exactement le message qu'elle voulait faire passer ?

— Pour toile de fond, du satin lilas, un parterre de fleurs. Imaginons un canapé, du type méridienne en velours, sur lequel viendrait s'allonger notre mannequin…, commença Trent, imaginant déjà le décor du défilé.

— Oui, parfait, dit Jared, emballé. Et le canapé arriverait sur le podium porté par quatre esclaves sexuels tout en muscles.

— Non, cela n'a rien de romantique, rétorqua Trent, rejetant cette option. Rudy tient absolument à être à la pointe de la tendance, cette saison. Si tu lui parles d'esclaves sexuels, il pourrait être tenté de faire entrer les modèles en résille de Cassie Carver dans sa ligne de prêt à porter.

Hailey préférait ne pas y penser. Les modèles avant-garde de Cassie, bien que très créatifs, ne pourraient absolument pas mettre en valeur sa lingerie. Ils seraient nettement plus en accord avec la ligne de cuir de chez Milano.

Brusquement, tout se compliquait et Hailey prenait conscience que tous les choix allaient devoir s'harmoniser au service d'une collection de printemps cohérente.

— De toute façon, même si Rudy se laissait séduire par ta

mise en scène, le service du marketing ne lui donnerait pas le feu vert, dit Trent. Les responsables ne manqueraient pas de lui rappeler le chiffre des ventes catastrophique réalisé la dernière fois que la résille a dominé dans les défilés.

Hailey poussa un ouf de soulagement. C'était un bon point en sa faveur. Restait maintenant à jouer fin et collecter le maximum de renseignements pour décrocher le contrat.

Elle retint son souffle, espérant que les deux hommes oublieraient sa présence et dévoileraient quelques informations internes qui pourraient lui être utiles.

— En tout cas, si Rudy veut que Cherry Bella présente sa collection de printemps, c'est la ligne Merry Widow qu'il doit choisir, conclut Jared. Elle sera parfaite sur elle.

Ses créations ? Parfaites ? Cherry Bella ? Hailey faillit sauter de joie.

— Elle serait superbe aussi en Milano, répondit Trent. En fait, tout dépendra de ce que Cherry Bella aura envie de porter. J'imagine que ce sera à elle que reviendra la décision finale.

— Rudy doit d'abord la faire signer. Et jusqu'à présent, elle ne semble pas du tout intéressée.

Trent jeta un rapide coup d'œil autour de lui, vérifiant que personne ne les écoutait.

— J'ai entendu dire que Rudy était prêt à tout pour y parvenir. Il lui a promis la lune, paraît-il. Mais à l'heure qu'il est, elle n'a toujours pas dit oui. Tout est entre les mains de son agent, maintenant.

Trent hocha la tête, ses oreilles de renne battant la mesure.

— Celui qui amènera Cherry Bella à Rudy aura gagné le jackpot.

Hailey sentit un frisson d'excitation la parcourir. Elle imaginait déjà la grande et sculpturale jeune femme rousse portant sa lingerie. Cherry avait débuté dans le métier par la chanson, puis dernièrement elle s'était lancée dans la carrière de mannequin et avait interprété quelques petits rôles au cinéma. Hailey savait que ses créations féminines lui iraient comme si elles avaient été faites pour elle.

Il ne lui restait plus qu'à la convaincre d'accepter.

Pour cela, elle s'adresserait directement à son agent et lancerait une opération de charme pour le ou la persuader que ses modèles iraient à la perfection à sa cliente.

— Les autres créateurs sont-ils au courant pour Cherry Bella ? demanda-t-elle, sortant soudain de sa réserve.

— A moins qu'ils n'aient tenté de baratiner le personnel de Rudy, je doute qu'ils soupçonnent ce qui se passe.

Jared partit d'un petit rire sarcastique.

— Ce qui signifie qu'ils ne savent rien, expliqua-t-il devant l'air surpris d'Hailey. Tes concurrents sont tous des créateurs déjà bien établis. Contrairement à toi, ils ont tous des ego surdimensionnés et je peux te dire qu'aucun d'eux ne songerait à fraterniser avec le personnel. S'ils s'adressent à quelqu'un, c'est à Rudy et à personne d'autre.

Hailey scruta la foule des invités à la recherche des mannequins vêtus de lingerie qui faisaient le tour de la salle. Elle aperçut soudain une jolie blonde portant une de ses nuisettes. Le coton se mouvait, léger, aérien, bordé de petites vagues de dentelle. Les boutons de nacre qui ornaient le devant accrochaient la lumière tandis qu'à chaque pas le léger vêtement venait souligner le corps parfait de la jeune femme.

Hailey poussa un soupir. C'était un si joli modèle, si romantique. Elle l'imaginait déjà chez Rudolph, surtout si c'était Cherry qui devait en être l'égérie.

Elle ne voulait pas se faire trop d'illusions, mais une petite voix dans sa tête imaginait déjà la victoire.

— Je suis surprise que l'agent de Cherry ne soit pas encore parvenu à la convaincre de travailler avec Rudolph, hasarda-t-elle. Un contrat avec lui la propulserait immédiatement sur la scène internationale, vous ne croyez pas ?

— C'est certain, acquiesça Jared. Nous ne comprenons pas très bien où est le problème. Rudy s'arrache les cheveux avec cette histoire.

— Je crois que c'est une question d'agence. Dans la sienne, tous les agents travaillent ensemble pour chaque client. Les décisions se prennent par consensus. Nous ne savons même pas quel est l'agent qui se trouve ici, ce soir. Homme ou femme, personne n'en a la moindre idée, se plaignit Trent. Comme je l'ai déjà dit, pour celui qui parviendra à la faire signer, ce sera bingo !

Un mannequin en guêpière de cuir et bas résille rouges passa près d'eux, attirant soudain son attention. Il réajusta son nœud papillon et adressa un petit sourire distrait à Jared et Hailey.

— Je crois que je vais aller faire un peu de charme à ces mannequins et tenter de savoir s'il y en a parmi elles qui sont représentées par la même agence que Cherry.

L'instant d'après, une petite lueur concupiscente dans le regard, il s'éclipsait.

— Alors, qu'en penses-tu, tu crois que j'ai une chance ? demanda aussitôt Hailey.

Elle scruta la foule du regard, comme si l'agent allait brusquement s'en distinguer par on ne sait quel miracle. Si seulement elle parvenait à le trouver, elle lui présenterait ses modèles, tenterait de le convaincre. S'il se montrait enthousiaste, elle aurait déjà un pied dans la place et peut-être la garantie que le marché se conclurait.

Tout émoustillée, elle scruta de nouveau la foule des invités. Son regard se posa sur Trent qui avait apparemment abandonné l'idée de séduire la jeune femme en cuir et résille et se trouvait en grande conversation avec… l'ours en peluche !

Elle sentit son pouls s'accélérer soudain. Il avait rabattu la capuche de son costume et elle aperçut ses magnifiques cheveux noirs, souples et brillants, dans lesquels se reflétaient les petites lumières bleues et blanches du sapin de Noël près de lui.

Elle sentit un délicieux frisson la parcourir, les pointes de ses seins se dresser contre le satin de son bustier. Mon Dieu, il lui suffisait de poser les yeux sur ce bel inconnu et elle se sentait plus excitée qu'elle ne l'avait jamais été par aucun homme. Et encore elle ne le voyait que de loin.

Le souffle soudain un peu court, elle songea combien elle aimerait le débarrasser de cet horrible costume et découvrir le corps qui se cachait dessous. Se pouvait-il qu'il soit aussi séduisant qu'elle l'imaginait ? Mince et musclé à la fois, solide, avec des épaules larges auxquelles elle pourrait se cramponner tandis qu'elle le chevaucherait, ivre de désir, telle une amazone déchaînée ?

Ce soir, elle avait franchi une étape importante dans l'obtention du contrat, ne méritait-elle pas une petite récompense ? Pouvait-elle oser ? Aller lui parler ? Lui demander son avis, pourquoi pas ? Cuir ou dentelle ? Romance ou passion sauvage ?

Hailey avait les joues en feu. Elle termina d'un trait sa flûte de champagne, en saisit une nouvelle au passage d'un serveur, espérant que les bulles calmeraient le feu qui couvait en elle.

— Hailey, chérie, dit soudain Jared. Que se passe-t-il ? Je te mets au courant de ce qui se trame dans les coulisses chez Rudolph et toi, tu ne me réponds même pas. Je peux savoir ce qui t'absorbe à ce point ?

Hailey n'avait aucune envie d'admettre l'inconcevable réalité. Qu'un homme qu'elle n'avait vu que de loin, ridiculement déguisé en ours, la mettait dans tous ses états.

Elle se tourna vers Jared, l'air désolé, et mentit.

— Je me demandais seulement si cet homme avec lequel Trent est en train de parler ne serait pas l'agent de Cherry.

Jared se pencha, jeta un coup d'œil en direction du bar.

— Je n'en ai pas la moindre idée. Ceci dit…, ajouta-t-il, d'un air soudain très intéressé, j'irais volontiers vérifier.

Hailey se tourna vers le bar, curieuse de voir ce qui suscitait cette réaction.

Elle faillit tomber à la renverse.

Oh ! mon Dieu…

Son pouls s'affola. Le sang se mit à battre dans ses tempes. L'inconnu était sublime.

Ses cheveux noir corbeau encadraient un visage qui aurait fait le bonheur d'un peintre de la renaissance italienne. Un visage à la fois viril et racé, mâchoire volontaire, bouche admirablement dessinée, lèvres pleines et sensuelles. Et un regard…

Elle était trop loin pour définir de quelle couleur étaient ses yeux, mais c'étaient incontestablement les plus magnétiques qu'elle ait jamais vus.

Et en cet instant, pour la première fois de son existence, Hailey n'aurait su dire ce qu'elle désirait le plus : le contrat et le succès ou cet homme superbe à l'autre extrémité de la salle.

- 2 -

— Cette soirée est d'un ridicule, déclara Gage, jetant un regard courroucé à ses gros gants de fourrure posés sur le bar.

Puis il se tourna de nouveau vers son cousin.

— Et toi, tu es chargé de me surveiller. Tu as perdu un pari ou quoi ?

— Non. En l'occurrence, il s'agirait plutôt d'un petit chantage, rétorqua Trent.

Il suivit des yeux une jolie blonde toute en jambes et poussa un soupir de regret.

— Crois-moi, si j'avais le choix, il y a longtemps que je serais parti.

— Et moi donc ! rétorqua Gage.

En d'autres circonstances, il aurait certainement apprécié une soirée comme celle-ci. C'était un véritable terrain de jeu pour un célibataire. Du champagne, de jolies filles, et un public suffisamment éclectique pour être assuré de ne pas s'ennuyer.

Malheureusement, il avait dû se plier à l'obligation de se déguiser en personnage de Noël. Il n'avait jamais rien vu d'aussi stupide.

Et voilà comment il s'était retrouvé là, engoncé dans ce costume ridicule dans lequel il étouffait. On avait beau être en décembre, il ne faisait jamais suffisamment froid à San Francisco pour rendre la chose supportable.

— Je me demande comment tu as pu te laisser piéger de la sorte, dit Trent, se dévissant le cou pour suivre des yeux un joli petit postérieur tout habillé de cuir.

Gage reconnut vaguement le modèle. Il s'agissait d'une

création de chez Milano. *Sexy motorgirl.* C'était le nom que lui avait donné Devon. Absurde, vraiment. Le modèle était provocant à souhait et le message très clairement érotique. Mais qui portait de la lingerie en cuir ?

Gage balaya la salle du regard, jaugeant les réactions. De nombreuses personnes regardaient avec intérêt les modèles. Mais les tenues qui semblaient focaliser le plus d'attention évoquaient celles que l'on voyait sur les photos des années quarante, des modèles rétro en satin et dentelle, légers et vaporeux. Le genre de tenues que l'on qualifierait d'élégantes, sans doute, songea Gage. Distinguées. Très classe.

Remarquant qu'elle avait attiré son regard, une grande brune vêtue d'un body en dentelle et d'un long peignoir vaporeux en satin blanc lui lança un regard aguicheur avant de s'arrêter pour échanger quelques mots avec l'une des convives. Puis elle poursuivit sa route.

Mais Gage oublia aussitôt le modèle. Son regard restait fixé sur la jeune femme à laquelle la grande brune venait de parler.

Salut, toi, songea-t-il, sa curiosité piquée au vif pour la première fois depuis le début de la soirée.

Il se redressa. Elle était blonde, extrêmement jolie, et une étrange douceur semblait émaner d'elle. Les femmes qui lui plaisaient étaient généralement des brunes piquantes, sensuelles et cyniques. Alors, pourquoi s'intéressait-il brusquement à quelqu'un d'aussi différent ?

Elle était sexy, certes, mais malgré un costume très séduisant, tout droit inspiré de la lingerie rétro justement, elle n'en gardait pas moins une allure très sage. Les femmes qui l'attiraient avaient d'ordinaire un côté nettement plus sulfureux.

Et pourtant, il n'avait qu'une envie, traverser la pièce, l'enlever pour l'emmener loin d'ici et la séduire, découvrir ce qu'elle cachait sous ces jolies dentelles.

Il poussa un soupir. Visiblement, il n'était plus lui-même. A croire que la surcharge de travail de ces derniers mois ainsi que cette tenue ridicule lui montaient au cerveau.

— Gage ?

— Hum.

Il jeta un dernier regard à la jeune femme pour s'assurer qu'elle n'était vraiment pas son genre et se tourna vers son cousin.

— Oui ?

— Je te demandais comment tu avais pu te laisser embarquer dans cette soirée. Je te croyais en vacances.

— Marcus m'a encore fait le coup de l'extrême urgence. Il veut signer avec Rudolph pour le lancement de sa collection de lingerie.

Gage n'avait pas l'intention de parler du pari ridicule perdu avec son frère. L'humiliation que représentait le costume était suffisante.

Habitué aux lubies de son oncle, Trent ne parut pas surpris.

— Tu as ta propre start-up, tu réussis très bien et tu détestes travailler avec ton père. Pourquoi ne démissionnes-tu pas ?

Bonne question.

— Ce n'est pas si simple. Et je n'ai pas envie d'en discuter dans une soirée où la plupart des gens sont en sous-vêtements et où je suis pour ma part coincé dans un costume d'ours !

Ni dans cette soirée ni ailleurs, en fait. Il n'avait pas envie d'en parler du tout.

Non pas parce qu'il s'agissait de sa vie privée, mais parce qu'il ne le savait pas véritablement lui-même.

L'argent était un élément déterminant dans l'histoire. Il avait vu pas mal de gens ayant très bien réussi faire faillite lorsqu'ils avaient voulu se lancer seuls.

La loyauté était également un facteur important. Gage avait beau détester la façon dictatoriale dont Marcus Milano dirigeait l'entreprise, elle n'en demeurait pas moins une affaire de famille, fondée par son grand-père. Aussi loin qu'il s'en souvienne, son père avait toujours proclamé que Milano devait être dirigée par les Milano et qu'ils devaient tous, unanimement, contribuer à sa réussite. Tant et si bien que si quelqu'un décidait d'en partir, il était définitivement banni. Banni de l'entreprise, du conseil d'administration et dans le cas de l'oncle de Gage qui avait fait ce choix, déshérité et mis à l'écart de la famille.

Et puis, il y avait cette fameuse compétition avec Devon. Devon avait gagné une bataille, ce soir, mais pas la guerre. Lui, il triompherait de son frère avec éclat. Lorsqu'il se lancerait seul, sa start-up serait plus grande, plus solide, plus florissante que toutes celles de Devon réunies.

Gage hocha la tête. Il n'était pas particulièrement fier des pensées qui lui traversaient l'esprit.

Distraction parfaite, la jolie blonde capta de nouveau son attention. Elle était à la fois adorable et très excitante, avec des yeux immenses qui illuminaient son visage, des pommettes rondes, une bouche aux lèvres pleines, sensuelles et d'un rouge aussi éclatant que ses bas. Son regard glissa vers ses jambes longues et fines. Les bas rouges et les bottines blanches évoquaient les couleurs des sucres d'orge, délicieuse image renforcée par le bustier rayé qui faisait pigeonner ses seins.

Gage ne put retenir un petit soupir admiratif.

Cette jolie blonde ne cadrait pas avec cette soirée.

Son costume, oui. Son personnage de Noël aussi.

Mais elle, elle semblait bien trop douce pour naviguer dans la jungle de ce genre de lieu.

Si douce qu'il avait envie de l'inviter à une petite soirée privée. Une soirée au cours de laquelle il pourrait laisser ses lèvres effleurer sa gorge, ses seins, à l'endroit précis où ils émergeaient du bustier de satin, ronds et doux, afin de vérifier si sa peau avait un goût aussi enchanteur qu'il y paraissait. Comme une friandise de Noël.

— Devon m'a donné des instructions que je dois impérativement suivre, figure-toi, marmonna Trent, plutôt mal à l'aise, arrachant Gage à sa contemplation.

— Très bien, tu as joué ton rôle, pris sans doute des photos que mon frère se fera un plaisir de publier sur Facebook et tu as pu vérifier que je suis resté jusqu'à l'annonce des résultats.

Gage était encore agacé. Tout ce qu'il avait pu gagner, ce soir, c'était d'être en compétition pour le contrat Rudolph. Malgré la présentation brillante qu'il avait faite au chef d'entreprise, ce dernier n'avait pas voulu écarter les autres créateurs de lingerie qui avaient retenu son attention.

— J'ai rempli mon contrat, il est temps pour moi de partir. Ce costume ridicule marque la fin de ma mission.

— Certes, je devais attendre les résultats et m'assurer que tu étais bien là, reprit Trent. Mais ce n'est pas tout. Si Milano demeurait dans la course pour le contrat, j'avais pour instruction de te proposer un nouveau pari, annonça-t-il, non sans appréhension.

Gage éclata de rire si fort qu'une bonne partie des regards se tournèrent vers eux.

— C'est à croire que ce chapeau de renne t'a endommagé le cerveau. Tu penses réellement que je vais accepter un nouveau pari de la part de Devon ?

— Ecoute, sois sympa, supplia Trent. Tu sais très bien qu'il va me mener une vie d'enfer si je ne vais pas jusqu'au bout de ma mission.

Trent sortit une enveloppe de sa poche. Une enveloppe épaisse et noire. Devon avait sans doute voulu jouer sur le côté énigmatique, vaguement menaçant. Il en faisait un peu trop, décidément.

Trent la lui tendit. Voyant qu'il ne réagissait pas, il la posa sur le bar avec un petit haussement d'épaules.

— Ma mission consistait à te remettre cette enveloppe si tu étais intéressé par le pari.

— Tu me l'as remise mais je ne suis pas intéressé.

— Mission accomplie, néanmoins, conclut Trent, soulagé.

Maintenant qu'il était libre, il pensait davantage à attirer l'attention des jeunes femmes à demi vêtues qui passaient devant eux plutôt qu'à faire changer Gage d'avis.

— J'informerai Devon que tu es au courant des termes du pari. Je compte sur toi pour lui dire que je t'ai fourni toutes les informations, d'accord ? Il m'a promis de brûler les photos de… Rien. Désormais, ce qu'elles représentent n'a plus la moindre importance.

Vu le large sourire qu'arborait Trent, la preuve dont Devon

s'était servi pour le faire chanter portait probablement une alliance. Et il suffisait que Trent lui remette cette enveloppe pour que la preuve disparaisse ?

Gage fixa l'enveloppe, les sourcils froncés. Son frère n'était pas du genre à se débarrasser aussi facilement d'un document compromettant. C'était un homme prévoyant qui estimait que ce genre de matériel pouvait servir plus d'une fois.

En conclusion, quel que soit le plan élaboré par Devon, l'enjeu devait être de taille.

— Attends, lança Gage, la mâchoire crispée.

Il attrapa l'enveloppe, déchira l'épais papier noir et parcourut rapidement la feuille qu'elle contenait. Etait-ce possible ? Il n'en revenait pas. Encore sous le choc, il lut une seconde fois pour s'assurer que son séjour prolongé dans cette satanée fourrure n'avait pas altéré ses facultés de compréhension.

Il avait bien lu.

— Devon est prêt à me laisser partir ?

Trent se rapprocha pour lire à son tour et haussa les épaules.

— C'est ce qui est écrit. Et il m'a dit de t'assurer qu'il ne s'agissait pas d'une entourloupe.

Devant la mine dubitative de Gage, Trent prit son air le plus sérieux. Un air qui, finalement, allait assez bien avec son nœud papillon.

— Il ne m'a pas donné de détails, il m'a seulement précisé ce que je devais te dire si tu ouvrais l'enveloppe.

— Tu lui sers de perroquet ou quoi ?

Trent fit la grimace et secoua la tête.

— Alors, tu acceptes le pari ?

Gage considéra un instant les tenants et aboutissants de la situation.

Méfiant comme il l'était, Marcus Milano n'avait pas seulement menacé de rompre tout contact avec ses fils si jamais ils s'avisaient de vouloir partir, il les avait liés par contrat à l'entreprise.

Mais si Gage décrochait le contrat d'exclusivité avec Rudolph, son frère s'engageait à ce qu'il bénéficie d'une année entière de liberté. Payée à temps complet. Il pourrait faire ce qu'il voulait sans perdre son filet de sécurité et ce, dégagé de toute obligation familiale. En échange, il lui suffisait de décrocher le marché pour la lingerie Milano.

— A présent, tu vas me dire ce que je dois faire pour remporter la compétition, j'imagine, reprit Gage.

— Pourquoi ? Tu ne disposes pas de photos de moi dans une situation compromettante, que je sache ?

Gage se redressa imperceptiblement et fixa Trent, un sourcil levé. Le sourire de ce dernier s'évanouit.

— Ecoute, je ne suis au courant de rien. Le peu que je sais vient de rumeurs. Des rumeurs internes à l'entreprise, donc je ne peux rien dire. Tes petits jeux avec Devon ne méritent pas que je prenne le risque de perdre mon travail.

Gage continua de le fixer, imperturbable.

— Si je gagne ce pari, je serai parti un an, dit-il, songeant à tout ce que cela signifiait pour lui.

Une année entière loin de Milano. Une année pour voyager sans avoir à compter. Une année sans conseil d'administration, sans réunion de « Recherche et Développement » ni réunion du personnel. Rien. Il n'y aurait que lui, seul, et ses propres affaires.

Il jeta un coup d'œil à son cousin. Oui, il avait envie que ce rêve se réalise. Il en avait envie au point d'accepter ce pari et de faire grimper les enchères.

— Je serai parti un an, répéta-t-il. J'ai deux possibilités. Je laisse ma Corvette au garage ou je la confie à quelqu'un qui saura s'en occuper.

— Ta Corvette ?

Le regard de Trent s'illumina. Il se voyait déjà au volant. Puis il secoua brusquement la tête, pensant que c'était une blague.

— Tu ne feras jamais ça.

— Si.

Une seconde plus tard, son cousin lui serrait la main pour sceller leur accord.

Tout le monde pouvait être acheté dans ce monde.

Trent bafouilla quelque chose au sujet d'une chanteuse, d'un vieil homme totalement obsédé par elle.

— Si je comprends bien, résuma Gage, celui qui parviendra à convaincre cette chanteuse de porter sa gamme de lingerie décrochera le contrat.

Trent acquiesça d'un signe de tête.

— Exactement. Tu persuades Cherry Bella de porter du Milano et l'affaire est dans la poche.

Et le pari gagné, songea Gage.

— Et tu prétends que son agent est présent ici, ce soir ?

— C'est ce que j'ai entendu dire.

Gage réfléchit un instant, puis il regarda de nouveau la très séduisante jeune femme blonde, à l'autre extrémité de la salle.

Il n'y avait qu'une seule personne qui détonnait ici, qui ne semblait pas à sa place au milieu de cet aréopage de créateurs excentriques et de mannequins narcissiques.

S'il avait à deviner qui était l'agent de Cherry Bella, et il avait visiblement tout intérêt à le faire, c'était elle qu'il choisirait.

Et maintenant qu'il l'avait trouvée, il ne lui restait plus qu'à lui faire du charme pour la convaincre de choisir Milano pour sa cliente.

Ce serait facile, décida-t-il.

Et en prime ?

Il battrait son frère.

Il gagnerait une année entière de liberté.

Et il passerait du bon temps avec une jolie blonde extrêmement attirante.

Tout bien considéré, cette soirée n'était pas aussi stupide qu'il l'avait pensé.

Hailey avala sa salive.

L'ours se dirigeait vers elle.

Elle ne comptait plus le nombre de flûtes de champagne

qu'elle avait bues. Suffisamment, en tout cas, pour avoir la tête qui tournait. Mais le trouble qui l'assaillait en cet instant n'avait rien à voir avec l'alcool et tout à voir avec cet homme.

Cet homme au charme totalement dévastateur.

— Trent a la tête de celui qui vient de gagner le gros lot. Je vais aller voir ce qui se passe, déclara Jared.

Il n'avait rien remarqué du trouble d'Hailey, du rouge qui était brusquement monté à ses pommettes.

— Je parie qu'il a découvert qui est l'agent de Cherry.

— C'est ça, vas-y, répondit Hailey, l'encourageant d'un petit geste de la main.

Oh, mon Dieu, songea-t-elle lorsque le bel inconnu s'arrêta à sa hauteur.

Il était encore plus séduisant de près. Une barbe naissante ombrait sa mâchoire et elle ne put s'empêcher de se demander s'il faisait partie de ces hommes dont le torse était couvert d'une douce toison. Elle avait toujours rêvé d'en rencontrer un, de pouvoir caresser ses muscles fermes et chauds, enfouir ses doigts dans la toison soyeuse, y nicher son visage.

Elle sentit un petit fourmillement au bout de ses doigts tant son envie était grande de faire glisser la fermeture Eclair de son costume et de vérifier par elle-même.

— Bonsoir, dit-il, lui adressant un sourire à tomber à la renverse.

Il avait des yeux sombres. Si sombres qu'ils paraissaient presque noirs sous la longue frange de cils et l'arc viril des sourcils. Il la fixait d'un regard si intense qu'elle eut aussitôt envie de vérifier si quelque chose n'allait pas dans son visage ou sa tenue.

— Bonsoir, répondit-elle, lui souriant à son tour.

— Gage, dit-il d'une voix douce, lui tendant la main.

Elle y glissa la sienne, aussitôt enveloppée dans la chaleur de son étreinte, ferme et troublante.

— Hailey, dit-elle à son tour, presque dans un souffle.

Le contact de sa paume était si doux qu'elle n'avait qu'une envie, ne plus jamais ôter sa main.

Ce soir, elle n'éprouvait rien de la nervosité qui était habituellement la sienne lorsqu'elle rencontrait un homme séduisant, désirable. C'était probablement à cause du champagne, mais elle n'en avait pas bu au point de se laisser aller à quelque acte inconsidéré, comme de baisser cette fermeture Eclair si tentante, là, en plein milieu de la réception.

— Comment trouvez-vous cette soirée ? demanda-t-il, penchant légèrement la tête en direction de la salle, le regard plongé dans le sien.

C'était comme s'il pouvait lire dans son âme, y découvrir ses secrets le plus profondément enfouis. Ses rêves, ses fantasmes, ses peurs. C'était à la fois troublant et effrayant.

— C'est une soirée très réussie, dit-elle, retrouvant sa verve. Je pensais amusante l'idée des déguisements en personnages de Noël, jusqu'à ce que je croise ce bonhomme de neige affublé de deux boules de Noël bien apparentes, placées vous imaginez où !

Aussitôt, Hailey se rendit compte de ce qu'elle venait de dire et rougit, gênée.

Le séduisant Gage se mit à rire. Un rire franc et profond qui ramena le sourire sur ses lèvres. Elle l'observa. Son regard avait changé. Il s'était radouci. Il n'avait rien perdu de son magnétisme, mais il semblait réel, à présent, pas seulement une sorte de fantasme surgi pour la libérer de toutes ses inhibitions, mais un homme étrangement attirant qui lui donnait envie de s'en libérer elle-même.

— Il est sans doute inutile que je vous demande si ce que vous avez vu ce soir vous a divertie, dit-il d'un air amusé.

Un mouvement de l'autre côté de la salle attira brusquement l'attention d'Hailey. Elle aperçut Jared se dirigeant vers la porte, flanqué de Trent et de Rudy Rudolph. Il avait l'air dans tous ses états. Il fit un petit signe discret dans le dos de son patron, agitant la tête vers elle. Soit il tentait de lui faire passer un message, soit on était en train de l'emmener de force.

Hailey s'efforçait de deviner ce qu'il voulait dire. C'est alors qu'elle se rendit compte qu'il désignait Gage et articulait quelque chose qu'elle était censée lire sur ses lèvres. Mais elle ne voyait pas du tout ce qu'il voulait dire et eut un petit haussement d'épaules désemparé. Il leva les yeux au ciel et porta alors la main à son oreille, pouce et auriculaire tendus.

Elle avait compris cette fois. Il fallait qu'elle l'appelle.

Juste au moment où il allait disparaître, il agita les doigts en direction de Trent.

— Vous tentez de retrouver le bonhomme de neige ? demanda Gage en plaisantant.

— Non, bien sûr. Je suis désolée, dit-elle, c'est toute cette ambiance. On se croirait au cirque, mais à la place des fauves et des chevaux on a un étrange défilé de mode.

— Et vous ne faites pas dans l'étrange ?

Hailey haussa les sourcils, surprise. Cela sonnait comme un reproche.

— Pourquoi ? Je devrais ?

— Non. Etrange signifie bien souvent déroutant, incompréhensible. Et je ne suis pas particulièrement fan de ce qui est incompréhensible.

— Hum… J'ai l'impression que vous n'aimez guère les fêtes. Je me trompe ? demanda-t-elle en désignant son costume.

Il la fixa un instant, puis embrassa la salle du regard, les décorations et les arbres de Noël flamboyants.

— Elles ne me posent pas de problèmes en soi, répondit-il.

Il avait dit cela lentement, en pesant chaque mot, comme s'il voulait lui faire comprendre qu'il prisait particulièrement l'honnêteté. Peut-être lui arrivait-il de contourner la vérité, de refuser de répondre, mais s'il répondait il semblait évident qu'on pouvait le croire sur parole.

Hailey appréciait particulièrement ce genre d'intégrité. Elle trouvait cela très séduisant chez cet homme. Autant que son superbe sourire, mais peut-être pas autant que son corps, tout de même. Enfin, elle pensait cela, mais qu'en savait-elle après tout ?

— Il y a certains aspects des fêtes qui ne vous emballent

pas, c'est ça ? demanda-t-elle, s'efforçant de rester concentrée sur le sujet et de cesser de le déshabiller du regard.

— En effet, mais pour avoir les avantages il faut aussi accepter les inconvénients.

— Et dans la liste des avantages, que mettriez-vous ?

— La nourriture, annonça-t-il, désignant une serveuse qui apportait un plateau de ravissants cupcakes aux couleurs de Noël. En particulier les desserts.

Un homme comme elle les aimait, songea Hailey.

— Mais si délicieux que paraissent ces desserts, je parie que vous l'êtes plus encore dans votre tenue de sucre d'orge. *Che Bella !*

Hailey se sentit rougir. La voix de Gage, douce et suave, fit courir un long frisson dans son dos. Il la fixait, les yeux brûlant de désir, glissant sur son corps telle une caresse.

Elle déglutit pour chasser la boule d'émotion qui s'était formée dans sa gorge. Elle se sentait complètement dépassée par la situation, mais elle s'en moquait.

Elle avait la sensation de flotter dans un océan de désir. Un feu si intense irradiait son ventre, ses reins, qu'elle n'imaginait pas qu'il soit possible de l'éteindre. Mais elle voulait bien laisser cet homme essayer.

Soudain, ses paroles lui revinrent à la mémoire malgré son trouble.

Qu'avait-il dit ?

Bella ?

Cherry Bella ? Oh.

Les brumes de la passion se dissipèrent un instant dans l'esprit d'Hailey, le temps pour elle de comprendre.

Mais oui ! C'est ça ! C'est ce que Jared avait essayé de lui dire : Gage était l'agent de Cherry Bella. L'homme qu'il fallait persuader que ses créations étaient faites pour le mannequin.

Hailey aurait pu crier de joie.

Premièrement, elle était en demi-finale avec ses créations.

Deuxièmement, l'homme le plus attirant qu'elle ait jamais rencontré avait décidé de la séduire.

Et, maintenant, elle devait faire tout ce qui était en son pouvoir pour le rendre complètement dingue de sa lingerie ?

Décidément, cette soirée était vraiment extraordinaire.

- 3 -

— Je n'ai pas l'impression que vous soyez mannequin ou styliste, lança Hailey en regardant Gage.

Tous les stylistes de mode n'étaient pas forcément efféminés, mais cet homme était si viril, si divinement mâle, qu'elle ne l'imaginait pas passant sa vie au milieu des rubans et des dentelles. Et pas davantage s'amusant avec de la résille ou du cuir. A moins que ce ne soit dans l'intimité de sa chambre.

Gage accueillit sa remarque avec un éclat de rire.

— Oh non, lui assura-t-il, je ne suis pas mannequin et encore moins styliste.

Et il ne travaillait pas non plus pour Rudolph. Jared le lui aurait dit. Ce qui ne laissait qu'une option : il était l'agent de Cherry.

Génial.

— Vous, en tout cas, vous avez l'air d'apprécier les fêtes, poursuivit-il en désignant son costume. Et de vous y amuser. Y a-t-il quelque chose qui vous a particulièrement séduite, ce soir ?

Oui, vous, songea Hailey.

Elle s'efforça de clarifier un peu son esprit grisé par le champagne et de mettre au point une stratégie. Elle devait impérativement laisser son cœur en dehors de toute cette histoire. Il fallait qu'elle impressionne cet homme avec ses créations, sa connaissance du métier et de Cherry Bella, sa cliente. Et parce qu'il était totalement irrésistible, peut-être aussi par sa personne.

Ce n'était pas franchir les limites, si ?

Ce n'était pas comme si elle décidait de lui offrir son corps en échange d'un passe-droit avec sa cliente. Non, elle avait plutôt envie d'explorer le sien, sans jamais faire directement allusion à Cherry Bella.

— Ce qui m'a séduite ? C'est difficile à dire, répondit-elle. Il y a tellement de modèles différents à voir.

Comme si elle avait retenu autre chose que cet homme déguisé en ours et la nécessité de conquérir Cherry Bella !

— J'ai été très impressionnée par l'idée de Rudy Rudolph d'organiser un concours. C'est intéressant comme initiative, non ?

Quelque chose changea brusquement dans son regard, comme si elle avait touché un point sensible. Lequel ? Elle n'aurait su le dire.

— Avez-vous un créateur préféré ? demanda-t-il, se rapprochant soudain.

Si près qu'elle sentit son souffle balayer son front, la chaleur de son corps l'envelopper tout entière.

Elle n'osait plus bouger, mais elle n'avait qu'une envie, s'approcher plus près encore, nicher son visage au creux de son épaule et inspirer profondément, se griser de son parfum, de l'odeur de sa peau. La petite partie de son cerveau qui conservait encore un semblant de lucidité tentait de comprendre ce qui se passait en elle. Il suffisait qu'elle pose les yeux sur cet homme pour que tous ses sens s'emballent et qu'elle ne soit plus que désir.

— Hailey ?

— Hum ?

Elle fronça les sourcils, tentant de se souvenir de la question qu'il lui avait posée.

— Avez-vous un préféré ? demanda-t-il de nouveau.

Un préféré ? Un parfum d'huile de massage préféré ? Une position préférée ? L'esprit d'Hailey s'emballait déjà.

— Oh ! un créateur préféré ?

— Oui. Est-ce que l'un d'entre eux a retenu plus particulièrement votre attention ?

Il la fixait de nouveau, le regard intense.

Hailey faillit lui parler de ses créations, mais elle se ravisa.

Mieux valait le charmer d'abord, avant qu'il découvre qui elle était. De cette façon, elle pourrait l'amener tout en douceur à reconnaître que Cherry et Merry Widow représentaient l'accord parfait.

De l'année qui venait de s'écouler, elle avait retenu une chose importante : dès que les gens sentaient que vous aviez quelque chose à leur vendre, ils étaient sur la défensive.

Elle enveloppa un instant du regard son visage si séduisant et poussa un soupir. Non, pas question. Son objectif devait être, avant toute chose, de le rendre réceptif à ce qu'elle avait à vendre.

— Beaucoup de créations sont intéressantes ce soir. Je pense qu'il serait très amusant d'essayer de voir à qui chacune d'entre elles correspondrait le mieux.

Hailey était très contente d'elle, de la finesse de son attaque, sorte de message subliminal. Elle semait des petits cailloux et il n'aurait plus qu'à les suivre.

— C'est là la clé d'un modèle réussi, non ? Qu'il mette en valeur le corps, la personnalité de la personne qui le porte.

— Vous croyez sérieusement qu'il existe une personne faite pour chacun des modèles présentés ce soir ? demanda-t-il, haussant la voix.

L'orchestre s'était mis à jouer plus fort, accompagnant les premiers danseurs qui se lançaient sur la piste.

Il suivit du regard un mannequin vêtu d'un corsaire de couleur criarde et d'un haut en satin froissé et haussa les sourcils, dubitatif.

— Je crois qu'il existe un partenaire idéal pour toute personne et pour toute chose, répondit Hailey.

Elle s'en voulut aussitôt, craignant que son enthousiasme soit mal interprété et qu'il ne voie en elle qu'une femme frustrée, en mal d'amour et de serments. Alors qu'elle ne songeait qu'à se retrouver nue dans ses bras, curieuse de savoir ce qui se passerait lorsqu'ils s'écrouleraient, épuisés, en nage, à l'issue d'un fougueux corps à corps.

Que lui arrivait-il ? Hailey était sous le choc. Ce désir fou qui embrasait son corps, ces pensées démentes qui assaillaient son esprit… Elle ne se reconnaissait plus.

Elle leva la main, pressa ses doigts à sa tempe comme pour stopper ce flot de fantasmes débridés, retrouver la jeune femme sage, un peu inhibée qu'elle était. C'était promis, elle ne boirait plus de champagne.

— Je me demande quel type de lingerie vous conviendrait le mieux, lança alors Gage d'un ton léger.

Mais l'expression de son visage, l'intensité de son regard firent accélérer son pouls. Chaque parcelle de son corps sembla s'embraser, tel un feu attisé par le vent.

Au diable la raison et le retour à la sagesse ! C'était tellement plus excitant de se laisser aller.

Ce qui lui conviendrait à la perfection ? Un homme qui serait là pour elle, qui aurait envie de partager sa vie et pas seulement de vivre une parenthèse agréable. La perfection, c'était un amant fabuleux, un soutien inconditionnel, une confiance totale en ses capacités et suffisamment d'amour pour avoir envie de s'engager profondément et faire partie de son monde.

Mais ça, ce n'était pas pour tout de suite.

Ce soir ? Ce soir, la perfection, c'était un homme déguisé en ours.

L'expression de Gage changea brusquement, comme s'il avait deviné ses pensées. Et de séducteur, son sourire se fit distant. Il la fixait, comme s'il fouillait dans les recoins les plus secrets de son âme, ceux qu'elle cachait, y compris à elle-même.

Lisait-il véritablement en elle lorsque son regard se faisait profond et pénétrant, comme en cet instant ? Savait-il qu'elle se demandait s'il ne serait pas le type d'homme qui lui conviendrait ? Ou était-il du genre à s'enfuir à toutes jambes s'il entrevoyait soudain qu'une femme attendait davantage qu'une simple relation professionnelle ?

Hailey n'eut pas le loisir de s'interroger plus avant. La piste de danse venait d'être prise d'assaut par la cohorte des mannequins qui se déhanchaient déjà à un rythme endiablé.

Gage se détourna pour les regarder, donnant à Hailey l'opportunité de reprendre un peu ses esprits.

— Voilà qui est distrayant ! s'exclama-t-il en riant.

En effet, plusieurs mannequins, emportés par la danse, se tenaient la poitrine, de crainte qu'elle ne s'échappe de leur petit haut, bustier ou caraco.

— C'est de la folie ! renchérit Hailey, amusée, mais aussi très impressionnée.

Folie ou pas, ses modèles étaient superbes, portés par ces mannequins. Ils étaient à la fois féminins et sexy et elle était ravie de voir que sa lingerie était du plus bel effet dans ce show formidable.

— Qu'en dites-vous ? demanda Gage, se penchant si près que son souffle caressa son oreille.

Hailey fut parcourue d'un nouveau frisson et sentit le désir embrumer son esprit.

— Et si nous partions d'ici ? ajouta-t-il.

Son corps avait beau dire oui, Hailey hésita.

Elle était prête à faire beaucoup pour sauver son entreprise, prête à tout, quasiment, pour obtenir ce contrat. Mais, en dépit de l'attirance fulgurante qu'elle éprouvait pour Gage, elle n'était pas certaine que partir avec lui maintenant serait une chose dont elle se féliciterait une fois que la griserie du champagne se serait dissipée.

Gage comprit aussitôt sa réticence et désigna la porte ouverte sur le jardin d'hiver.

— Que diriez-vous d'aller faire quelques pas dans le jardin ?

Quelques pas ? Bon. Voilà qui ne présentait pas beaucoup de risque. Ils resteraient proches de la fête et du public. Ainsi, elle ne serait pas tentée d'oublier son objectif premier et de céder à l'envie qui la taraudait de débarrasser l'ours de son costume pour découvrir l'homme qui se cachait dessous.

— Volontiers, dit-elle, acceptant le bras qu'il lui tendait.

Elle détourna le regard de la piste où la danse prenait un tour de plus en plus osé. L'atmosphère lui montait à la tête. Les danseurs, le champagne… Il était temps qu'elle s'éloigne.

— Allons-y, dit-elle.

Gage accueillit l'air frais de la nuit avec soulagement. Il commençait à transpirer sérieusement à l'intérieur. Etait-ce à cause de ce maudit costume ou de la jolie blonde qui se trouvait à son bras ?

A cause du costume, sans doute.

Le désir, il connaissait. Il avait passé sa vie entouré de très belles femmes. Les désirer était pour lui aussi naturel que respirer et, pourtant, aucune ne l'avait jamais mis dans un état pareil.

En outre, il n'avait jamais éprouvé la moindre difficulté à mêler travail et plaisir. Il travaillait entouré de femmes séduisantes et n'entendait pas s'embarrasser de règles ridicules ou de prétendues questions morales. Sans vouloir jouer les fanfarons, il jouissait d'un succès suffisamment important pour se sentir tout à fait à l'aise et capable, quelles que soient les circonstances, de prendre ce que les femmes avaient à lui offrir.

Bref, les femmes ne lui avaient jamais posé aucun problème. Ce costume, oui, en revanche.

— Rudy Rudolph a vraiment bien fait les choses, dit Hailey, quittant son bras pour flâner entre les colonnes de marbre blanc ornées de guirlandes scintillantes. Vous êtes un habitué de ce genre de soirées ?

— Pas du tout. C'est la première fois que je viens. Et vous ?

Gage s'était arrêté. Il jeta un coup d'œil autour de lui, aperçut un petit pan de mur, à l'abri des regards, et s'y adossa. Peut-être qu'ainsi elle pourrait s'approcher de lui… un peu plus près.

Mais elle n'en fit rien. Elle le fixa un instant d'un regard indéchiffrable à travers ses longs cils et reprit sa déambulation.

— Moi non plus, je n'ai pas l'habitude de ces soirées. J'ai discuté avec pas mal de personnes bien informées et j'ai cru comprendre que ça risquait de finir de manière olé olé.

Des personnes bien informées ? songea Gage.

Il devait y avoir quelques mannequins de son agence en train de présenter des modèles, ce soir. Il réfléchit un instant. A quel moment serait-il judicieux d'orienter la conversation vers certains de ses autres clients ? Il voulait d'abord la cerner un peu mieux. Habituellement, à ce stade d'une première rencontre, il avait déjà catalogué la personne.

Mais l'elfe Hailey demeurait un mystère.

— Vous ne paraissez pas particulièrement choquée par la perspective d'une soirée… olé olé, fit-il observer.

Etait-elle plus délurée que ne le laissaient supposer son charmant visage et son allure sage ? A cette pensée, Gage sentit son corps réagir aussitôt.

— Tout le monde a le droit de s'amuser à sa façon, dit-elle, avec un petit rire cristallin. Que les créations de lingerie puissent être sexy au point d'inspirer ce genre de pensée, ça m'amuse plutôt.

— Sur une femme qui les porte bien, un chapeau d'elfe et une jupe de ballerine suffisent à inspirer ce genre de pensée, murmura Gage.

Hailey sembla frémir. Il vit ses joues rosir et sut qu'elle l'avait entendu, mais elle ne dit rien et continua de marcher.

— Qu'est-ce qui vous a le plus intéressé ce soir ? demanda-t-elle, laissant ses doigts courir sur le rebord d'un traîneau rempli de cadeaux et de guirlandes multicolores. Les chaussures ? Il y avait de nouveaux modèles superbes. Ou êtes-vous plutôt prêt-à-porter ?

Elle arborait un sourire lumineux. Etait-elle toujours aussi enjouée ou était-ce l'atmosphère des fêtes qui déteignait sur elle ? songea Gage.

— Non, c'est la lingerie qui m'intéressait, répondit-il, jugeant le moment venu d'orienter la conversation vers sa précieuse cliente. Du moins, jusqu'à ce que je vous voie. A partir de ce moment-là, tout le reste s'est comme dissous.

Elle eut un petit rire de gorge.

— Oh ! je vous crois ! Moi face à une douzaine de jeunes femmes sublimes, vêtues de tenues légères ? J'imagine combien le choix a dû être cornélien.

— Douteriez-vous de ma sincérité ?

Devant son air faussement offensé, elle s'arrêta, le dévisagea un instant en silence. Puis, finalement, elle s'approcha de lui.

— Douter de la parole d'un bon gros ours qui se mettrait tout à coup à jouer les séducteurs ? Il y a peut-être de quoi, non ?

Gage sourit. Elle était vraiment très jolie.

— Ce n'est pas moi qui ai choisi ce costume, avoua-t-il. J'ai perdu un pari.

Il n'ajouterait pas qu'il détestait les fêtes et leur cortège d'obligations. Non par crainte de la froisser au moment où il espérait nouer des relations professionnelles avec elle et sa cliente. Non, en fait, il ne voulait pas voir se ternir l'étincelle émerveillée qui brillait dans son regard. C'eût été comme de dire à un enfant que le Père Noël n'existait pas.

— Et vous ? Pourquoi avez-vous choisi de vous déguiser en elfe ? demanda-t-il.

— Les elfes sont des personnages très intelligents. Ils apportent de la joie, créent de la beauté tout en demeurant dans l'ombre. Ce sont les bons petits génies qui œuvrent en coulisse.

Pour souligner son propos, Hailey sourit et, penchant la tête sur son épaule, fit un petit tour sur elle-même. Sa jupe virevolta, lui permettant d'entrevoir ses bas. A cette vue, il se sentit soudain parcouru par un frisson.

Des bas retenus par de très séduisantes jarretelles de tulle et de dentelle. *Allons, calme-toi*, se dit Gage, *garde la tête froide*.

— Si je comprends bien, articula-t-il, troublé, vous n'aimez pas être en pleine lumière.

— Je n'aime pas ce qui va avec. L'obligation constante de se surpasser, les groupies, les détracteurs. Tout cela vaut-il vraiment la peine ?

Gage réfléchit un instant.

Oh oui, cela valait la peine. Le risque, sinon, était de tomber dans l'oubli. Et qui en avait envie ?

C'était sans doute la raison pour laquelle elle était l'agent et non la star.

Toutefois…

— Mieux vaut être au-dessus qu'en dessous, vous ne trouvez pas ? insista-t-il.

— Pas forcément…

Elle avait parlé d'une voix douce, un petit sourire espiègle aux lèvres. Une étincelle de désir dansait dans le regard qu'elle posa sur lui. Un regard plus admiratif qu'il ne le méritait dans son ridicule costume d'ours. Mais il n'allait tout de même pas bouder son plaisir. Qui se serait plaint d'être admiré par une femme aussi séduisante ?

Il ne restait plus, à présent, qu'à vérifier si cette petite étincelle pouvait véritablement mettre le feu entre lui et ce charmant petit elfe, si espiègle.

Il s'approcha.

Hailey sourit, manifestement amusée, et recula d'un pas. Puis, se hissant sur la pointe des pieds, elle jeta un rapide coup d'œil par-dessus son épaule, comme pour vérifier s'ils étaient seuls, et humecta ses lèvres.

Gage retint avec peine un grognement.

Il aurait probablement pu s'en aller jusqu'à cet instant.

Probablement.

Mais maintenant ? Face à cette jolie bouche aux lèvres si tentantes ?

Il ne partirait pas sans y avoir goûté.

Il avança encore et ce fut elle qui se retrouva dos au mur.

— Il y a un avantage certain à être au-dessus, murmura-t-il.

— Vraiment ? Et pour quoi faire ?

Un désir violent tenaillait son corps. Un désir qu'il n'avait jamais éprouvé jusque-là, lors d'un simple flirt avec une femme. Il se pencha vers Hailey, l'emprisonnant contre le mur.

L'espace d'une seconde, une seconde délicieuse, il se contenta de la regarder. De savourer l'attente dans ses yeux, le rythme soudain plus rapide de son pouls, dans le petit creux à la base de son cou. Le frémissement de sa poitrine, de ses jolis seins ronds, pigeonnant dans le bustier de satin.

Le désir d'elle se fit soudain impératif, irrépressible.

— Pour quoi faire ? Ça, dit-il, cédant à la tentation.

Et il prit sa bouche.

Il avait imaginé un baiser tendre, doux.

Il fut charnel, fougueux, presque désespéré tant il était

nécessaire. Il pressa ses lèvres enfiévrées, mêla sa langue à la sienne, plongea, avide, dans l'intimité de sa bouche. Elle avait le goût délicieux qu'il pressentait.

Mais les petits sons qui lui échappèrent, ce fut un pur nirvana. De petits gémissements rauques tandis qu'il effleurait sa taille, son bustier juste au-dessous de ses seins, sensation plus enivrante encore que ne l'aurait été la caresse de ses doigts et qui les mettait tous deux au supplice.

Les invités, songea-t-il, s'efforçant de reprendre pied. S'il continuait ainsi, ils allaient se donner en spectacle. Il fallait qu'il s'arrête. Tout de suite.

Lentement, à regret, il libéra sa bouche.

La frustration fut immense. Et pas seulement parce qu'il avait le corps en feu.

Il ne voulut pas en rester là. Les mains posées sur le mur, de part et d'autre de son visage, il se pencha vers elle. Son corps la maintenait prisonnière tandis qu'il effleurait sa gorge, égrainait de petits baisers sur sa peau douce, satinée. Hailey renversa la tête en arrière, le souffle court, haletant.

Elle s'était cambrée dans le mouvement, exposant la courbe gracile de son cou, sa gorge nue, frémissante, la rondeur délicieuse de ses seins. Une envie irrépressible assaillait ses doigts. La débarrasser de son bustier, prendre ses seins dans ses mains, les presser sous ses paumes, s'enivrer de leur douceur, les embrasser à perdre haleine…

Il y avait du monde tout autour, songea-t-il de nouveau. Il fallait absolument qu'il garde le contrôle.

Ce fut elle, soudain, qui bougea. Quittant ses épaules, elle laissa ses mains glisser le long de son torse. Gage sentit leur chaleur irradier sa peau malgré l'épaisse fourrure du costume.

Un désir fulgurant l'assaillit lorsqu'il la vit rougir. Ses joues, puis son cou, sa gorge, jusqu'à la limite de l'étroit bustier de satin. Oh ! se pencher, goûter à la douceur de sa chair, un instant seulement, cela ne pouvait pas porter à conséquence.

Bien sûr que si et il le savait. Mais il céda quand même, pressa étroitement son corps contre le sien. Hailey ne put retenir un gémissement de plaisir. Il se pencha alors, posa les lèvres au creux de son cou, juste au-dessous de son oreille, et il ferma les yeux.

La sensation était délicieuse. La douceur de sa peau, son parfum enivrant. Il allait perdre la tête si elle continuait de caresser ainsi son torse, de le provoquer à travers la fourrure du costume. Il posa un instant sa main sur la sienne, la pressa doucement pour qu'elle s'arrête. Puis il saisit la fermeture Eclair et tira.

Rien ne se produisit.

Il tira de nouveau.

Toujours rien.

Un soupir agacé lui échappa. Il s'écarta d'Hailey, pencha la tête pour voir ce qui se passait. Puis, assurant une meilleure prise, il tira de nouveau.

La fermeture était coincée.

— Je n'arrive pas à la faire descendre, dit-il.

— Il vaut mieux cela que le contraire, non ? rétorqua Hailey.

Une lueur amusée dansait dans son regard. Elle pinça les lèvres, se retenant de rire.

Gage poussa un grognement et tira de nouveau.

Rien à faire.

Ce n'était pas possible, il ne pouvait pas lui arriver une chose pareille. Il avait envie de déchirer ce costume, de le mettre en pièces.

— Je crains que l'humeur du moment ne soit définitivement perdue, dit-il, lorsqu'il vit qu'elle ne pouvait plus contenir son rire.

— Ce n'est peut-être que partie remise, répondit-elle en lui souriant, le regard brillant de promesses.

L'idée était très séduisante, mais si Gage n'avait aucun problème à mêler vie professionnelle et vie privée, il n'en demeurait pas moins prudent. Les femmes pouvaient se montrer imprévisibles dans ce domaine. Si Hailey se mettait en tête qu'il n'avait voulu la séduire que dans le but d'approcher sa cliente et de décrocher le contrat, elle réagirait de deux façons possibles. Soit elle lui laisserait obtenir le contrat parce qu'il était le meilleur, soit elle l'empêcherait définitivement de l'avoir, par pur esprit de vengeance.

Il ne l'imaginait pas se vengeant ainsi, mais elle n'apprécierait sûrement pas qu'on joue un double jeu avec elle.

Il allait devoir manœuvrer avec prudence.

— Eh bien, on n'a qu'à dire que je vous appelle, qu'en pensez-vous ? proposa-t-il.

Il réfléchit à ses rendez-vous les jours suivants, et ajouta :

— Seriez-vous disponible pour dîner mercredi soir ? Je pourrais venir vous chercher vers 19 heures.

Elle posa les yeux sur lui, le regarda sans rien dire.

Le genre de regard qui avait le don de le rendre nerveux.

Un regard plein d'espoir, de confiance, de ces émotions douces et tendres dont il n'avait jamais fait l'expérience et qui le terrifiaient.

Et soudain, malgré le désir qui tenaillait son corps, il n'eut qu'une envie : fuir.

— J'ai une réunion mercredi, dit-elle finalement.

Elle tendit la main, effleura ses lèvres de l'index. Il retint un grognement. Il avait envie de saisir son doigt, d'en mordre la chair douce. Mais, brusquement, elle plongea sous son bras et s'échappa.

Il se sentit désemparé et se retourna, les bras ballants. Elle s'était arrêtée. Quoi ? Pensait-elle que mettre un peu de distance entre eux suffirait à calmer le désir qui bouillait dans ses veines ?

Certainement pas.

Elle était plus désirable que jamais.

Son petit chapeau pendait sur le côté et ses boucles blondes, si douces entre ses doigts un moment plus tôt, s'en échappaient, formant un halo doré autour de son visage.

Et quel visage !

Gage n'avait jamais aimé la douceur. Il s'en était toujours méfié. Qui disait douceur disait attentes, espérances. La douceur déclenchait toujours le signal d'alarme en lui, l'envie de fuir.

Pourtant, il ne pouvait résister à Hailey. Il avait envie de toute la douceur qu'elle avait à offrir.

Hailey qui était également le facteur clé pour gagner son pari. Et cette raison, plus encore que toute autre, lui enjoignait de garder ses distances. Au moins jusqu'à ce que cette affaire de contrat soit réglée entre eux.

— Si vous avez d'autres projets...

— Vous connaissez *Carinos* ? demanda-t-elle, avant même qu'il n'ait eu le temps de proposer un rendez-vous plus professionnel.

Il hocha la tête, réticent. Chic et branché. Le dernier lieu à la mode pour voir et être vu.

— Que diriez-vous de nous y retrouver, mercredi ? A 20 heures plutôt qu'à 19 heures. Je ne sais pas exactement combien de temps durera ma réunion.

Parfait. C'était l'occasion qu'il attendait pour faire marche arrière.

Mais il fut incapable de proposer quoi que ce soit.

Il s'efforça de réfléchir, mais le désir qui taraudait son corps rendait toute pensée confuse. Avant qu'il ait pu décider s'il acceptait ou refusait sa proposition, Hailey lui sourit.

Un sourire si troublant, si séduisant, qu'il annihila en lui toute pensée.

En elfe espiègle, elle passa la langue sur ses lèvres et il retint avec peine un gémissement lorsqu'il en aperçut la petite pointe rose.

Soudain, vive comme l'éclair, elle s'approcha et l'embrassa. Alors, il oublia tout. C'était un baiser insensé. La pression enivrante de ses lèvres, sa langue qui se glisse furtivement entre les siennes et la brève morsure de ses dents.

Une seconde plus tard, elle s'éloignait. Le temps de le provoquer et, déjà, elle le saluait.

— A mercredi, dit-elle.

Un petit signe de la main, un bref sourire où se devinait une once de nervosité, et elle avait disparu.

Gage songea à la rattraper. Elle ne pouvait pas le provoquer ainsi et tourner les talons comme si de rien n'était. Mais il se ravisa.

Il ne savait plus où il en était. Jamais il ne s'était comporté ainsi avec aucune femme. Jamais.

Alors, tant qu'il n'aurait pas compris ce qui se passait, il était impératif qu'il reste loin d'elle.

Le plus loin possible.

Désirer une femme était une chose. La désirer au point d'en être stupide en était une autre. Mais se retrouver dans un état pareil alors qu'il y avait ce contrat en jeu, non, vraiment… Il était temps de réagir.

Et de se souvenir qu'il y avait une année de liberté à la clé !

- 4 -

— On dirait une gamine qui a trouvé le cadeau dont elle rêvait au pied du sapin. Je ne vous ai jamais vue sourire ainsi. Ça ne va pas ?

Ça allait parfaitement, au contraire. Hailey se sentait très bien et pleine d'énergie. Trois jours s'étaient écoulés depuis qu'elle avait embrassé Gage et elle flottait encore sur un petit nuage.

Elle inspecta son reflet dans le grand miroir qui trônait dans l'angle de son bureau-atelier. Derrière elle s'entassaient les rouleaux de soie, les métrages de dentelle, les galons et les nombreux accessoires nécessaires à ses créations.

Il n'y avait vraiment que Doris pour regarder tout cela et trouver que ça n'allait pas.

Hailey lui jeta un coup d'œil dans le miroir.

Doris Danson semblait comme figée dans le passé. Ronde, ses cheveux blancs relevés en un chignon façon années cinquante, elle portait systématiquement pour travailler un pantalon en polyester, un grand T-shirt et un gilet brodé de fleurs couvertes de sequins.

Hailey ne trouvait rien à redire au T-shirt et au gilet, mais en tant que créatrice de mode elle ne supportait pas ce pantalon en polyester à taille élastique. Doris le savait et Hailey la soupçonnait même de hanter les friperies et les ventes de charité pour en stocker un maximum.

— Tout va très bien, Doris, répondit-elle.

Ce n'était pas tout à fait le cas, mais elle ne se sentait pas le courage d'affronter le regard de celle qui était à la fois sa secrétaire, sa couturière et sa comptable.

Elle avait beau être en forme et tout excitée, elle était inquiète au fond. Elle s'était laissée aller à embrasser un homme qui allait peut-être devenir un partenaire professionnel. Cela lui posait problème sur le plan moral. N'avait-elle pas franchi la limite en agissant ainsi ? Mais peut-être ne devrait-elle pas se polariser sur ce baiser.

Nerveuse soudain, Hailey se mordit la lèvre, avalant du même coup le gloss qu'elle avait mis quelques minutes plus tôt.

— Vous aimeriez peut-être manger un petit quelque chose plutôt que votre rouge à lèvres, non ? dit soudain Doris. Ils ne vous nourrissent pas dans ces soirées branchées ? Quant à savoir pourquoi vous trouvez intéressant d'aller parler à ce Rudolph alors qu'il vous a grillée, cela reste un mystère pour moi.

— M. Rudolph ne m'a pas « grillée », comme vous dites. Il ne m'avait pas promis ce contrat, mais je reste persuadée que je l'obtiendrai.

Jared et Trent ne lui auraient pas fait autant de compliments sur ses créations s'ils ne pensaient pas que c'était dans la poche. De plus, Hailey avait une arme secrète, à présent. Une arme superbe et très sexy avec laquelle elle dînait ce soir.

— Intéressant. Au lieu de décrocher le beau contrat que vous espériez, vous voilà contrainte de jouer le jeu de cet individu riche à millions.

La chaise de Doris craqua sous son poids tandis qu'elle changeait de position. On la voyait à peine derrière les montagnes de patrons, de catalogues, et le petit arbre de Noël en céramique posé sur son bureau.

Malheureusement, on l'entendait !

— Que vous restera-t-il lorsque cet autre type raflera le contrat ? Vous vous retrouverez à la rue, voilà tout.

— Tout ira bien. Je décrocherai ce marché, insista Hailey.

— Allons donc ! Moi, je vous le dis, vous perdez votre temps. Mieux vaut accepter la réalité plutôt que de laisser les choses traîner en longueur.

Hailey détestait la réalité. Surtout lorsque Doris s'ingéniait à la présenter sous un jour aussi noir. A croire que cela lui faisait plaisir de se montrer à ce point négative.

Elle cessa de la regarder et contempla son propre reflet dans le miroir.

Pour l'entretien avec M. Rudolph, elle avait choisi une tenue à la fois chic et branchée. Minijupe en cuir noir, collants graphiques dans les tons rouges et veste cintrée avec pans en satin. Sans oublier ses boots préférés, le tout accessoirisé avec collier et boucles d'oreilles très design. L'allure était très tendance, avec juste la petite pointe d'impertinence qu'il fallait pour séduire ce puissant homme d'affaires et son groupe.

Et derrière elle trônait « la fée de la morosité » !

Une fée qui connaissait le métier sur le bout des doigts, qui était capable de négocier jusqu'au dernier centime avec les fournisseurs et possédait un don extraordinaire pour la couture. Ce qui la rendait indispensable.

Pour la énième fois, Hailey regretta de ne pas être le genre de personne capable de dire à Doris que son attitude négative était intolérable et qu'elle n'avait plus qu'à prendre ses cliques et ses claques et à aller voir ailleurs.

Mais, chaque fois qu'elle brûlait de le faire, elle songeait à tout ce que Doris avait apporté à son entreprise. Elle se souvenait aussi que sa vie personnelle était un échec et que Merry Widow représentait vraiment tout ce qu'elle avait.

Parfois, lorsque Doris la poussait à bout, il lui arrivait d'oublier tout cela au point de vouloir lui voler dans les plumes. Mais, au dernier moment, tout s'embrouillait dans sa tête, les mots lui manquaient et elle renonçait.

Ce n'était pas par manque de courage, Hailey était une redoutable négociatrice en affaires, une créatrice talentueuse et dégourdie qui entendait diriger son entreprise à sa manière. Elle était intelligente, habile et forte.

Mais elle détestait les affrontements.

Ce devait être en partie parce que son père lui avait dit un jour que les disputes laissaient toujours des cicatrices, que même lorsqu'on se réconciliait, la relation gardait des traces du conflit et n'était plus jamais la même. Cette conversation avait eu lieu suite à un abominable drame familial qui avait valu à Hailey d'être séparée pendant plus d'un an de son nouveau demi-frère. Aussi avait-elle pris la leçon très à cœur.

Mais ce qui expliquait surtout sa haine des affrontements, c'était qu'elle détestait que l'on se mette en colère contre elle. Les colères et les crises, elle connaissait. Il y en avait eu beaucoup entre ses parents avant qu'ils se séparent. Aussi les fuyait-elle comme la peste.

— Vous en voulez un ? demanda Doris, brandissant un sablé en forme de renne couvert de chocolat. Autant en profiter tant que nous pouvons encore nous en offrir. Ce sera plus difficile lorsque nous aurons fait faillite.

— Nous ne ferons pas faillite, rétorqua Hailey, approchant une écharpe crème de son visage puis une rouge en cachemire.

— Oui, bien sûr. Et vous croyez encore au Père Noël, je parie.

— Nous ne ferons pas faillite, répéta-t-elle. Nos ventes ont progressé de dix pour cent l'année dernière. Selon nos prévisions, nous devrions voir ce chiffre doubler cette année.

— Les enfants Phillips exigent l'argent de leur père au 1er janvier, lui rappela Doris, en rajoutant une couche.

Ah, les enfants Phillips…, songea Hailey. Les rapaces !

Lorsqu'elle avait acheté Merry Widow à Eric Phillips, trois ans auparavant, leur accord stipulait qu'il toucherait un pourcentage sur les bénéfices pendant cinq ans et qu'ils solderaient leurs comptes à la fin de cette période.

A son décès, survenu l'automne dernier, ses enfants avaient dénoncé leur accord et fait valoir qu'ils pouvaient toucher l'intégralité de la somme tout de suite. Ils avaient donné à Hailey jusqu'au 1er janvier pour s'en acquitter, ce qui représentait déjà une largesse de leur part, avaient-ils fait remarquer.

Si Hailey ne décrochait pas ce contrat avec Rudolph, la banque ne voudrait même pas entendre parler d'un prêt correspondant à la somme réclamée par les Phillips.

Rien que d'y penser, elle en avait des nœuds dans l'estomac. Mais elle ne se laisserait pas gagner par la panique. Elle avait trouvé la solution, il fallait juste qu'elle y croie. Elle allait décrocher ce contrat avec les grands magasins Rudolph.

Elle fixa de nouveau son reflet dans le miroir et se jura de briller dans l'entretien et de charmer Gage ce soir. Si elle ne se jetait pas sur lui et ne lui arrachait pas ses vêtements, elle n'enfreindrait aucune règle éthique, si ?

Non.

Il ne lui restait donc plus qu'à empêcher Doris d'être sans cesse sur son dos.

— Une fois le contrat signé, ce sera royal pour nous. Je paierai les Phillips. Merry Widow sera à moi une bonne fois pour toutes et nous serons sauvés.

— On peut toujours rêver, lança Doris, secouant la tête. Continuez à avoir la tête dans les nuages, l'atterrissage risque d'être difficile.

Ce n'était pas possible ! Qu'est-ce qu'ils avaient tous, à la fin ? Sa mère ne cessait de la mettre en garde, de lui répéter qu'on chercherait toujours à l'exploiter. Ses amis s'inquiétaient de son optimisme. Et même son père… Il savait à peine ce qu'elle faisait, mais de temps en temps il se sentait obligé de lui donner des conseils.

Hailey s'en sortait pourtant très bien toute seule. Elle était intelligente, sensible, perspicace. Elle était parvenue jusqu'à vingt-six ans sans accroc majeur dans sa vie sentimentale. Elle possédait sa propre entreprise, payait régulièrement ses factures et contrairement à beaucoup de monde dans sa famille, elle n'avait pas passé des années en thérapie et ne se bourrait pas non plus de médicaments.

— Je dis simplement que vous devriez envisager que les choses puissent mal tourner. Moi, je peux prendre ma retraite, mais le reste de l'équipe, vous y avez pensé ? C'est très bien de croire au miracle, insista Doris, mais vous ne pouvez pas laisser votre optimisme mettre les autres en danger.

— Tout ira bien. Concentrez-vous sur votre travail et laissez-moi faire le mien, rétorqua Hailey si sèchement que Doris en resta bouche bée, son biscuit à la main.

Hailey s'en voulut aussitôt. Elle ne parlait jamais sur ce ton. Toute sa vie, en dépit du chaos familial, elle s'était efforcée de demeurer une personne calme, posée, rassurante même. Alors, bien évidemment, dans les rares occasions où il lui arrivait de perdre son sang-froid, on la regardait avec un air horrifié.

— Je suis désolée, dit-elle. Cette réunion, cet après-midi, me rend très nerveuse. Je voudrais tellement impressionner M. Rudolph et son équipe, leur montrer que je suis la créatrice qu'il leur faut.

— Et vous pensez que votre écharpe emportera le choix de ce vieil obsédé ?

— Je pense qu'une tenue très étudiée lui apportera la preuve que j'ai le sens du style et que je sais utiliser judicieusement les motifs et les couleurs, se défendit Hailey, approchant de nouveau les écharpes de son visage. Si je me sens bien dans ma peau, je leur donnerai l'image d'une femme sûre d'elle, forte, ce qui pourrait être l'élément décisif pour obtenir ce contrat.

— Vous êtes peut-être un peu optimiste en ce qui concerne le monde des affaires, mais pour ce qui est de la mode vous êtes une championne, c'est incontestable. Vous n'allez pas commencer à en douter maintenant.

— Il me faut absolument ce contrat, dit Hailey.

Oh oui, il le lui fallait. Désespérément.

— Un contrat d'exclusivité avec les grands magasins Rudolph, ce serait formidable. Tous les gens riches et célèbres y font leurs courses. Vous imaginez Gwyneth Paltrow dans un de mes modèles ? dit Hailey, l'air rêveur.

— Ces stars prétentieuses sont les seules à pouvoir faire leur shopping dans ce type de magasins, lança Doris avec une moue qui en disait long sur ce qu'elle pensait des stars et de leur argent.

— Eh bien, à moins que vous ne souhaitiez prendre votre retraite et passer vos journées chez vous, avec votre mari, vous feriez bien de croiser les doigts pour que ces « stars prétentieuses », comme vous dites, choisissent mes créations, rétorqua Hailey, optant finalement pour l'écharpe rouge.

Elle avait plus de punch, décida-t-elle, s'efforçant de la draper élégamment autour de son cou. Mais le résultat ne fut pas très concluant.

Doris leva les yeux au ciel. Elle se souleva de sa chaise, fit le tour du bureau et s'approcha d'elle.

Tandis qu'elle s'occupait de l'écharpe, Hailey ne cessa de se torturer l'esprit.

Et si Doris avait raison, si elle ne parvenait pas à réunir la somme pour payer les Phillips ?

Et si sa mère avait raison, elle aussi, et qu'elle voyait trop grand, qu'elle visait trop haut ?

Et si c'était son dernier Noël à la tête de Merry Widow ? Si c'était la fin de son rêve ?

— Ça n'arrivera pas, dit-elle, levant soudain le menton d'un air décidé.

— Qu'est-ce que vous racontez ? demanda Doris, la fixant par-dessus le bord de ses lunettes.

— Rien, lança Hailey d'un ton enjoué.

Elle sourit, lui donna une petite tape sur l'épaule.

— Tout va très bien. Merry Widow est sur le point de prendre son envol et ce contrat sera notre rampe de lancement.

Doris bougonna, mais son air renfrogné se radoucit un peu tandis qu'elle lui replaça une mèche de cheveux. Hailey avait choisi de se faire un petit chignon, aussi sobre qu'élégant.

— Je vais vous dire une chose, si quelqu'un mérite de voir ses rêves se réaliser, c'est vous, déclara Doris.

Puis avec un hochement de tête, elle retourna à sa place et à sa boîte de biscuits.

Hailey n'en revenait pas. C'était la chose la plus gentille qu'elle lui ait jamais dite. C'était un bon présage, non ?

Ou alors, c'était le baiser de la mort.

Une heure plus tard, Hailey entrait dans l'ascenseur de verre, au centre de l'immeuble Rudolph. Elle pressa le bouton du dernier étage. L'étage de la direction. Tandis que l'ascenseur s'élevait, elle ne put résister au plaisir d'observer les superbes édifices du quartier des affaires et elle s'émerveilla lorsque le soleil troua soudain les nuages et lui permit d'apercevoir au loin le Golden Gate Bridge. C'était un bon symbole. Une journée qui incluait une réunion avec un groupe comme Rudolph, un mot d'encouragement de la part de Doris et un rendez-vous avec l'homme le plus séduisant qui soit ne pouvait pas mal se passer. Hailey sautait pratiquement de joie en sortant de l'ascenseur.

Elle fit toutefois une pause devant la double porte de verre dépoli et prit une grande inspiration pour se calmer. Puis, plaquant sur ses lèvres son sourire le plus éclatant, elle poussa la porte.

Et voilà ! Elle y était.

Sa première percée dans le monde de la mode haut de gamme et le début du plus beau jour de sa vie. Et qui sait, le prélude, peut-être, à la plus belle *nuit* de sa vie.

Ces pensées réjouissantes en tête, Hailey pénétra dans les prestigieux bureaux de la société Rudolph.

— Hailey, chérie !

Jared se précipita vers elle et la serra dans ses bras. Hailey s'écarta aussitôt, inquiète.

— Bonjour, Jared. Que se passe-t-il ?

Il était tel qu'en lui-même. Costume bleu électrique, fine cravate en cuir, les cheveux soigneusement lissés sur les côtés et de petites lunettes d'écaille très design perchées sur le nez. Mais elle le sentait tendu.

— Il ne se passe rien. Rien du tout. Viens, laisse-moi t'accompagner jusqu'à la salle de réunion. Rudy n'est pas encore arrivé, mais tu vas pouvoir t'installer. Je vais te chercher un cappuccino ?

Le moral d'Hailey plongea en chute libre. Elle savait bien que quelque chose n'allait pas. Jared ne proposait jamais d'aller chercher quoi que ce soit à quiconque.

— Jared, s'il s'est passé quelque chose, dit-elle, le retenant par le bras.

Elle s'interrompit, la bouche sèche brusquement.

— Si j'ai perdu le contrat, autant que je le sache tout de suite, avant que commence la réunion.

Jared secoua la tête.

— Ce n'est rien, en fait. C'est juste que Rudy a fini par entrer en contact avec Cherry Bella. Elle est intéressée par sa proposition, mais elle n'a pris aucun engagement. Les discussions se poursuivent. C'est elle qui aura la décision finale concernant le choix de la ligne de lingerie.

— En quoi la situation est-elle différente de samedi soir ? Je ne comprends pas.

— Samedi soir, nous étions quasiment certains que Rudy choisirait Merry Widow. Ta ligne correspondait parfaitement aux thèmes et tendances du printemps. Mais, apparemment, il a quitté la soirée en compagnie de Vivo, la créatrice de chaussures.

— Oui. Et alors ? demanda Hailey.

Elle n'était pas en compétition pour les chaussures.

— Vivo est une créatrice très extravagante. Tu connais son modèle de compensées de douze centimètres de haut, aux allures de dinosaures ?

Hailey réfléchit un instant et comprit pourquoi Jared était aussi agacé.

— Rudolph va vouloir une ligne qui soit cohérente, c'est ça ?

La sensualité délicate du satin, le romantisme de la dentelle, voilà qui ne collait pas forcément avec des chaussures de douze centimètres de haut aux allures de dinosaures. Le cuir, si, en revanche.

Et Rudy Rudolph semblait avoir développé une relation privilégiée avec cette créatrice qui pensait les dinosaures faits pour les pieds des femmes.

La colère s'empara d'Hailey. Elle serra les poings. Rudy Rudolph ne pouvait pas passer son temps à changer les règles du jeu. C'était insensé. Quel manque de respect ! Elle avait énormément travaillé pour décrocher ce marché et, jusqu'à cette stupide soirée, tout semblait indiquer qu'il serait pour elle.

Hailey prit une grande inspiration. Il fallait qu'elle garde la tête froide. Il en allait de la survie de son entreprise.

— J'ai découvert le pot aux roses il y a seulement quelques minutes, sinon je t'aurais prévenue. Cherry et Rudy ont décidé de réunir tous les créateurs et d'écouter leurs arguments, ajouta Jared alors qu'ils atteignaient la porte de la salle de réunion.

— Et ils vont prendre leur décision maintenant ? demanda Hailey, les doigts crispés sur le sac qui contenait tout le nécessaire pour sa présentation y compris des idées de marketing et différents supports destinés aux médias.

Elle était venue, prête à exalter la beauté de la lingerie romantique qui rendait les femmes si attirantes. Si elle avait été prévenue, aurait-elle pu trouver le moyen d'intégrer des chaussures à allure de dinosaures dans sa présentation et de montrer que, même affublée de souliers hideux, une femme pouvait se sentir désirable ?

La main prête à pousser la porte, Jared se retourna vers elle.

— Concentre-toi sur Cherry. C'est elle la clé de tout. Rudy est prêt à renoncer à ses propres choix pour lui faire plaisir. Charme-la, deviens son amie. Elle est nerveuse, en ce moment. Je ne sais pas si c'est sa personnalité ou si elle a des problèmes, mais elle semble avoir besoin de douceur plutôt que d'un marketing agressif.

Avant qu'Hailey ait eu le temps de le remercier, lui qui risquait tout de même son poste en lui dévoilant ces informations, il avait poussé la porte et s'effaçait pour la laisser entrer.

Elle affichait déjà son plus beau sourire lorsque la stupéfaction la cloua sur place.

— Bonjour, parvint-elle à articuler, le souffle coupé.

Gage se tourna vers la porte, impatient d'en finir avec cette fichue réunion et se figea sur place, sans voix.

Avait-il une hallucination, par hasard ?

— Hailey ? parvint-il finalement à articuler.

C'était bien elle, plus jolie, plus attirante que jamais.

Les petites mèches de cheveux blonds, échappées de son chignon, formaient un halo doré autour de son visage. Ses yeux étaient légèrement maquillés et ses lèvres aussi, avec un gloss transparent.

Aujourd'hui, elle penchait davantage du côté sage que du côté séductrice. Toutefois, même si elle ne portait plus son bustier de satin et sa jupe de ballerine, les courbes douces de son corps n'en étaient pas moins à couper le souffle, merveilleusement moulées par sa petite jupe courte en cuir noir et sa veste cintrée. Une tenue à la fois chic et très légèrement provocante. Sans oublier ses bottes. Des bottes plus sexy encore que celles qu'elle portait le soir de la fête !

Gage n'avait jamais été un fétichiste en matière de chaussures, mais il ne pouvait s'empêcher de se demander quels autres trésors recélaient ses placards. Des cuissardes noires, peut-être, qu'elle porterait pour tout vêtement tandis qu'elle le chevaucherait sauvagement…

— Gage, je ne m'attendais pas à vous voir ici, dit-elle.

— Je suis surpris que vous m'ayez reconnu sans ma fourrure, rétorqua-t-il.

Un peu d'humour ne serait pas de trop pour lui permettre de reprendre ses esprits.

— J'avoue préférer votre tenue d'aujourd'hui. Je suis heureuse que vous soyez finalement parvenu à ouvrir cette fermeture Eclair.

Et sur ces mots, Hailey laissa son regard glisser lentement le long de son corps jusqu'à la fermeture Eclair de son pantalon. Un regard troublant qui fit aussitôt réagir son corps. En un instant, son sexe fut en érection.

— Je n'y suis pas parvenu, dit-il. Il a fallu couper le costume.

— Vraiment ?

Une lueur amusée dansa dans le regard d'Hailey. Elle pinça les lèvres pour ne pas rire.

Décidément, elle était irrésistible. Gage éprouva l'envie soudaine de la prendre dans ses bras, de la serrer contre lui, de presser son corps contre le sien. Il en avait rêvé tout le week-end. Une fois encore, il maudit son frère et ce stupide costume. Sans lui, il aurait certainement passé la nuit avec elle et il saurait déjà ce que c'était que de la tenir dans ses bras.

Mais aujourd'hui, il s'agissait d'une réunion officielle, dans les locaux de Rudy Rudolph. Et ce dernier était susceptible d'entrer à tout moment.

A regret, Gage opta pour la sagesse et se contenta de lui tendre la main. Elle y glissa la sienne et la douceur de sa peau agit comme un éclair, ravivant brusquement en lui le désir. Il avait beau faire, il ne parvenait pas à contrôler ses émotions. Comment était-il possible qu'elle le trouble à ce point ?

— Je n'avais pas réalisé que vous alliez faire partie de la réunion, murmura-t-elle, le souffle court.

Gage fronça les sourcils. Pour quelle raison n'en aurait-il pas fait partie ? Cette réunion les concernait, lui, Rudy, cette chanteuse et son concurrent pour le contrat.

Il avait déjà tout prévu. Il s'était dit qu'il flatterait la personnalité misogyne, légèrement perverse de Rudy, déjà attiré par les modèles en cuir de chez Milano, tout en tentant de cerner rapidement son concurrent. Il pourrait même se livrer à un peu d'intimidation et arracher ainsi le contrat juste avant d'aller retrouver Hailey pour dîner.

Un dîner qu'il avait pourtant sérieusement songé à annuler.

Hailey possédait tout ce qu'il aimait chez une femme. Elle était incroyablement attirante et désirable, elle avait beaucoup d'humour et un corps qui n'avait cessé de hanter ses rêves depuis la soirée costumée.

Mais elle représentait aussi tout ce qui le faisait fuir chez les femmes. Elle était douce, confiante, dotée d'une sensibilité extrême qui ne pourrait que s'avérer source de problème, tôt ou tard.

Elle était, en outre, appelée à devenir une collaboratrice. Lointaine, certes, mais suffisamment proche de ce projet pour que sa présence complique les choses. La raison aurait voulu qu'il trouve un prétexte et renonce à ce rendez-vous. C'était la meilleure façon de mener à bien cette transaction simple avec Rudy et d'éviter les ennuis.

Mais Gage était malin et il savait également où était son intérêt.

Il avait aujourd'hui l'opportunité de vanter sa collection à l'agent de Cherry Bella, seul à seule. C'était le moment ou jamais d'agir. Pendant ce temps, au moins, il cesserait de rêver de déshabiller Hailey, de lui arracher ses vêtements. Tous ses vêtements, sauf ses très jolies bottes noires, si sexy.

— Puisque Rudy est en retard, si nous discutions tranquillement tous les deux ? Vous pourrez me parler des préférences de Cherry Bella. Et bien sûr de ce que vous portez sous cette petite jupe, ajouta-t-il.

Heureusement qu'il avait pris la résolution de chasser de son esprit toute envie de la déshabiller !

Hailey écarquilla de grands yeux, puis elle éclata de rire. Et tandis qu'ils se dirigeaient vers les fauteuils installés près de la baie vitrée, elle lui glissa un regard mutin à travers la longue frange de ses cils.

— Ce que je porte sous ma jupe en cuir ? Quoi de mieux que de la dentelle ? De chez Merry Widow, bien sûr.

Gage marqua un temps d'arrêt. Comment ? Elle portait de la lingerie de son concurrent direct !

— J'avoue être surprise, dit-elle, avant qu'il ait eu le temps de réagir. N'êtes-vous pas censé savoir mieux que moi ce qu'aime Cherry Bella ?

Gage s'étonna de nouveau. Pourquoi le saurait-il ?

Mais alors qu'il lui décochait un regard peu aimable, prêt à lui demander quelle était exactement la nature de ses relations avec Cherry Bella et Rudolph, ce dernier entra en fanfare avec sa cour.

Visiblement, le petit homme, maigre et chauve, compensait son manque d'aura et de stature en s'entourant du plus de monde possible, essentiellement des jeunes femmes aux courbes généreuses et fort peu vêtues.

Deux d'entre elles, portant des plateaux, s'avancèrent en

paradant. Café et petits-fours furent installés sur la grande table. Puis elles s'esquivèrent.

Hailey n'en revenait pas. Gage regardait le tout, les sourcils froncés, tandis que Rudy Rudolph affichait un grand sourire. Il était visiblement très content de lui. De Cherry Bella, en revanche, pas la moindre trace.

Etait-ce pour cette raison qu'Hailey se trouvait là ? songea Gage. Pour représenter sa cliente ?

— Mes amis, je suis en retard. Ne perdons pas de temps, donc. Prenez place, je vous en prie.

Il agita la main en direction de Gage qui finit par s'asseoir, choisissant une position stratégique face à Hailey. Il avait le sentiment qu'il en apprendrait davantage en l'observant plutôt qu'en écoutant le vieux barbon.

— Nous ne serons que tous les trois, je le crains, dit Rudy en les rejoignant.

Il pianota un instant du bout des doigts sur son genou.

— Je sais que vous êtes tous deux impatients de savoir à qui sera attribué le contrat. J'avais l'intention de vous le révéler aujourd'hui, en présence de Cherry. Mais elle est malade et nous allons donc devoir nous réunir de nouveau demain.

Demain ? Gage sentit la tension monter en lui. Cette réunion était censée se passer comme sur des roulettes et entériner, par l'attribution du contrat, son année de liberté loin de Milano. Il avait ses propres clients à voir, plusieurs projets en cours et il n'allait pas passer sa vie à vendre la ligne de lingerie de cuir de chez Milano au vieux Rudy Rudolph.

— Malheureusement, Cherry ne s'est pas sentie bien après le repas, reprit Rudy, visiblement plus agacé qu'inquiet. Elle s'excuse de ne pouvoir être présente, mais insiste pour discuter elle-même avec les créateurs et avoir la décision finale dans le choix de la ligne de lingerie. Je suis désolé, mais nous devons nous revoir demain. Cherry pense que de la lingerie dépendra son choix d'être ou non l'égérie de Rudolph pour l'année à venir.

Gage n'écoutait déjà plus que d'une oreille distraite. Il n'avait retenu qu'une phrase, Cherry voulait « discuter elle-même avec les créateurs ». Il jeta un coup d'œil à Hailey. Elle fixait Rudolph, le regard écarquillé, abasourdie. Tout comme lui.

— Il s'agit d'un fâcheux contretemps, j'en suis conscient. Mais, sachant combien vous tenez tous deux à ce contrat, je suis certain que vous prendrez les dispositions nécessaires pour être présents demain.

Sur ces paroles, Rudy se leva et gagna la grande table d'un pas vif.

— Seriez-vous partants pour un café et quelques petits-fours ? Que serait Noël sans gâteries ? Nous jetterons ensuite un coup d'œil rapide aux clichés que mon photographe a réalisés de Cherry portant vos modèles. Considérez le report de la réunion comme une chance. Cela vous permettra d'affiner votre présentation pour demain.

Hailey ferma un instant les yeux et prit une grande bouffée d'air. Gage la vit secouer la tête. A l'expression tendue de son visage, il sut que la situation ne lui convenait pas.

Elle ne le satisfaisait pas davantage, lui.

Au diable ce vieux séducteur de Rudolph !

Quant à son année de liberté, rien n'était gagné !

- 5 -

Et voilà. La journée avait été un échec sur toute la ligne.

Hailey s'enfonça dans la banquette défraîchie et jeta un coup d'œil autour d'elle, au vieux café rétro. Elle avait du mal à retenir ses larmes.

Une odeur de hamburger brûlé se dégagea dans la pièce et lui fit faire la grimace. Un peu plus loin, un bébé hurlait, refusant de manger, tandis que ses parents se disputaient.

On était bien loin de Carinos.

Ceci dit, il n'y avait rien à fêter et ce lieu convenait davantage à sa situation qu'un restaurant quatre étoiles.

Hailey voulait ce contrat. Elle avait travaillé comme une folle pour l'obtenir. Ses créations étaient originales, de très grande qualité et tout à fait tendance. Ses prix étaient raisonnables, sa marge bénéficiaire très correcte. Elle avait vraiment mis au point une offre sensationnelle.

Une offre parfaite pour la ligne de printemps de Rudolph.

Des modèles parfaits pour Cherry Bella.

Mais elle craignait, à présent, que tout cela ne suffise pas, qu'une fois encore, comme tant d'autres auparavant, alors qu'elle touchait presque au but, tout lui échappe.

Elle jeta un regard noir au verre posé devant elle.

Ce soir, elle s'était imaginée chez Carinos, dégustant un grand vin, dans un délicat verre en cristal, tandis qu'elle flirterait avec un homme séduisant, au cours d'un dîner plein de promesses.

La réalité était tout autre.

Le verre était épais, à demi plein de glace au chocolat qui

avait coulé sur le côté, surmontée encore de son dôme de crème fouettée en train de s'affaisser.

Elle lécha le chocolat qui maculait son index. Son goût intense, légèrement amer, la réconforta.

Sous ses vêtements, elle portait sa lingerie préférée. Un soutien-gorge pigeonnant d'un joli gris tourterelle, bordé d'un picot de dentelle parsemé de minuscules petites fleurs de satin prune. Elle s'était imaginée décrivant à Gage le slip et le porte-jarretelles assortis tandis qu'ils dégusteraient leur entrée dans la douce clarté du dîner aux chandelles, donnant ainsi le ton de la soirée.

Hailey sentit la ceinture de son porte-jarretelles lui serrer brusquement la taille, lui rappelant à quel point ses attentes avaient été déçues. Ce soir, elle ne connaîtrait ni la griserie d'un bon vin ni celle du désir dans les bras d'un homme.

A la place, la glace au chocolat lui avait donné mal au cœur et elle se sentait totalement déprimée.

Et tout cela par la faute de Gage Milano.

Comme si ses pensées avaient eu le pouvoir de le faire apparaître, il fut là, soudain, juste devant elle, plus séduisant que jamais, ses cheveux sombres, ébouriffés par le vent. Hailey éprouva l'envie soudaine et irrésistible d'y glisser ses doigts.

Il la fixait d'un regard intense, à la fois amusé et provocant. Et son corps… Il portait un blouson d'aviateur qui dissimulait son torse et ses belles épaules. Mais elle les imaginait sans peine sous le vêtement en cuir.

Le cuir.

Une matière dont il était spécialiste.

Hailey secoua la tête. Elle devait avoir des visions. Mais il ne disparut pas, bien au contraire. Il lui sourit, l'air tout à fait à l'aise. Il n'avait même pas la décence de paraître embarrassé dans ce lieu. C'était très irritant.

— Que faites-vous ici ? demanda-t-elle.

— Je vous ai suivie.

Non, ce n'était pas possible. Elle se trouvait assise là, depuis plus de trois quarts d'heure, à manger de la glace à s'en rendre malade. Elle aurait senti s'il s'était trouvé dans les parages. Son corps l'aurait avertie.

— Je serais entré plus tôt, mais lorsque j'ai vu que vous vous installiez pour un moment, j'en ai profité pour passer quelques coups de fil.

Parfaitement décontracté et n'imaginant visiblement pas un instant que sa présence puisse lui déplaire, il se débarrassa de son blouson et se glissa sur la banquette, en face d'elle.

Le box était étroit et Hailey vit avec satisfaction qu'il éprouvait quelque difficulté à s'y installer. Il dut se soulever, s'asseoir de côté. Son allure détonnait dans ce cadre. Avec un peu de chance, il récupérerait des gouttes de chocolat fondu sur son beau pantalon, songea Hailey.

Une telle pensée était-elle mesquine de sa part ?

Certainement.

Mais elle avait attendu cette soirée avec tant d'impatience. Elle avait tellement rêvé de se retrouver dans ses bras, de faire l'amour avec lui.

Pour une déception, c'en était une !

Comme celle qu'elle éprouvait systématiquement à chaque Noël, aussi loin qu'elle s'en souvienne.

On lui promettait toujours quelque chose de merveilleux. Un beau cadeau apporté par le Père Noël ou des parents qui ne se disputeraient pas ce jour-là. Alors, pendant des semaines, elle espérait, tout excitée à force d'imaginer comme ce serait merveilleux.

Et, chaque fois, c'était la même désillusion.

Le Père Noël ne lui apportait jamais ce qu'elle avait demandé. Ses parents ne tenaient jamais leurs promesses.

Le beau Noël qu'elle avait imaginé n'avait jamais eu lieu.

Hailey savait que le fiasco de cette journée n'était pas la faute de Gage. Il ignorait, lui aussi, qu'ils se trouvaient en concurrence pour le contrat. Mais elle ne pouvait s'empêcher de penser que l'ours lui avait bel et bien gâché son Noël.

— Pourquoi m'avez-vous suivie ?

L'espace d'une seconde, elle imagina que c'était peut-être

pour lui demander quand même de sortir dîner avec lui. Pour lui dire qu'il avait tellement envie d'elle qu'une chose aussi terre à terre que ce contrat ne pouvait pas se mettre en travers de ce qu'ils éprouvaient l'un pour l'autre.

— J'ai pensé que nous devrions discuter, tenter de régler cette affaire entre nous.

Son sourire était pur charme, son regard si troublant qu'en dépit de ses résolutions Hailey aurait pu lui sauter dans les bras.

— Vraiment ? demanda-t-elle, le souffle un peu court.

Son pouls s'était mis de la partie et battait à tout rompre.

— Vraiment.

Il se pencha vers elle, prit sa main. Du pouce, il en caressa doucement la paume. Hailey se sentait perdre pied, le corps parcouru de frissons.

— Je ne vois pas ce qui pourrait nous empêcher d'avoir tous les deux ce que nous souhaitons, vous ne croyez pas ?

Hailey avait la gorge sèche, trop sèche pour parler. Elle se contenta d'un hochement de tête. Cet homme avait un charme fou, un regard totalement hypnotique. Elle se sentait comme absorbée dans la profondeur de ses yeux et il n'aurait pas fallu grand-chose, en cet instant, pour qu'elle accepte n'importe quelle suggestion qu'il aurait faite.

— Je veux dire, qui sait ce que Rudolph pourrait encore inventer ? Vous avez vu comment il fait traîner les choses. D'abord, il était censé annoncer son choix samedi, lors de la soirée. Puis ce devait être aujourd'hui. Maintenant, c'est demain. Je sais que vous êtes une femme très occupée et j'ai moi-même un emploi du temps très chargé. Alors, pourquoi ne pas faciliter son choix ? Qu'en dites-vous ?

— Je ne vois pas où vous voulez en venir.

— Je vous fais une proposition. Je vous mets en contact avec d'autres clients. Une bonne douzaine de noms prestigieux avec lesquels je suis certain que vous pourrez faire affaire, peut-être même d'ici la fin du week-end. Avant même, sans doute, que Rudolph ait fait son choix.

Gage ponctua sa phrase d'un sourire charmeur, cerise sur le gâteau de sa délicieuse proposition.

Délicieuse pour lui. Hailey serra les dents, retenant avec peine les mots qu'elle avait envie de lui jeter à la figure.

Lorsqu'il vit qu'elle ne répondait pas, il se pencha légèrement par-dessus la table, jeta un coup d'œil à sa glace. Puis il saisit la cuillère qui se trouvait de son côté et en prit une bouchée.

— Il n'est pas mauvais, ce chocolat, commenta-t-il. Toutefois, je vous aurais imaginée plus téméraire dans vos choix. Fruits exotiques ou… citron vert, peut-être.

— Pourquoi ? Vous ne me connaissez pas, que je sache.

Les sourcils levés, il hocha lentement la tête et reposa la cuillère. Il affichait un air suffisant, comme s'il venait de constater subitement qu'il avait eu raison sur un point.

— J'en sais nettement plus sur vous désormais, déclara-t-il, le sourire dégoulinant de charme. Vous êtes une créatrice qui monte et avec laquelle il va falloir compter. Vos modèles sont pur romantisme, à la fois uniques et universels, conçus pour que les femmes qui les portent se sentent séduisantes et désirables.

— C'est ça. Merci, rétorqua Hailey.

Elle tendit la main, ramena la glace vers elle.

— Je vois que vous avez parfaitement retenu mes arguments publicitaires. Avez-vous également remarqué combien mes modèles semblent taillés pour Cherry Bella ?

— Allons, dit-il, un sourire amusé aux lèvres.

Mais son regard s'était durci.

— Cherry Bella est le genre de femme qui peut porter n'importe quoi. Elle rend sublime le moindre bout de chiffon. On ne verra qu'elle dans les défilés de printemps. On remarquera à peine ce qu'elle porte.

— Mes créations ne passent jamais inaperçues.

— Je n'en doute pas. Je ne dis pas qu'elles ne sont pas remarquables, elles le sont. Mais, admettez-le, le cuir donne plus d'allure que les froufrous.

Il était tellement certain de gagner qu'il lui jeta un regard plein de condescendance. Un regard qui disait qu'elle serait l'éternelle seconde, toujours un cran en dessous. Hailey avait eu droit à ce regard si souvent dans sa vie qu'elle se pensait immunisée.

Mais, cette fois, c'était de la part de cet homme, Gage Milano. Elle dut faire un effort surhumain pour demeurer polie et garder le contrôle alors qu'elle n'avait qu'une envie, lui jeter sa glace à la figure.

Elle s'obligea à effectuer quelques respirations lentes, le temps de se calmer. Elle n'avait pas l'intention de laisser l'homme le plus séduisant qu'elle ait jamais rencontré continuer à s'imaginer qu'elle n'était pas compétente.

— Seriez-vous en train de me dire que mes modèles ne sont pas à la hauteur pour rivaliser avec les vôtres ?

— Je n'ai rien dit de tel.

Il eut un léger froncement de sourcils, qui disparut aussitôt. Mais il n'échappa pas à Hailey. Elle se rendit compte qu'il n'avait pas seulement pensé qu'elle n'était pas à la hauteur, mais également qu'elle n'aurait pas le courage de lui tenir tête. Qu'elle était aussi fragile et délicate que ses créations.

Toute sa vie, elle avait eu affaire à des gens qui ne la trouvaient pas vraiment à la hauteur. Elle était vaccinée, à présent, et prête à se battre bec et ongles pour obtenir ce qu'elle voulait.

Aussi, avant que Gage ait eu le temps de lui répondre, elle se pencha vers lui, lui décocha son sourire le plus enjôleur. Puis, le regard plongé dans le sien, elle effleura sa main du bout des doigts, caresse légère et provocante à la fois, et haussa les sourcils.

— Mais c'est ce que vous avez sous-entendu, dit-elle.

Alors, ravalant sa douleur, sa frustration, elle hocha la tête d'un petit air navré.

— Quel dommage, vraiment. Si vous aviez joué plus fin avec moi, vous auriez eu l'opportunité de découvrir par vous-même que ma lingerie est tout simplement extraordinaire.

*
* *

Des visions d'Hailey, de son corps souple tout en courbes envoûtantes paré de rubans et de dentelle, dansaient dans l'esprit de Gage.

Dire qu'il était passé tout près d'un tel spectacle. Un spectacle rien que pour lui, en privé.

Il était entré, absolument persuadé que son charme suffirait à la faire renoncer à la compétition. Il avait passé quelques coups de fil, sollicité deux ou trois faveurs et il s'était retrouvé en mesure de lui présenter une liste intéressante de clients. Aucun qui soit comparable à Rudolph en termes de prestige, mais des gens offrant la perspective de contrats solides qui lui permettraient de s'offrir, pendant un bon moment, toutes les jolies bottes sexy dont elle aurait envie.

Elle possédait un produit tout à fait digne d'intérêt, mais elle était encore novice dans la profession. Elle ne jouait pas dans la cour des grands, comme Milano. Il avait imaginé qu'elle lui serait très reconnaissante et qu'ils pourraient non seulement dîner ensemble, comme prévu, mais passer très vite au dessert, à la partie la plus croustillante du rendez-vous.

Tout ce qu'il avait à faire c'était sortir son numéro de charme, sa liste de clients et hop, le tour serait joué ! Elle lui tomberait dans les bras.

Au lieu de cela, il s'échauffait à peine pour faire son numéro lorsqu'elle l'avait enveloppé de son regard vert, lui faisant tout oublier de sa stratégie. Rien de tel ne s'était jamais produit auparavant. Des femmes avaient fait assaut de charme avec lui et il n'avait pas bronché.

Mais aujourd'hui, alors que son année de liberté était en jeu, il s'était complètement pris les pieds dans le tapis et il l'avait braquée. Oublié le repas, et ne parlons même pas du dessert ! Restait maintenant à la convaincre de renoncer au contrat. De cette façon, il pourrait boucler l'affaire avec Rudolph avant que ce vieil excentrique ne trouve une autre idée tordue pour prolonger la torture. Il aurait tout loisir ensuite de s'occuper de ses propres clients et, qui sait, de s'offrir peut-être un peu de bon temps pendant les fêtes.

Il vit Hailey sortir son portefeuille pour payer sa glace, le visage fermé. Il lui fallait agir tout de suite, avant qu'elle se lève.

Trouver les mots justes.

Et la tactique appropriée.

Heureusement, il était plutôt bon dans ces deux domaines.

— Je sais que votre lingerie est extraordinaire, dit-il. Je n'ai pas besoin de le vérifier.

Il attendit un instant, satisfait de voir Hailey se troubler, ses joues rosir. Incapable de résister, il laissa son regard glisser vers sa poitrine. La veste à l'encolure très sage et l'écharpe drapée par-dessus ne laissaient rien voir de ses seins, mais il se souvenait de chaque détail.

— Vous avez un sens du style tout à fait original et, maintenant que j'y pense, je suppose que votre costume d'elfe était composé de pièces de votre collection, non ?

Comme ce bustier. Ce ravissant bustier de satin rayé qui faisait pigeonner si joliment ses seins. Il en avait encore l'eau à la bouche.

— En effet, dit-elle lentement, le fixant droit dans les yeux.

Gage la sentait méfiante encore. Elle avait peut-être l'air candide et fragile, mais il n'en était rien. Elle était extrêmement fine et intelligente.

— Je suis impressionnée, dit-elle. La plupart des hommes ne remarquent même pas ce que porte une femme. Quant à s'en souvenir quelques jours plus tard, je n'en parle même pas !

— Vous étiez éblouissante. Même si j'avais su que nous étions concurrents, je n'aurais pas résisté à votre charme. J'aurais simplement été plus conscient que la situation pouvait devenir embarrassante.

— Embarrassante ? Je ne sais pas, dit-elle.

Elle tendit la main, plongea l'extrémité de son index dans le chocolat et le porta à ses lèvres. Le cerveau de Gage se déconnecta. Il n'aurait su dire si elle avait fait ce geste parce qu'elle était nerveuse ou parce qu'elle savait que c'était le moyen le plus sûr de le torturer. Quoi qu'il en soit, la réaction fut immédiate. Son sexe se tendit sous sa braguette.

— Vous ne savez pas ? demanda-t-il, ne se souvenant même plus de ce dont ils étaient en train de parler.

Quelque chose à propos de lingerie, sans doute.

— Non, je trouve que c'est plus décevant qu'embarrassant, en réalité. Je veux dire par là que cette compétition entre nous a, de fait, gâché la soirée que nous avions prévu de passer ensemble.

Gage cherchait les mots appropriés pour s'inscrire en faux, dire que rien n'était perdu lorsque Hailey poussa un profond soupir. Il vit sa poitrine se soulever sous le tissu léger de sa veste. Le sang afflua dans son corps. En un instant, il fut en pleine érection.

— Pourquoi les choses seraient-elles aussi définitives ? dit-il, mû par le désir qui le taraudait. Vous acceptez mon offre, vous décrochez des contrats avec de gros clients et tout le monde est content. Ensuite, nous reprenons tranquillement notre petit jeu.

— Parce que c'est un jeu pour vous ?

— Le contrat ou notre rendez-vous ?

Haley eut un petit rire sarcastique.

— Je crois que cela répond amplement à la question.

— Ecoutez, ce que je veux dire, c'est qu'il n'y a aucune raison de laisser ce contrat gâcher le plaisir que nous pourrions avoir ensemble, s'entendit répondre Gage.

Avait-il perdu la tête ? C'était la première fois qu'il laissait le désir l'emporter sur la raison et qu'il tenait de tels propos.

— J'avoue que c'est tentant, répondit Hailey, posant sur lui un regard si doux, si troublant qu'il sentit la panique le gagner. Mais il faut au préalable que je vous pose une question, ajouta-t-elle, faisant tourner lentement le verre de glace entre ses doigts.

Gage la fixait, comme hypnotisé.

— Cela vous conviendra-t-il d'être deuxième ? Parce que j'ai la ferme intention de remporter ce contrat.

Il fallut quelques secondes à Gage pour s'arracher à la contemplation de ses jolies lèvres roses et prendre conscience de ce qu'elle venait de dire.

Elle pensait pouvoir le battre ?

Elle n'avait pas tort. Il lui suffisait de pousser un soupir pour qu'il ne songe plus qu'à son corps, qu'il en oublie tout le reste.

— Je crains que vous ne deviez revoir vos ambitions à la baisse, déclara-t-il, lui décochant un sourire insolent. Je ne perds jamais.

Gage était conscient de l'image déplorable qu'il donnait de lui en parlant ainsi, mais il ne savait plus très bien où il en était. C'était la première fois qu'une chose pareille lui arrivait et il gérait très mal la situation.

— Revoir mes ambitions à la baisse ?

Elle battit un instant des paupières. Elle n'avait pas l'air le moins du monde intimidée, mais plutôt très irritée.

— Et en quel honneur ?

Elle avait levé le menton et le mettait au défi de lui répondre. Il comprit au rose qui lui était monté aux joues qu'il ne s'agissait pas que d'une question d'ego. Il mesurait combien ce contrat était important pour elle. Il décida donc de la ménager, de la mettre en garde afin qu'elle ne se fasse pas trop d'illusions.

— Vous êtes quelqu'un qui prend les choses très à cœur, dit-il, et qui s'engage sans réserve.

Il vit à son léger froncement de sourcils qu'elle n'était pas particulièrement ravie qu'il ait vu juste. Ce n'était pas une surprise pour lui. Il démasquait assez facilement les gens et ses concurrents en prenaient souvent ombrage.

— Mais, dans le cas présent, reprit-il, il serait plus sage de prévoir une solution de repli.

— Tellement vous êtes certain de gagner.

— Je n'ai pas envie que vous soyez déçue, c'est tout.

Il lui sourit, posa doucement la main sur son bras.

Son regard vert se fit glacial et elle écarta son bras. A peine. Juste pour qu'il comprenne combien son geste était déplacé.

— Oh ! dit-elle, d'une voix un peu rauque qui évoqua aussitôt pour lui les gémissements que l'on murmure dans l'obscurité d'une chambre. Ainsi, vous ne voulez pas que je sois déçue.

Sans quitter un seul instant son regard, elle saisit sa veste et son sac et se glissa avec élégance hors de la banquette. La politesse voulait qu'il en fasse autant et il se précipita pour se lever à son tour, très gauche.

Un petit sourire satisfait effleura les lèvres d'Hailey. Puis, délibérément, avec audace, elle laissa son regard glisser lentement le long de son corps. Elle s'arrêta au niveau de sa braguette, hocha la tête d'un air navré, puis le regarda droit dans les yeux.

— Puisque notre dîner de ce soir, et tout ce qui aurait pu en découler, n'aura pas lieu, je ne vois pas ce qui pourrait encore me décevoir.

Ponctuant ses paroles d'un petit sourire pervers, elle tourna les talons, le laissant médusé.

- 6 -

Hailey ne décolérait pas. Ce Gage Milano n'était qu'un type infect, suffisant et prétentieux, persuadé en plus qu'il allait décrocher le contrat de Rudolph.

Une bonne nuit de sommeil aurait dû la calmer, mais elle avait passé son temps à rêver de lui. Des rêves érotiques, pour couronner le tout. Oh ! pourquoi fallait-il qu'il soit aussi séduisant ? La tentation même !

Il n'était pas question qu'il gagne. Jamais de la vie. Elle ne le laisserait pas faire.

Elle pénétra dans le bureau de Rudy, animée d'une juste colère, son café à la main. Elle se sentait sûre d'elle dans son superbe ensemble de lingerie Merry Widow et ses nouvelles chaussures.

Des Mary Janes somptueuses, en cuir noir, avec une double bride sur le dessus et qui formaient un contraste parfait avec ses collants cerise et sa robe trapèze violette, à la ligne très épurée.

— Bonjour, mademoiselle North. Soyez la bienvenue.

— Appelez-moi Hailey, je vous en prie, répondit-elle avec un sourire.

Sourire qui se figea aussitôt lorsqu'elle vit que Gage était déjà là.

Non seulement là, mais en plus confortablement installé dans la partie salon, près de la baie vitrée, à côté d'une rousse flamboyante au physique de croqueuse d'hommes.

L'œil exercé d'Hailey identifia tout de suite la robe, un modèle de Zac Posen, d'un vert intense, porté avec une superbe paire de Louboutin. Il était incontestable que cette femme avait un goût très sûr. En matière de vêtements, de chaussures. Et d'hommes, constata-t-elle, la voyant se pencher pour poser sa main sur le poignet de Gage.

— Venez, Hailey, dit Rudy. Puis-je vous offrir quelque chose à boire ?

Les doigts crispés sur la poignée de son portfolio, Hailey déclina l'offre. Gage et la rousse continuaient de l'ignorer.

— Cherry, la voici ! dit Rudy, accompagnant Hailey vers le coin salon. Hailey North, propriétaire et créatrice de Merry Widow. Comme vous pouvez le constater, elle est aussi ravissante que sa lingerie.

La rousse se leva, souple comme une liane et grande, très grande, comparée au petit gabarit d'Hailey. Hailey comprenait à présent pourquoi Rudy tenait tant à ce qu'elle devienne l'égérie de ses collections de printemps. Elle était la sensualité et la séduction faites femme.

— C'est un plaisir de vous rencontrer, mademoiselle Bella, dit Hailey, plus tendue qu'elle ne l'aurait voulu.

Sans doute à cause de l'air condescendant avec lequel Gage la regardait, et non parce que Cherry Bella avait posé la main sur le bras de cet homme qui la faisait littéralement fondre.

— J'adore vos modèles, dit Cherry de cette voix légèrement rauque qui la caractérisait.

Elle accompagna sa poignée de main d'un sourire sincère et fit signe à Hailey de prendre place dans le fauteuil à côté du sien.

— Vous rendez hommage comme aucun autre créateur à ce que la femme a de romantique en elle. Je suis impressionnée.

— Merci, dit Hailey, la gorge nouée par l'émotion.

Elle en aurait pleuré de bonheur.

— Quel contraste avec la puissance brute du cuir dans les créations de Milano, poursuivit Cherry, se rasseyant avec grâce. Un hommage, également, au corps de la femme, mais avec un message très différent.

Oh ! non.

Pour une fois, une seule, Hailey aurait voulu être l'élue. Celle que tout le monde avait choisie. Mais une vie entière à arriver seconde ou troisième l'avait habituée à affronter l'adversité.

Elle garda donc le sourire et prit place près de Cherry.

— Si je puis me permettre, quelle ligne vous conviendrait le mieux, d'après vous ? s'entendit-elle demander.

Mon Dieu, comment avait-elle pu dire une chose pareille ? Elle qui se voulait charmante, subtile, convaincante.

Cherry ne parut pas choquée le moins du monde. Elle rit.

— Je suis une femme aux nombreuses facettes. Choisir n'est pas chose facile. Je suis assez changeante et mes décisions dépendent souvent de mon humeur.

Hailey faillit souligner que ses modèles s'accordaient à toute une variété d'humeurs alors que ceux de Milano servaient surtout le côté sulfureux, provocateur de la séduction. Mais cette fois, elle se retint de parler.

Et s'autorisa finalement à jeter un œil à Gage.

Il la fixait de son regard sombre, un petit sourire flottant sur ses lèvres bien ourlées. Elle avait l'impression qu'il lisait en elle, qu'il fouillait dans ses pensées, à l'affût de sa stratégie, de ses idées, prêt à les pulvériser.

Et, malgré cela, elle avait envie de lui.

Lorsqu'elle fermait les yeux, il lui semblait sentir encore le goût de leur baiser, la caresse de ses doigts sur sa peau. Elle se souvenait de son parfum, de la douceur de ses cheveux.

Non, non et non ! se dit Hailey. C'en était assez ! Cet homme n'était pas le prince charmant mais un requin. Il ne ferait d'elle qu'une bouchée.

Une perspective qui n'avait vraiment rien de réjouissant.

— Si nous commencions, lança alors Rudy. Cherry a déjà exprimé ses préférences dans les autres secteurs.

Il énuméra les différentes lignes retenues et Hailey faillit bondir de joie en constatant que Vivo n'en faisait pas partie. Les créateurs étaient tous extrêmement originaux, mais pas d'une avant-garde telle que sa lingerie risque de détonner. Bien sûr, aucun n'était classique au point que les modèles de

Milano ne puissent convenir. Mais, cela, Hailey préférait ne pas y penser pour l'instant.

— La lingerie est le dernier choix que Cherry doit opérer avant que nous puissions lancer la collection de printemps, poursuivit Rudy.

Jouant les serveurs zélés, il s'avança, posa un plateau sur la table basse, les invitant à se servir. Voyant que personne ne bougeait, il saisit un biscuit dans lequel il croqua, puis s'agitant dans leur direction il poursuivit :

— J'aimerais que vous fassiez tous les deux une dernière présentation, que vous nous expliquiez en quoi votre ligne vous semble parfaite pour Cherry Bella et les magasins Rudolph.

— Priorité aux dames, déclara aussitôt Gage, ne laissant même pas à Hailey le temps de dire ouf.

Elle le regarda, cherchant quelque chose à répondre, n'importe quoi, pour le remettre à sa place, pour qu'il comprenne qu'il n'avait pas à choisir pour elle.

Mais à l'instant où son regard croisa le sien, ce fut le vide total dans sa tête. Son corps, en revanche, se manifestait, lui envoyant des signes qui ne trompaient pas.

Elle aurait pu rester ainsi des heures, des jours même, le regard plongé dans le sien. Ou mieux encore, des nuits entières. Elle avait envie de voir ses yeux chavirer, s'assombrir de désir, brûler de passion comme lorsqu'il l'avait embrassée.

Elle passa sa langue sur ses lèvres, se remémorant le goût des siennes, la douceur enivrante de sa bouche, la caresse de sa langue.

— Hailey ? appela Rudy.

— Hum ?

Elle cilla, revenant brusquement à elle, horrifiée, et se tourna vers Rudy. L'homme qui détenait l'argent et son avenir entre ses mains.

— Oui ? Je vous demande pardon ?

— Allez-y. Commencez votre présentation, qu'attendez-vous ?

Elle avait envie de proposer que ce soit Gage qui commence. Elle ne savait plus où elle en était. Mais tout le monde la regardait et elle ne voulait surtout pas faire de vagues. Ou pire, donner l'impression qu'elle n'était pas reconnaissante que cette opportunité lui soit donnée.

Inspire profondément et ne regarde plus Gage, s'ordonna-t-elle.

— Parfait. Eh bien…

Elle avait passé toute la nuit à peaufiner sa présentation et voilà qu'elle hésitait.

— La situation est claire, commença-t-elle, reprenant brusquement le contrôle. Vous avez à choisir entre deux lignes de lingerie au caractère très affirmé.

Elle adressa à Gage son plus beau sourire avant de se détourner totalement de lui.

— La question est : laquelle, pensez-vous, vous assurera le plus grand rayonnement et garantira votre succès ? Le thème que vous avez choisi pour ce printemps est « Devenez une autre ». Votre stratégie vise à inspirer chez la femme un changement d'allure, une transformation. La femme doit se réinventer, se révéler à elle-même. Peut-on imaginer meilleure façon d'entreprendre ce changement qu'en partant de l'image qu'elle a d'elle-même ? La lingerie n'est pas seulement un atout physique pour la femme, elle joue également sur ses émotions. Bien choisie, elle l'aide à avoir confiance en elle. Elle exalte sa féminité. La ligne Merry Widow ne se contente pas de la rendre plus belle, elle lui permet de s'affirmer.

Hailey marqua une pause, observant les réactions. Rudy semblait très intéressé et Cherry visiblement d'accord avec elle. Mais ce fut surtout l'attention que lui portait Gage qui la motiva pour poursuivre sa présentation. Elle produisit des graphiques, des chiffres, fit circuler quelques très beaux échantillons et mit tout son cœur dans son argumentaire.

— Tout est affaire de message, en fin de compte, reprit-elle. Lequel souhaitez-vous adresser aux femmes ? Auquel, à votre avis, seront-elles le plus sensibles ? J'imagine que vous serez d'accord pour penser que le charme, la poésie et le romantisme, si fortement synonymes de bonheur, de sentiments et d'amour, seront des arguments de vente extrêmement convaincants.

Satisfaite de son intervention, Hailey adressa un sourire chaleureux à Rudy et Cherry et se rassit, épuisée, dans son fauteuil. Elle n'était pas plus tôt assise que Gage se levait. Il était clair qu'il ne voulait pas lui laisser plus longtemps l'avantage.

— Puisque nous sommes entre nous, soyons honnêtes, commença-t-il, légèrement goguenard. Nous savons tous ce qui fait vendre, surtout en matière de lingerie.

— Mais encore ? demanda Cherry, n'entendant visiblement pas lui faciliter la tâche.

— Le sexe. L'affirmation de soi, les sentiments et les émotions, tout cela est très joli dans la littérature ou dans les séminaires sur l'estime de soi. Mais ce n'est certainement pas ce à quoi pensent les clients lorsqu'ils achètent de la lingerie. Et les hommes encore moins que les femmes. Ils pensent au sexe.

Hailey n'en revenait pas. Le traître ! Pour la première fois depuis leur rencontre, elle eut vraiment envie de le frapper. Elle le trouvait insupportable, à parader ainsi dans son costume chic, comme si le monde lui appartenait.

— Alors, aussi charmante et séduisante que soit la lingerie Merry Widow, poursuivit-il, soyons réalistes. Rien ne parle mieux de sexe que le cuir.

Pour étayer son propos, Gage sortit une planche de son portfolio. C'est à peine si Hailey l'écouta, son regard rivé sur la photo d'une magnifique rousse aux longues jambes, toute de cuir vêtue, et tenant un micro à la main, manœuvre plus qu'évidente pour séduire Cherry.

Hailey était furieuse. Sa lingerie était charmante, séduisante ? Il tournait ces qualités en dérision et n'avait pour but que de se moquer, de faire paraître ses créations ridiculement mièvres. Elle se tourna vers Rudy et Cherry. Etaient-ils aussi outrés qu'elle ?

Elle crut s'évanouir. Rudy hochait la tête, le regard rivé sur la photo, totalement sous le charme. Quant à Cherry… Elle fixait un point lointain, par la fenêtre, son regard aussi morose que les nuages gris qui enveloppaient le Golden Gate Bridge.

Gage poursuivait sa présentation, reprenant certains des

arguments déjà développés, alternant les images fortes destinées à séduire Rudy et une bonne dose de flatterie à laquelle, fort heureusement, Cherry ne semblait pas prêter beaucoup d'attention. Elle était perdue dans ses pensées.

Hailey avait envie de se mettre à hurler, de tout arrêter. Ils étaient tous des professionnels avisés. Une telle décision ne devait-elle pas être prise au nom d'une logique d'ensemble, dictée par un choix de modèles censés plaire à un large public ?

Lorsque Gage eut terminé son intervention et se rassit, la décision de Rudy se lisait clairement sur son visage. Hailey sentit son moral chuter. Rudy était clairement un homme qui avait fait fortune en raisonnant quelque peu au-dessous de la ceinture.

— Eh bien, merci à tous les deux, dit-il. Ce fut une matinée très instructive. Que diriez-vous de faire une pause déjeuner ? Cherry et moi pourrions ainsi nous consulter et vous informer de notre décision dans l'après-midi.

Hailey sentit la nausée l'assaillir. Il allait se prononcer pour Milano. Bien que Cherry n'ait pas approuvé sa préférence pour Vivo, il allait quand même choisir ce cuir immonde.

Et cela sonnerait le glas de son entreprise.

Oh ! bien sûr, elle pourrait toujours trouver un emploi de créatrice ailleurs. Enfin, peut-être. Mais qu'adviendrait-il de ses employés, de ses clients ? De son rêve ?

Elle poussa un soupir, s'efforçant de se faire une raison. Elle ne ferait pas changer d'avis le vieil homme. Et elle ne pouvait tout de même pas se lever et taper du pied en exigeant d'être choisie.

Mais…

Elle ne pouvait pas non plus laisser les choses lui échapper ainsi.

— Attendez ! lança-t-elle, au moment où tout le monde se levait.

Rudy et Gage la regardèrent, surpris, mais Cherry se rassit, un sourire chaleureux aux lèvres, visiblement prête à l'écouter.

— Je pense que Gage se trompe. Il est indéniable qu'il

maîtrise parfaitement le marketing et il a raison sur un point, le sexe fait vendre. C'est un ressort très efficace que les publicistes, d'ailleurs, ne se privent pas d'exploiter.

Hailey s'interrompit un instant, laissant le temps à ses paroles de faire leur chemin dans les esprits.

— Mais est-ce vraiment ce que vous voulez ? Ce genre de ressort ne fonctionne qu'un temps. Il a ses limites.

Elle avait adressé la question à Cherry qui eut l'air brusquement très fatiguée, comme si toute cette discussion l'avait vidée de son énergie.

— Toutes les stratégies se défendent, j'imagine, répondit-elle, indiquant par là le peu d'intérêt qu'elle portait à la chose.

A ces mots, les deux hommes se rassirent, Gage visiblement sur ses gardes tandis que Rudy scrutait le visage de sa muse, attentif à la moindre de ses expressions.

Hailey avait vu juste. Quelle que soit son envie de voir les femmes défiler sur les podiums en cuir et talons aiguilles, il ferait ce que Cherry déciderait.

— Le sexe fait vendre, d'accord, reprit Hailey, mais en l'occurrence il ne toucherait qu'un marché très limité. Or, vous souhaitez que la mode de cette année ait un retentissement extraordinaire, je me trompe, monsieur Rudolph ? C'est la première année que vous construisez toute une collection autour d'un mannequin et non d'un thème.

— C'est exact, répondit Rudy. Encore que Mlle Bella n'ait signé aucun engagement jusqu'à ce jour, ajouta-t-il avec un rire jovial qui ne dissimulait en rien son inquiétude sur ce point.

— Dès que je saurai exactement ce que je dois représenter, j'arrêterai ma décision, dit Cherry, d'un ton aimable mais ferme, dans lequel perçait une pointe d'impatience. Il est fondamental pour moi que tout ce que je fasse soit en adéquation parfaite avec mon image et mon confort personnel.

— C'est pourquoi Merry Widow est très exactement ce qu'il vous faut, dit Hailey. C'est une ligne qui met l'accent sur la séduction, la féminité, l'affirmation de soi, mais avec naturel, si bien que la femme ne peut que se trouver parfaitement à l'aise et fidèle à elle-même.

Hailey était à bout de souffle. Elle se retint de sourire. Elle était fière d'elle. Sa démonstration avait été brillante.

— Un instant, intervint Gage d'une voix doucereuse.

Mais son regard était de glace et Hailey crut y lire de la surprise. Visiblement, il ne s'attendait pas à devoir se battre contre elle. Il l'imaginait sans doute aussi inconsistante et légère que les « froufrous » de sa lingerie.

Il se tourna vers Cherry, tout charme dehors. Hailey aurait voulu pouvoir le détester, mais comment lui en vouloir d'être aussi fabuleux ? Il avait raison de se servir de ses points forts. Si seulement tout ce charme lui avait été destiné.

— Mademoiselle Bella, vous êtes une femme extrêmement séduisante et talentueuse et vous savez fort bien vous servir de ces atouts dans votre carrière. Comme la lingerie Milano, vous êtes à part, originale et audacieuse. Si quelqu'un est en mesure d'incarner la séduction féminine avec assurance et caractère, c'est vous.

Gage se pencha plus près, un sourire enjôleur aux lèvres. Il posa sa main sur l'accoudoir de son fauteuil, mais se garda bien de la toucher, se contentant de suggérer qu'une certaine intimité les liait.

Hailey n'avait qu'une envie, bondir de son fauteuil et lui faire ôter sa main de là.

La nervosité, la peur, la déception ne suffisaient pas, sans doute. Voilà qu'elle était jalouse, à présent. Jalouse dans toute son horreur.

— Vos deux lignes de lingerie possèdent des qualités incontestables, dit lentement Cherry, son regard passant de l'un à l'autre. Je ne sais pas quelle est celle qui conviendrait le mieux à mon image.

— Je pense que la vraie question est de savoir quel message vous souhaitez faire passer en la portant, reprit Hailey avant que Gage ait eu le temps d'intervenir. Qu'est-ce qui vous semble le plus représentatif de vos chansons et de votre image, le sexe ou une vision plus sensible de la séduction ? La lingerie ne concerne pas seulement le physique. Elle parle avant tout d'intimité.

Lorsque Hailey vit Cherry froncer les sourcils, réfléchissant à ce qu'elle venait de dire, elle décida de foncer.

— C'est à cela que tout se résume, finalement. Le sexe qui n'est que pure satisfaction physique ou la séduction plus subtile, mélange de sensations et d'érotisme et qui fait appel aux émotions, à l'esprit et à l'imagination.

— L'imagination joue également un rôle très important dans le sexe, coupa Gage, abandonnant le charme pour décocher à Hailey un regard suspicieux. Ce n'est pas par hasard qu'il est un si bon argument de vente. Les gens en ont besoin. Il les fait fantasmer. Le sexe, en lingerie de cuir, séduira aussi bien les hommes que les femmes. Les fanfreluches, en revanche, attireront peut-être l'attention de quelques femmes, mais certainement pas celle des hommes.

— Ce sont les femmes qui achètent le plus de lingerie, fit remarquer Hailey.

— Oui, mais pour plaire aux hommes, contre-attaqua Gage.

— La séduction et les sentiments font vendre davantage que le sexe. Le message parle à un public plus large.

Assis, les mains croisées souplement sur ses genoux, Gage se pencha en avant. Il était assez loin d'Hailey, mais elle éprouva la sensation soudaine de sa présence toute proche, comme si son corps pressait intimement le sien. Le souffle lui manqua tandis qu'une chaleur intense envahissait son corps et elle le maudit d'être capable d'éveiller en elle un désir aussi violent.

— Le sexe fait vendre nettement plus que les sentiments. Vous n'avez qu'à regarder les statistiques sur internet.

— Le porno, vous voulez dire ? lança Hailey avec une moue dédaigneuse.

— Il paie bien, contra Gage.

— C'est ce qu'entendent vendre les magasins Rudolph ? Ou cherchent-ils à créer une image exclusive ?

— Ils entendent vendre une mode, rétorqua Gage d'un ton triomphant.

Comme si elle venait de lui tendre la perche pour qu'il puisse marquer le point de la victoire.

Hailey le fixa d'un œil noir. Elle avait envie de le gifler tant il avait l'air content de lui, arborant son visage suffisant de professionnel du marketing.

— Bien. Cette réunion a vraiment été très enrichissante, coupa Rudy avant que leur discussion ne s'envenime. Vous nous avez présenté des arguments convaincants et vos lignes respectives sont toutes deux dignes d'intérêt. Mais, bien sûr, il nous faudra en choisir une seule.

Hailey détourna les yeux du sourire satisfait, bien trop séduisant, de Gage et regarda Rudy, l'homme qui tenait son avenir entre ses mains. Brusquement, elle eut envie de pleurer. Il était évident qu'il avait déjà pris sa décision. Elle était passée si près du but. Elle avait fait de son mieux et s'était fait violence pour défendre ses créations. Et il allait quand même signer avec Milano ?

Elle s'efforça de refouler les larmes qui lui brûlaient les yeux, regardant les récompenses alignées le long du mur. Des trophées. De nombreuses photos de Rudy gagnant des compétitions. De poker, notamment, constata-t-elle, surprise.

— Et si nous faisions un pari ? s'entendit-elle lancer soudain.

Tous les regards se tournèrent vers elle.

— Un pari ? répéta Rudy, vivement intéressé. Quel genre de pari ?

Hailey n'en avait pas la moindre idée. Elle s'efforçait de réfléchir, mais la panique faisait bourdonner ses oreilles. Que lui avait-il pris de lancer un pareil défi à Rudy Rudolph ? Elle était folle ! Cet homme pouvait la briser. Se quitter en bons termes, avec la possibilité d'une commande future, n'était-il pas suffisant ? Elle avait eu un bon contact avec lui et la couverture médiatique de la soirée pouvait lui amener de nouveaux clients, de nouvelles ventes.

Mais ce n'était pas avec quelques ventes de plus qu'elle pourrait prétendre au prêt nécessaire pour sauver son entreprise.

Aussi, l'estomac noué, plaqua-t-elle un sourire sur ses lèvres et décida-t-elle de foncer.

— La question est simple : quel sera le meilleur argument de vente pour votre ligne de printemps ? Le sexe ou les sentiments ?

Gage la fixa d'un regard sévère qui voulait dire : « N'a-t-on pas déjà fait le tour de la question ? » Mais Hailey n'entendait pas se laisser impressionner.

Elle se redressa, pencha la tête vers Cherry.

— Mlle Bella peut faire vendre les deux. Reste à savoir ce qui séduira le plus, ce qui aura le plus d'impact et fera se précipiter les clients pour acheter la toute dernière exclusivité de chez Rudolph. Et, ajouta triomphalement Hailey, ce qui servira la réputation et l'image de Cherry au point d'être un bénéfice pour elle en termes de carrière.

— Je vous entends répéter votre argumentaire, intervint Gage, mais en aucun cas proposer un pari.

— Très bien. Nous aurons chacun deux occasions d'exposer notre point de vue. Puis M. Rudolph et Mlle Bella décideront lequel de nous deux servira le mieux leur image.

— Que proposez-vous que nous fassions pour cela ?

Hailey n'en avait pas la moindre idée, mais elle n'avait pas l'intention de le montrer.

Elle afficha un sourire suffisant et déclara :

— J'ai tellement d'idées qu'elles se mettront en place au fur et à mesure.

— Il faut que nous avancions, dit Rudy d'un ton prudent, scrutant le visage de Cherry, à l'affût de sa réaction. Nous ne pouvons pas passer trop de temps là-dessus.

Hailey se torturait l'esprit, s'efforçant de ne rien laisser paraître de son désespoir. Elle ne trouvait rien, pas la moindre idée, pas le moindre argument pour le convaincre d'accepter. Rien. En désespoir de cause, elle finit par se tourner vers Cherry. Elle n'avait tout de même pas envie de se retrouver à parader en Bikini en cuir, si ?

— Je peux y consacrer une semaine, dit Cherry. Dans une semaine, je serai en mesure de vous dire quelle ligne de lingerie je préfère, Rudy, et si j'accepte votre proposition d'en être l'égérie.

Gage ne décolérait pas.

Il avait été sur le point de gagner. Tout le monde savait que Rudy penchait pour Milano.

Il tenait le contrat et sa liberté dans la paume de sa main. Il n'avait eu qu'un vague remords de s'être montré aussi dur en affaires. Hailey était une femme charmante et une créatrice pleine de talent, mais il lui manquait cet instinct de tueuse qui faisait la différence entre le succès et la chance.

Et alors qu'il était sur le point de sortir son stylo pour signer le contrat, la charmante petite blonde avait retourné la situation, le prenant au dépourvu. Une fois de plus. Comment était-ce possible ? Etait-ce délibéré de sa part ou avait-elle seulement de la chance ?

En tout cas, grâce à elle, au lieu d'être sur le point de s'envoler pour ses vacances après avoir rabattu le caquet de son frère, il allait se retrouver coincé, à vanter les mérites de la lingerie de cuir de Milano ?

C'était hors de question.

— Je n'ai pas une semaine disponible à consacrer à la négociation de ce projet, dit-il, se tournant délibérément vers Rudy.

Il n'était plus question qu'il se laisse distraire, ne serait-ce qu'un instant, par Hailey. Elle ne pourrait plus exercer le moindre pouvoir sur lui.

— Vous teniez, en outre, à ce que votre équipe de marketing ait bouclé la campagne de publicité avant Noël, reprit-il. Cela signifie que vous n'avez pas de temps à perdre non plus. Il n'est guère possible de mettre sur pied une campagne digne de ce nom en quelques jours.

— Vous pensez que c'est une perte de temps ? demanda Cherry.

Gage se recomposa très vite un visage charmeur et lui sourit. Elle demeura impassible. Il était évident qu'elle avait l'habitude que l'on s'occupe d'elle, ce qui signifiait qu'il venait de commettre une erreur de taille.

— Je pense que votre temps est précieux et que vous devez avoir plus important à faire à cette période que de jouer…

Il s'interrompit, conscient que ce qu'il allait faire n'était pas très fair-play, mais il n'avait pas le choix.

Il se tourna vers Hailey, un sourcil levé.

— A quoi vouliez-vous que nous jouions, déjà ?

Elle passa sa langue sur ses lèvres, faisant ressortir leur jolie couleur nacrée et il sentit les siennes frémir de l'envie de l'embrasser.

Il lui avait offert une sortie honorable, la veille, l'opportunité de se constituer une solide clientèle, prête à passer commande. Si elle était aussi désespérée qu'elle en avait l'air en cet instant, elle aurait sauté sur l'occasion. Elle devait se douter que sa minuscule entreprise ne faisait pas le poids face à une société telle que Milano. Ce matin, avant la réunion, il avait jeté un coup d'œil rapide à ses résultats sur le Net. Elle n'était pas endettée et n'avait pas d'échéances particulières à affronter.

Il n'y avait donc qu'une seule explication, une seule raison pour avoir refusé son offre et lancé cette stupide idée de pari.

C'était par pur entêtement.

— Lorsque nous saurons en quoi consiste exactement ce pari, sans doute pourrons-nous fixer des échéances, dit Rudy d'un ton conciliant.

— Peut-être devrions-nous…, commença Gage.

Hailey le coupa aussitôt.

— Je suggère que nous présentions tour à tour un scénario qui, selon nous, incarne le mieux l'image qu'offre notre lingerie. Le mien consistera à vous montrer combien ma ligne servira votre réputation de précurseur et d'icône de la mode, ainsi que l'image sensuelle que Mlle Bella a construite au cours de ces dernières années.

Hailey pencha la tête vers Gage. Une boucle blonde glissa le long de sa joue, lui rappelant la douceur de soie de ses cheveux lorsqu'il avait pris son visage entre ses mains pour l'embrasser. Quant au goût de ses lèvres…

Il se reprit aussitôt. C'en était assez. Il ne se laisserait pas troubler par elle cette fois.

— Et quel scénario suggérez-vous pour moi ? demanda-t-il.

— Ce sera à vous de choisir celui qui vous paraîtra incarner le mieux le message de la maison Milano.

Quelle situation fallait-il pour le cuir ? Un club de strip-tease ? Un sex-shop ?

Elle marquait un point.

Et elle le savait, il n'y avait qu'à la regarder.

Et Rudy et Cherry le savaient, eux aussi.

— Pas de problème, répondit-il tranquillement.

Mais il était loin d'être tranquille.

— Je dois avouer que je trouve cette suggestion très intéressante, intervint Cherry. Et elle ne prendra pas plus d'une semaine, j'en suis certaine, ajouta-t-elle avec un geste de la main en direction de Gage.

Le diamant qu'elle portait au doigt étincela de mille feux.

— Mais j'ai des engagements, aussi mon temps est-il compté. Il vous faudra planifier ces scénarios les soirs où je ne me produis pas.

Tous se tournèrent vers Rudy. Il passa une main sur son crâne chauve et hocha la tête.

— Très bien. Cherry se produit trois fois par semaine, si je ne me trompe pas.

Elle confirma d'un signe de tête.

— Cela vous laisse trois possibilités. Mettez-vous d'accord sur le jour et l'heure et informez-nous-en avant 17 heures. Si l'un de vous deux n'est pas en mesure de produire un scénario ou s'il se dérobe, quelle qu'en soit la raison, le contrat ira à l'autre.

Rudy attendit un instant, puis il se leva, mettant ainsi fin à la réunion. Il offrit son bras à Cherry, proposant de la raccompagner. Dès qu'ils eurent franchi la porte, Gage se tourna vers Hailey.

Ce n'était pas possible. Il avait beau être en colère, il ne pouvait s'empêcher de la trouver irrésistible.

— Eh bien, il semblerait que cette affaire ne soit pas encore terminée, lança-t-elle, bravache.

Mais Gage vit qu'elle avait dévoré son joli gloss et qu'elle avait l'air inquiet. Comme si elle redoutait ce qui allait se passer maintenant qu'ils étaient seuls.

Ce qu'il avait envie de faire, c'était glisser sa main sous cette ravissante petite robe pour voir si elle portait des bas ou un collant. Il avait envie de la caresser, de sentir de nouveau la douceur de sa peau, la chaleur de son corps contre le sien.

Mais ce dont il avait surtout envie, c'était de l'attacher à son lit pour qu'elle cesse enfin de lui causer des problèmes.

Une fois attachée au lit, on verrait. Il l'autoriserait peut-être à s'occuper de lui…

— Vous êtes consciente de ce que vous avez fait, j'imagine ? demanda-t-il, s'efforçant de ne rien laisser transparaître de son agacement contre elle.

Elle lui jeta un regard méfiant et leva le menton.

— J'ai fait très exactement ce pour quoi j'étais venue. J'ai tout fait pour remporter ce contrat.

Gage rit. Pour cela, on pouvait lui faire confiance.

— En tout cas, vous venez aussi de faire en sorte qu'on se revoie.

- 7 -

Comment était-on censée s'habiller pour un rendez-vous avec son adversaire, l'homme le plus séduisant du monde, accompagné d'un grand ponte de la mode un peu pervers et d'une femme dont la beauté vous subjuguait ?

En portant une lingerie d'enfer, bien sûr ! conclut Hailey.

Avec un peu de chance, elle ferait des miracles, ce soir.

Elle gara sa voiture. Deux jours s'étaient écoulés depuis qu'elle avait lancé le pari. Il était temps de passer à l'action.

Elle aspira une grande bouffée d'air et sentit sa poitrine, joliment soulignée de dentelle, presser le tissu léger de son chemisier. Il ne serait pas dit que le charme romantique ne pouvait pas être sexy. Pour le prouver, elle avait opté pour une lingerie toute en satin et dentelle délicate, dans un ton lilas clair, sous un chemisier coloris ambre. La petite jupe ample qui complétait sa tenue, ambre elle aussi, était juste assez courte pour mettre en valeur la couture et les petits nœuds qui ornaient l'arrière de ses bas diaphane.

Un petit slip et un porte-jarretelles du même ton lilas, que l'on devinait sous le tissu léger, venaient compléter l'ensemble. Cela, c'était le petit secret d'Hailey. Le petit plus laissé à l'imagination et censé intriguer, titiller. Un message subtil et non pas une attaque frontale, à l'opposé de la lingerie de *certains*.

— Mademoiselle North, vous êtes absolument magnifique, lui dit le maître d'hôtel lorsqu'elle entra chez Carinos.

C'était le lieu qu'elle avait choisi comme décor pour son scénario. Ce n'était pas tant pour rappeler à Gage ce qu'il avait perdu en lui préférant le contrat. Non. Carinos était son restaurant préféré. Mais si en plus du délicieux dîner qu'elle avait organisé il finissait rongé de remords, ce serait la cerise sur le gâteau.

— Merci, Paolo, répondit-elle, suivant le maître d'hôtel en direction du salon privé qu'elle avait fait préparer.

Elle était heureuse de retrouver l'ambiance du restaurant. Musique douce, lueur dorée des chandelles, délicieux parfum de rose tandis qu'ils longeaient la salle à manger et s'arrêtaient à la hauteur du luxuriant jardin intérieur.

— Les autres convives ne devraient pas tarder, dit-elle, glissant dans la main de Paolo un généreux pourboire tandis qu'il lui indiquait la porte du salon privé.

— Un monsieur est déjà là, mademoiselle North.

Hailey se doutait qu'il s'agissait de Gage, cherchant à prendre une longueur d'avance. Elle signifia à Paolo qu'il pouvait disposer. Elle souhaitait qu'il soit disponible pour accueillir Rudy et Cherry dès leur arrivée.

Concentrée, elle passa mentalement en revue la liste de ce qu'elle devait faire tout au long de la soirée. Puis, plaquant un magnifique sourire sur ses lèvres, elle entra.

Le souffle lui manqua.

Bon sang, il était superbe.

Dos tourné, il fixait le jardin. Son costume anthracite lui allait à la perfection. Sa coupe impeccable mettait merveilleusement en valeur son corps mince et musclé.

Il l'avait entendue entrer et se retourna.

Oh ! mon Dieu… quel visage, quel regard ! Quel charme ! Elle ne pouvait détacher les yeux de lui, comme hypnotisée.

— Ah, voici mon rendez-vous, lança-t-il avec un petit sourire taquin.

Mais déjà son regard s'assombrissait, plus intense.

— Vous êtes superbe.

— Merci, répondit-elle sobrement.

La première règle qu'elle s'était fixée pour cette soirée était de garder ses distances avec Gage. Elle devait impérativement conserver le contrôle. Sur ses pensées, son corps. Sur la situation.

Mais lorsqu'il traversa la pièce et prit ses mains dans les siennes, elle fut incapable de s'écarter. De toute façon, il aurait été très impoli de le faire.

Elle leva les yeux vers lui et fut aussitôt assaillie par l'envie irrésistible de glisser les doigts dans ses cheveux, de les ébouriffer, mèches souples sur son front, comme le premier soir où ils s'étaient rencontrés.

Il la regarda, porta une de ses mains à ses lèvres et effleura délicatement ses doigts. Hailey crut que ses jambes allaient se dérober sous elle. En une seconde, son corps n'était déjà plus que frissons. S'il parvenait à la troubler à ce point par ce seul geste, qu'en serait-il de ses lèvres magiques ?

Elle savait déjà, par expérience, dans quel état la plongerait un seul de ses baisers.

Brusquement, elle n'eut qu'une envie, découvrir jusqu'où pouvait aller son pouvoir, faire l'expérience de tout ce qu'il avait à offrir.

Et il le savait.

Il la fixait d'un regard légèrement amusé où flottait une ombre de désir, comme une promesse. Une promesse qu'il saurait tenir, elle en était certaine. La promesse d'un plaisir qu'elle brûlait de découvrir.

— Mademoiselle North…

Hailey laissa son regard glisser jusqu'à ses lèvres. Elles étaient belles, pleines, sensuelles, si tentantes. Elle avait envie d'y goûter, envie de sentir leur caresse sur son corps.

— Il semblerait qu'on désire vous parler, dit doucement Gage.

Qu'on désire ? Qui la désirait ? Lui ?

— Mademoiselle North ? insista Paolo.

Hailey dégagea ses mains de l'étreinte de Gage. Elle avait le visage en feu. Le temps de reprendre ses esprits et elle se tourna vers le maître d'hôtel.

— Oui ? demanda-t-elle, les lèvres tremblantes.

— J'ai un message pour vous.

Paolo s'avança et lui tendit une feuille de papier. Puis, sans un mot, il tourna les talons et sortit, discret et poli, comme à son habitude, les laissant seuls.

Elle déplia la feuille et lut. Son visage se tendit brusquement et elle froissa le papier d'un geste de colère.

— Que se passe-t-il ? demanda Gage.

— Cherry ne peut pas venir, elle ne se sent pas bien. Elle a prévenu Rudy. Il nous fait savoir qu'il nous rejoindra dans une heure et nous prie de commencer le repas sans lui.

C'était la catastrophe.

Hailey avait planifié cette soirée avec tant de soin, choisi le restaurant le plus romantique, un salon privé. Elle avait commandé le repas, sélectionné le vin et même la musique, tout cela avec la ferme intention d'impressionner Cherry et Rudy.

Et voilà qu'aucun d'eux n'était là.

— Rien ne nous empêche de commencer la soirée, dit Gage. Rudy la prendra en route.

— A quoi bon ? Ce serait absurde. Ce n'est pas *vous* que j'ai l'intention de convaincre des mérites d'une soirée romantique, s'exclama Hailey, avec un haussement d'épaules.

Du calme, lui souffla sa petite voix intérieure.

Gage était peut-être son adversaire, mais il n'en était pas moins un acteur important dans le milieu de la mode. Il connaissait beaucoup de monde. Si elle le braquait, il pouvait fort bien répandre une rumeur disant qu'elle était odieuse et se prenait pour une diva. Ou, tout simplement, qu'il ne la supportait pas.

Mais, pour une fois, elle ne tint aucun compte de l'avertissement. Peu lui importait de braquer qui que ce soit. Elle était trop en colère pour s'en préoccuper.

— Allons, insista Gage. Autant profiter de la soirée. Il n'y a aucune raison de gâcher cette belle ambiance. Je commence à avoir faim, pas vous ? Profitons-en.

Hailey jeta un regard à la pièce, autour d'elle.

Une belle ambiance… Il avait raison. La table était dressée pour quatre, sur une magnifique nappe blanche, avec des verres en cristal et des chandeliers qui répandaient une lumière douce et dorée. Hailey avait choisi de diffuser non pas des airs de

Noël comme dans la grande salle à manger, mais des mélodies aux accents de blues très sensuelles, empruntées au répertoire de Cherry.

Et il y avait Gage.

Gage Milano, plus séduisant que jamais et toujours si aimable.

Hailey se pensait capable de résister à son charme. Enfin, probablement. Mais pas à cette douceur, cette amabilité dans son regard sombre. Elle sentait son cœur s'émouvoir. Elle avait si peu l'habitude qu'on prenne soin d'elle.

— Peut-être devrions-nous attendre Rudy pour dîner, murmura-t-elle.

Elle craignait soudain que passer la soirée seule avec Gage ne soit pas une bonne idée. Ce serait certainement merveilleux, mais…

— Pourquoi attendre ?

Gage prit sa main, la conduisit à la table, à l'une des places qui offrait une vue superbe sur le jardin et tira la chaise pour elle.

— Il nous prie de commencer. Ecoutons-le et dînons.

Hailey hésita, puis s'assit. Non pas parce qu'elle voulait passer plus de temps avec Gage mais parce qu'elle commençait à avoir faim, elle aussi. Elle avait été tellement absorbée par la préparation de cette soirée qu'elle n'avait rien avalé depuis le petit déjeuner.

— Ce moment ne fait pas partie de ma présentation, s'empressa-t-elle de préciser. Sans Rudy et Cherry, il n'y a pas de scénario, ajouta-t-elle, le fixant droit dans les yeux.

— Vous en êtes sûre ?

Gage se cala contre le dossier de sa chaise et la dévisagea lentement, lui faisant regretter d'avoir choisi une tenue qui laissait à ce point deviner ce qu'elle portait dessous.

— Tout à fait sûre, répliqua-t-elle, troublée.

— Dans ce cas, cette soirée devient un rendez-vous.

Hailey avala sa salive.

— Non…

— C'est vous qui venez de le dire. S'il ne s'agit pas d'une

réunion d'affaires, c'est un rendez-vous. Seulement vous et moi et ce pour quoi les rendez-vous sont faits : vivre du pur plaisir.

Gage adorait contempler le visage d'Hailey. Il était comme un livre ouvert. On y suivait toutes ses émotions, tous ses états d'âme. En cet instant, à ses jolies lèvres roses pincées et ses sourcils froncés, il la savait agacée, un peu désemparée aussi, et… incontestablement, assez troublée par lui.

Il aimait lorsqu'elle s'énervait, lorsqu'elle était à cran à cause de lui. Elle était beaucoup plus drôle ainsi. Elle lui faisait penser à un chaton en colère, prêt à sortir ses griffes.

— Ce n'est en aucun cas un rendez-vous, réaffirma-t-elle.

Gage eut un grand sourire. Elle était si jolie lorsqu'elle ne voulait rien savoir et qu'elle s'entêtait.

— Bien sûr que si. Vous, moi, un dîner aux chandelles et toutes les fioritures romantiques qui vont avec. Si ce n'est pas un rendez-vous, ça.

— Des fioritures ? s'exclama-t-elle, son regard vert lançant des éclairs. Si je comprends bien, selon vous, le charme romantique ne serait donc que fioritures ?

— Oui. C'est comme un glaçage en pâtisserie.

Voyant Hailey froncer les sourcils, il développa :

— Le glaçage, c'est joli, doux, sucré. Il arrive même que ce soit délicieux, mais ce n'est pas l'essentiel. L'essentiel, c'est le gâteau.

— Et le gâteau, pour vous, c'est la lingerie en cuir ?

— Non. Le gâteau, c'est le sexe.

Il rit lorsqu'elle ouvrit de grands yeux.

— Vous êtes incroyablement naïve pour quelqu'un qui crée des vêtements érotiques.

— Je ne crée pas de vêtements érotiques. Je crée de la lingerie, des sous-vêtements et des tenues de nuit, tout ce qui peut rendre une femme sûre d'elle et séduisante.

Gage avait beau être attiré par son visage, ses pommettes

toutes roses, ses yeux verts qui lançaient des éclairs, il ne put s'empêcher de laisser son regard glisser vers sa gorge.

Son chemisier léger, vaporeux, laissait deviner la rondeur délicieuse de ses seins, pigeonnant joliment dans un soutien-gorge lilas. Il devait reconnaître qu'avec sa dentelle, ses petites incrustations de perles, le léger sous-vêtement était très séduisant. Et si, en plus, elle se sentait sûre d'elle et attirante avec, c'était un bon point en faveur du satin.

Toutefois, lorsqu'il regardait son soutien-gorge, c'était au sexe qu'il pensait.

Et cela se voyait, il le savait, lorsqu'il croisa de nouveau le regard d'Hailey. Et à la façon dont elle se troubla, dont sa respiration s'accéléra soudain, il sut qu'elle était excitée, elle aussi.

Bien. Il avait encore l'espoir de sauver cette soirée.

Devoir retarder son départ d'une semaine, dans l'attente de la signature du contrat, l'agaçait beaucoup. Mais passer du temps avec Hailey était ce que l'on pouvait appeler une agréable consolation.

Et ce serait encore mieux s'ils pouvaient passer une partie de ce temps nus, à se donner du plaisir. Ou tout du moins, songea-t-il, son regard glissant de nouveau vers sa gorge, s'il pouvait voir d'un peu plus près cette ravissante lingerie…

— Eh bien, j'avoue comprendre ce que le satin lilas peut avoir de séduisant. Mais… dites-moi, ajouta-t-il, se penchant vers elle avec une lenteur calculée. Ce petit galon que j'aperçois, il est prune ou chocolat ?

Hailey rougit intensément, lui arrachant un sourire. C'était amusant de la taquiner. Il ne s'était jamais comporté ainsi avec personne dans le cadre professionnel. C'était comme si l'esprit de compétition qui l'animait habituellement, le besoin absolu de triompher étaient absents, ce soir. Certes, il n'avait pas le moindre doute quant à l'issue des négociations avec Rudolph, il emporterait le contrat. Mais, pour une fois, il pensait davantage à prendre du bon temps plutôt qu'à se prouver quoi que ce soit.

Le serveur apparut à cet instant, apportant le vin. Gage eut plaisir à voir Hailey se détendre tandis qu'il remplissait leurs verres. Elle discuta avec lui, l'informant qu'ils ne seraient que deux et qu'il pouvait donc commencer à apporter les plats.

— Nous n'avons pas de carte ? demanda-t-il, surpris, dès qu'ils furent seuls. Nous ne commandons pas chacun pour soi ?

Elle eut un petit soupir impatient. Puis, au bout de quelques secondes durant lesquelles il se demanda ce que signifiait tout ce mystère, elle consentit à s'expliquer.

— L'enjeu de ce repas est de montrer qu'une ambiance romantique est affaire de sensations, de sentiments. Elle ne se limite pas à des chandelles, du vin et de la musique.

— Et si je n'aime pas ce que vous avez choisi ? dit Gage, provocateur.

— Dans ce cas, c'est que je n'aurai pas su faire passer le message.

Gage marqua un temps d'arrêt. Elle en parlait comme s'il s'agissait de quelque chose de réel. Comme s'il ne s'agissait pas seulement d'un argument de vente. Il la savait douce et tendre, mais de là à se montrer naïve, à croire à ce conte de fées ? Elle n'était pas stupide.

— Allons, dit-il en riant. Nous ne sommes que tous les deux, laissons tomber les masques. Ne me dites pas que vous croyez sérieusement à cette opposition entre sexe et romantisme ? Vous vous en servez pour votre argumentaire, c'est tout.

Elle fronça les sourcils, eut une petite moue qui fit avancer ses lèvres. Gage éprouva soudain l'envie irrésistible de tendre la main pour les caresser, en sentir la douceur sous ses doigts.

— Donc, la séduction romantique ça n'existe pas, pour vous ?

— Si, pour faire vendre, rétorqua Gage.

D'un geste, il engloba la pièce.

— Ce ne sont que des images, des leurres fabriqués de toutes pièces. Du décor.

Il porta son verre de vin à ses lèvres, en but une gorgée, feignant de ne pas remarquer qu'elle le regardait, interloquée, comme s'il débarquait d'une autre planète.

— Des leurres ? Fabriqués de toutes pièces ? Le romantisme est affaire d'émotions, pas de packaging.

— Quel est le but ? lança-t-il, la défiant du regard, un bras nonchalamment posé sur le dossier de sa chaise. Vendre quelque chose, non ? Du sexe, peut-être ? Et tout un attirail comme des chandelles, du vin, de la lingerie.

Au lieu de relever le défi, de chercher à le contrer, comme il s'y attendait, Hailey se contenta de le regarder. Un regard intense, scrutateur.

— Votre lingerie se limite-t-elle à du packaging ? demanda-t-elle finalement. Est-ce seulement un moyen de gagner de l'argent ?

Oui. Il le pensait.

Repérer les besoins des individus, leurs envies, et trouver le moyen de les satisfaire : c'était sur ce principe que son grand-père avait fondé l'entreprise.

Et Devon avait pris le relais. Il développait de nouvelles offres de produits. Il repérait ce qui séduisait les gens, ce qui les faisait rêver et il concevait la réponse afin qu'ils achètent.

Et c'était lui, Gage, qui vendait. Toujours selon le même principe. Repérer ce dont les gens avaient besoin et les persuader ensuite que son produit était le seul capable de combler parfaitement ce besoin.

Un savant mélange de psychologie, d'économie et de marketing. Mais il doutait qu'expliquer tout cela à Hailey fasse remonter sa cote auprès d'elle.

Il se contenta donc d'un petit haussement d'épaules et sourit au serveur qui entrait, fort à propos, pour leur apporter les plats.

— Les images sont faites pour séduire, je suis d'accord. C'est une forme de packaging, si l'on veut. Mais le romantisme est bien davantage que ça, dit Hailey tandis qu'on posait leurs entrées devant eux.

Sa salade d'épinards préférée, remarqua Gage.

— C'est une affaire d'émotions.

— Les images exploitent les émotions. Elles jouent avec, dit-il, fixant sa salade, les sourcils froncés.

Comment avait-elle deviné ce qu'il aimait ? Il leva les yeux vers elle, prêt à le lui demander, mais s'arrêta net devant l'expression de son visage. Les émotions étaient visiblement un sujet avec lequel il ne fallait pas plaisanter.

Il s'attendait à ce qu'elle réagisse. Au lieu de cela, elle se pencha vers lui, posa une main sur son bras.

— Pour votre information, dit-elle, sa voix aussi douce qu'un murmure, le galon est chocolat. Vous savez, c'est comme le glaçage.

Gage ferma un instant les yeux, retenant avec peine un grognement. Chaque fois qu'il pensait avoir la situation en main, Hailey trouvait le moyen de le déstabiliser.

— Madame, monsieur, permettez-moi de vous souhaiter un excellent appétit, dit le serveur, l'arrachant à ses réflexions.

Gage le regarda s'éloigner. Lorsqu'il se tourna de nouveau vers Hailey, elle avait piqué une bouchée de salade et la dégustait avec délectation.

— Vous avez bien fait d'insister pour que nous dînions, dit-elle. J'étais affamée, en réalité.

— Et pour le dessert, qu'avez-vous choisi ? demanda Gage, remarquant que sa salade était légèrement différente de la sienne.

Il y avait des fraises, auxquelles lui-même était allergique. Le savait-elle ?

— Quelque chose de glacé, j'espère ? poursuivit-il.

Elle rit, plus détendue qu'elle ne l'avait jamais été depuis qu'elle s'était rendu compte qu'ils étaient rivaux.

— Vous n'étiez pas sérieux, n'est-ce pas, au sujet du romantisme ? Ne me dites pas que vous n'y croyez pas du tout. Je ne vous imagine pas homme à nier le côté doux et tendre de l'amour.

Encore une illusion tout droit sortie de la littérature. Gage préféra piquer une bouchée de salade plutôt que de le lui dire.

— Chacun croit ce qui l'arrange, dit-il finalement. Si vous pensez que l'amour est romantique, vous en trouverez la preuve. Si, au contraire, vous pensez qu'amour veut dire sexe, satisfaction purement physique, vous trouverez également les preuves pour étayer votre conviction.

— Et si moi, je voulais croire que vous pouvez succomber au charme d'une soirée romantique ?

— Pas de problème. Mon corps s'en ferait un plaisir, répondit-il, laissant glisser sur elle un regard gourmand.

Il vit avec satisfaction son visage s'empourprer.

— Mais il y aurait peu de chance que mon cœur soit de la partie, ajouta-t-il, la fixant droit dans les yeux. Déçue ?

Hailey considéra un instant sa réponse.

— Déçue, je l'ai été en découvrant que nous étions concurrents.

— Et que j'allais gagner ? ajouta Gage, sûr de lui.

— Non. Parce que cela signifiait que nous ne pourrions pas sortir ensemble. Je trouvais très séduisant l'homme que j'avais rencontré à la soirée Rudolph.

— Mais, maintenant, vous vous demandez si cet homme était réel ?

Gage fronça les sourcils. Il se le demandait, lui aussi. Et il s'étonnait que cette question le préoccupe à ce point.

— Réel, vous l'êtes, assis en face de moi. Ce qui m'intrigue, c'est de savoir qui vous êtes exactement.

Qui il était ?

Le fils de Marcus Milano.

Le jeune frère de Devon Milano.

Le dernier que l'on prenait en compte, celui qui se coulait le moins bien dans le moule Milano.

Et, quoi qu'il en soit, un homme qui n'avait pas besoin qu'une jolie petite blonde vienne se mêler de savoir qui il était *exactement*.

Il était temps de changer de sujet.

— Je crois que vous feriez mieux de vous demander comment vous allez pouvoir vendre votre histoire de romantisme, dit-il, avec juste ce qu'il fallait de dédain.

Comme il l'avait espéré, elle le foudroya du regard. Puis redressa les épaules, prête au combat.

Parfait.

Si elle tenait absolument à s'intéresser à lui, il était d'accord.

Mais ce serait nue, dans ses bras, en train de faire l'amour, et rien d'autre.

— Vous traitez avec beaucoup de mépris ce qui vous dépasse, je vois, dit Hailey.

Elle haussa un sourcil, piqua une fraise avec sa fourchette et la porta à sa bouche. Elle ne la croqua pas, mais prit délicatement le fruit juteux entre ses lèvres. Gage sentit son corps réagir aussitôt, son sexe se mettre à durcir.

Elle sourit, l'air triomphant, comme si elle pouvait voir ce qui se passait sous la table.

— Vous êtes en train de prouver que j'ai raison, vous ne croyez pas ? demanda Gage, changeant discrètement de position sur sa chaise.

Il ne se sentait pas très à l'aise. Où donc Hailey voulait-elle en venir ? Elle avait une façon de prendre les choses en main, l'air de rien, et juste au moment où il pensait avoir marqué un point, elle l'enjôlait d'un battement de cils et retournait complètement la situation.

Il devait lui reconnaître ce talent.

— Non. Je ne crois pas, répondit-elle.

Elle effleura la fraise de la pointe de sa langue, comme pour en tester le goût. L'esprit de Gage se bloqua. A cet instant, il aurait tout donné, y compris le contrat, pour qu'elle fasse la même chose sur une partie très précise de son anatomie.

— Vous soutenez que tout n'est que sexe. Que seuls comptent l'acte physique et la satisfaction qu'il procure. Moi, je prétends que tout ce qui l'entoure, le décor, comme vous dites, est ce qui rend l'acte si intense. L'excitation, la montée du désir, l'attente. Tout le voyage émotionnel.

Hailey marqua une pause, lui laissant le temps d'intégrer son propos, puis d'un coup de dents elle croqua la fraise. Gage faillit pousser un grognement lorsque son sexe se tendit brusquement, en pleine érection.

— Les sentiments et les émotions, lui rappela-t-elle d'une voix suave, léchant un tout petit morceau de fraise resté collé à sa lèvre.

Il s'éclaircit la voix.

— Vous évoquez le décor, les images. Eh bien, parlons-en, rétorqua-t-il.

Il se pencha vers elle. Suffisamment près pour sentir les effluves délicats de son parfum l'envelopper, pour voir s'accélérer son pouls dans le petit creux à la base de son cou.

— Certaines peuvent être très puissantes. Je pourrais par exemple vous décrire très précisément la façon dont j'aimerais vous déshabiller, ce que j'aimerais vous faire une fois que vous serez nue sous moi, comment j'aimerais vous toucher, vous caresser, goûter chaque parcelle de votre corps.

Il s'interrompit, attendant sa réaction. Elle fut immédiate. Hailey laissa tomber sa fourchette et ferma les yeux, comme pour chasser la vision qu'il venait de faire naître.

Il sourit, satisfait.

— Mais cela, c'est du sexe.

A cet instant, le serveur fit son entrée avec leurs plats. Gage ne put que louer son sens du timing car Hailey se retrouva contrainte de demeurer silencieuse, encore sous le choc, absorbant cette image troublante, au lieu de pouvoir réagir et d'imposer son point de vue.

Un point de vue qui se défendait, dut reconnaître Gage tandis que le serveur glissait son plat devant lui. Si sa vision d'une soirée romantique était effectivement basée sur des mets délicieux et une atmosphère agréable, cela se tenait.

Il examina son plat de plus près. Il correspondait en tout point à ce qu'il aimait, de la cuisson de la viande au choix des légumes.

— Comment avez-vous fait ? demanda-t-il. Vous avez engagé un détective pour découvrir ce que j'aime ? Si Cherry et Rudy étaient là, leur aurait-on servi la même chose ?

— Non. On leur aurait servi des plats correspondant à leurs goûts, répondit Hailey, comme si cela tombait sous le sens, tandis qu'elle découpait un petit morceau de son filet de poulet.

— C'est très judicieux, poursuivit-il, mais je ne vois pas en quoi le choix du repas est romantique ? Ni ce qu'il a à voir avec la lingerie, ajouta-t-il, éprouvant soudain le besoin de ramener la conversation à l'enjeu réel de la soirée.

— Vous ne voyez pas ? Vraiment ?

Hailey lui jeta un regard dont seules les femmes ont le secret. Un regard qui signifiait clairement qu'il n'était pas très malin, mais qu'on ne pouvait pas lui en vouloir — il était si mignon.

— Montrer à une personne que l'on se soucie de ce qu'elle aime fait partie du jeu. On lui fait sentir qu'on l'apprécie, qu'elle est unique.

— C'est ce que fait ma grand-mère avec moi. Où est la séduction ?

— Le fait-elle dans un salon privé, à la lueur des chandelles, avec en fond sonore votre musique préférée ?

Au diable Hailey et ses manigances ! Décidément, elle ne cessait de marquer des points.

Il était temps de renverser la situation.

— Très bien. Montrez-moi quel est l'intérêt de tout ce déploiement de séduction auquel vous tenez tant.

Gage resservit du vin et en profita pour faire glisser discrètement sa chaise un peu plus près d'Hailey.

— Le résultat est le même.

— Quel résultat ?

— Lorsqu'un homme séduit une femme ou vice versa, leur but ultime est de faire l'amour l'un avec l'autre, non ? Il en va de même avec la lingerie. La femme la porte dans le but de…

Gage allait ajouter quelque chose de fort peu romantique. Il se ravisa avant que les mots ne franchissent ses lèvres.

— Elle la porte dans le but d'attirer l'attention, se reprit-il. Le genre d'attention qui conduit tout naturellement à faire l'amour.

— Lorsque vous avez faim, préférez-vous un filet mignon savamment cuisiné ou un hamburger acheté au fast-food du coin ? rétorqua Hailey.

Touché !

— Dans ce cas, dit Gage, j'imagine que la place de la lingerie Milano dans ce scénario serait… voyons voir … comme de chasser sa proie dans la jungle profonde et la faire griller sur un feu de bois ?

Une lueur amusée traversa le regard d'Hailey, mais elle secoua la tête.

— Non, Milano n'a rien d'aussi aventureux. J'imagine plutôt une soirée avec traiteur, pour trentenaires fortunés, dit-elle, songeuse, tapotant ses lèvres de la pointe de l'index.

Gage rit. Sa compagnie était vraiment très distrayante. Pas seulement parce qu'il était amusant de la taquiner et de la faire rougir. Hailey était également une femme intelligente, vive, pleine de talent et d'humour. Ce qui, combiné à un corps irrésistible et un visage superbe, la rendait potentiellement très dangereuse.

Un danger qu'un homme intelligent pouvait choisir de courir s'il avait le temps. Mais il ne l'avait pas. Il avait un objectif, des projets à réaliser. Il n'avait pas le temps de profiter du type de personne complexe qu'était Hailey.

Mais il lui restait à prouver qu'il avait raison.

Ce but en tête, il plongea son regard dans le sien. Un regard intense, troublant, qui ne cachait rien du désir qu'il éprouvait pour elle. Elle pouvait y lire, il le savait, tout ce qu'il avait envie de lui faire.

Le sourire d'Hailey s'évanouit. Son regard s'écarquilla, sa respiration se fit soudain plus rapide. Bien. Elle saisissait le message.

— Je ne partage pas votre avis. Je crois que Milano peut se montrer très téméraire, ajouta-t-il d'une voix douce, se rapprochant encore d'elle.

Il glissa une main sous la nappe damassée et effleura son genou. Le tissu léger de sa jupe glissa, fluide, sous ses doigts. Il vit le regard d'Hailey se troubler, le désir l'embraser. Comme si le vert de ses yeux devenait soudain lave incandescente.

Il glissa sa main sous sa jupe, pressa sa paume contre sa cuisse, savourant la texture soyeuse de son bas. Lorsqu'il s'aventura plus haut, ses doigts rencontrèrent la fine bande de dentelle qui séparait le bas de la douceur enivrante de sa peau toute chaude.

— Vous ne devriez pas, dit-elle dans un soupir tandis qu'il traçait du bout de l'index la bordure de dentelle, puis le glissait sous le satin du porte-jarretelles et caressait sa peau.

Elle était d'une douceur incroyable.

— Au contraire, je crois que c'est exactement ce qu'il convient de faire, murmura-t-il, sa paume pressant sa cuisse.

Il remonta plus haut encore, puis glissa doucement ses doigts entre ses jambes, le regard plongé dans le sien.

Il la vit entrouvrir les lèvres, froncer légèrement les sourcils. Puis lentement, très lentement, délicieuse torture, elle desserra ses jambes, les écarta. A peine. Ménageant un passage étroit.

Parfait.

Il n'aimait pas ce qui était gagné d'avance.

- 8 -

Du pouce, Gage caressa le satin de son petit slip. Il sentait palpiter sa chair douce et chaude à travers le tissu fin.

— J'imagine qu'il est lilas, lui aussi ? murmura-t-il, la voix rauque de désir.

Hailey jeta un bref regard en direction de la porte.

— Oui, répondit-elle dans un souffle.

— Hum…

Il glissa les doigts sous le tissu, effleura sa chair, chaude, toute moite.

Hailey tressaillit, mais ne se déroba pas. Gage retint un grognement. Une douce chaleur envahissait son corps et sa respiration se faisait plus courte, saccadée.

— Je ne vois rien, dit Gage, mais je peux imaginer votre peau satinée, mes doigts qui effleurent les lèvres de votre sexe, roses et nacrées, votre chair telle une fleur épanouie s'offrant à la caresse de mes doigts. Je l'écarte doucement, je la pénètre, dit-il, glissant un doigt en elle.

Elle se cambra, ouvrit la bouche comme si elle allait dire quelque chose, mais seul un gémissement rauque lui échappa. Il pénétra plus avant tandis que, du plat du pouce, il pressait délicatement son clitoris. Elle ferma les yeux et rejeta la tête en arrière.

Elle s'abandonnait, incapable de réfléchir, ni à l'incongruité de la situation, ni au risque qu'elle prenait. Rien. Son esprit était vide, comme anesthésié.

— Et tandis que je vous caresse, poursuivit Gage, une vision se dessine dans mon esprit. Vous êtes nue, sous moi, et votre corps se tend contre le mien tandis que vous vous ouvrez à moi, que vous m'accueillez en vous.

Il sentait le pouls d'Hailey battre à tout rompre. Les sensations déferlaient en elle, irrépressibles, bouleversantes, et elle dut se mordre les lèvres pour ne pas crier.

— Voilà ce… ce qui s'appelle une image, dit-il, les mots lui venant avec difficulté tant il était troublé lui-même, dévorant son visage des yeux.

Elle était tellement belle. La passion avait fait monter le rose à ses pommettes, enflammant sa peau délicate. Ses yeux brillaient, intenses, sous ses paupières mi-closes tandis qu'elle le fixait, comme rivée à son regard. Et sa bouche.

Oh ! Seigneur, cette bouche…

Il rêvait de sentir sa caresse sur lui.

Rien que d'y penser, il avait le corps en feu et lorsqu'il bougea en elle, doucement, avec une infinie délicatesse, il la sentit soudain se tendre, le fourreau étroit de sa chair serrer plus fort son doigt et elle jouit.

C'était troublant et délicieux et Gage éprouva une satisfaction qui dépassait le simple fait de lui donner du plaisir.

Il la regarda jouir, la respiration haletante, le regard chaviré. Incapable de résister, il se pencha vers elle et prit sa bouche, recueillit sur ses lèvres ses murmures de plaisir. C'était comme si lui-même jouissait, comme s'il partageait ce plaisir qui la submergeait. Comme s'il était devenu une part d'elle-même. La sensation était extraordinaire.

Puis soudain ce fut le tohu-bohu et cette fragile bulle de plaisir intense éclata.

Des rires, des voix, quelqu'un qui demandait la direction du salon privé d'Hailey, des pas qui résonnent et un martèlement de talons tout proche.

Gage libéra la bouche d'Hailey et s'écarta au moment où Rudy faisait irruption dans la pièce, une rousse à son bras qui n'était pas Cherry. Elle n'avait de commun avec elle que la taille, la chevelure, et l'intérêt que lui portait Rudy.

— Désolé, je suis en retard. Candy et moi avons été retenus dans une soirée, vous savez ce que c'est. Mais me voilà, à présent.

Il était là, en effet, avec un timing parfait. Juste le temps pour Gage et Hailey de reprendre un minimum de contenance. Qui sait jusqu'où le désir les aurait entraînés ? Gage regrettait de n'avoir pu en faire l'expérience. Il avait le corps en feu et son sexe, en pleine érection, pressait douloureusement la braguette de son pantalon.

Il jeta un regard en coin à Hailey. Après le choc, c'était l'horreur qui se lisait à présent dans son regard. Il ne restait rien de ce désir qui l'avait enflammé et qu'il avait tant aimé y voir. Au diable, Rudy !

Rudy, de son côté, ne s'était aperçu de rien. Il affichait un sourire béat qui n'avait d'égal que le regard vide de sa conquête du moment. Il se laissa tomber théâtralement sur la chaise, face à eux, et ouvrit les bras dans un geste ample.

— Eh bien, allons-y pour un peu de romantisme !

Il lui avait donné du plaisir.

Dans un restaurant.

Par la seule caresse de ses doigts et la magie des paroles qu'il lui avait murmurées.

Hailey était encore en proie aux émotions les plus vives, les joues en feu, le souffle court. Les mots de Gage résonnaient toujours à ses oreilles. Mon Dieu, la puissance de ses paroles… Pour un peu, elle se serait jetée sur lui et lui aurait fait l'amour à même la table.

Gage, lui, s'était comporté comme si de rien n'était. Il avait accueilli Rudy tranquillement, alors qu'une seconde plus tôt il était en train de la caresser.

Hailey ne se souvenait même pas d'avoir dit bonjour. Ensuite, Gage avait tout simplement déclaré qu'ils avaient terminé de dîner et suggéré qu'ils se rendent tous ensemble, sans plus tarder, dans le lieu qu'il avait choisi pour présenter son scénario.

Hailey était encore trop bouleversée, trop occupée à reprendre ses esprits, pour protester.

Mais, en cet instant, elle en aurait hurlé.

— Nous y voici, annonça Gage.

Durant le trajet, elle l'avait entendu discuter avec Rudy et la rousse assise à l'arrière. Elle n'avait pratiquement rien dit. Elle s'était contentée d'indiquer que sa propre présentation aurait lieu à un autre moment, ce qui finalement n'était pas plus mal. Dans l'état où elle se trouvait, elle s'imaginait mal développant ses arguments en faveur de la lingerie romantique.

Toujours perdue dans ses pensées, elle prit la main que Gage lui tendait et descendit de voiture. Il avait insisté pour la conduire lui-même sur le lieu de sa présentation. Elle avait tenté de l'en dissuader. Elle avait besoin d'espace, de temps à elle. Mais lorsque Rudy et Candy avaient accepté, elle avait finalement jugé préférable de suivre le mouvement.

Maintenant, toutefois, debout devant la façade, tandis que le voiturier s'occupait de garer la berline de Gage, elle regrettait sincèrement de s'être laissé influencer et de ne pas avoir sa voiture à disposition pour pouvoir s'enfuir.

Sexy Follies, annonçait le néon d'un orange criard.

— C'est vraiment l'endroit que vous avez choisi pour présenter Milano ? demanda-t-elle tandis qu'ils approchaient du bâtiment.

Les lumières rouges, au-dessus de la porte, indiquaient sans ambiguïté quelle sorte de distraction fournissait l'établissement. Et ce n'était pas du tout ce qu'Hailey avait envie de voir.

— Oui, absolument, confirma Gage.

Il s'immobilisa au moment d'entrer et lui jeta un regard amusé.

— Vous ne songez pas à vous défiler, si ? Reculeriez-vous devant l'aventure ?

Hailey vit que Rudy l'observait du coin de l'œil. Un sourire flottait sur ses lèvres. Lui aussi devait penser qu'elle redoutait d'entrer, qu'elle n'avait pas le cran. Candy, elle, inspectait ses ongles, indifférente à ce qui se passait autour d'elle.

Hailey aurait pu refuser d'entrer, pourquoi pas ? Cela ne

faisait pas d'elle une vierge effarouchée. C'eût été difficile à croire, de toute façon, après ce qui s'était passé au restaurant. Mais elle ne voulait pas compromettre la soirée et surtout pas laisser Gage seul avec Rudy, lui laisser le champ libre pour négocier tout à loisir le contrat.

Elle décida donc d'affronter la soirée.

Quelques minutes plus tard, elle était perchée sur un grand tabouret chromé recouvert de fourrure.

Elle se tourna vers Gage, haussa les sourcils.

— Vous avez parlé d'un lieu à la réputation sulfureuse lorsque nous sommes arrivés, je me trompe ?

— On peut voir les choses ainsi, en effet. Mais il ne s'agit pas d'une banale boîte de strip-tease. C'est un club plus huppé et nettement plus éclectique. Il y a des stripteaseuses, certes, mais également des danseuses de pole dancing, une piste de danse et, au cas où il vous viendrait des idées, quelques petits salons, à l'arrière, que l'on peut louer à l'heure.

Hailey aurait voulu le remettre sèchement à sa place, il ne cessait de la provoquer. Mais elle en était incapable. Son corps vibrait encore des sensations folles qui l'avaient assaillie. Il lui semblait sentir encore la caresse de ses doigts dans sa chair et le seul fait d'y penser lui donnait des idées, justement.

Aussi préféra-t-elle changer au plus vite de sujet.

— Où sont Rudy et Candy ?

Le temps qu'elle passe se refaire une beauté dans les toilettes, ils avaient disparu.

— Rudy a parlé d'aller chercher des boissons, dit Gage. Il n'en avait pas pour longtemps. Mais…

Il se retourna, fronça les sourcils.

— Je l'ai vu partir dans la direction opposée au bar.

Hailey suivit son regard. Il était tourné vers les portes, au fond de la salle, toutes surmontées d'une lumière. Quelques-unes étaient rouges, signe que les petits salons étaient occupés.

— Vous ne pensez pas que…

— Je ne pense rien, rétorqua Gage.

Hailey songea que ce n'était sans doute pas le moment de

lui dire que, puisque Rudy était présent, on pouvait considérer cet épisode comme comptant pour un scénario. Mais une autre pensée traversa aussitôt son esprit. Et si la petite fête privée de Rudy démontrait justement que Gage avait raison, que seul le sexe importait ?

Non, se dit-elle. Inutile de réfléchir à cela. Rudy était le genre d'homme à s'offrir ce type de distraction, partout et aussi souvent que possible. Cela faisait visiblement partie de ses habitudes.

Néanmoins, Gage risquait de marquer un point et pas des moindres.

— Vous venez souvent dans ce club ? demanda-t-elle, refusant de songer plus longtemps à ce qui se passait derrière cette porte.

— Vous pensez sérieusement que je suis le genre d'homme à fréquenter un lieu qui s'appelle Sexy Follies ? répondit Gage d'un ton légèrement offensé.

— Je n'ai pas l'impression que vous ayez eu beaucoup de difficulté à trouver un lieu adéquat pour mettre en scène votre ligne de lingerie sexy.

Comme pour étayer ce qu'elle venait de dire, une serveuse en guêpière de cuir, bas résille et talons vertigineux s'approcha d'eux, apportant un pichet et quatre verres.

— Le punch Sexy Follies, dit-elle, posant le plateau sur la table.

Elle remplit aussitôt les verres d'une boisson rose fluo.

— Les tapas offertes par la maison arrivent, Gage.

— Merci, Mona.

— Mona ? s'exclama Hailey dès que la jeune femme eut disparu.

Elle ne put retenir un petit rire. Gage lui décocha un regard noir.

— Mon frère fait partie des investisseurs de ce club. Il aime savoir comment est utilisé son argent. Il m'est arrivé de l'accompagner quelques fois, voilà tout.

— Bien sûr, quoi de plus normal ? Et je suis certaine que

vous vous contentez de vérifier la qualité des produits, que vous ne voyez dans toutes ces jeunes femmes que des employées faisant correctement leur travail, et que jamais, au grand jamais, vous ne vous êtes amusé ici.

Gage eut un petit haussement d'épaules.

— J'avoue avoir essayé le pole dancing, une fois. Vous savez ce que c'est ? ajouta-t-il, provocateur.

La prenait-il vraiment pour une innocente ? Elle créait de la lingerie, l'aurait-il oublié ? Un produit qui, par nature, était lié à la séduction et donc au sexe. Après ce qui s'était passé entre eux, il ne la prenait tout de même pas pour une petite créature fragile qui s'enfuirait, affolée, à la vue d'un sexe en érection !

Hailey se redressa, le menton levé. Etait-ce parce qu'elle défendait une certaine idée du romantisme et des rencontres sentimentales qu'il lui niait à ce point toute expérience en matière de sexe ?

Peu importait, de toute façon. Mieux valait l'ignorer. Elle n'avait rien à prouver.

Mais c'était oublier qu'il faisait naître en elle les fantasmes les plus débridés. Faire l'amour en étant à sa merci, les poignets liés aux montants du lit, ou sous la douche tandis qu'il se glisserait derrière elle, son sexe tendu et dur pressant ses fesses. Ou encore se livrer aux massages érotiques les plus osés. Elle n'allait tout de même pas lui laisser croire qu'elle ne nourrissait pas ce genre de pensée.

— Voyons voir… pole dancing, commença-t-elle, se tapotant le menton de la pointe de l'index. Il s'agit bien de cette danse qui consiste à jouer avec un partenaire qui n'est autre qu'une barre, dressée et dure comme un phallus en pleine érection.

Elle attendit un instant que ses propos aient fait leur chemin dans l'esprit de Gage. Puis elle se pencha vers lui, tout près, au point de sentir l'odeur troublante de sa peau mêlée à son parfum et de voir ses pupilles se dilater, son regard se troubler tandis que se précisait dans son esprit l'image qu'elle venait de faire naître.

— Il y a une telle griserie, un tel sentiment de puissance

à saisir cette barre et à se laisser glisser lascivement dessus, puis à remonter lentement, tout le long…

Le regard planté dans celui de Gage, Hailey saisit son verre de punch, arrondit voluptueusement les lèvres autour de la paille et aspira un peu du liquide rose fluo.

Et voilà, songea-t-elle, souriant intérieurement, lorsqu'elle vit Gage fermer les yeux, le sang battant soudain à ses tempes. Voilà qui lui apprendrait à la prendre pour une oie blanche !

— Vous avez déjà pratiqué cette danse ? demanda-t-il, la voix un peu rauque lorsqu'il rouvrit les yeux. En tenue légère ?

Elle sentit un imperceptible sourire effleurer ses lèvres. Pour marquer une pause, elle prit le temps de déguster une nouvelle gorgée de son cocktail qui s'avérait décidément excellent.

— Evidemment. En minishort et petite brassière, confirma-t-elle.

Il n'avait pas besoin de savoir que cela se passait dans un gymnase, lors d'un cours, au sein de tout un groupe de femmes. Pourquoi détruire cette séduisante histoire ou, pour reprendre un terme qui lui était cher, cette « image ».

— Il y a une salle à l'arrière pour les clients qui souhaitent pratiquer. Si cela vous dit ?

— Non, pas vraiment, rétorqua Hailey, sauvée par l'arrivée de Mona qui leur apportait les tapas.

Elle disparut aussitôt. Mais avant que Gage ait eu le temps de relancer le sujet, Rudy apparut, se frayant un chemin au milieu des clients. Hailey n'eut pas à s'interroger longtemps sur les raisons de son sourire conquérant. Il était suivi de Candy, quelque peu échevelée, main dans la main avec une autre jeune femme.

Elle ouvrit de grands yeux.

— Trois ? murmura-t-elle.

Gage hocha la tête.

— Il faut reconnaître une chose à Rudy. Il n'a pas de complexes à prendre du bon temps.

— J'imagine que cela confirme votre point de vue.

Hailey regrettait vraiment l'absence de Cherry. Si elle s'était trouvée là, ce soir, Rudy aurait tout fait pour la satisfaire, tant il avait envie qu'elle devienne son égérie. De ce fait, elle aurait eu tout loisir de développer ses arguments et de la convaincre de choisir Merry Widow.

Au lieu de cela, elle n'avait échangé que quelques mots avec Rudy et tout était à refaire.

— Je ne sais pas si cela confirme mon point de vue, dit Gage, mais cela prouve au moins que ce bon vieux Rudy ne manque ni d'énergie ni de résistance.

Il en avait, en effet, on pouvait le dire ! Et il avait aussi un contrat qu'Hailey voulait décrocher. Raison pour laquelle elle ne montra rien de son agacement face à son attitude *excentrique*, pour ne pas dire *grossière*, *irrespectueuse* et *complaisante* et à tout ce qui faisait de cette soirée un cauchemar.

Mais, à présent, ils allaient enfin pouvoir en venir aux choses sérieuses. Hailey afficha son plus beau sourire. Celui qui ne montrait rien du dégoût qu'elle éprouvait à imaginer cet homme de plus de soixante-dix ans en compagnie de deux jeunes femmes qui paraissaient à peine majeures.

— Rudy, dit-elle lorsqu'il s'approcha. Puis-je vous servir un verre de punch ? Il est délicieux.

Pour la première fois depuis qu'elle l'avait rencontré, Hailey trouva qu'il faisait vraiment son âge. Il avait l'air fatigué, la démarche un peu traînante et les épaules voûtées. Mais son sourire était celui d'un homme très satisfait.

— Gage, Hailey, j'ai passé une excellente soirée. Merci à tous les deux. Grâce à vous, j'ai découvert un nouveau restaurant et un club. Mais je suis épuisé. Nous parlerons affaires plus tard.

— Mais nous devions vous présenter nos argumentaires, protesta Hailey.

— Un dernier verre ? suggéra Gage, qui contrairement à elle paraissait tout à fait content de faire une croix sur cette soirée.

— Non, non, il est temps que j'aille me coucher. Nous nous verrons demain. Je vous laisse encore deux essais à chacun pour me convaincre. Ça me semble honnête, non ?

Sans prendre la peine d'attendre leur réponse, il glissa un

bras autour de la taille de Candy, offrit le second à l'autre jeune femme et prit le chemin de la sortie.

Hailey en resta bouche bée.

Il ne manquait ni d'énergie ni de résistance, certes, mais surtout pas de toupet !

Côté contrat, Gage considérait cette soirée comme un échec total.

Il était parti avec la ferme intention d'intimider Hailey, de charmer Cherry et de fournir à Rudy tout ce qu'il fallait pour qu'il s'étourdisse et oublie définitivement cette stupide histoire de pari.

Et pour quel résultat, à l'arrivée ? Il était totalement fasciné par Hailey, Cherry n'avait pas daigné se montrer et Rudy venait de partir, décidé à profiter plus encore des plaisirs de la vie. Il n'y avait pas eu la moindre avancée concernant le contrat et donc peu de chance qu'il puisse se retrouver au soleil, sur une plage, d'ici la fin de la semaine.

Gage se laissa tomber sur le tabouret recouvert de fourrure et poussa un soupir.

— Je suis désolée, balbutia-t-elle.

Il jeta un regard surpris à Hailey.

— Je le suis vraiment, dit-elle, très sincère. Ce n'est pas drôle de faire des projets, de mettre toute son énergie à les défendre et de tout voir s'écrouler.

Elle avait raison. D'autant que son scénario, à elle aussi, était tombé à l'eau. Mais même si cette soirée avait été un ratage total pour tous les deux, il s'en sortait mieux qu'elle. Rudy s'était déplacé pour lui et il s'était suffisamment diverti pour s'en souvenir encore le lendemain.

Le visage renfrogné, Hailey jeta un coup d'œil en direction de la porte et soupira. Elle saisit le pichet de punch, fit signe à Gage qui déclina l'offre et se servit. Avant qu'il ait eu le temps de l'avertir que, sous des dehors très frais, la boisson titrait un fort degré d'alcool, elle avait saisi son verre et bu d'un trait.

— J'ai vraiment envie que toute cette histoire se termine au plus vite, dit-elle. Mon avenir en dépend.

— J'avais plutôt l'impression que vous cherchiez à faire traîner les choses en longueur, le temps de négocier un autre contrat ou de trouver de nouvelles opportunités.

Il savait que c'était une chose assez brutale à lui dire. Mais il était comme elle, il avait hâte d'en finir avec cette histoire.

— Pourquoi voudrais-je faire traîner les choses ? demanda Hailey. J'ai ma vie, une entreprise à diriger et Noël qui arrive bientôt. Croyez-moi, j'ai mieux à faire que de passer mon temps avec un vieux séducteur et sa conquête du jour, ou à attendre une chanteuse fantôme.

Gage nota avec satisfaction qu'elle ne l'avait pas inclus dans sa liste. Etait-ce parce qu'elle n'avait pas mieux à faire que de passer du temps avec lui ou parce qu'il n'était qu'un élément mineur dans sa vie ?

— Il vous tarde à ce point que le marché soit conclu ? Lorsque ce sera fait, il n'y aura pas d'espoir de négocier autre chose, vous savez.

Et elle n'aurait plus vraiment de raison non plus de passer du temps avec lui. Quelle femme aurait envie de sortir avec un homme qui venait de lui ravir un contrat aussi important ?

Sortir ? D'où lui venait cette idée ? Il n'était pas le genre d'homme à sortir avec une femme. Son style, c'était plutôt les aventures d'une nuit ou à la rigueur d'un week-end si la personne en valait la peine. Dans sa vie, il y avait les affaires et la réussite. Les femmes, sauf de manière très temporaire, n'y avaient pas leur place.

Et voilà qu'il se prenait à penser à sortir avec une femme ? Il jeta un coup d'œil à son verre. Le punch avait dû lui monter à la tête. Jamais au grand jamais il n'avait songé à sortir avec aucune femme.

— Bien sûr que j'ai hâte que le marché soit conclu, parce que je vais remporter ce contrat, fit Hailey.

Gage rit et secoua la tête, admiratif. Elle ne renonçait donc jamais.

— Vous n'êtes pas sérieuse ?

Il désigna d'un geste les portes, à l'arrière de la salle.

— Vous pensez avoir avancé un argument plus convaincant que le mien, ce soir ?

— Peut-être pas, étant donné qu'aucun des juges n'était là pour le dire. Mais je pense que je gagnerai sur le long terme.

— Vous êtes vraiment idéaliste.

Hailey eut un petit haussement d'épaules.

— J'ai appris toute jeune que les choses tournaient rarement à mon avantage tout de suite. Mais que si je m'y attelais, si je donnais le meilleur de moi-même, je finissais par renverser la situation.

Elle était fascinante, songea Gage. Un mélange de naïveté, de foi en la vie et de détermination, le tout combiné à un merveilleux sourire, un corps sexy en diable et un talent incroyable. Un cocktail détonant. N'empêche qu'elle ne gagnerait pas.

— Et vous croyez réellement à ce bla-bla ? Vous pensez qu'il suffit de le vouloir pour que les choses se réalisent ?

— Je suis optimiste. Je ne me décourage pas, c'est tout. Je continue d'espérer que ce en quoi je crois se réalisera.

— Et ça marche ?

Le sourire d'Hailey s'assombrit.

— C'est arrivé parfois.

— Vous arrive-t-il de renoncer ? demanda-t-il.

Elle eut un léger froncement de sourcils comme si ce n'était vraiment pas le genre de question qu'elle se posait.

— Si quelque chose est important, non.

— N'est-il pas plus intelligent d'évaluer la situation, de voir si le jeu en vaut la chandelle et, au besoin, de se retirer de la course plutôt que de dépenser de l'énergie pour rien ?

Gage secoua la tête. Il ne s'imaginait pas faisant des efforts qui ne soient pas payés de retour ou grappillant quelques pauvres miettes de réussite. Il était plutôt du genre tout ou rien.

— N'est-il pas plus intelligent de faire ce qu'on aime, répondit Hailey, et de se dire que les choses vont marcher comme on le souhaite plutôt que de renoncer à un rêve, de se contenter de moins ?

Gage accusa le coup. Elle ne pouvait pas savoir à quel point ce qu'elle venait de dire s'appliquait à son cas. A quel point il avait envie de quitter Milano, d'imprimer sa propre marque. Mais il ne voulait pas penser à tout cela maintenant.

Il désigna la porte du menton.

— Alors, prête à lever le camp ? Je vous raccompagne chez vous.

— Et ma voiture ?

— Je ne crois pas très raisonnable que vous conduisiez ce soir.

— J'ai à peine bu.

— L'effet du punch ne va pas tarder à se faire sentir, à mon avis.

Gage quitta son tabouret, puis il la prit par le coude pour l'aider à descendre du sien. La fourrure accrocha le tissu de sa jupe et le retint un instant, si bien que lorsqu'elle se glissa au bas du tabouret, il fut gratifié d'une vue superbe sur ses jambes, ses bas et la dentelle envoûtante des jarretelles.

Il lui coûtait de l'admettre, mais elle marquait un point. La lingerie telle qu'elle la concevait ne manquait pas d'attrait.

Il était tellement fasciné par ses jambes qu'il en oublia de bouger et lui fit perdre l'équilibre.

Elle poussa un petit cri, buta contre lui et posa les mains à plat sur son torse pour se rétablir. Son corps tout en courbes sensuelles pressa un instant le sien, excitation fugace. Bien trop fugace à son goût.

— Je crains que vous n'ayez raison, dit-elle, la voix troublée, un peu rauque. Il va falloir que vous me raccompagniez chez moi.

- 9 -

Hailey cala sa tête contre le dossier du siège et se laissa glisser avec bonheur dans le bien-être. Le punch l'avait grisée et elle se sentait totalement détendue.

Son corps flottait.

Elle oubliait ses soucis.

Son regard glissa de la marée floue des feux arrière des voitures pour se poser sur l'homme qui conduisait.

Elle sentait s'envoler toutes ses inhibitions.

Elle aurait aimé être ivre pour pouvoir agir sans réfléchir, faire des folies. Le genre de folies qui iraient à l'encontre de tout professionnalisme et compliqueraient considérablement la compétition avec Gage.

Le genre de folies qui seraient absolument délicieuses, comme ce qu'elle avait déjà vécu avec lui. Elle rêvait d'un long corps à corps passionné, d'un orgasme.

Elle ferma les yeux. Son corps fourmillait de sensations à la seule évocation du sien, de leurs peaux nues et moites dans l'étreinte, de son sexe en elle…

Brusquement, Gage arrêta la voiture. Elle ouvrit les yeux.

— Que se passe-t-il ?

— Nous sommes arrivés.

Déjà ? Comment était-ce possible ? Comment avaient-ils pu faire aussi vite ?

Gage lui jeta un regard intrigué.

— Ça va ?

— Oui. Très bien.

Elle lui sourit, attrapa son sac et saisit la poignée de la portière.

— Je vous accompagne.

— Ne vous… donnez pas cette peine, termina-t-elle pour elle-même.

Car Gage était déjà descendu et faisait le tour de la voiture. Il ouvrit sa portière, lui tendit la main.

Elle descendit. Tout allait très bien. Elle n'avait même pas la tête qui tournait. Seulement l'envie soudaine de presser son corps contre le sien.

— Je vous accompagne jusque chez vous.

— Inutile. Il n'y a aucun danger. L'immeuble est bien gardé, ajouta-t-elle en désignant les caméras de surveillance.

— Je vous accompagne, répéta-t-il. C'est ainsi que se conduisent les gentlemen, non ? Fin d'un rendez-vous, on raccompagne la dame jusqu'à sa porte.

— Ce n'était pas un rendez-vous, murmura-t-elle.

Mais s'il tenait vraiment à le faire, libre à lui.

Elle espérait seulement qu'il allait mettre un peu de distance entre eux. Il était si près qu'elle sentait l'odeur envoûtante de sa peau mêlée à celle de son eau de toilette. Et elle n'avait qu'une envie, se lover contre lui.

Nerveuse, elle humecta ses lèvres, chercha quelque chose à dire, mais en vain.

En silence elle composa le code de la porte d'entrée, puis pressa le bouton de l'ascenseur. Tandis qu'il montait, elle demeura le regard fixé sur son reflet dans les portes métalliques, s'efforçant de ne pas prêter attention à Gage. Elle savait qu'il la regardait et sentait une chaleur intense envahir son corps.

Soudain, ce fut le vide dans son esprit. Elle ne pensait déjà plus qu'à la caresse de ses doigts, au plaisir qui montait en elle. Son pouls s'emballait. Elle aurait donné n'importe quoi pour…

Lorsque les portes de l'ascenseur s'ouvrirent, elle jeta un regard en biais à Gage. Il semblait toujours aussi déterminé à l'accompagner jusqu'à sa porte. Elle ne dit rien, ne suggéra pas qu'ils se quittent là et le laissa la suivre dans le couloir.

— Voilà ! dit-elle d'un ton enjoué lorsqu'ils atteignirent sa porte.

Elle sortit ses clés de son sac.

— Merci de m'avoir raccompagnée jusqu'ici.

— Merci pour le rendez-vous.

— Je vous en prie, cessez avec ça.

Elle introduisit sa clé dans la serrure, mais n'ouvrit pas la porte.

— Ce n'était pas un rendez-vous ou alors un rendez-vous plutôt manqué, vu la tournure des événements… D'abord l'absence de Cherry et puis le comportement de Rudy…

— Peut-être devrions-nous rééditer l'expérience, mais seulement tous les deux, suggéra-t-il doucement.

Si doucement qu'elle eut le sentiment qu'il était aussi dérouté qu'elle par ce désir insensé qui les poussait l'un vers l'autre.

Il la regarda longuement, intensément. Une vague de chaleur la submergea. Elle n'eut pas besoin de se demander à quoi il pensait. La passion brûlait dans son regard.

Elle s'efforçait de respirer normalement, mais son pouls s'affolait, ses doigts fourmillaient de l'envie de toucher son visage, de le caresser. Elle faisait tout son possible pour garder le contrôle, tenter de se raisonner. Tout son possible pour ignorer le désir qui la bouleversait tout entière.

— Ce serait une erreur, vous ne pensez pas ? Nous sommes concurrents, ne l'oubliez pas.

Elle s'efforça d'atténuer son refus par un sourire. Elle regrettait de ne pas avoir saisi sa chance lors de leur première rencontre, lorsqu'elle ignorait encore qui il était. Elle regrettait aussi de ne pas être capable de séparer plaisir et travail, car elle avait envie de lui. Désespérément envie.

— Concurrents, en effet, confirma-t-il.

Son sourire s'évanouit, mais pas la passion dans son regard.

— Bonne nuit, dit-il dans un souffle, glissant une main dans ses cheveux avant de la refermer sur sa nuque.

Elle le regarda se pencher vers elle, vit ses lèvres descendre vers les siennes. Un petit soupir lui échappa lorsqu'il les effleura d'un baiser.

Un baiser infiniment doux.

Comment aurait-elle pu imaginer qu'il possédait en lui tant de douceur ? Elle sentait son cœur fondre, toutes ses résolutions s'envoler.

Il inclina la tête, pressa ses lèvres, les mordilla doucement. Soudain, ce fut comme si un courant électrique traversait le corps d'Hailey, comme si des milliers d'étincelles explosaient en elle, transformant le désir latent en un feu intense qui l'embrasa tout entière. Le souffle lui manqua. Elle sentit les pointes de ses seins durcir, se dresser, presque douloureuses. Une chaleur intense irradiait son ventre, se concentrait au creux de ses cuisses. Le désir était là, irrépressible, violent. Un désir qu'il savait si bien satisfaire, se souvint-elle.

Elle comprit finalement ce qu'il cherchait en la fixant ainsi de ce regard brûlant. Il voulait provoquer sa réaction, lui faire oublier toute raison ; qu'elle ne soit plus que désir.

Et il avait réussi.

Eperdue, elle entrouvrit les lèvres, les lui offrit, tentatrice, n'attendant plus qu'une chose : qu'il les prenne.

Gage ne put réprimer un grognement, mais il ne céda pas à la provocation. Comme s'il attendait que ce soit elle qui prenne l'initiative. Alors ainsi, il la mettait au défi ?

Très bien.

D'un geste vif, elle passa la pointe de sa langue entre ses lèvres, caresse furtive, et sourit lorsqu'il les ouvrit, la laissa entrer. Alors, elle se mit à explorer sa bouche, doucement, lentement, jusqu'à ce qu'il n'en puisse plus et craque soudain, perdant tout contrôle.

Il prit le relais, plongea sa langue en elle et, oubliant toute douceur, s'empara de sa bouche avec fougue, avec une frénésie presque désespérée.

Les mains enfouies dans ses cheveux, il la maintenait captive, unie à lui.

Oh, oui…, songea Hailey, dans un brouillard.

Elle sentait le sang marteler ses tempes, la passion couler dans ses veines. Elle se hissa sur la pointe des pieds, pressa son corps contre le sien, viril et dur.

Elle le sentit frissonner. Il lâcha ses cheveux, laissa une main glisser jusqu'au creux de ses reins. Lorsqu'il la referma sur ses fesses, la plaqua contre lui, elle se cambra, pressa son sexe contre le sien. Il était en pleine érection. Elle avait envie de le sentir, de le voir, de le toucher.

Instinctivement, elle leva une jambe, la referma sur sa cuisse et se hissa contre lui. Elle voulait davantage. Mais lorsqu'elle glissa une main entre eux, elle le sentit se figer. Aussitôt, il libéra ses lèvres.

— Nous ne pouvons continuer ainsi, dans le couloir, dit-il.

Mais Hailey était déterminée. Elle avait envie de lui et, pour la première fois de sa vie, elle tenait à portée de main ce dont elle rêvait, et savourait cette victoire. Ce soir, elle profiterait de chaque seconde de plaisir que pourrait lui offrir Gage Milano.

Elle ouvrit la porte et entra. A la seconde où Gage franchit le seuil, elle referma la porte et passa à l'attaque.

Elle plaqua son corps contre le sien, se lova contre lui, glissa les mains sous son manteau. Impatientes, fébriles, elles allaient et venaient, exploraient les muscles fermes de son torse, de ses épaules.

Puis ce fut au tour de sa bouche. Oh oui, sa bouche. Déjà, elle pressait ses lèvres contre les siennes et mordillait, léchait, goûtait, avide, insatiable.

Elle voulait tout de lui. Tout.

L'espace de quelques secondes, un temps qui lui parut une éternité, Gage ne bougea pas. S'était-elle montrée trop brusque, trop entreprenante ? Avait-elle mal interprété les signaux ?

Mais soudain, comme prenant brusquement vie, il se mit à la déshabiller, lui arracha ses vêtements tandis qu'il se débarrassait des siens. Manteaux, écharpes, gants volèrent dans tous les sens, jonchant le sol. Hailey ne savait plus vraiment qui faisait quoi dans cette frénésie soudaine, cette hâte de s'approcher du corps de l'autre, de le découvrir enfin.

Leurs bouches s'étaient unies, fiévreuses, impatientes, et leurs langues aussi, se mêlant dans une danse folle à couper le souffle.

Elle aimait tout de lui. Le goût de ses lèvres, de sa bouche.

Elle aimait sentir la chaleur de son corps se faire plus intense, plus proche de seconde en seconde. D'un geste, elle déboutonna sa chemise, la fit glisser le long de ses épaules et put enfin le toucher, toucher sa peau nue, laisser ses paumes s'arrondir sur les muscles de son torse, de ses épaules, de ses bras, éprouver leur fermeté, la douceur de sa peau. Elle ne put retenir un petit gémissement de plaisir. Il était magnifique et tout à elle. Il ne restait qu'à le prendre.

C'est ce qu'elle fit.

Elle mordilla ses lèvres, les lécha, s'amusa à les caresser de la pointe de sa langue, à en dessiner le contour, le titillant, le provoquant tandis que ses mains prenaient possession de lui.

C'était merveilleux.

Et elle était si absorbée par cette découverte qu'elle se rendit à peine compte de ce qu'il faisait. Elle n'en prit conscience qu'en sentant soudain l'air frais effleurer ses cuisses.

Il avait dégrafé sa jupe et elle tomba sur le sol en corolle. Gage ne put retenir un grognement. Ses mains retrouvaient un terrain déjà familier. Il les laissa glisser sur ses bas, caresser la peau nue, satinée, si douce de ses cuisses, au-dessus de la soie délicate.

Hailey frissonnait sous ses doigts. Le feu, déjà, couvait au creux de ses reins, de son ventre. Ses jambes vacillaient et elle se sentait perdre l'équilibre sur ses hauts talons. Elle glissa une jambe le long de sa cuisse, la referma sur ses muscles fermes, solides, son pied ancré sous son genou, son sexe pressé intimement contre sa cuisse.

— Nous devrions…

— Non, coupa-t-elle, ici, maintenant, sa voix à peine un souffle, son esprit flottant dans une brume indistincte.

Elle n'était déjà plus que sensations.

Seul comptait le désir. Un désir violent, intense, irrépressible.

Elle voulait davantage. Il lui fallait davantage.

Et même si elle n'avait pas envie de se détacher de lui, de quitter la chaleur enivrante de son corps intimement pressé contre le sien, elle se laissa guider par cette soif de lui qui la taraudait.

Ses mains impatientes, fébriles, glissèrent le long de son torse, jusqu'à sa ceinture qu'elle dégrafa. En quelques gestes rapides, elle le débarrassa de son pantalon, puis de son boxer.

— Hailey…

— Non, protesta-t-elle contre ses lèvres, avant même de savoir ce qu'il allait dire.

Elle ne voulait même pas l'entendre. Ce moment était à elle, c'était son fantasme et elle entendait en goûter chaque seconde.

Elle s'agenouilla devant lui.

Gage ne put retenir un gémissement lorsque, du bout des doigts, elle effleura son sexe. Il plongea son regard dans le sien. Un regard brûlant de passion où se mêlaient étonnement et fascination. Elle le soutint un instant, puis se pencha vers lui, laissa courir la pointe de sa langue sur toute la longueur de son érection.

Un grognement rauque lui échappa. Il avait envie de fermer les yeux. Mais il ne pouvait résister au désir, plus fort encore, de la contempler.

Grisée par l'intensité de son regard, Hailey arrondit les lèvres, les referma sur l'extrémité de son sexe, douce comme du velours. L'extrémité seulement, pas davantage, qu'elle aspira doucement, suça, enroulant langoureusement sa langue autour, dans un sens, puis dans l'autre, lentement, la goûtant comme s'il se fût agi d'une friandise dont elle se délectait.

Gage avait enfoui les doigts dans ses cheveux, se raccrochant à elle pour ne pas vaciller ou la presser de continuer, elle n'aurait su le dire. Mais peu importait. Il était là, à sa merci, tout à elle, et ce pouvoir l'électrisait.

Mutine, elle enroula une dernière fois sa langue autour de lui. Puis, ouvrant grand sa bouche, elle le prit en elle sur toute sa longueur. Il se tendit, surpris, inspirant l'air avec un petit sifflement, et une intense satisfaction envahit Hailey. Elle se mit alors à le sucer, profondément, intensément, laissant ses lèvres courir sur lui, sa langue imprimer de petites pressions tout le long de son sexe.

De seconde en seconde, elle augmentait le rythme, serrant plus fort ses lèvres autour de lui, l'avalant tout entier, le suçant avec fougue. Et elle l'entendait haleter, le souffle rauque, saccadé, les doigts crispés dans ses cheveux. Brusquement, elle le sentit se tendre, prêt à exploser.

— Assez, dit-il, en s'écartant.

Le temps qu'elle réagisse, il l'avait saisie, relevée et plaquée contre le mur.

Ses mains prirent possession de son corps, coururent sur elle, fébriles, impatientes, avides. Elle ferma les yeux, grisée par son désir.

— Hailey..., murmura-t-il, pressant intimement ses hanches contre les siennes.

Elle sentit son sexe en pleine érection palpiter contre elle. Une chaleur intense irradia son ventre, son corps anticipant déjà le plaisir à venir.

— Hailey, murmura-t-il de nouveau, refermant les mains sur ses seins.

Malgré la barrière de satin de son soutien-gorge, elle sentit ses doigts fermes et chauds presser avec volupté sa chair. Elle tendit une main derrière elle, fit sauter l'attache du soutien-gorge, arrachant à Gage un grognement satisfait tandis qu'il écartait le petit sous-vêtement, saisissait ses seins à pleines mains. Il les fixa, le regard intense, comme s'il prenait autant de plaisir à les regarder qu'à les toucher.

Puis, du pouce, il en caressa les pointes, les sentit durcir, se dresser. Il les fit rouler sous ses doigts. Hailey gémissait, parcourue de frissons. Elle ferma les yeux, renversa la tête en arrière, contre le mur, tout entière emportée par la caresse magique de ses mains. Elle haletait tandis qu'il la titillait, encore et encore. Le désir s'intensifiait, petit point presque douloureux au creux de son ventre, tension insoutenable irradiant sa chair.

Soudain, elle étouffa un cri, se cambra contre lui. Elle le voulait en elle, maintenant. Il bougea et elle crut avoir gagné. La délivrance était proche. Mais il n'entendait pas lui céder aussi facilement. Et ce furent ses lèvres qu'elle sentit sur sa gorge. Il enfouit son visage au creux de ses seins, en caressa la rondeur de la pointe de sa langue. Sa peau était douce et chaude, son parfum enivrant. Il saisit un mamelon dans sa bouche, le suça, l'aspira, enroulant sa langue autour de la petite pointe dure, dressée, la mordillant du bout des dents, se plaisant à répéter encore et encore cette délicieuse torture.

Ces caresses la faisaient gémir. Elle bougeait contre lui, impatiente. Cet homme allait la rendre folle.

Elle agrippa ses épaules, referma une jambe autour de sa taille et se hissa contre lui, dans un geste qui disait clairement ce qu'elle voulait. Il libéra ses seins, glissa une main entre eux et la referma sur le petit triangle de boucles douces, tout humides, au creux de ses cuisses.

Les doigts de Gage la retrouvaient enfin. Il effleura son clitoris, le caressa du pouce, petites pressions insistantes, presque hypnotiques, avant de plonger en elle.

La réaction fut immédiate. Elle jouit.

La puissance de l'orgasme lui arracha un grognement, puis un long cri rauque tant le plaisir était intense.

— Encore, dit-elle, se tendant, avide, éperdue, ses ongles griffant ses épaules.

L'espace d'une seconde, il s'écarta. Elle l'entendit déchirer l'emballage du préservatif. Le temps qu'elle ouvre les yeux, il était déjà prêt.

Il la saisit par les hanches, la souleva contre lui. Cette fois, elle referma les deux jambes autour de sa taille. Il se pencha alors vers elle et prit sa bouche en un baiser vorace, mordant ses lèvres tandis qu'il saisissait son sexe, le pointait contre sa chair et l'écartait. Elle se cambra et il plongea en elle, la harponna d'un seul coup de reins, son sexe long, dur, puissant, planté en elle.

Un cri monta de la gorge d'Hailey tandis qu'un nouvel orgasme irradiait sa chair, le plaisir montant le long de ses reins. Elle se tendit, referma plus fort les jambes autour de lui, se cambra de nouveau. Elle voulait qu'il bouge.

Et c'est ce qu'il fit.

Il la prit, sans ménagement, puissant et dur, plongeant en elle, encore et encore. Son dos battait contre le mur sous ses assauts répétés et elle haletait, à bout de souffle, cherchant l'air. Il lui semblait que le monde basculait autour d'elle. Plus rien n'existait que le tourbillon merveilleux de leur passion.

Gage ralentit, ses mouvements se firent plus saccadés, plus brefs. Il plongea en elle, s'arrêta, plongea de nouveau.

Hailey glissa les mains le long de son dos, les pressa au creux de ses reins, le plaquant plus fort contre elle.

— Hailey, je…, articula-t-il en haletant, plongeant en elle.

— Viens.

Comme s'il avait attendu sa permission, il lâcha prise, s'abandonna. Les spasmes violents de son plaisir firent basculer Hailey à son tour. Et ce fut comme si son corps se dissolvait en mille petits morceaux éparpillés dans un océan de jouissance.

Elle n'aurait su dire combien de temps s'était écoulé lorsqu'elle refit surface, encore tout engourdie de plaisir, plaquée contre le mur par le corps solide de Gage.

Il respirait encore très fort.

— Hum, murmura-t-elle contre son cou.

— Je crois que tu as abusé de moi, dit-il, le souffle court.

Elle sourit, la tête nichée contre son torse.

— Oh ! vraiment ? plaisanta-t-elle. Dois-je m'excuser ?

Il s'écarta, glissa un doigt sous son menton et leva son visage vers lui.

— Non. Mais j'entends bien prendre ma revanche. Où se trouve la chambre ?

— Au bout du couloir, à gauche.

Hailey se cramponna à ses épaules, serra plus fort les jambes autour de sa taille. En quelques enjambées, ils se trouvèrent dans la chambre. Elle aimait qu'un homme sache suivre des directives.

Restait à voir à présent quelles autres instructions il lui plairait de suivre…

Hailey s'éveilla lentement, le corps baignant dans un flot de sensations délicieuses. On était le matin, non ? Aux taches de lumière qui dansaient à travers ses paupières closes, il n'y avait pas de doute. Elle avait envie de s'étirer, mais se sentait si bien qu'elle ne voulait pas bouger.

Elle se rendit compte soudain qu'elle avait faim. Elle fit un rapide petit inventaire dans sa tête. Elle avait de quoi préparer un délicieux petit déjeuner pour Gage. Et, ensuite, pourquoi ne pas se recoucher et partager d'autres types de délices ?

Epuisés, comblés, ils seraient alors à même de régler à l'amiable cette ridicule histoire de compétition. Tous deux étaient adultes, capables d'agir de manière intelligente et sensée, non ? Elle était certaine qu'ils trouveraient un terrain d'entente, que ce contrat ne serait plus un problème et, plus important encore, qu'il ne les empêcherait pas de vivre cette passion qu'ils éprouvaient l'un pour l'autre.

Poussée par l'envie irrésistible de voir Gage et de lui parler, Hailey ouvrit les yeux et, un sourire encore tout ensommeillé aux lèvres, elle se tourna vers lui.

Personne.

L'oreiller à côté d'elle était vide.

Elle se souleva sur un coude, jeta un coup d'œil à la chambre. Ses vêtements avaient disparu.

Et lui aussi.

- 10 -

Gage se sentait lamentable et c'était là un sentiment tout à fait nouveau pour lui. Assis dans la salle de réunion, il s'efforçait de ne plus penser. Il ne devait pas se laisser perturber. Il s'agissait d'une réunion de travail, une réunion très importante.

Une réunion avec un homme qu'il avait amené au Sexy Follies parce qu'il savait que le sexe serait un moyen de s'attirer ses faveurs et une femme qui refusait de le regarder, faisant comme s'il n'existait pas, alors qu'elle venait de lui faire passer la nuit d'amour la plus extraordinaire de sa vie.

Et pourquoi ce froid entre eux ? Parce qu'il avait reçu un texto de son frère disant que son père s'impatientait et voulait le voir de toute urgence.

Alors, au lieu d'expliquer à Hailey pourquoi il s'en allait, il était parti de chez elle comme un voleur.

Il était vraiment lamentable.

— Comme vous le savez, l'emploi du temps de Cherry vient une fois de plus de contrecarrer notre projet. Elle espérait être présente, ce matin. Ce ne sera pas le cas.

— Toutes ces négociations sont très intéressantes, dit Gage, là n'est pas la question. Mais combien de temps vont-elles durer ? Une décision devait être prise aujourd'hui. J'ignore ce qu'il en est pour Hailey, mais de mon côté mon absence commence à poser problème dans mon travail.

Rudy n'apprécia pas ce qui ressemblait à un rappel à l'ordre.

— Si vous voulez vous retirer de la compétition, rétorqua-t-il, sentez-vous libre. Notre choix n'en sera que facilité.

Gage était tenté. Dépendre d'un homme d'affaires qui possédait plus d'argent que d'éducation commençait à le lasser. Et, s'il se retirait de la compétition, Hailey obtiendrait le contrat, ce qui représentait beaucoup pour elle. Mais la réunion du matin avec son père lui revint à l'esprit. Une réunion en grande pompe, avec le conseil d'administration au grand complet, pour parler des orientations pour l'année à venir. Une stratégie dont il n'avait que faire et pour laquelle son avis n'avait même pas été requis. Une nouvelle démonstration de force de son père.

Milano… Voilà une autre compétition dont il aimerait se retirer. Et il le ferait, dès qu'il le pourrait, sans pour autant avoir à renoncer à ses parts dans l'entreprise ni à sa place à la table familiale. Encore qu'il soit prêt à négocier ce dernier point.

— Je n'ai pas l'intention de me retirer, répondit-il à Rudy, cédant à contrecœur à l'inéluctable pression familiale. Je suggérais seulement que nous réglions au plus vite cette affaire.

Rudy se détendit un peu.

— Je suis entièrement d'accord avec vous. Mais mon accord avec Cherry lui garantit la décision finale. Si je ne le respecte pas, elle pourrait décider d'annuler sa participation.

— Entre les différents contretemps, présentations annulées ou reportées, intervint Hailey, je souhaiterais d'abord m'assurer, monsieur Rudolph, que vous accordez les mêmes chances à nos deux lignes, puisqu'il s'avère que Gage demeure en compétition.

Pour la première fois depuis qu'elle était entrée, Gage la regarda franchement, surpris par son audace. Elle était superbe, dans une robe d'un vert aussi vif que ses yeux et qui, sans mouler son corps, en soulignait superbement les courbes harmonieuses.

Hum… comme il aurait aimé pouvoir glisser ses doigts sous l'ourlet de sa robe, les laisser remonter le long de sa jambe sous le tissu fluide, retrouver la douceur de soie de sa peau. Mais il craignait que ce ne soit guère à l'ordre du jour.

— Nos deux lignes offrent un contraste saisissant dans le message qu'elles entendent faire passer, poursuivait Hailey. Il nous reste à vous le démontrer.

Rudy poussa un soupir et demeura quelques secondes le regard fixé sur son bureau, martelant la surface du bout des doigts.

— Ecoutez, je vais être honnête. Je suis personnellement plus enclin à choisir Milano car je pense son style plus incisif, davantage en accord avec la haute couture.

Gage parvint à peine à retenir un sourire de triomphe.

— Mais la décision ne m'appartient pas entièrement.

Quoi ? Ce n'était pas possible. Il ne pouvait pas y avoir de « mais », songea Gage. Lui qui se voyait déjà en vacances !

— L'avis de Cherry est bien sûr important, ajouta aussitôt Rudy. Mais voyons les choses en face. Elle a été absente à la plupart des réunions. Il est clair que ses priorités sont ailleurs.

Rudy pinça les lèvres. Gage connaissait cette expression. Il ne l'avait vue que trop souvent sur les traits de son père. Généralement, juste avant qu'il ne balaie d'un revers de main ses arguments les plus solides et agisse à sa guise. Exactement ce que Rudy s'apprêtait à faire avec Hailey.

Il jeta un coup d'œil dans sa direction. Elle était pâle. Le sourire était là, en place, mais la douleur et la frustration se lisaient dans son regard.

Alors, avant d'avoir pris le temps de réfléchir plus avant, Gage intervint.

— Vous avez investi beaucoup de temps et d'énergie à construire le lancement de votre campagne autour de Cherry Bella. Vous ne pouvez pas prendre le risque de voir tout échouer maintenant. Elle l'a elle-même déclaré, la lingerie est l'élément clé. Elle risque de réagir très mal si vous choisissez sans elle et vous savez ce que cela peut donner.

Rudy fit la moue. Il avait visiblement déjà eu à payer le prix pour ce genre d'erreur.

— Bon, très bien, mais c'en est fini des scénarios. Vous mettez sur pied, ensemble, un défilé présentant ce que vous proposez de mieux pour le printemps. Je vous promets que Cherry et moi y assisterons et que la décision sera prise dans l'heure. Cette affaire n'a que trop traîné.

— Quand ? demanda Hailey, la voix brisée.

Elle s'éclaircit la gorge.

— Quand devons-nous présenter ce défilé ? Combien de pièces souhaitez-vous voir ? Les modèles que j'ai conçus pour votre collection sont des modèles exclusifs. Certains ne sont pas encore disponibles.

Excellente question, songea Gage. Encore que Devon ait sans doute déjà fait fabriquer les modèles Milano, prévoyant que, si Rudy les boudait, quelqu'un d'autre les prendrait.

— Il faut que je sois rapidement fixé, dit Rudy, le visage grave. Je peux vous accorder une semaine, pas davantage. Si rien n'est décidé d'ici là, je me passerai de lingerie.

— D'accord pour une semaine, dit Gage.

C'était un délai trop long à son goût, mais qu'Hailey devait juger trop court.

— Très bien, dit Rudy. Réglez les détails entre vous et prévenez-moi par mail d'ici ce soir. Si cela me va, rendez-vous dans une semaine avec Cherry.

Sur ces mots, il se leva, les salua, et quitta la pièce. Dès qu'il fut sorti, Gage se tourna vers Hailey, tout sourire.

Elle avait enfilé son manteau et se dirigeait déjà vers la porte. Il venait de lui octroyer une nouvelle chance et elle n'allait même pas se fendre d'un merci.

— Hailey ?

Elle ne répondit pas, ne se retourna même pas.

Ce n'était pas possible.

— Hailey ? répéta-t-il, se précipitant derrière elle.

Il la saisit par le bras.

— Je pensais que nous allions sortir manger quelque chose et mettre au point les détails, comme nous l'a demandé Rudy.

Son ton aimable et son sourire charmeur ne lui attirèrent qu'un regard glacial. Bon, il s'en doutait. Elle était du genre à vouloir se réveiller main dans la main avec l'homme de sa nuit, le lendemain matin.

— J'ai à faire, cet après-midi, dit-elle, dégageant son bras. Nous réglerons les détails séparément.

Gage la fixa un instant, ébloui. Qu'elle était belle !

— Allons, dit-il, tu es vexée parce que je suis parti trop tôt à ton goût, ce matin, c'est ça ?

— Crois-tu avoir été bon au point que j'en redemande ? rétorqua-t-elle.

Elle le toisa d'un regard méprisant, mettant sérieusement à mal son ego.

— Il est question de manières, dit-elle. Lorsque tu es invité à une soirée, est-ce que tu la quittes sans prendre la peine de chercher ton hôte pour le remercier du bon temps que tu as passé ?

Gage tenta de demeurer impassible, mais il ne put dissimuler sa frustration. Du bon temps ? C'était tout ce qu'elle avait retenu de cette nuit ?

Ce n'était pas un « bon » moment qu'ils avaient passé ensemble, mais une nuit extraordinaire. Et voilà maintenant qu'elle était vexée parce qu'il ne s'était pas comporté comme elle le souhaitait, pour une simple histoire de manières. Elle cherchait à sauver la face, voilà tout.

Mais il ne lut ni regret ni chagrin dans son regard, seulement du dédain. Une fin de non-recevoir. Il ne savait pas comment se comporter face à cela.

— Je n'ai pas voulu te réveiller, j'aurais eu envie de te faire l'amour. Je savais que nous nous verrions à la réunion. J'ai pensé que tu apprécierais de pouvoir dormir un peu.

C'était faible comme excuse, il n'eut pas besoin de regarder Hailey pour le savoir.

Comment se pouvait-il qu'elle parvienne à le déstabiliser ainsi ? Il n'avait jamais eu le moindre problème, il était toujours parvenu à charmer les femmes, à trouver les mots pour leur parler. Certes, il y avait, en outre, cette négociation de contrat qui n'arrangeait rien.

— Merci de te préoccuper à ce point de mes besoins, dit-elle d'un ton acerbe. Mais, maintenant, j'ai du travail. Je vais revoir mes notes et t'envoyer par mail le compte rendu de ce que je compte faire. Tu pourras y rajouter ce qui te convient et nous le ferons parvenir ensuite à Rudy.

En d'autres termes, elle ne voulait rien avoir à faire avec lui. Ce qui était franchement offensant vu la façon dont elle s'était jetée sur lui et lui avait fait l'amour la veille. Mais si c'était ainsi qu'elle entendait jouer la partie, libre à elle !

Sans un mot de plus, Gage s'écarta et la laissa partir. C'était aussi bien ainsi, après tout. Ils étaient concurrents. D'une manière ou d'une autre, l'un d'eux resterait sur le carreau. Elle, en l'occurrence. Alors, autant laisser filer les choses et reprendre le cours de sa vie.

Toutefois, il ne put s'empêcher de suivre du regard le balancement envoûtant de ses hanches tandis qu'elle s'éloignait et de se demander pourquoi il lui paraissait impossible de ne plus pouvoir l'admirer.

— Alors, Hailey, ça s'est passé comment, ces réunions ?

— Avez-vous charmé Rudolph avec votre vision de la lingerie romantique ?

— Bien sûr qu'elle l'a charmé ! Les modèles de Merry Widow parlent d'eux-mêmes. Tout ce que notre Hailey a eu à faire, c'est montrer sa ligne à ce type, le baratiner un peu, battre une ou deux fois des cils, et hop ! Nous sommes bonnes pour une prime de Noël.

Pour souligner son propos, Jackie, une des employées, exécuta un petit pas de danse qui fit tinter les clochettes de son chapeau de Noël.

Hailey s'efforça de sourire, éluda les questions, et tenta au plus vite de gagner son bureau. Elle fut interceptée une première fois pour donner son avis sur un modèle, puis une seconde pour admirer l'arbre de Noël décoré de rubans, dentelles et accessoires de lingerie. C'était une création très réussie et tout à fait originale.

Tout le monde était tellement excité. Les visages rayonnaient dans l'atelier. On était vendredi, certes, mais c'était surtout à cause du contrat. Hailey avait vraiment boosté son personnel côté optimisme.

« Viser toujours plus haut et ne jamais douter de la réussite. »

C'était vraiment n'importe quoi.

— J'ai rassemblé quelques modèles pour la séance de photo de la collection de printemps, mercredi, dit Jackie. Je sais que vous préférez attendre de voir quels modèles Rudolph choisira en exclusivité, mais je me suis dit que cela ne nous ferait pas de mal de prendre un peu d'avance. Je suis allée faire les boutiques pour accessoiriser le tout.

Jackie désigna les pièces de lingerie, les bijoux, chaussures et autres accessoires installés sur la grande table de travail de l'atelier.

— J'ai même choisi quelques jolies petites choses pour accompagner nos modèles de Noël. J'ai pensé que vous auriez peut-être envie de faire un cadeau à Cherry pour les fêtes.

Hailey pressa un instant ses paupières pour refouler les larmes qui montaient dans ses yeux. Tout le monde était si enthousiaste, tellement convaincu qu'elle allait décrocher ce contrat. Comme elle l'avait été elle-même. A quel moment avait-elle perdu espoir ?

— C'est une excellente idée, parvint-elle à articuler, un sourire tremblant aux lèvres. Merci d'avoir fait tout ce travail en plus.

— Ce fut un vrai plaisir, croyez-moi. Nous allons avoir le plus beau Noël qui soit, ajouta la jeune femme.

— Oui, sans doute.

Hailey parvint à garder le sourire le temps de s'éloigner. Mais dès qu'elle fut dans l'escalier qui menait à son bureau, elle laissa tomber le masque et le désespoir reprit le dessus.

— Vous êtes en retard.

Doris, telle qu'en elle-même, songea Hailey en passant devant son bureau.

— Vous étiez censée être là il y a une heure.

— Et vous, censée vous souvenir que j'avais une réunion, répondit Hailey d'une voix lasse.

— Et vous, censée vous souvenir qu'en décembre je ne travaille que le vendredi matin !

Le sang d'Hailey ne fit qu'un tour. Aujourd'hui, elle n'avait surtout pas besoin que Doris vienne lui chercher des poux.

— Dans ce cas, allez-y, partez, rétorqua-t-elle d'un ton sec, désignant l'escalier tout en gagnant son bureau.

Elle eut à peine le temps de poser son sac et son manteau que le dragon Doris arrivait, tel un ouragan.

— Vous êtes de mauvaise humeur, on dirait. Je vous avais bien dit que vous donner toute cette peine pour impressionner Rudolph n'était pas une bonne idée.

Hailey lui jeta un regard noir.

— Je croyais que vous deviez partir. On est vendredi, non ?

— Je suis venue vous apporter vos messages. J'ai pensé que cela pouvait être important. Il y en a un de votre rendez-vous d'hier soir.

Le cœur d'Hailey fit un bond dans sa poitrine.

— Gage ?

L'avait-il laissé avant ou après la réunion ? S'excusait-il pour l'avoir abandonnée le matin, seule et en manque de lui ? Ou lui rappelait-il qu'ils devaient absolument mettre au point leur ultime présentation ?

De toute façon, pourquoi s'en préoccupait-elle ?

— Je ne veux pas lui parler, annonça-t-elle. S'il rappelle, dites-lui que nous réglerons la question par mail.

Doris fronça les sourcils.

— Je parle de M. Rudolph. Ce n'était pas avec lui que vous étiez, hier soir ? Avec lui et la chanteuse ?

Pas franchement, songea Hailey.

Elle se contenta de hausser les épaules et tendit la main pour récupérer les messages. Doris, bien entendu, ne les lui donna pas. Elle continua de la fixer d'un regard intense, comme si elle tentait de percer à jour ses secrets.

Mais qu'avaient donc les gens en ce moment, à la scruter de cette manière ? Son visage, son âme, ses secrets, tout cela ne regardait qu'elle !

— Il y a eu un autre appel. De votre mère.

Hailey sentit comme une chape de plomb s'abattre sur ses

épaules. Doris n'avait pas besoin de lui dire de quoi il s'agissait, elle le savait déjà. La même chose que d'habitude.

— Elle a dit qu'elle était désolée. Elle ne va pas pouvoir passer les fêtes de fin d'année avec vous. Apparemment, elle a obtenu un rôle dans une troupe de théâtre itinérante et elle doit être prête à prendre la route le 1er janvier.

A sa décharge, Doris avait annoncé la nouvelle avec beaucoup de compassion. Même les rides tombantes de son visage semblaient compatir.

— Il y a autre chose ? demanda Hailey, s'efforçant de ne pas se laisser abattre par l'adversité de cette journée.

Doris hésita, puis roula les messages en boule dans le creux de sa main et secoua la tête.

— Non, c'est tout.

Hailey n'en revenait pas. Doris qui l'accusait de voir toujours tout en rose, voilà qu'elle lui cachait les mauvaises nouvelles.

— Doris ?

Doris poussa un soupir et ses épaules s'affaissèrent.

— Ce sont encore ces morveux de Phillips qui veulent savoir si vous avez pris les dispositions nécessaires pour les rembourser.

Hailey passa une main dans ses cheveux. Elle aurait aimé pouvoir chasser par ce geste tout le stress qui menaçait de lui déclencher une migraine. Elle n'était pas prête à jeter l'éponge, mais le sort s'acharnait contre elle et elle sentait son courage faiblir.

— Peut-être serait-il temps d'organiser une réunion, murmura Doris.

Hailey, les dents serrées, fixa sa petite ruche, à l'étage en dessous. Son minuscule empire. Une douzaine de personnes en tout, Doris et elle comprises. Les convoquer pour leur déclarer « nous avons échoué » ne revenait-il pas à leur dire qu'elle renonçait ? Ne leur devait-elle pas d'aller jusqu'au bout ?

— La semaine prochaine, dit-elle tranquillement, se tournant vers Doris. Vendredi, lors de notre réunion mensuelle, soit je leur donnerai leur prime de fin d'année, soit l'argent que je serai parvenue à rassembler en guise d'ultime salaire.

Une semaine et demie pour sauver son entreprise. Hailey ne renoncerait jamais avant d'y être contrainte. Le menton haut, elle soutint le regard de Doris, attendant de se faire rabrouer.

Au bout de quelques secondes et contre toute attente, cette dernière hocha la tête.

— Je vais jeter un coup d'œil aux comptes pour voir où nous en sommes. Pour les primes. Ou… au cas où.

Puis, sans un mot de plus, elle quitta la pièce.

Au cas où.

Hailey poussa un soupir et enfouit son visage entre ses mains.

Peut-être était-il temps qu'elle cesse de croire que tout pouvait marcher dans la vie, pour peu qu'elle ait la foi et tienne bon. Après tout, qu'est-ce qui avait si bien marché pour elle jusqu'à présent ?

Son père ne la considérait toujours pas comme faisant partie de sa *véritable* famille. Sa mère ne cessait de la laisser tomber. Et maintenant son entreprise, la seule chose sur laquelle elle pensait pouvoir compter, était sur le point de sombrer.

Les larmes roulèrent, amères, sur ses joues.

Et il n'y avait rien qu'elle puisse faire, face à tout cela.

- 11 -

Les mains moites, Hailey rassembla son courage et frappa à la lourde porte de chêne. Il fallait qu'elle essaie, qu'elle se donne une dernière chance.

Elle avait passé une heure à se morfondre, avalé la moitié d'un paquet de biscuits. Mais en regardant ses employés, tout à la joie des fêtes qui approchaient, elle s'était dit qu'il fallait qu'elle fasse une dernière tentative. De toute façon, renoncer ne lui ressemblait pas.

Le conflit ne lui plaisait pas davantage. Elle n'aimait pas les situations de conflit. Aussi, au bout de quelques secondes, voyant que personne ne répondait, elle considéra avoir fait ce qu'il fallait. Elle se détournait déjà, soulagée, lorsqu'elle entendit sa voix.

— Hailey ?

Zut.

Plaquant un sourire sur ses lèvres, elle se retourna et mima la surprise.

— Oh ! bonjour, Gage, lança-t-elle d'une voix faussement enjouée.

Il était superbe, en tenue décontractée, jean et T-shirt noir. Comme toujours, dès qu'elle le voyait, son pouls se mit à battre plus fort et elle fut reconnaissante à l'air froid du soir de calmer un peu le feu qui lui montait aux joues. Il avait suffi d'un instant pour qu'elle ait envie de lui et s'imagine dans ses bras.

Elle s'obligea à respirer tranquillement et à reprendre ses esprits. Elle n'était pas venue pour lui sauter dans les bras.

— J'espérais que nous pourrions discuter. Mettre au point les détails dont Rudy a besoin.

— Il les voulait pour 17 heures, fit remarquer Gage, regardant ostensiblement sa montre. C'était il y a une heure.

— Je l'ai eu au téléphone. Il est d'accord pour les avoir demain matin.

— Je vois. C'est sans doute pour cette raison que tu n'as répondu à aucun de mes appels ni de mes mails. Et comment es-tu parvenue à le convaincre ?

— Je lui ai promis de m'occuper de tout, y compris de faire venir Cherry.

— Bonne chance.

Gage s'effaça pour la laisser passer.

— Eh bien, entre, je vais faire du café.

Hailey hésita. Elle était pourtant venue pour cela, discuter avec lui de façon détendue, amicale, si possible. Pourtant, elle se sentait soudain crispée, des nœuds dans l'estomac.

— Nerveuse ? plaisanta-t-il, scrutant son visage.

— Pour quelle raison le serais-je ?

— Bonne question.

Hailey leva le menton et lui décocha un regard sévère. Un regard qui, elle l'espérait, disait clairement qu'elle était venue pour parler travail et non pour vérifier si faire l'amour chez lui serait aussi extraordinaire que chez elle.

Elle n'y avait même pas pensé, d'ailleurs. Enfin, pas plus d'une dizaine de fois.

Quoi qu'il en soit, il n'avait pas besoin de le savoir. Un homme qui partait au matin, sans un mot, ne méritait pas qu'on flatte son ego. Et il ne méritait pas davantage qu'on réitère l'expérience.

— Laisse-moi te débarrasser, dit-il.

Hailey lui tendit son sac, ses gants. Galant jusqu'au bout, il la débarrassa de son manteau. Elle ne put réprimer un frisson lorsque ses doigts effleurèrent ses épaules.

— Viens, dit-il, avec un sourire amusé. Installe-toi.

Elle lui jeta un regard noir. Il avait senti ce frisson et savait parfaitement ce qu'il signifiait.

Mais dès qu'elle quitta l'entrée et pénétra dans le salon, la curiosité l'emporta sur le trouble.

Quel appartement !

Elle n'avait pas grandi dans un milieu pauvre, loin de là. Mais Gage, lui, avait clairement grandi dans l'aisance.

Des œuvres d'art, originales, signées par des artistes, toiles ou sculptures, agrémentaient le vaste espace du salon. Le mobilier était très sobre, tout en cuir et bois, avec des lignes très épurées. L'ensemble était d'une grande élégance, mais ni froid ni guindé.

Elle remarqua les chaussures de sport abandonnées près du canapé, le journal jeté dans un fauteuil. On sentait que quelqu'un vivait ici. Le lieu avait une âme.

Elle n'aurait pas dû y être aussi sensible. Elle l'était pourtant.

— Du café, ça ira ? Ou tu préfères un chocolat chaud ? Du vin ? De l'eau ? demanda Gage, jouant les hôtes parfaits.

Il franchit une séparation en forme d'arche qui, à ce qu'Hailey put entrevoir, menait dans la cuisine.

Elle le suivit et, cette fois, ne put dissimuler son admiration. Toute de bois clair et d'acier, la cuisine était équipée au-delà de l'imaginable. Double four, plaque de cuisson high-tech, grill, superbes plans de travail en granit. Rien ne manquait.

— Une cuisine de rêve ! s'exclama-t-elle.

Gage suivit son regard.

— Oui, j'imagine. Mais, la plupart du temps, je commande mes repas à l'extérieur. Le café et les œufs brouillés, c'est à peu près l'ensemble de mes compétences culinaires.

— Tu m'as pourtant proposé un chocolat chaud.

Elle en avait une envie folle, brusquement. Surtout s'il était accompagné de crème fouettée.

— Faire chauffer du lait et y mélanger du cacao, c'est encore dans mes possibilités.

— Pas de crème fouettée ?

Un léger sourire effleura ses lèvres tandis qu'il laissait glisser sur elle un regard gourmand, comme si elle venait de faire naître dans son esprit une image particulièrement érotique…

Une image qu'elle se représentait tellement bien qu'elle sentit ses seins se tendre, ses mamelons durcir.

Ne te laisse pas distraire, se réprimanda-t-elle aussitôt. *Surtout pas.*

— Je voulais régler cette affaire au plus tôt et j'ai pensé qu'il serait plus facile d'en discuter si nous n'étions que tous les deux. Sans Rudy, sans entourloupes de marketing.

Sans sexe, ajouta-t-elle pour elle-même, comme pour mieux s'en convaincre.

Gage la regarda longuement et hocha la tête. Elle le suivit des yeux dans la cuisine, le regarda attraper le lait, le cacao.

Heureuse de laisser de côté pour un temps la discussion, elle s'installa sur un tabouret, suivit ses gestes. Il était parfaitement à l'aise, précis, élégant dans ses mouvements.

Lorsqu'il versa le chocolat chaud dans la tasse, ajouta une cuillère de crème, Hailey retint avec peine un petit gémissement. Ce n'était pas de la boisson qu'elle avait le plus envie, mais de lui.

Elle n'aurait pas dû venir, c'était une idée stupide.

Elle aurait mieux fait de l'appeler. Il lui était si difficile de se contrôler lorsqu'il se trouvait ainsi, tout près d'elle.

— Alors ? dit-il lorsqu'ils furent installés sur le canapé, face au feu qui crépitait dans la cheminée. Vas-tu me faire une offre que je ne pourrai pas refuser ?

— Je te demande pardon ?

Que pourrait-elle avoir à offrir à un homme qui possédait déjà tout dans la vie ?

Il se pencha vers elle. L'odeur puissante du café mêlée à celle de son eau de toilette l'enveloppa, magique. Son regard plongé dans le sien la maintenait captive, les profondeurs insondables de ses yeux lui promettant d'infinies délices. Et ce n'étaient pas de vaines promesses. Elle le savait par expérience. Jamais elle n'avait éprouvé autant de plaisir dans les bras d'aucun homme et elle sentait déjà son cœur s'emballer.

Les images les plus folles emplissaient son esprit. Leurs deux corps nus enlacés, ici même, devant le feu ou contre le mur. Ou encore dans son lit. Peu importait.

Referait-elle ce qu'elle avait fait ? Se jetterait-elle de nouveau sur lui ?

Si la raison et la fierté lui disaient que non, que c'était impossible vu l'attitude dont il avait fait preuve à son égard, son corps, lui, criait oui. Et l'envie de retrouver le sien était plus forte que tous les raisonnements qu'elle pouvait faire. Elle ne songeait plus qu'à retrouver la chaleur de son torse contre le sien, ses muscles fermes et chauds. Elle voulait le sentir venir en elle, bouger en elle, palpiter en elle. Et se sentir soudain happée par la jouissance et perdre pied, chavirer.

Le souffle court, tout à coup, Hailey dut s'arracher à l'intensité hypnotique de son regard.

Aussitôt, elle retrouva ses esprits et l'orgueil l'emporta sur le désir.

— Je ne pense pas avoir quoi que ce soit à offrir que tu puisses trouver irrésistible, déclara-t-elle.

— Tu veux parier ?

Il tendit la main, effleura sa joue, la courbe gracile de son cou. Ce simple geste fit courir un frisson de plaisir dans tout son corps.

Il n'irait pas jusqu'à mettre en balance le contrat pour faire l'amour avec elle, si ? L'idée lui parut si insensée qu'elle ne put s'empêcher de rire.

— Ah oui, je vois. Tu renoncerais à un contrat au chiffre impressionnant pour un week-end à profiter de mon corps ?

Son regard sombre était si intense qu'elle sentit une onde de chaleur l'envahir.

— Est-ce ce que tu proposes ?

L'espace d'une seconde, elle eut envie de dire oui et de le lui offrir là, tout de suite.

Mais la crainte qu'il se moque d'elle l'emporta et elle préféra jouer l'ironie.

— Voyons voir, ce n'est pas la nuit dernière que tu as eu tout le loisir d'en profiter ? Oui… il me semble bien que oui. Mais cela ne t'a pas pour autant posé problème de partir sans même un bonjour ou un au revoir.

Hailey le regarda droit dans les yeux.

— Quelque chose aurait-il changé entre ce matin et maintenant ?

Gage posa sa tasse de café et s'approcha d'elle. Elle sentit sa cuisse frôler la sienne, la chaleur de son corps l'envahir tandis qu'il glissait un bras sur le dossier du canapé. Il ne la touchait pas. Il était là, tout près, comme s'il voulait qu'elle prenne conscience de son corps, tout simplement, sans qu'il ait quoi que ce soit à faire.

Hailey en avait assez des gens qui lui promettaient monts et merveilles, qui faisaient tout pour qu'elle s'investisse, s'attache à eux, puis qui la laissaient tomber.

Aussi, au lieu de succomber au désir que Gage s'ingéniait à provoquer en elle, elle se pencha vers lui.

Une lueur de désir enflamma son regard. Elle vit son pouls s'emballer et sourit.

Alors, elle se pencha plus près encore.

— Tu veux me faire une offre, Gage, alors vas-y. Mais assure-toi d'abord de pouvoir l'honorer. J'en ai plus qu'assez des provocations.

Il était sur le point de lui offrir n'importe quoi.

Tout.

En échange de ses lèvres, de ses bras, de son corps, d'un moment de folie avec elle.

Comme attiré par un aimant, il se pencha vers elle, sa bouche prête à prendre la sienne.

Et lui, prêt à accepter n'importe quel pacte.

La lueur de triomphe qui traversa soudain le regard vert d'Hailey agit comme un électrochoc.

Il se figea. Bon sang ! Que s'apprêtait-il à faire ? Allait-il renoncer au contrat pour un moment de passion dans ses bras ?

S'il ne s'était agi que du contrat, il aurait répondu oui. Définitivement oui. Mais il en allait aussi de sa liberté, d'une tentative de rupture avec Milano, et ce, d'une façon qui ne détruirait pas les relations, certes discutables, qu'il entretenait avec sa famille.

Mais la question la plus importante était peut-être de savoir si elle, elle renoncerait au contrat pour lui.

— Pourquoi est-ce si important pour toi de décrocher ce contrat ? demanda-t-il. Il représente beaucoup d'argent, certes, mais tu pourrais t'en assurer une bonne dizaine d'autres, très lucratifs aussi. Ta ligne de lingerie est magnifique, tu disposes d'arguments de vente très convaincants et le seul fait d'avoir été repérée par Rudolph peut t'ouvrir beaucoup de portes.

Gage avait déjà utilisé cet argument avec elle, mais cette fois il voulait une réponse. Par le passé, il avait déjà eu affaire à forte concurrence, mais jamais il n'avait mis autant de cœur, de détermination à vouloir gagner.

Hailey soutint son regard. Il ne l'avait jamais vue aussi sérieuse. Comme si soudain tout cet allant, cette effervescence qui la caractérisait avait disparu.

— Il me faut absolument ce contrat, dit-elle, avec un petit haussement d'épaules qui signifiait, *c'est ainsi, un point c'est tout.*

Mais Gage n'entendait pas s'en contenter. Il voulait savoir. Savoir ce qu'elle avait à perdre si, lui, l'emportait.

— Moi aussi, il me le faut, dit-il.

Cédant à la tentation, il effleura du bout des doigts les mèches blondes de ses cheveux, les regarda onduler doucement tel un rideau de soie.

— Pour quelle raison as-tu besoin de ce contrat ? insista-t-il.

Elle ne répondit pas tout de suite, fixa un long moment sa tasse.

— Si je ne le décroche pas, je perds mon entreprise, avoua-t-elle finalement.

— Comment est-ce possible ? Je me suis renseigné lorsque j'ai appris que nous étions concurrents. Ton affaire est solide.

— En théorie, oui, elle l'est. J'ai acheté Merry Widow à mon mentor, il y a trois ans. Nous avions conclu ce que l'on peut appeler un accord entre amis. Nous savions que l'entreprise avait un gros potentiel et nous avons donc décidé que je lui verserais un pourcentage fixe chaque année et qu'au terme de cinq ans, si j'avais doublé la valeur du net, ma dette était payée. Dans le cas contraire, nous négocierions une valeur vénale.

Gage secoua la tête.

— Je ne comprends pas. C'est un accord complètement insensé. C'est la première fois que j'entends parler d'une transaction pareille. Cela ne fait pas encore cinq ans et tu as déjà quasiment doublé la valeur du net.

Gage ignora le regard agacé que lui lança Hailey. Manifestement, il en savait un peu trop sur elle à son goût.

— Je ne comprends pas… Il ne devrait pas y avoir de problème, conclut-il.

— Je sais que ce n'est pas une façon de procéder très orthodoxe, mais c'était pour Eric un moyen de me pousser, de me motiver à donner le meilleur de moi-même.

Un sourire effleura ses lèvres à ce souvenir. Sourire vite effacé.

— Il est mort cet automne.

— Oh ! je suis désolé, murmura Gage.

Hailey hocha la tête, but une gorgée de chocolat.

— Ses enfants réclament l'argent, aujourd'hui. A la valeur du marché, sans tenir compte des paiements effectués.

— Ils ne peuvent pas agir ainsi.

— Bien sûr que si. Eric et moi n'avions pas établi de contrat. Nous n'avions qu'un accord verbal car il ne voulait pas avoir à s'expliquer avec ses enfants au sujet de notre arrangement. Ils en auraient fait toute une histoire. La preuve…

Gage n'en revenait pas. Il lui fallait un bon avocat, quelqu'un capable de mettre fin à ces exigences aberrantes.

— C'est insensé. Je vais demander à mon avocat de s'occuper de ton affaire.

— C'est très gentil de ta part, mais c'est déjà fait. Ils sont parfaitement dans leur droit.

— C'est du vol.

— Sans doute. Mais si j'obtiens le contrat Rudolph, je pourrai justifier d'un revenu suffisant auprès de la banque pour qu'elle me prête l'argent nécessaire pour les rembourser.

Hailey termina son chocolat et posa sa tasse sur la table.

— Voilà. Tu sais tout.

Il s'agissait de vol manifeste, Gage n'eut pas besoin de le répéter une nouvelle fois. Mais il pestait intérieurement, non pas parce que les besoins d'Hailey le mettaient dans une position difficile, encore que, mais parce qu'elle s'était fait berner. Parce qu'un imbécile avait eu peur de mécontenter ses enfants, elle risquait de perdre son entreprise ou de se retrouver endettée jusqu'au cou. Une dette dont elle n'aurait jamais eu à s'acquitter si cet homme avait fait les choses en règle.

Brusquement, il n'eut qu'une envie : la voir sourire. Lui montrer quelle femme formidable, exceptionnelle même, elle était.

Il n'avait pas les mots pour le dire et, s'il les avait eus, il se serait senti totalement ridicule à déclarer ce genre de choses. Aussi lui offrit-il ce qu'il avait.

Un baiser tendre et doux.

Une promesse.

Celle de s'occuper d'elle.

De faire en sorte qu'elle se sente bien.

Après quelques secondes, Hailey s'écarta et le regarda, surprise.

— C'était dans quel but, ce baiser ?

— Pour te montrer quelle femme merveilleuse tu es.

Elle eut un petit rire, pensant qu'il plaisantait. Mais elle dut voir à son expression combien il était sérieux. Le désir, l'espoir et une émotion plus profonde encore se succédèrent sur ses traits.

— Tu le penses vraiment ? demanda-t-elle, tendant timidement la main pour effleurer sa joue.

Gage la saisit, en embrassa la paume. Il aimait la douceur de sa peau, son parfum.

— Passe le week-end avec moi, dit-il.

Il vit son pouls s'emballer à la base de son cou, et son beau regard vert s'emplir de questions pour lesquelles il était loin de posséder toutes les réponses.

— Passe le week-end avec moi et laisse-moi te prouver ce que je dis.

— Et comment comptes-tu t'y prendre ?

— Comme cela, répondit-il, pressant ses lèvres avec passion, lui révélant l'urgence de son désir.

Lorsqu'il l'attira tout contre lui, elle s'abandonna à son étreinte, lui offrit ses lèvres, la douceur de sa bouche. Et, soudain, il ne fut plus sûr du tout qu'un week-end puisse suffire à lui montrer combien il la trouvait extraordinaire.

- 12 -

— C'est ridicule. Comment ai-je pu me laisser convaincre de faire une chose pareille ?

Gage se tourna vers Hailey, le visage renfrogné, mais son agacement fut de courte durée. Elle était irrésistible, vêtue seulement d'une chemise à lui et embaumant cette crème pour le corps qu'il lui avait passée, après la douche, au petit matin.

Le souvenir de sa peau douce, satinée sous ses doigts, alors qu'il faisait pénétrer la crème légère et parfumée, éveilla soudain un intérêt qui n'avait rien à voir avec celui qu'Hailey s'efforçait de susciter en lui.

— Allez, viens ! Ça va être amusant.

— Amusant ? Ce n'est pas comme s'il s'agissait d'expérimenter un nouveau jeu ou une nouvelle position.

Hailey lui décocha un petit sourire taquin.

— L'un n'empêche pas l'autre, nous verrons plus tard. Mais d'abord…

Gage poussa un soupir et attrapa l'extrémité du cordon qu'elle lui tendait.

— Et que suis-je censé faire avec ça ? Lancer le tout par-dessus les branches ?

— Mais non, regarde, dit-elle, lui montrant comment installer la guirlande.

Peut-être devrait-il commencer à s'inquiéter sérieusement. Elle semblait avoir le don de lui faire faire n'importe quoi.

Lorsqu'elle avait commencé à parler de décorations, il pensait s'en sortir en prétextant qu'il n'avait pas de sapin. Mais c'était mal la connaître. Elle lui avait piqué un de ses pantalons de jogging, un sweat-shirt, et avait enfilé ses bottes. Puis elle l'avait traîné jusqu'au magasin le plus proche pour en acheter un.

Il avait été littéralement fasciné par le soin qu'elle avait mis à le choisir, à étudier chaque spécimen, à réfléchir à la forme qui conviendrait le mieux. Finalement, elle avait opté pour un arbre assez haut et fin.

Et il s'était retrouvé à porter un sapin dans les rues de San Francisco, en compagnie d'une femme arborant des bottes hyperbranchées et une improbable tenue de jogging !

Que pouvait-il faire d'autre, une fois de retour, que la déshabiller et lui faire l'amour ? Elle était tellement incroyable !

Et à présent, trois heures et quelques orgasmes plus tard, elle était là, juchée sur cet escabeau, les bras tendus, à lui faire signe de se dépêcher.

— Ça ne suffisait pas, un sapin ? Pourquoi faut-il en plus accrocher tout un tas de trucs dessus ?

— Parce que c'est Noël. Ça fait partie du jeu, ajouta-t-elle, achevant d'installer la guirlande lumineuse qu'ils avaient achetée en même temps que le sapin.

Puis elle descendit de l'escabeau et l'alluma.

Gage pencha la tête, observant le résultat, et sourit. C'était gai, vraiment très joli, il fallait le reconnaître.

— Tu n'avais jamais fait de sapin, avant ? demanda Hailey. On ne fête pas Noël dans ta famille ?

— Si, bien sûr. Mais, en fait, le sapin apparaissait comme ça, un beau matin, avec les boules, les guirlandes, les cadeaux.

Tout dépendait de la belle-mère qui se trouvait là, à ce moment-là. Le style changeait en fonction. Il se souvenait, une année, de petites poupées de porcelaine pendant aux branches. Il avait trouvé cela horrible.

— Il y avait toujours du monde, je me rappelle. Mais mon frère et moi, nous étions en pension. Lorsque nous revenions pour les fêtes de fin d'année, l'arbre était là, couvert de guirlandes. Il nous est peut-être arrivé d'en décorer un lorsque nous étions petits, mais je ne m'en souviens pas.

Hailey s'interrompit dans son accrochage et le regarda, surprise.

— On vous envoyait en pension ?

— Disons qu'on nous donnait plutôt l'occasion de fuir, répondit Gage en riant. Personnellement, ça m'allait très bien. Je préférais ça au ballet incessant des belles-mères.

L'expression d'Hailey se fit grave.

— Tu en as beaucoup souffert ?

— Souffert ? Non. C'était un peu bizarre, voilà tout. Mon père était un séducteur invétéré. Nous avions fini par en plaisanter, en disant qu'il ferait mieux de louer ses femmes plutôt que de les épouser, vu qu'il en changeait aussi souvent que de voiture.

— Et ça ne te dérangeait pas ?

— Pourquoi ? Aucune d'elles ne restait assez longtemps pour que nous nous y attachions.

Gage batailla quelques instants avec les décorations qu'Hailey lui avait confiées. Lorsqu'il se tourna vers elle, elle le regardait, bouleversée, prête à le prendre dans ses bras, à le consoler.

— Ne t'inquiète pas, ce n'était pas vraiment un problème, dit-il. Honnêtement.

— Et ta mère ? Quel âge avais-tu lorsqu'elle vous a quittés ?

— Quatre ans et demi. Je l'ai revue quelques fois, ensuite, avant qu'elle ne meure dans un accident de voiture. Mais j'ai grandi ainsi, sans ressentir de vide. Notre famille, c'était mon père, mon frère et moi, voilà tout. Et un sapin prédécoré.

La remarque ne fit pas rire Hailey.

— J'en ai fini avec ces décorations, dit Gage, espérant changer enfin de sujet. C'est tout ou tu comptes encore accrocher d'autres choses ?

— Juste quelques flocons.

Hailey lui tendit un petit paquet de flocons découpés dans du papier qu'elle avait trouvé dans son bureau.

— Tu dois être très proche de ton frère, alors ?

Gage poussa un soupir. Lui qui espérait changer de sujet !

— Pour l'instant, je suis lié à lui, dit-il, l'air absent. Mais, l'année prochaine, j'aurai pris la tête.

Et comment ! Jusqu'à présent, Devon s'était servi de ses deux années de plus, pour le devancer. Mais au terme d'une année où il serait dégagé de ses obligations chez Milano, ce serait lui qui ferait la course en tête.

Hailey le regarda, intriguée.

— Que veux-tu dire par « prendre la tête » ?

— C'est simple, gagner. Devon et moi avons toujours été en compétition. Pour les meilleures notes, les diplômes, le soutien de notre action chez Milano et même jusque dans les plus petites choses, comme cette histoire d'os de dinde.

Gage sourit en se remémorant l'histoire.

— C'est ce qui m'avait valu mon costume d'ours pour la soirée de Rudy.

Hailey l'observait, comme si elle tentait de débusquer la vérité derrière ses paroles. Pourquoi ? Il ne comprenait vraiment pas ce qui lui posait problème.

— Tu voudrais me faire croire que toute votre relation est basée sur la compétition ?

— Elle l'est, c'est un fait.

Elle paraissait étonnée, mais lui ne voyait pas où était le mal.

— Allons, ne me dis pas que vous n'avez pas de liens fraternels, d'intérêts en commun, de petites rivalités entre frères ?

Hailey ne pouvait pas croire que ce soit possible.

— Les rivalités entre frères, c'est un peu la même chose que la compétition, non ? dit Gage.

Elle réfléchit et finit par acquiescer.

— Tout cela nous l'avons. Nous avons également beaucoup d'intérêts en commun. Je vérifie ses investissements, je lui donne des conseils de marketing. Il vérifie les miens et me donne des conseils de gestion et de développement.

— Et ça s'arrête là ? demanda Hailey.

Gage ne comprenait pas pourquoi elle prenait cet air horrifié. Un peu sur la défensive, il s'efforça de s'expliquer.

— Nous ne sommes pas amis, comme certains frères qui sortent souvent ensemble, mais nous nous respectons. La loyauté, au sein de notre famille, n'est pas un vain mot. Nous avons vécu des choses ensemble, nous avons un passé, un héritage communs. Mais, au final, nous voulons tous les deux réussir, être partie prenante de l'entreprise familiale mais également réussir en dehors, par nos propres moyens. Nous voulons tous les deux gagner.

Gage voyait bien qu'elle ne parvenait pas à croire que tout ce discours ne dissimulait pas une blessure secrète, le regret de fêtes centrées autour de la famille. Plutôt que de tenter de la convaincre que tel était pourtant le cas, il décida de lui retourner la question.

— Et toi ? J'étais certes absorbé par autre chose, ton corps, le plaisir incroyable que j'ai à le caresser…

Il sourit en la voyant rougir.

— Mais je n'ai pas vu de sapin chez toi.

A ces mots, l'expression d'Hailey changea du tout au tout.

— J'attendais ma mère. Cela a toujours été une tradition de faire le sapin avec elle. Lorsque j'étais enfant, nous le décorions tous en famille, le week-end après Thanksgiving. Après le divorce de mes parents, je passais Thanksgiving avec mon père et ma mère attendait mon retour pour le décorer avec moi.

Gage l'imaginait petite fille, ses cheveux blonds bouclés attachés en couettes, en train d'accrocher guirlandes et boules aux branches basses du sapin. Elle devait être à croquer.

— Ainsi, tu faisais deux sapins. Ça ne m'étonne pas que tu aimes tellement ça.

— Non, je n'en faisais qu'un. Mon père s'est remarié aussitôt après le divorce et Gina, ma belle-mère, s'en est toujours occupé. Elle préférait le faire plus près de Noël.

Ah, les belles-mères ! songea Gage. On pouvait compter sur elles pour exclure les enfants. Il avait suffisamment vécu ce genre de situation pour en reconnaître les stigmates. Il n'avait pas besoin de voir les lèvres pincées d'Hailey, son menton levé crânement et la tristesse dans ses yeux pour savoir qu'elle en portait encore la blessure.

Bon, il était temps de cesser de râler. Si décorer un sapin lui faisait plaisir, ils le décoreraient.

— A quelle date doit arriver ta mère ? demanda-t-il.

Sous-entendu : « Combien de temps nous reste-t-il à pouvoir faire l'amour comme des fous, où et quand bon nous semble ? »

Hailey était en train de fixer un flocon. Elle se figea.

— Elle ne viendra pas cette année. Elle a appelé vendredi et laissé un message. Elle a d'autres projets.

Sous la tristesse dans son regard, Gage lut de la résignation. Comme si ce genre de situation se produisait régulièrement.

— Eh bien, nous ferons ton sapin tous les deux, d'accord ? Je suis certain que tu as déjà tout ce qu'il faut chez toi.

Gage avait à peine terminé sa phrase qu'il prit conscience de ce qu'il venait de faire : se substituer, ni plus ni moins, à sa famille. Ce n'était pas rien. C'était surtout une implication autrement plus importante que de se jeter dans les bras l'un de l'autre pour d'inoubliables parties de jambes en l'air.

L'espace d'une seconde, il le regretta et décida de changer au plus vite de sujet. Mais lorsqu'il vit le visage d'Hailey s'épanouir, un beau sourire l'éclairer soudain, il se sentit heureux. Il aimait l'idée qu'elle lui fasse confiance, qu'elle croie en lui.

— Alors, qu'en dis-tu ? demanda-t-il, montrant le sapin. Suis-je un assistant digne de ce nom ?

— Tu es beaucoup mieux que ça.

Il sentit la voix d'Hailey se briser, ses lèvres se mettre à trembler. Mais elle parvint à contenir ses larmes.

Ce n'était pas son genre de pleurer et, sans doute, ne voulait-elle pas en rajouter. Aussi se tourna-t-elle aussitôt vers le sapin.

— Il manque encore quelque chose, dit-elle, penchant la tête, en pleine réflexion. Une étoile au sommet, c'est ça ! Tu n'aurais pas un truc qui brille ? Du papier argenté ou doré ?

Elle était sérieuse ?

Gage la regarda. Elle avait son air décidé et cette douceur, cette candeur dans le regard qui le faisait craquer.

— Bon, dit-il. Je vais voir ce que je peux trouver.

*
* *

Le sapin était terminé et Hailey ravie.

Les bras de Gage refermés autour de sa taille, elle se laissa aller contre son torse. Des étoiles dansaient dans ses yeux.

— Il est magnifique, tu ne trouves pas ?

— Si.

Elle se tourna vers lui, noua les bras autour de son cou.

— Félicitations, tu as très bien travaillé, dit-elle.

Puis elle plaqua un baiser sur ses lèvres.

Gage secoua la tête. De toute évidence, il n'avait pas l'impression d'avoir accompli un exploit, alors que dire de plus ? Il se pencha tout simplement vers elle et s'empara de sa bouche.

Hailey s'abandonna à son baiser, se laissa couler tout entière dans sa douceur, sa chaleur. Etre avec Gage, c'était exactement cela, éprouver en permanence une délicieuse sensation de chaleur et de réconfort. Pas seulement le feu intense de la passion, bien qu'il soit toujours là, entre eux, et tellement excitant. Mais il y avait aussi les rires, les baisers, cette façon qu'il avait de la taquiner, de la provoquer, de s'intéresser constamment à elle.

Il était curieux de tout. Ses idées, la façon dont elle voyait les choses, son passé et même ce qu'elle envisageait de faire dans l'avenir, jamais personne ne s'était occupé d'elle ainsi. D'elle et d'elle seule.

Comme si elle comptait réellement pour lui.

Hailey repoussa les larmes que l'émotion avait brusquement fait jaillir dans ses yeux et ne voulut songer qu'à leur baiser, aux lèvres de Gage, à leur douceur contre les siennes. Elle déboutonna sa chemise, glissa les mains sur sa peau nue.

Alors, lentement, dans un effleurement de doigts, de peaux qui se retrouvent, leurs souffles unis, mêlés, ils glissèrent dans la passion comme dans une sorte de rêve. Et lorsque Gage s'allongea sur elle, plongea son regard dans le sien, elle s'ouvrit à lui et l'accueillit en elle.

Il se mit alors à bouger, la prenant doucement, allant et venant en elle, se retirant pour mieux plonger ensuite dans la douceur enivrante de sa chair. Pas un instant elle ne détacha son regard du sien pour qu'il puisse y lire tout ce qu'elle ressentait.

Le désir, le plaisir, les émotions intenses et profondes qu'elle ne parvenait même pas à nommer elle-même.

Elle voulait qu'il voie tout d'elle.

Et même lorsqu'elle se tendit, lorsque le plaisir, inexorable, monta en elle, son corps réclamant toute l'attention du sien, il ne cessa de la regarder.

Et lorsqu'elle jouit, pulsation intense au plus profond de sa chair, il la regarda encore et lui fit un sourire magnifique.

Alors, dans un gémissement sourd, il s'abandonna à son tour et la rejoignit dans l'extase.

Deux heures plus tard, lovée tout contre Gage, devant le feu, Hailey avait encore du mal à croire à l'intensité de ce qu'elle éprouvait dans les bras de cet homme.

Elle regardait les flammes danser dans la cheminée, les petites lumières du sapin se refléter sur le mur et tentait d'identifier les sentiments qu'elle éprouvait au plus profond d'elle-même.

La paix. La joie. L'amour. Et tout cela lui faisait peur.

— Ecoute, dit Gage, se soulevant sur un coude. L'année prochaine va être très intense pour moi, je vais devoir mettre mon entreprise sur des rails solides et cela va me demander du temps et de la concentration.

Hailey sentit son corps, son cœur se glacer.

Au moins, il était honnête, songea-t-elle, le corps soudain parcouru de frissons.

— Je vais m'occuper de toute cette histoire avec Rudolph. Il faut sauver ton entreprise. Je ne veux plus que tu te fasses de souci à ce sujet, dit-il d'une voix tranquille et posée.

Hailey sentit son cœur s'emballer. Elle attendit un instant d'avoir repris son souffle avant de se tourner vers lui.

— Je vais tout arranger, d'accord ?

L'espace d'une seconde, Hailey eut envie de protester. Elle n'avait pas besoin de faveurs. Elle pouvait décrocher ce contrat toute seule, sans qu'il ait besoin de se retirer de la compétition. Mais Rudy avait déjà fait clairement comprendre que, s'il ne s'était agi que de lui, il aurait choisi Milano. Elle ne pouvait se permettre de placer tous ses espoirs dans Cherry ou de laisser son orgueil faire couler son entreprise.

— Tu en es certain ?

— Tout à fait.

— Et la présentation, mardi, tu penses qu'il faut l'annuler ?

Il réfléchit une seconde et trancha.

— Non, il est plus professionnel de la conserver. Je suis certain que tout sera arrangé d'ici là, mais mieux vaut la garder, au cas où.

Au cas où. Hailey sentit son cœur fondre, Elle voyait la vie en rose. Elle comptait vraiment pour lui, c'était évident.

— Et nous ? demanda-t-elle, comme une enfant qui se réveillerait le matin de Noël et constaterait que le Père Noël ne lui a pas seulement apporté tout ce qu'elle avait demandé mais également des cadeaux qu'elle n'avait même pas espérés.

— Dès que l'affaire sera conclue avec Rudolph, ce sera nous la priorité, dit-il, écartant tendrement de sa joue une mèche de cheveux. Ce ne sera pas facile, mais je veux faire en sorte que nous ayons du temps ensemble. Il faudra certainement jongler un peu, annuler des déplacements, reprogrammer des réunions, ici et là. Qu'en penses-tu ?

Hailey n'en revenait pas.

— Ce que j'en pense ?

— Je veux que nous vivions cette relation, je veux voir où elle nous mènera, poursuivit-il.

Il glissa une main dans ses cheveux, caressa doucement sa nuque.

— Je veux nous donner une chance.

Une chance.

Il avait envie qu'elle fasse partie de son existence. Envie qu'ils soient ensemble, qu'ils forment un couple.

Hailey sourit, sentit ses lèvres se mettre à trembler. Puis, soudain, ce bonheur l'emplit d'une telle joie qu'elle rit, emprisonna le visage de Gage entre ses mains et l'attira vers elle pour l'embrasser.

Doucement, tout d'abord, puis avec de plus en plus de fougue. Alors, de nouveau, la passion embrasa leurs corps.

Hailey le renversa, se glissa sur lui. La lueur des flammes dansait doucement sur leurs peaux nues tandis que leurs mains se cherchaient, se déprenaient pour vérifier une fois encore que l'autre était bien là, tendu, intense, prêt à s'unir.

Hailey saisit un préservatif et le lui enfila. Puis s'installant à califourchon sur lui, elle le guida en elle et se laissa glisser sur toute la longueur de son sexe, dressé et dur. La sensation merveilleuse fit courir un long frisson dans ses reins, son dos.

Alors, elle lui fit l'amour, sans hâte, savourant chaque sensation, cambrée sur lui, provocante, s'offrant, ouverte, et le prenant en elle dans un rythme hypnotique, enivrant.

Cette fois, ce fut lui qui jouit le premier. Et la sensation de sa jouissance, les longs spasmes de son sexe libérant sa sève, la firent basculer à son tour. Elle ferma les yeux, emportée par le plaisir qui irradiait son corps, oublieuse du monde. Puis elle s'écroula, épuisée, comblée, sur son torse.

— J'en conclus que c'est oui, murmura-t-il contre ses cheveux alors qu'ils reprenaient leur souffle.

Il n'en dit pas davantage. C'était inutile. Elle savait qu'il lui demandait si elle était d'accord pour leur donner une chance.

— C'est oui. Définitivement oui, répondit-elle.

Alors, blottie dans ses bras virils, le feu crépitant doucement dans la cheminée, Hailey s'endormit. Une dernière pensée traversa son esprit avant qu'elle ne sombre dans le sommeil. A savoir ce qui l'emportait. Le bonheur que ce contrat soit à elle ou la pensée terrifiante d'avoir dû tomber amoureuse pour l'obtenir ?

Hailey se sentait des ailes lorsqu'elle grimpa les marches de l'immeuble Rudolph.

Et voilà, c'était sa dernière présentation, aujourd'hui.

Vendredi soir, avant leur merveilleux week-end ensemble, ils avaient appelé Rudy pour convenir de ce dernier rendez-vous afin de finaliser leur accord.

Chacun apporterait les modèles, ou à la rigueur les croquis, qui lui semblaient représenter le mieux sa ligne, un plan marketing à mettre en œuvre pour le lancement de la collection de Rudy et, bien sûr, son argumentaire.

Même si cela était superflu, puisque Gage se retirait de la compétition, Hailey s'était préparée comme si c'était le jour le plus important de sa vie. Et, songeait-elle, bouillonnant d'enthousiasme dans l'ascenseur, ce serait sans doute le cas.

Lorsqu'elle sortit de l'ascenseur et prit la direction de la salle de réunion, elle aperçut soudain Gage qui venait à sa rencontre, un magnifique sourire aux lèvres. Un frisson délicieux la parcourut.

— Bonjour, toi, dit-elle, effleurant sa joue du bout des doigts, comme si cela faisait des semaines qu'ils s'étaient quittés et non le matin même. Tu m'as manqué.

— Toi aussi.

Il désigna du menton la double porte au fond du couloir.

— J'ai essayé de te joindre. Tu n'as pas eu mon message ?

— Non. Que se passe-t-il ?

— Je suis venu plus tôt et j'ai vu Rudy.

Il la prit par le coude, l'entraîna vers la salle de réunion.

— Tout est O.K. J'ai emprunté la salle du conseil d'administration pour te montrer le projet.

Le projet ? Il avait déjà tout préparé pour elle ?

Hailey aurait pu battre des mains, elle était folle de joie.

Ils pénétrèrent ensemble dans la salle. Sur un côté se trouvaient installés les modèles qu'elle avait envoyés à l'avance en vue de sa présentation.

De l'autre côté se trouvait un immense tableau blanc. Il portait une liste de noms d'entreprises, dont certaines très importantes. Un projet de marketing couvrait la moitié du tableau. Hailey y jeta un coup d'œil. Il y avait son nom inscrit en haut du projet.

Une appréhension soudaine la saisit.

— Qu'est-ce que c'est ?

— Comme on pouvait s'y attendre, Rudy a choisi Milano pour sa collection de printemps. Il le souhaitait depuis le début. Cherry, elle, penchait pour Merry Widow. Mais elle est restée tellement en dehors de la course qu'il a finalement décidé sans elle.

Gage venait de déclarer cela tranquillement, comme s'il n'y avait là aucune trahison. Comme si le fait que Rudy ait exprimé une préférence suffisait à justifier qu'il ne se soit pas retiré de la compétition comme il avait promis de le faire.

— Tu plaisantes, j'espère ?

— Non. Pas du tout. J'ai mis tout cela au point pour toi. Tu es à la tête d'une liste de commandes fermes, avec la perspective de doubler rapidement ta clientèle comme je te l'avais indiqué et suffisamment de publicité sur ta marque pour voir se conclure rapidement des contrats très juteux.

Gage désigna d'un geste les noms qu'il avait inscrits sur le tableau. A côté de chacun se trouvait un chiffre en dollars. Un chiffre non négligeable, en effet.

Hailey avait la tête qui bourdonnait.

— J'ai mis sur pied un plan marketing pour toi. Il ne s'agit que d'une première ébauche, dans la mesure où nous n'en avons pas parlé ensemble et que je ne dispose pas, non plus, des chiffres réels de tes ventes ni de tes prévisions. Mais avec ce plan et les clients que je t'amène d'ores et déjà, tu disposes de suffisamment d'avoirs pour contacter ta banque et obtenir ton prêt.

Il arborait un grand sourire et son regard pétillait, comme s'il venait de lui faire le cadeau du siècle.

Alors qu'il avait tout bonnement brisé son rêve, qu'il l'avait foulé aux pieds.

— Je ne peux pas croire que tu aies fait cela.

Hailey se sentit prise de nausée. Elle secoua la tête, comme pour nier la vérité. Elle allait se réveiller, s'apercevoir qu'il ne s'agissait que d'un horrible cauchemar.

Mais non. Tout était bien réel.

Sur le tableau, face à elle, s'étalait la preuve que Gage s'était moqué d'elle, qu'il l'avait trahie.

Et il était là, tout sourire, à attendre qu'elle lui dise merci.

- 13 -

Hailey se détourna, se mit à arpenter la pièce.

— Que se passe-t-il ? demanda Gage.

C'est alors qu'il croisa son regard. Un regard où se mêlaient la fureur et la détresse.

— Tu m'as poignardée dans le dos, lança Hailey.

— Moi ? Je ne comprends pas.

— Tu avais dit que tu me laisserais le contrat.

— J'ai dit que j'allais m'occuper de ton entreprise et la sauver. Et c'est ce que j'ai fait. Et je te propose même une offre plus intéressante que celle à laquelle je pensais. Une douzaine de boutiques, plusieurs points de vente et même une émission de télévision, tous ces interlocuteurs prêts à passer des commandes très conséquentes. Le revenu sur l'année sera équivalent, si ce n'est supérieur, à celui que t'aurait rapporté le contrat Rudolph.

Gage attendit, certain qu'elle allait se calmer.

Il n'en fut rien. Au contraire. La fureur redoubla dans son regard.

Il avait fait pour le mieux, de façon à obtenir ce qu'il voulait pour lui, pour elle, pour eux deux. Elle allait finir par le comprendre.

— Et tu ne sais pas tout encore, dit-il. En obtenant le contrat Rudolph, c'est aussi ma liberté que je gagne. Désormais, je peux choisir mes clients. Alors, en plus de ceux que je te fournis, tu m'as moi, annonça-t-il avec un sourire triomphant en lui tendant les bras, certain qu'elle allait s'y jeter avec gratitude.

Le regard qu'elle lui lança lui ôta toute illusion.

— J'avoue ne pas saisir, dit-il. Que veux-tu ? Réussir, sauver ton entreprise ou obtenir à tout prix le contrat Rudolph ? Tu ne crois pas que c'est une vue à court terme que de rester fixée là-dessus ?

— Nous avions un accord.

— Oui. Nous étions convenus que je t'aiderais à sauver ton entreprise.

— Ce n'est pas ce dont nous étions convenus.

Gage passa une main lasse dans ses cheveux, s'efforçant de comprendre pourquoi la situation tournait ainsi au désastre.

— Je ne suis pas dans ta tête pour savoir ce que tu as compris, mais je ne t'ai jamais promis de me retirer de la compétition. Et je t'ai clairement expliqué pourquoi.

— Et moi, je t'ai clairement expliqué ce que ce contrat représentait pour moi et pourquoi il me le fallait.

Gage aurait pu gérer plus facilement la situation s'il n'avait pas senti Hailey au bord des larmes. Il détestait l'image qu'elle lui renvoyait de lui. Il avait tout fait pour trouver la solution la meilleure et c'était la catastrophe.

Ce n'était tout de même pas insensé de vouloir les deux : Hailey et sa liberté. Il suffisait qu'Hailey dépasse cet attachement ridicule au contrat Rudolph et il pourrait avoir ce qu'il souhaitait.

Hailey était à la fois hors d'elle et complètement perdue.

En se réveillant, ce matin, le monde lui avait paru si merveilleux. Son entreprise allait être sauvée, les fêtes s'annonçaient comme les plus extraordinaires qu'elle ait jamais vécues et elle était en train de tomber amoureuse de l'homme le plus génial de la terre.

Et voilà que tous ses espoirs s'envolaient. Comment avait-elle pu se montrer aussi naïve ?

— Je veux comprendre, dit-elle, se tournant vers Gage. Pourquoi as-tu fait ça ?

— Tu t'occupes toujours de tout le monde. Tu veux toujours que tout aille bien pour tes employés, ta famille, et même moi.

Et qui s'occupe de toi ? Qui fait en sorte que tu te sentes bien ? J'ai voulu que toi aussi tu aies ce que tu voulais et je me suis arrangé pour que ce soit le cas.

— Tu t'es arrangé pour avoir ce que toi tu veux, répondit Hailey d'un ton froid.

— Non, nous sommes tous les deux gagnants dans mon arrangement. Tu sauves ton entreprise, je gagne enfin ma liberté et nous pouvons être ensemble. Que demander de plus ?

Hailey n'en revenait pas. Il avait l'air si heureux, tellement content de lui.

Elle aurait voulu pouvoir lui sauter au cou, le féliciter, exprimer la gratitude qu'il attendait. Mais c'était impossible. Il l'avait trahie.

Pourtant, la trahison, elle connaissait. Ce n'était pas la première fois qu'elle en faisait l'expérience. Des promesses non tenues, on lui en avait fait beaucoup. Mais cette fois-ci était la fois de trop.

Cette fois, elle ne pouvait pas sourire, faire semblant.

— Allons, Hailey, tu ne crois pas qu'il est temps de dépasser tout cela ? continua Gage, lui adressant son plus beau sourire.

— Non, je ne peux pas. Tu es comme tous les autres, très heureux de t'occuper de moi quand ça t'arrange.

— C'est faux.

Elle se mit à fixer l'extrémité de ses chaussures. Elle ne savait plus que faire. Il semblait si sincère. Elle jeta un bref coup d'œil aux échantillons de sa ligne de lingerie. Elle était en train de tout perdre. Sans ce contrat, rien ne garantissait qu'elle puisse sauver son entreprise. Et elle hésitait, presque prête à prendre ce risque afin que Gage puisse avoir ce qu'il voulait.

Elle leva la tête, le regarda droit dans les yeux. Ce n'était pas facile pour elle de parler de ce qu'elle ressentait, mais elle s'y efforça.

— J'ai passé toute ma vie à craindre d'être rejetée par mes parents si je parlais de moi et de mes besoins, si je m'avisais de vouloir les faire passer avant leur petit intérêt personnel.

J'aurais vite compris que c'était peine perdue, de toute façon. Ils n'auraient rien changé à leurs priorités pour moi.

Gage avait le visage fermé, le regard dur. Mais, tant pis, se dit Hailey. Pour la première fois de son existence, elle ne voulait songer qu'à elle, à ce qu'elle éprouvait. C'était à la fois libérateur et très angoissant.

— Tu fais intervenir d'autres personnes dans une affaire qui ne concerne que nous. Tu as sans doute de bonnes raisons d'avoir les problèmes que tu as, mais je n'en suis pas responsable et je n'ai pas à payer pour ça.

— Mais tu te comportes exactement de la même façon.

Gage secoua la tête comme si en niant les paroles d'Hailey, il pouvait nier la vérité.

— Tu ne veux pas accepter cet arrangement, c'est bien ça ?

— Je ne veux pas accepter ton lot de consolation. Il ne suffira pas à sauver mon entreprise, à payer ce que je dois aux enfants Phillips, à mettre un terme à toute cette histoire.

Hailey s'interrompit un instant, la gorge nouée par les sanglots.

— Et si tu ne peux pas le comprendre, parvint-elle à articuler, alors nous n'avons plus rien à faire ensemble.

Comme elle se sentait meurtrie ! Et terriblement égoïste à la fois, mais elle n'avait pas le choix.

— Tu ne penses pas ce que tu dis. Tu ne peux pas sérieusement renoncer à ce qu'il y a entre nous et à ma proposition pour une simple question d'ego ?

Il avait raison, c'était insensé. Et Hailey faillit craquer. Mais, fort heureusement, la colère reprit le dessus.

— Une question d'ego ? Tout simplement parce que je refuse de prendre la seconde place, c'est-à-dire la dernière ?

— Exactement. Tu viens toi-même de le dire. Il te faut la première place. Tu veux gagner.

— Moi ? Tu plaisantes ? C'est toi qui ne veux pas renoncer à ce contrat de peur de devoir te débrouiller seul.

— Ne sois pas ridicule, lança Gage d'un ton moqueur.

Mais, à son visage fermé, elle sut qu'elle avait visé juste.

— Ce n'est pas aussi simple qu'il y paraît. Il ne s'agit pas seulement de quitter un emploi lucratif pour une start-up. Si je quitte Milano, je renonce à mon héritage, à tout droit concernant une entreprise qui appartient à ma famille depuis près d'un demi-siècle.

— Tu fais un travail que tu n'aimes pas. Tu es à la disposition de gens dont tu dis qu'ils ne te respectent pas. Et pourquoi ? Parce que tu as peur de perdre un jour ta part du gâteau.

— Pourquoi rends-tu les choses aussi pitoyables ?

— Je n'ai pas besoin de le faire. Elles le sont, c'est tout.

Gage ne voulut pas répondre. Il se mit à marcher pour décompresser, tenter d'évacuer sa colère.

— Je t'apporte sur un plateau ce qu'il y a de mieux et toi, tu balaies tout d'un revers de main. C'est une mauvaise habitude que tu as, je l'ai remarqué.

— Oh ! je t'en prie, on ne m'a jamais rien apporté sur un plateau, répliqua Hailey.

C'était une jolie *tentative* pour retourner la situation contre elle, mais elle n'avait pas l'intention d'entrer dans son jeu.

— Ah non ? s'exclama Gage. Et Merry Widow ?

Il s'était approché d'elle et la toisait de toute sa hauteur.

— Ton vieux mentor t'a donné l'affaire et tu as travaillé dur, certes. Tu as dû lui verser de l'argent. Mais, sans lui, cette entreprise ne serait pas à toi.

— Ce n'est pas la même chose. Nous avions conclu un accord, lui et moi. Un accord qui, s'il était encore vivant, ferait que je ne serais pas là, en train de discuter avec toi, que je n'aurais même pas à me préoccuper de ce contrat stupide ni à faire des pieds et des mains pour l'obtenir.

Hailey se rendit compte, avec stupeur, qu'elle s'était dressée sur la pointe des pieds, face à Gage, et qu'elle était quasiment en train de hurler.

— Très bien. Vous aviez un accord. Avec chacun des obligations. Et lui n'a pas assumé les siennes.

— Si, il les a assumées, rétorqua Hailey. Jamais Eric n'aurait fait quoi que ce soit qui puisse me nuire.

— Dans ce cas, pourquoi n'a-t-il pas rédigé un contrat

en bonne et due forme ? Pourquoi te retrouves-tu dans cette situation si vous aviez un accord ?

— Parce que ses enfants…

— Si tu disposais d'un contrat, ils ne pourraient rien contre toi.

Hailey pinça les lèvres, à deux doigts de fondre en larmes.

Elle avait fait confiance à Eric. Exactement comme elle avait eu confiance en son père lorsqu'il lui disait qu'elle était sa petite fille chérie et en sa mère, aussi, lorsqu'elle lui jurait que leur famille demeurerait à jamais unie.

Mais Eric, son mentor, son ami, son confident, n'avait rien voulu mettre par écrit pour ne pas risquer de mécontenter ses enfants. Pour ne pas avoir à affronter un drame, comme il le disait lui-même.

Elle aurait dû insister. Elle aurait dû le pousser à mettre les choses en règle. Mais elle lui avait été si reconnaissante de lui céder l'affaire, de faire que son rêve puisse enfin devenir réalité qu'elle n'avait pas voulu se montrer trop exigeante, ni risquer de tout gâcher en essayant de s'occuper d'elle, de se mettre à l'abri.

Quand comprendrait-elle enfin que personne ne ferait jamais passer ses besoins à elle avant ses propres désirs ?

— Va-t'en, à présent, tu veux bien ? dit-elle, au bord des larmes.

— Non. Nous devons régler ce problème.

— Je ne veux plus en discuter. Je ne veux plus te parler.

Elle crispa la mâchoire pour empêcher ses lèvres de trembler, mais elle ne put empêcher les larmes de jaillir.

— Hailey…

— Va-t'en. Tu ne peux pas renoncer à ce contrat parce que tu n'auras pas le joli petit cadeau que tu espérais et parce que ton père ne t'aimera plus ? Très bien.

Avant que Gage ait eu le temps de répondre ou qu'elle regrette d'avoir tenu des propos aussi injustes, Hailey se détourna, lui fit signe de partir.

— S'il te plaît, laisse-moi.

— Non. Pas avant d'avoir réglé le problème.

Elle sentit la main chaude de Gage se refermer sur son épaule et se dégagea d'un geste brusque.

— Il y a beaucoup plus entre nous qu'une simple histoire de contrat, dit-il. Ne gâche pas tout, Hailey.

Mais quand donc ce cauchemar allait-il finir ? Elle s'efforçait désespérément de contenir les sanglots qui montaient dans sa gorge. Jamais, de toute son existence, elle ne s'était sentie aussi bien avec un homme, à ce point désirée. Mais il ne pouvait plus rien y avoir entre eux. Plus maintenant.

Elle rassembla son courage et se retourna pour l'affronter.

— C'est fini. Quoi qu'il y ait eu entre nous, c'est fini. Je ne veux rien avoir à faire avec quelqu'un capable de me poignarder dans le dos.

Incapable de résister, elle tendit la main, la posa une dernière fois sur sa joue. Le regard empreint de colère et de douleur, Gage s'abandonna contre ses doigts, puis il tourna légèrement son visage, posa un baiser contre sa paume.

C'en était trop pour Hailey. Si elle restait une seconde de plus, elle allait craquer. Il fallait qu'elle s'en aille. Tout de suite.

Mais en femme d'affaires intelligente et avisée, elle ne pouvait se sauver comme une voleuse, couper ainsi les ponts. Elle devait aller saluer Rudy, laisser une bonne impression.

Pour cela, il fallait qu'elle se ressaisisse. Alors, se détournant très vite, elle se sauva, passa dans le petit salon d'accueil et referma aussitôt la porte derrière elle.

La surprise lui arracha un cri.

— Cherry ?

Elle ignorait que la jeune femme se trouvait là. Elle avait si souvent espéré sa présence, si souvent espéré qu'elle assisterait à sa présentation. Et le jour où elle était enfin présente, que faisait-elle ? Elle craquait, quittait Gage et disait adieu à sa carrière. Et tout cela en quelques minutes.

Belle réussite.

— Vous avez bien fait de l'envoyer promener, dit Cherry, la voix encore plus rauque que d'habitude.

Hailey allait acquiescer lorsque la pâleur de son visage la

frappa. De grands cernes sombres soulignaient ses yeux et elle avait l'air exténuée.

— Je ne veux pas être indiscrète, mais vous vous sentez bien ?

Hailey s'attendait à se faire rabrouer. Le fait que Cherry ait été témoin de son humiliation et de la scène avec Gage ne faisait pas d'elles des personnes proches pour autant.

— Je me sens coupable. Je ne m'étais pas rendu compte de l'importance que revêtait ce contrat pour vous.

— Mon avenir en dépend, répondit Hailey, très calme.

Elle ne voulait pas en rajouter, mettre Cherry encore plus mal à l'aise. Elle tenait simplement à souligner qu'elle existait et qu'il serait temps qu'on se rende compte qu'elle occupait, elle aussi, une place dans le scénario.

— Une douzaine de personnes dépendent de moi, de mon entreprise. Elles ont des enfants, des familles à faire vivre. Nous avons mis toute notre énergie dans cette collection et nous pensions vraiment que Merry Widow était le meilleur choix pour ce contrat avec Rudolph.

Cherry hocha la tête, poussa un profond soupir.

— Et vous avez raison, c'est le meilleur. J'hésitais, mais aujourd'hui j'ai pris ma décision. Je ne serai pas l'égérie de Rudolph pour sa collection.

Oh ! non, songea Hailey. Tout ça pour en arriver là. Elle avait tant travaillé, tant misé sur ce contrat. Elle avait sincèrement cru qu'elle pouvait l'obtenir, qu'il ne lui manquait plus que l'appui de Cherry.

Et maintenant ?

Maintenant, cela n'avait plus d'importance. Rudy avait choisi Milano, sans son avis. Il avait fait ce qu'il voulait. Elle avait définitivement perdu. C'était fini.

— Je suis désolée, murmura Cherry.

Hailey eut un petit haussement d'épaules, tentant de faire bonne figure. Elle avait pourtant l'habitude des coups durs. Mais aujourd'hui, elle ne pouvait pas. Pas cette fois.

Elle s'efforça de trouver des paroles rassurantes, pour que

Cherry se sente mieux. Mais cela aussi, c'était au-dessus de ses forces.

— J'avais besoin de ce contrat, murmura-t-elle. Je savais que Rudy préférait le côté sexy, agressif de Milano, que son choix était presque arrêté. Mais j'avais besoin de signer avec lui.

— Et vous pensiez que j'étais l'élément déterminant, que j'allais mesurer la supériorité de vos modèles par rapport au cuir de Milano ?

Hailey leva la tête, le regard sombre.

— Ce n'était pas le cas ?

— Bien sûr que si. Compte tenu du thème de la saison et de la grande variété de vos modèles, je savais que votre ligne de lingerie serait la mieux à même de représenter Rudolph.

Hailey s'efforça de trouver un peu de réconfort dans ces paroles. Mais, aujourd'hui, rien n'y faisait.

— Pourquoi avez-vous fait traîner les choses ? Pourquoi nous avez-vous laissé croire, à Rudy et à moi, que vous étiez partie prenante dans le choix ? Pourquoi ne pas avoir été honnête dès le départ ?

Hailey regretta aussitôt de s'être emportée. Ces reproches n'étaient pas seulement destinés à Cherry, mais à toutes les personnes qui l'avaient trahie dans sa vie. Une mère toujours trop occupée à poursuivre ses rêves pour s'occuper d'elle. Un père qui s'était construit une nouvelle vie et qui n'avait rien fait, malgré ses dires, pour qu'elle en fasse partie. Un mentor qui lui avait promis de mettre les papiers de l'entreprise en règle pour elle et ne l'avait pas fait.

Et puis Gage. Gage qui lui avait fait éprouver des sensations dont elle ne connaissait l'existence que par les livres. Qui lui avait fait nourrir tant d'espoirs, penser que l'on pouvait tout avoir. Qui lui avait laissé croire que cette fois, cette fois peut-être, elle pourrait tout avoir.

— J'ai cru que je pouvais tout mener de front, répondit Cherry. Jongler avec tout ça.

— Jongler avec quoi ? Vos obligations de carrière ? Votre vie amoureuse ? Le shopping, le week-end ? Avec quoi aviez-vous à jongler exactement ? Tout ce que vous aviez à faire, c'était prendre une décision, porter des modèles pendant une semaine de séances photo et participer à un défilé. Voilà !

Hailey avait hurlé les derniers mots. La charge émotionnelle était trop forte. Elle se laissa tomber sur une chaise.

Comment pouvait-elle perdre à ce point son sang-froid ? Elle venait de s'en prendre à une femme non seulement charmante, mais très influente. Mieux valait que Merry Widow soit ruinée, finalement, sinon elle serait en train de s'en mordre les doigts.

— On m'a diagnostiqué un cancer. Un cancer du sein, murmura Cherry, d'une voix à peine audible. C'était juste avant Thanksgiving.

Elle fixait ses mains, immobile. Une porte claqua soudain. Gage venait de partir.

Mais Hailey y prêta à peine attention. Elle fixait Cherry, bouleversée.

— Oh, mon Dieu, ce n'est pas vrai. Et c'est… grave ? Je veux dire, quel est le pronostic ?

— C'est métastasé.

Les lèvres de Cherry tremblaient lorsqu'elle voulut esquisser un sourire.

— Je vais devoir dire adieu à ces jolis seins. C'est ce qu'a conseillé le cancérologue. Je ne voulais pas y croire. J'imaginais qu'en niant la réalité je pouvais la changer.

Elle eut un petit haussement d'épaules.

— Toute ma vie, j'ai provoqué la chance, fait tout ce que tout le monde pensait impossible. Ma carrière, mon contrat de chanteuse, puis le passage au cinéma et à mes activités de mannequin.

Elle fixa de nouveau ses mains, puis regarda Hailey.

— Cette fois aussi, j'ai cru que je pourrais être la plus forte. C'est stupide, n'est-ce pas ?

— Non, dit Hailey, des larmes plein la voix. Pas du tout.

Elle se leva, s'approcha de Cherry et la prit dans ses bras. Elles se serrèrent alors très fort, l'une contre l'autre, et laissèrent libre cours à leur chagrin.

- 14 -

Gage traversa la maison de son père, furieux.

Furieux contre Hailey pour avoir refusé sa proposition. Furieux contre Rudolph pour avoir aussi facilement écarté Hailey de la compétition. Furieux contre son père, enfin, pour l'avoir obligé à négocier ce contrat. Un père dictatorial, intransigeant, qui n'avait jamais décoré un arbre de Noël avec ses fils.

Il entra dans le salon, jeta un regard noir au sapin qui trônait dans l'angle, puis à son frère, tranquillement installé pour lire le journal en dégustant un cognac.

— Où est papa ? demanda-t-il, décidé à en finir au plus vite.

Son frère haussa les épaules.

— Je l'ignore. J'imagine qu'il avait rendez-vous avec une femme.

Les deux frères regardèrent le sapin, traversés par la même pensée. Si une nouvelle femme entrait dans la vie de leur père, à quoi ressemblerait-il, l'année prochaine ?

— Avons-nous jamais décoré un sapin nous-mêmes ? s'entendit demander Gage.

Devon le regarda, surpris.

— Je ne crois pas. Ce n'était pas dans les traditions. Le sapin apparaissait un beau jour, au milieu de l'effervescence générale, et filait à la poubelle dès qu'il commençait à piquer du nez.

Devon s'interrompit un instant avant d'ajouter :

— De toute façon, décorer un sapin est un truc de fille, comme se maquiller ou prendre des cours de danse. Heureusement, nous avons échappé à ça.

Un truc de fille. De même que les traditions, sans doute, et les émotions. Tout ce qui resterait à jamais étranger au monde de Devon régi par la finance.

— C'était aujourd'hui la réunion Rudolph, non ? demanda ce dernier. Alors, il est signé ce contrat ?

Gage se contenta d'un soupir, le regard rivé sur le sapin.

— Je viens juste de faire une nouvelle acquisition, dit Devon, que le silence de son frère mettait visiblement mal à l'aise. Un club assez fermé, pour connaisseurs. Tu es partant ? Tu peux toujours jeter un coup d'œil à la brochure et nous concocter un joli petit plan marketing. Il y a beaucoup d'argent à se faire.

Le rire de Gage ne vint pas tout de suite et surprit Devon.

— Il y a un problème, Gage ? demanda-t-il, sur ses gardes.

— Tu n'en as pas assez de courir sans cesse après de nouveaux investissements ? De cumuler les projets ?

— Mon but est de rester chez Milano, donc tout le reste n'est que du court terme. C'est ainsi que tu devrais considérer ta petite start-up, toi aussi. Tu la mets sur pied, tu t'amuses avec et, une fois qu'elle est solide, tu la vends.

Devon afficha un large sourire.

— Voilà qui devrait te permettre de financer ton année sabbatique. Et, qui sait, tu finiras peut-être par réaliser plus de profits que moi. Cela m'étonnerait, mais tu peux toujours essayer. Qui ne tente rien n'a rien.

Gage rendit le sourire qu'attendait Devon. Mais c'était fini dans sa tête, il n'appartenait déjà plus au même monde. La compétition, le besoin incessant de nouveauté, de projets lucratifs, peu lui importait désormais. Il voulait s'installer, diriger sa propre affaire, voire même tirer les leçons de quelques échecs, pourquoi pas ?

Il songea à Hailey, à son énergie, sa détermination à s'en sortir toute seule, à réussir. Il avait envie de vivre cela.

Il avait envie d'elle.

— C'est quoi ton problème, ce soir ? lança Devon d'un ton sec. Tu l'as ce contrat ou tu ne l'as pas ?

Gage faillit rétorquer qu'il l'avait, bien sûr, mais il ne prit pas cette peine.

— Je veux partir, dit-il.

— C'est l'accord que nous avons conclu. Tu as le contrat, tu pars un an. C'est tout à fait clair, non ?

— Je me fiche de cet accord, rétorqua Gage.

Il enfonça les mains dans ses poches, fixant de nouveau le sapin. Il ne s'arrêterait plus, à présent, même en sachant qu'il était en train de se saborder.

— Je veux partir. Nous n'avons pas le moindre souvenir de moments heureux en famille. Nous avons un despote qui préside à table et dans l'entreprise et qui régit tout, aussi bien les affaires que nos vies.

Gage regarda autour de lui. C'était ça, son héritage ? Devon se mit à rire et lui jeta un regard narquois.

— Tu renoncerais à tout ? A ton avenir ? A celui des mômes que tu feras peut-être ? Tu ne crois pas qu'ils risquent de t'en vouloir en découvrant que tu as fichu en l'air leur héritage ?

— J'en ai plus qu'assez d'entendre parler de l'héritage Milano. Toute notre vie, on nous a rebattu les oreilles avec ça. Un héritage ? Nous n'en avons pas. Nous n'avons aucun passé heureux en commun. Nous sommes des actionnaires, de la main-d'œuvre, des atouts pour valoriser Milano.

Gage montra le sapin.

— J'aime à penser qu'un jour j'aurai des mômes, comme tu dis, et qu'ils aspireront à autre chose qu'à posséder des parts dans une entreprise, qu'ils auront envie de vraies fêtes de famille, d'arbres de Noël, de jeux et de rires. Ils rêveront d'autre chose, je l'espère, que de porter une cravate. Une cravate bien pire qu'une laisse !

— L'argent, le succès, un nom prestigieux, tout cela permet de s'acheter des souvenirs à la pelle et de rendre les fêtes nettement plus amusantes. Et, soit dit en passant, tout ça grâce à cette cravate sur laquelle tu craches sans vergogne.

— Tu ne crois pas que les liens devraient être plus profonds que ce fil fragile qui menace de se rompre parce que je refuse de continuer à ignorer mes objectifs personnels, de mettre de côté mes rêves au profit de ceux d'un vieil homme qui n'attend de moi qu'une seule chose, que j'obtempère ?

Ces liens n'auraient-ils pas dû être suffisamment forts pour qu'il n'ait pas à trahir une femme qui comptait tant pour lui afin de rapporter à l'entreprise familiale un trophée de plus à son tableau de chasse ?

— Eh bien, voilà une interprétation très intéressante de l'héritage que je te transmets, dit soudain Marcus, derrière eux.

Les deux frères se retournèrent comme un seul homme.

— Papa. J'ignorais que tu étais là, dit Gage.

— De toute évidence.

Marcus traversa la pièce, s'arrêta un instant devant le sapin qu'il toisa d'un regard froid. Puis il gagna son fauteuil préféré, auprès du feu.

— Ainsi, tu veux rompre les traditions.

Gage croisa le regard de son père, le soutint sans broncher. Hailey avait raison, d'une manière ou d'une autre, il était temps d'en finir et d'affirmer qui il était.

Hailey recula d'un pas pour admirer le sapin, tout orné de guirlandes, rubans et petites boules de cristal scintillantes.

Il était superbe.

Mais son sourire s'évanouit aussitôt. Elle songeait à Gage, aux moments heureux passés avec lui à décorer son arbre.

Elle se laissa tomber sur le canapé, la vue brouillée par les larmes.

— Il est magnifique, dit Cherry.

— Merci.

La jeune femme était installée dans un fauteuil, les jambes repliées sous elle. Elle avait encore l'air fragile, mais semblait plus apaisée, à présent.

Hailey et elle avaient vécu un grand moment de complicité, tout en buvant du thé et en mangeant des petits gâteaux. Un moment à s'écouter, se réconforter.

— Tu es en colère contre Gage ? demanda Cherry, au bout de quelques minutes de silence.

Elles avaient parlé de son cancer, des vacances, des films qu'elles aimaient, de lingerie et de leur passion commune pour les chaussures. Il semblait tout naturel, à présent, d'en venir aux relations et aux hommes.

— En colère est très en dessous de la réalité.

Le cœur brisé, anéantie, était plus près de la vérité.

— Je suis déçue, précisa Hailey. Mais Gage, le contrat, tout cela n'est rien à côté de ce que tu vis.

— Ce que je traverse ne rend pas ton problème moins douloureux.

— Peut-être pas, mais cela permet de relativiser.

Le téléphone de Cherry se mit à sonner pour la énième fois de la soirée.

— Il faut que j'y aille. J'ai un concert à 11 heures et mon chauffeur est en route. J'ai passé un moment merveilleux. J'espère que nous en aurons beaucoup d'autres.

Hailey eut un petit rire. Elle se leva et disparut dans le couloir. Quelques instants plus tard, elle était de retour, tenant dans ses mains un joli paquet tout enrubanné.

— Je voulais te l'offrir après la signature du contrat, mais voilà, cela n'aura pas lieu, dit-elle avec un petit haussement d'épaules en le tendant à Cherry. J'ai pensé que ça t'irait très bien. Vas-y, ouvre-le.

Hailey était tout excitée lorsque Cherry dénoua le ruban et ôta le papier. Elle découvrit une boîte, souleva le couvercle et en sortit une chemise de nuit d'un bleu intense, rebrodée de perles, dans un style années quarante. Hailey l'avait créée tout spécialement pour elle. Son bonheur fut à son comble lorsqu'elle vit Cherry écarquiller de grands yeux ébahis.

— Elle est somptueuse, murmura-t-elle.

Elle approcha la chemise de nuit d'elle, la tint contre sa poitrine, attendant l'avis d'Hailey. Mais, soudain, elle leva vers elle des yeux emplis de larmes.

— Elle est coupée pour tomber en drapé à partir des épaules, expliqua Hailey, la gorge nouée par l'émotion. Ensuite, elle tombe en s'évasant, très fluide, jusqu'aux pieds.

— C'est comme si tu avais su…

— Non, c'est le modèle qui est ainsi. Les femmes sont trop souvent conditionnées. Nous pensons n'être belles que si nous correspondons à des critères très précis, à une taille particulière. Mais la beauté, la séduction, viennent de l'intérieur, pas de ce qui remplit un soutien-gorge.

Hailey avait choisi des mots forts pour lui faire comprendre qu'elle serait toujours belle et désirable.

Elle lui sourit.

— Elle va être magnifique sur toi.

— J'aimerais tellement pouvoir faire quelque chose pour toi, dit Cherry, laissant ses doigts courir sur le satin délicat. J'ai tellement le sentiment d'avoir détruit ton monde.

— Non, ne dis pas ça. Mes créations ne sont pas ce que recherche Rudy. Moi, je veux qu'avec mes modèles les femmes se sentent plus belles, plus sûres d'elles. Lui, il voulait quelque chose de plus tapageur, de plus provocant.

— Tu as raison, tes créations aident les femmes à se sentir bien, désirables et fortes, dit Cherry en la fixant, l'air pensif.

— Quelque chose ne va pas ? demanda Hailey.

— Je sais que tu avais besoin de ce contrat et j'ignore l'impact que sa perte va avoir sur ton entreprise, mais je me disais que… que nous pourrions peut-être lancer une ligne de lingerie toutes les deux. Tu créerais et moi j'en serais l'égérie. J'aime le message que tes modèles transmettent. Les émotions, les sentiments, sont plus forts que le simple désir sexuel.

— Lancer une ligne ensemble signifierait t'exposer encore davantage face au public, toi, ton corps, ton combat.

— Je le sais, mais c'est peut-être ce qu'il me faut, justement.

Cherry haussa les sourcils à l'adresse d'Hailey.

— Et peut-être ce qu'il te faut aussi.

Les pensées se bousculaient dans l'esprit d'Hailey.

— Toutes les deux…

— Oui, on peut tenter l'aventure. Je ne laisserai pas cette maladie me détruire, détruire ma confiance en moi, ma carrière.

— Tu crois que tu pourrais faire ça ? demanda Hailey. Que ce ne serait pas trop ?

Elle ne voulait pas se montrer trop enthousiaste, mais cette perspective l'enchantait. L'idée de partager sa vision de la féminité, de la séduction, avec une femme qui était en train de devenir son amie était tout simplement merveilleuse.

Le téléphone de Cherry se mit à vibrer.

— Mon chauffeur est arrivé, il faut vraiment que j'y aille. Laissons-nous un jour ou deux pour y réfléchir. Disons le week-end. Je ne veux pas faire de promesses que je ne pourrai pas tenir et toi, de ton côté, il faut que tu voies si c'est viable pour ton entreprise.

Cherry s'approcha d'Hailey, la chemise de nuit drapée sur son bras, et lui tendit ses mains.

— Ce serait vraiment formidable en tout cas.

Hailey avait la tête qui lui tournait. Oui, ce serait formidable. Mais elle allait devoir mettre ses finances à flot et trouver le moyen de garder son entreprise.

Mais si Cherry trouvait la force d'affronter l'avenir et de s'investir dans ce projet, elle la trouverait aussi.

— Tu as raison, dit-elle. Ce serait merveilleux.

Cherry la serra très fort dans ses bras et se sauva aussitôt. Dès que la porte d'entrée se referma derrière elle, le sourire d'Hailey s'évanouit.

Tout se brouillait dans sa tête. Et, surtout, Gage lui manquait. Son rire, l'étreinte de ses bras, l'attention qu'il lui portait, tout cela lui manquait. Pourquoi avait-il fallu qu'il la mette hors d'elle ?

Mais quelque chose de bien en était sorti.

L'optimisme payait, finalement.

Bien sûr, les choses n'avaient pas tourné comme elle l'espérait, mais il y avait des perspectives.

Elle aurait dû être tout excitée et heureuse. Elle s'était affirmée, défendue. Elle s'était même fait une amie.

Mais elle ne songeait qu'à Gage. Elle avait eu raison de lui dire ce qu'elle pensait. Elle avait été heureuse de s'affirmer, pas de le perdre. Pour la première fois, elle comprenait ce vieux dicton qui disait : « Si tu aimes quelqu'un, laisse-le libre de partir. S'il te revient, c'est qu'il était fait pour toi. S'il ne te revient pas, c'est qu'il ne l'était pas. »

Si elle continuait à avoir peur de déplaire, de crainte qu'on la rejette, alors la relation valait-elle vraiment la peine ?

Hailey sentit soudain une larme rouler le long de sa joue. C'était à elle de tirer parti de la leçon, à elle de décider si elle voulait vraiment perdre l'homme le plus extraordinaire qu'elle ait jamais rencontré.

Elle attrapa son téléphone.

— Maman ? Coucou. Il faut que nous parlions.

Hailey fixait la porte en chêne, partagée entre l'envie de se sauver et la curiosité.

Elle n'en revenait pas. Une couronne l'ornait, verte et rouge, avec une jolie guirlande autour. C'était totalement inattendu de la part d'un homme qui, il y avait une semaine encore, n'avait jamais décoré un sapin.

Il valait peut-être mieux qu'elle s'en aille, le temps de réfléchir à ce que signifiait ce changement. Elle reviendrait lui parler plus tard. Oui, c'était exactement ce qu'elle allait faire, songea-t-elle, les doigts crispés sur le paquet qu'elle tenait dans ses mains, elle reviendrait plus tard.

Elle fit volte-face, décidée, et heurta de plein fouet un torse solide. Un cri de surprise lui échappa et elle rattrapa de justesse le paquet qu'elle avait lâché.

— Que fais-tu ici ? demanda-t-elle, encore sous le choc.

Une lueur amusée traversa le regard de Gage.

— Je rentre chez moi. Et toi, que fais-tu ici ?

Hailey hésita. Il était encore temps de fuir. Ce serait idiot, mais peut-être moins, finalement, que de lui ouvrir son cœur comme elle avait prévu de le faire.

Mais au même moment, elle se rendit compte qu'elle était en train de le dévorer littéralement des yeux. Comme si elle ne l'avait pas vu depuis des mois. C'était fou ce qu'il était séduisant !

— Tiens, je t'ai apporté un cadeau, dit-elle, lui mettant le paquet entre les mains. Joyeux Noël !

Elle se détournait déjà, prête à partir.

— Entre, dit-il.

Hailey sentit un frisson d'appréhension la parcourir, mais elle le suivit néanmoins. Mon Dieu, que c'était difficile ! Elle redoutait ce moment.

— Je suis désolé, je n'ai pas eu le temps d'emballer le tien, dit Gage, en l'aidant à ôter son manteau.

La caresse furtive de ses doigts sur ses épaules la fit frissonner.

— Tu m'as acheté un cadeau ?

Elle n'en revenait pas et se laissa tomber sur le canapé, abasourdie.

Depuis son coup de fil, sa mère ne lui parlait plus. Son père non plus n'avait pas très bien pris les reproches qu'elle lui avait adressés. Mais Gage, lui, ne semblait pas lui en vouloir. Il se comportait comme si rien ne s'était passé, comme s'il avait toujours su qu'il la reverrait.

Il aurait été tellement plus facile de pouvoir faire comme si tout allait bien, comme si elle n'avait pas explosé, ne lui avait pas lancé toutes ces paroles blessantes, ces accusations.

Toute sa vie, elle avait choisi la facilité, voulu éviter les affrontements pour avoir la paix et être aimée. Mais, aujourd'hui, elle ne voulait plus faire semblant. Elle voulait un avenir avec Gage, donner une chance à leur relation et, pour cela, elle devait changer.

— Pourquoi ne t'aurais-je pas acheté de cadeau ? demanda-t-il.

— Parce que nous nous sommes disputés.

— Et alors ? Les gens se disputent, puis ils se réconcilient. C'est le cas dans toutes les relations, non ?

Dans toutes les relations ? Une joie indicible envahit Hailey. Elle n'avait plus envie de parler. Elle avait envie de se jeter dans ses bras, de faire l'amour, de tout oublier.

Mais elle s'était juré d'être honnête avec lui.

— Je ne sais pas si c'est ainsi que ça se passe dans toutes les relations. Je n'ai connu qu'une seule véritable altercation et elle s'est terminée en drame familial. Depuis, j'ai toujours composé de peur d'être rejetée, abandonnée.

Gage scruta longuement son visage.

— Et donc, qu'est-ce que cela signifie, en ce qui nous concerne ? Qu'il t'importait peu que notre relation se termine ou que tu étais certaine que je serais toujours là pour toi ?

— Avec toi, je me suis toujours sentie moi-même, appréciée pour ce que je suis. J'ai toujours eu l'impression de compter.

Hailey marqua un temps d'arrêt. Le moment des aveux était venu.

— Je ne dirais pas que je me suis mise en colère contre toi sans raison, mais je dois admettre que si je suis allée aussi loin, c'était pour voir ta réaction.

— C'était un test ?

— Peut-être, oui. En quelque sorte. Tu m'offrais davantage que ce que je pouvais obtenir avec Rudolph, j'aurais été en position d'aller négocier un prêt à la banque et j'ai refusé. Je t'ai accusé de faire passer tes affaires et tes ambitions personnelles avant notre histoire alors que c'était moi qui le faisais.

Gage se leva d'un bond, se mit à arpenter la pièce.

Que se passait-il ? songea Hailey. Il était incapable d'accepter des excuses ?

— Tu me tues, dit-il. J'avais mis au point un superbe projet, passé tous ces derniers jours à en fignoler les détails. Et tu débarques ici, avec ton beau sourire, ton cadeau, et tu bouleverses tout.

Hailey secoua la tête.

— De quoi parles-tu ?

— Je quitte Milano. Pas juste pour une période sabbatique. Non. Je pars définitivement.

Il eut un geste de la main, comme pour indiquer qu'il se libérait de tout, son héritage, sa famille, ses engagements. Il ne paraissait pas contrarié, bien au contraire. Il semblait profondément soulagé. Mais peut-être était-ce ce qu'elle avait envie de voir.

— C'est une bonne chose, tu crois ? hasarda Hailey.

— Cela n'a plus d'importance, à présent. J'avais préparé un beau discours, mis sur pied la meilleure façon de te montrer combien tu comptes pour moi et, une fois de plus, tu me prends de vitesse. Chaque fois que je pense avoir la main sur les événements, tu déjoues mes plans.

Il protestait, mais il n'était pas fâché. Il paraissait au contraire très fier, ravi qu'elle agisse ainsi, admiratif. Hailey sentit son cœur se mettre à battre follement. Elle se sentait si importante pour lui que rien d'autre n'avait d'importance.

— Oh ! fut tout ce qu'elle parvint à articuler.

Puis, contre toute attente, elle fondit en larmes.

Oh, non, songea Gage. Tout mais pas ça !

— Je n'y vois pas le moindre inconvénient, tu sais. C'est comme lorsque tu viens sur moi, ajouta-t-il pour détendre l'atmosphère.

La remarque fit sourire Hailey mais ne stoppa pas ses larmes. Gage avait envie de la prendre dans ses bras, de la serrer contre lui, de lui murmurer à l'oreille tout ce qu'il avait envie de lui faire. Mais il connaissait l'importance du timing en toutes choses. Et c'était le bon moment pour ce qu'il avait à lui dire.

— Une des choses que j'admire le plus en toi, c'est la passion que tu mets dans tout ce que tu fais, ta ténacité à défendre ce en quoi tu crois. J'aime ton intelligence, ta finesse. Tu as su me montrer que je me trompais. Tu as compris mes peurs et tu m'as aidé à me dépasser, à trouver le courage de me libérer pour pouvoir poursuivre mon rêve.

— Tu crois vraiment que je t'ai aidé à ce point ?

— Oui. Tu me vois tel que je suis, tu me comprends, tu crois en moi.

Hailey sourit. Un sourire un peu tremblant, encore, mais si doux qu'il s'approcha, prit ses mains, les porta à ses lèvres pour les embrasser.

Le regard d'Hailey chercha le sien. Il se pencha alors vers elle, effleura ses lèvres d'un baiser. Elle eut un petit soupir, mélange de soulagement et de plaisir. Mais Gage voulait davantage. Il la voulait passionnée et il savait ce qu'il fallait faire pour cela.

Il pressa un peu plus fort ses lèvres, plaqua son corps contre le sien. Elle poussa un gémissement et s'ouvrit à lui, répondant avec fougue à son baiser, sa bouche unie à la sienne, langues et souffles mêlés.

Il aurait voulu pouvoir rester ainsi. C'était si bon, sans risque. Des risques, il en avait déjà pris beaucoup cette semaine, mettant en danger sa carrière, ses rapports avec sa famille, son héritage. Il n'y avait aucun mal à attendre encore un peu avant de risquer tout le reste.

D'une main tendre et douce, Hailey effleura sa joue. Puis, comme si elle avait deviné ses pensées et lui laissait le choix de parler maintenant, elle s'écarta.

Son beau regard vert reflétait une infinité d'émotions. Un désir intense et une joie si grande qu'elle fit s'emballer son cœur. Mais ce fut surtout la confiance qu'il y lut, une confiance totale en lui, qui le bouleversa. Face à un tel regard, il ne pouvait pas faire machine arrière.

— Ce matin…, commença-t-il, la gorge nouée.

Jamais il n'avait éprouvé autant de difficulté à parler.

— Ce matin, j'ai appelé Rudy.

Hailey eut un léger froncement de sourcils.

— Je voulais lui dire que je me retirais de la compétition. Moi, mais pas Milano. Je lui ai néanmoins suggéré de réfléchir à ce que « sexy » signifiait vraiment pour les femmes. Et pour les hommes qui ne jugeaient pas d'une relation par rapport aux critères de *Playboy*.

» Il en a assez de toute cette histoire, m'a-t-il dit, et il préférerait que ses mannequins défilent nues plutôt que d'avoir encore à se préoccuper de ligne de lingerie. Il a néanmoins ajouté qu'il allait réfléchir et qu'il te téléphonerait. »

Gage attendait la réaction d'Hailey. Il avait imaginé qu'elle sauterait de joie. Mais, au lieu de cela, elle lui sourit.

— C'est très gentil de ta part, mais je crains que Rudy refuse à tout jamais de travailler avec moi.

— Pourquoi ?

— Parce que je lui ai volé sa star, dit-elle. Pour tout un tas de raisons, Cherry n'avait pas envie de travailler avec lui. Nous avons décidé de lancer une ligne de lingerie toutes les deux.

Gage éclata de rire. Ça alors ! Pauvre Rudy ! Ses mannequins allaient peut-être vraiment devoir défiler nus, finalement.

— Et pour l'argent que tu dois rembourser, que penses-tu faire ?

Gage avait déjà contacté sa banque et négocié un prêt, au cas où Hailey accepterait qu'il l'aide.

— Après notre dispute, j'ai appelé ma mère et mis les choses au point avec elle. Sur ma lancée, j'ai appelé mon père et fait de même avec lui. Et comme je n'avais rien à perdre, j'ai appelé Dawn Phillips et je lui ai dit que nous avions conclu un accord, son père et moi, et que je l'avais fidèlement respecté depuis trois ans. Alors, soit elle en acceptait les conditions, soit mon avocat prendrait contact avec elle et porterait l'affaire en justice.

— Bravo. J'imagine que tout le monde s'est calmé après tes coups de fil.

Hailey secoua la tête.

— Pas vraiment. Ma mère ne me parle plus et mon père est très vexé.

— Et les Phillips ?

— Dawn Phillips a compris qu'il était beaucoup plus avantageux pour elle d'attendre les cinq années prévues pour toucher le solde de son argent.

Gage sourit. Et lui qui avait pensé devoir lui venir en aide !

— Tu es vraiment incroyable, dit-il.

— Sans toi, rien de tout cela n'aurait pu se produire. C'est toi qui m'as donné le courage de m'affirmer, qui m'as montré qu'il y avait infiniment plus dans une relation que le simple fait de convenir à l'autre.

Hailey s'interrompit, la gorge nouée brusquement.

— Je crois que je t'aime, Gage Milano, dit-elle.

C'était la première fois que Gage entendait ce mot. Son cœur se mit à cogner comme un fou dans sa poitrine.

Il attira Hailey tout contre lui.

— Je crois que je t'aime aussi, murmura-t-il avant de poser ses lèvres sur les siennes.

Et tandis qu'ils s'embrassaient dans la lumière scintillante du sapin, Gage songea que les fêtes, finalement, avaient vraiment du bon.

JENNIFER LaBRECQUE

Un audacieux amant

Passions extrêmes

éditions HARLEQUIN

Titre original : NORTHERN RENEGADE

Traduction française de ISABELLE DONNADIEU

83-85, boulevard Vincent-Auriol, 75646 PARIS CEDEX 13.
Service Lectrices — Tél. : 01 45 82 47 47
www.harlequin.fr

- 1 -

Le sergent d'artillerie Liam Reinhardt, ancien membre des forces d'élite des Marines, donna un coup de guidon pour éviter un nouveau nid-de-poule sur la route. Cette route était si cabossée que l'on se serait presque cru sur les chemins de terre reliant les villages d'Afghanistan. Presque... Car, aujourd'hui, il n'était pas en Afghanistan. Eh non, il ne traquait pas un leader insurgé qui se serait réfugié dans les montagnes.

L'Afghanistan, l'Irak, les pays en guerre... Tout cela, c'était le passé. A cause d'un banal problème cardiaque, il avait été renvoyé à la maison, aux Etats-Unis, après une dernière mission — l'apogée de sa carrière. Encore quelque temps dans les Marines, et il aurait fait partie de l'équipe qui avait débusqué Ben Laden... Mais non.

Pour lui qui avait grandi entre le Wisconsin et le Minnesota, s'engager dans l'armée était un rêve de gamin. Pendant des années, il s'était préparé à mourir sous les balles ennemies. Jamais il n'avait imaginé que, du jour au lendemain, son rêve pourrait s'envoler en fumée. Pour un stupide problème de plomberie. Plomberie cardiaque, certes, mais plomberie tout de même.

Il y avait autre chose qu'il n'avait pas vu venir. Après deux ans de mariage, Natalie l'avait quitté. Elle ne supportait plus ses absences, avait-elle dit. Ce n'était pourtant pas comme s'il l'avait mise devant le fait accompli, elle était au courant de son mode de vie, lorsqu'elle l'avait épousé !

Sa carrière interrompue, son mariage terminé, il n'avait d'autre choix que de tourner la page, à trente et un ans.

Mais qu'allait-il faire maintenant ? Il n'en avait pas la moindre idée.

Il s'arrêta à un panneau stop et remonta la visière de son casque pour jeter un coup d'œil aux alentours. Au loin, devant lui, s'étalait la petite ville de Good Riddance, Alaska.

Enfin, une ville... Disons plutôt un bourg bâti de part et d'autre de la route.

Au bruit d'un avion au loin, il leva la tête. Le son n'avait rien à voir avec celui des F15 de ses missions.

Il fixa le point dans le ciel jusqu'à ce qu'il se rapproche et que le petit avion atterrisse sur la piste, à sa droite.

Il prit ensuite une profonde inspiration et reconnut le parfum si particulier de l'épicéa. La campagne environnante était recouverte d'épaisses et majestueuses forêts peuplées d'ours. Ces derniers, craintifs, restaient cependant cachés, à l'abri des hommes. En cela, il se sentait proche d'eux. Lui-même se comportait parfois comme un ours, préférant rester seul, loin des autres.

D'ailleurs, aujourd'hui, il n'avait qu'une envie, retrouver le sentiment de paix et de liberté absolue qu'il avait ressenti, adolescent, lorsqu'il avait séjourné à Good Riddance, chez son oncle.

Ce dernier, ancien militaire, s'était installé en Alaska, à son retour du Viêt-nam.

Liam avait suivi ses pas en embrassant la carrière militaire et aujourd'hui il continuait à l'imiter en venant s'installer près de chez lui. Good Riddance... Y avait-il meilleure destination pour réfléchir à la prochaine étape de sa vie, pour se reconstruire ?

Il descendit la visière de son casque et redémarra.

Sur le côté de la route, avant les premiers bâtiments, un groupe d'enfants était en train de jouer au base-ball. Ici, pas de véritable terrain, parfaitement délimité, pas de lignes bien marquées. Pas de maillots de base-ball aux couleurs des meilleures équipes du pays, ni de parents surexcités pour scander le nom de leurs enfants.

Les rares fois où il avait accompagné Natalie encourager

ses neveux, il n'avait pas eu l'impression que les enfants y prenaient beaucoup de plaisir, malgré leurs maillots neufs et les équipements relativement haut de gamme dont ils bénéficiaient. Ici, rien de tout cela. Seulement un ballon et un champ presque laissé à l'abandon, mais dans lequel les enfants criaient, rigolaient et semblaient s'amuser comme des petits fous.

Sous les regards curieux des enfants, il se gara enfin devant un grand bâtiment accueillant à la fois les bureaux de l'aérodrome, un bed and breakfast à l'étage et le seul restaurant proposant des repas chauds dans un rayon de cent kilomètres.

Il ne s'était pas arrêté ici par hasard. Il savait bien qu'il avait plus de chances de trouver Bull ici que dans sa quincaillerie.

Après avoir retiré son casque, il s'étira pour se dégourdir les muscles. Il était habitué à rester des heures dans la même position — c'était une des obligations de son métier, ou plutôt de son ancien métier — mais cela lui faisait néanmoins du bien de pouvoir enfin bouger les jambes.

Savourant la sensation du vent frais dans ses cheveux, il posa son casque sur le guidon de sa moto avant de lever les yeux : deux enfants, un garçon et une fille, s'approchaient. Blonds avec des taches de rousseur, ils étaient accompagnés d'un chien de traîneau.

— Bel engin, fit le garçon, qui ne devait pas avoir plus de sept ou huit ans, en examinant sa moto.

Amusé par ce vocabulaire, il esquissa un sourire. Voilà une des choses qu'il avait apprises au cours de sa carrière. Qu'ils vivent au Moyen Orient, dans une banlieue anonyme du Minnesota, ou au fin fond de l'Alaska, les garçons étaient les mêmes : ils parlaient toujours comme des garçons. Celui-là était visiblement fasciné par sa moto, et il y avait de quoi… La Patronne, comme il l'avait surnommée, affichait mille trois cents centimètres cubes et une magnifique carrosserie noire et chromée.

— Tu as raison, acquiesça-t-il. C'est un bel engin.

— Moi, je préfère ton casque, intervint la fillette.

— Ah, les filles…, marmonna le garçon en levant les yeux au ciel.

— Tais-toi ! contre-attaqua la fillette en lui donnant un coup de coude.

Il éclata de rire.

— Laissez-moi deviner, vous êtes frère et sœur ?

— Nous sommes jumeaux, répondit la petite fille. Mais je suis la plus grande.

— Moi aussi, j'ai un jumeau, mais je suis né cinq minutes avant lui, expliqua-t-il.

Et, comme la petite fille, il ne manquait pas une occasion de le rappeler à Lars.

— Je ne suis née que quatre minutes avant lui, nota la demoiselle, un peu déçue. Mais je suis quand même la première !

— Simplement parce que maman a gardé le meilleur pour la fin, répliqua le garçon.

Vu la manière dont ils se donnaient la réplique — avec l'air de répéter inlassablement la même chose —, ce n'était pas la première fois que les enfants débattaient ainsi.

— Nos parents s'occupent de l'épicerie, reprit le garçon, ignorant sa sœur. Si vous avez besoin d'acheter quelque chose, vous pouvez aller les voir. Le pâté à la viande est délicieux. C'est M. Cuel qui le prépare lui-même.

— Merci, je m'en souviendrai et…

Interrompu par un cri sur le terrain, il se retourna, avant de voir les deux enfants s'éloigner en courant.

— Je joue première base ! cria le garçon.

— Non, c'est moi, répliqua sa sœur.

— A bientôt, leur lança-t-il avant de se tourner vers la ville — son futur.

Good Riddance avait bien évolué depuis sa dernière visite, quinze ou seize ans auparavant. Mais il reconnaissait néanmoins les lieux.

Quelques instants plus tard, il pénétra dans le bâtiment dont le rez-de-chaussée accueillait à la fois les bureaux de l'aérodrome et la réception du bed and breakfast.

Le lieu était presque comme dans son souvenir. Des rideaux de dentelle blanche étaient toujours accrochés aux fenêtres. Le mur de droite était décoré de photos anciennes, plus nombreuses qu'autrefois et, à côté de la cheminée, de confortables fauteuils étaient installés autour de plusieurs tables avec des échiquiers. Au fond, un écran plat avait remplacé l'ancienne et imposante télévision. Mais, à part cela, le lieu lui paraissait toujours aussi accueillant, toujours aussi chaleureux, aussi cosy.

Il fit quelques pas et Merilee Danville Weathersport leva la tête de son bureau situé à côté de la porte menant au restaurant.

— Salut, Merilee.

Elle lui adressa un large sourire et se leva aussitôt avant de s'approcher pour le prendre dans ses bras.

— Liam ! Quel bonheur de te voir. Nous attendions ta venue, mais sans savoir quand tu arriverais.

— Tu n'es pas la seule, j'ai pris mon temps en chemin. J'ai musardé.

— Bull sait-il que tu es là ?

— Non. Je ne l'ai pas encore vu. J'ai pensé qu'il était soit ici, soit à côté, au restaurant, et comme j'ai deviné que je devais venir ici si je voulais un bon café…

Merilee le remercia d'un sourire puis lui servit une tasse.

— Tu l'aimes noir ?

— Oui, toujours.

Il aimait le café pur, sans ajout. C'était également ainsi qu'il aimait sa vie. Il appréciait la franchise et détestait les gens qui jouaient, les gens faux.

— Un muffin ? lui proposa Merilee.

— Non, merci, déclina-t-il.

— J'avais oublié que tu n'aimais pas le sucre. Bon, laisse-moi te regarder. Tu as l'air en forme.

— En forme ? Je ne suis pas rasé, mes cheveux sont trop longs… Mais merci tout de même.

Venant de Merilee, qu'il savait sincère, le compliment était appréciable.

— Tu as l'air en forme toi aussi.

— Merci. C'est le bonheur qui me rend belle car j'ai une bonne nouvelle : Bull et moi sommes enfin mariés.

— Félicitations. C'est une excellente nouvelle.

Merilee irradiait de bonheur. Il était sincèrement heureux pour elle, mais surpris aussi. Merilee et Bull vivaient ensemble depuis des années, et pourtant il y avait toujours cette fougue dans les yeux de Merilee, cette passion dans sa voix, comme aux premiers jours d'une idylle naissante. Il n'en revenait pas qu'elle soit capable de parler de son oncle avec toujours autant d'amour et d'admiration.

Sa joie de la voir si comblée fut vite chassée par un sentiment de nostalgie. Il ne put s'empêcher de penser à son propre mariage, moins heureux que celui de Merilee et Bull, et à son divorce.

Il n'avait jamais ressenti un amour comparable pour Natalie, qui n'avait jamais été à ce point amoureuse de lui. Il avait aimé être marié, mais il devait bien admettre que ce n'était pas Natalie qui lui manquait lorsqu'il était en mission, mais la simple idée que quelqu'un l'attendait à la maison.

Depuis son divorce, quelques femmes lui avaient bien fait des avances, mais… Non, l'idée d'une aventure ne le tentait pas.

— Depuis combien de temps êtes-vous mariés ? reprit-il.

— Nous fêterons nos deux ans en décembre, le jour de Noël, mais je vais laisser Bull tout te raconter.

Il appréciait Merilee encore plus aujourd'hui que lorsqu'il était adolescent. Et pourtant, il la trouvait plutôt cool à l'époque. A la façon d'un pionnier, elle avait quitté sa ville natale très jeune et conduit jusqu'ici pour s'installer au fin fond de l'Alaska. Elle avait même été maire de Good Riddance.

— Es-tu toujours maire ? s'enquit-il, curieux de savoir si cela avait changé.

— Hélas, oui. Personne ne s'oppose à moi lors des élections, à tel point que j'ai l'impression d'être un dictateur ! Parfois, j'aimerais laisser mon mandat pour pouvoir me détendre avec Bull, voyager… Mais, pour le moment, c'est impossible.

— De toute façon, ce n'est pas ton style. Tu es une leader dans l'âme.

— C'est ce que Bull ne cesse de me répéter. A propos, si tu veux voir ton oncle, il est allé rendre visite à Gus, le patron du restaurant. J'imagine que tu as un petit creux.

— C'est peu dire. Je meurs de faim !

Il avait l'habitude des médiocres rations militaires, dont il se contentait pendant des semaines sans se plaindre, mais cela ne l'empêchait pas d'apprécier les bons repas. Et comme il n'avait mangé que des sandwichs depuis qu'il avait quitté Anchorage, quelques jours plus tôt, il n'était pas contre une assiette digne de ce nom.

— Je ne sais pas ce qui mijote à côté, mais cela sent très bon.

— Du ragoût de caribou, annonça-t-elle. Tu as de la chance, le nouveau cuisinier est un dieu !

— Alors j'y cours !

Sans attendre, il se dirigea vers la porte séparant les bureaux du restaurant.

— Liam ? l'arrêta Merilee.

Il se retourna.

— Bienvenue à Good Riddance, la ville où tout le monde oublie ses soucis, dit-elle avec un sourire.

— Merci.

Il était sceptique. Allait-il être capable d'oublier ses soucis ? Il ne demandait qu'à le croire, mais pour le moment il n'en était pas convaincu.

Salaud, salaud, salaud !

Les mots résonnèrent en elle toute la matinée, comme une espèce de chant liturgique, rendant les progrès dans l'écriture de son livre difficiles, voire impossibles. Il lui restait pourtant peu de temps : elle devait rendre le manuscrit à son éditeur à la fin du mois.

Mais impossible de rester concentrée devant l'écran de son ordinateur. Ou sur ce que sa demi-sœur, Jenna, était en train de lui dire.

— Allô…, fit celle-ci, devinant qu'elle avait la tête ailleurs. Tu m'écoutes ?

Tansy sursauta légèrement et s'efforça de reprendre ses esprits, avant de fixer Jenna, assise en face d'elle, dans le seul restaurant de Good Riddance, un lieu évoquant à la fois les saloons d'autrefois et les brasseries des grandes métropoles.

Jenna et elle étaient installées sur des banquettes, près de la porte d'entrée. Au-dessus du bar, était accrochée une tête de renne empaillée qu'elle avait parfois du mal à quitter du regard. De l'autre côté de la pièce s'alignaient les tables, le juke-box et quelques tables de billard.

Depuis son arrivée à Good Riddance, chaque fois qu'elle venait ici, et quel que soit le moment, la salle était pleine.

— Désolée, Jenna, j'étais dans la lune.

— Avec Bradley ?

Elle avait honte d'admettre que Bradley, qui n'en valait pas la peine, encombrait son esprit, mais elle fut bien obligée d'approuver, d'un hochement de tête.

Bradley était son ancien fiancé, dont elle parlait un jour comme du salaud, le lendemain comme de l'abruti.

— Je ne sais pas pourquoi je pense à lui depuis ce matin. C'est stupide.

— Ce n'est pas stupide, c'est humain, la rassura sa sœur. Vous étiez ensemble depuis le lycée. Il est le seul homme avec qui tu es sortie, le seul avec qui… Enfin, tu sais de quoi je veux parler. Il a inspiré tes articles, ton livre… Il représente ton passé, a longtemps représenté ton présent, et tu n'imaginais pas ton futur sans lui. C'est normal que tu penses à lui. Je serais même inquiète si ce n'était pas le cas !

Comme toujours, Jenna parvenait en quelques phrases à la réconforter.

— Je te rappelle, Jenna, qu'il n'est pas le seul homme avec lequel je sois sortie. Souviens-toi, nous avions rompu pendant quelques semaines, lors de notre première année à l'université.

— Je sais. Tu es allée manger une pizza avec un type, et

au cinéma avec un autre, sans aller plus loin. Alors je ne crois pas qu'on puisse dire que tu es sortie avec eux.

Elle plongea sa cuillère dans son café et le remua avant de répondre.

— Tu as sans doute raison, admit-elle.

Bradley avait été son seul amour, rencontré alors qu'elle n'avait que douze ans. Ils s'étaient séparés quelques semaines mais s'étaient vite retrouvés. Puis, à Noël dernier, Bradley lui avait demandé sa main… Et ils avaient rompu peu de temps après.

Mais, avant cela, ils avaient partagé toutes les étapes importantes de la vie, ils avaient grandi ensemble. Leur histoire avait même inspiré son activité de blogueuse : elle offrait des conseils en amour, et avait même écrit un livre intitulé *Comment vivre un conte de fées*. Ce livre allait d'ailleurs paraître en février, juste à temps pour la Saint-Valentin.

Mais voilà, aujourd'hui, la conseillère en amour qu'elle était n'était plus sûre de rien. Toutes ses certitudes sur les relations hommes-femmes, sur l'amour, s'étaient envolées le jour où Bradley l'avait trompée.

Elle était donc venue à Good Riddance pour se reconstruire et tourner une page.

— Venir ici m'a aidée, avoua-t-elle à Jenna.

Lorsqu'elle avait annoncé à Jenna qu'elle désirait venir en Alaska pour se changer les idées, cette dernière avait été folle de joie. Elle savait donc qu'elle trouverait du réconfort auprès de sa sœur, et puis, elle mourait d'envie de rencontrer sa petite-nièce, Emma.

— Good Riddance est la ville où tout le monde oublie ses soucis, affirma Jenna. Tout ira bien, Tansy, je te le promets.

Tansy et Jenna avaient treize ans lorsque leurs parents s'étaient mariés et elles s'étaient tout de suite très bien entendues. Non seulement elles avaient le même âge, mais elles avaient toutes les deux dû grandir avec des parents souffrant d'une addiction. Non pas d'une addiction à l'alcool ou à la drogue, mais d'une addiction aux mariages. Eh oui, leurs parents se mariaient avant de divorcer rapidement, pour convoler de nouveau. Son père et la mère de Jenna étaient des « mariés en série », des exemples de tout ce qu'il ne fallait pas faire en amour.

Lorsqu'elle rendait visite à son père, à l'époque, elle partageait une chambre avec Jenna et il lui avait fallu peu de temps pour l'adopter. Jamais elle n'avait parlé d'elle comme de sa demi-sœur ou de sa sœur par alliance.

Evidemment, le mariage de leurs parents n'avait pas duré, mais elle était restée en contact avec Jenna. Le lien n'avait jamais été rompu.

— Je me sens comme la reine des idiotes, incapable de dépasser mon échec, gémit-elle. Pire même, je me vautre dedans.

— Je refuse de te laisser dire cela, Tansy, intervint Jenna. Tu n'as rien fait du mal, tu as simplement trouvé une culotte qui ne t'appartenait pas dans la poche de ton fiancé. Après un tel choc, je serais surprise si tu n'avais pas le blues, de temps en temps.

Sans doute Jenna avait-elle raison.

Certains jours, elle avait le moral, et d'autres non. Elle se sentait… Elle se sentait surtout en colère. Pourquoi Bradley lui avait-il demandé sa main, pour la tromper une semaine après ?

Non seulement la trahison de Bradley avait des conséquences négatives sur sa concentration, mais en plus elle lui donnait l'impression d'être un imposteur. Comment pouvait-elle donner des conseils sur l'amour alors que sa propre relation s'était soldée par un échec ?

Elle écrivait des articles pour un site Web qui lui permettait de bien gagner sa vie, mais elle était célibataire ! Pas étonnant alors qu'elle piétine dans l'écriture de son livre. Elle venait de perdre son fiancé, et avec lui toutes ses convictions concernant l'amour.

Mais il fallait qu'elle se concentre sur les points positifs de sa vie, sinon elle allait sombrer dans la dépression. Tiens, premier point positif : elle appréciait la vie en Alaska. Elle adorait même Good Riddance. Quant à Jenna et Emma, c'était un réel bonheur de les voir au quotidien.

— Je m'en remettrai, lança-t-elle d'un ton assuré, comme pour s'en convaincre.

— J'en suis certaine, répondit Jenna en faisant signe à quelqu'un de l'autre côté de la pièce. Venir ici était une bonne idée. Je n'ose pas imaginer ton état si tu étais restée à Chattanooga. Et, je te le répète, nous sommes tous heureux que tu sois ici, même si on ne te voit pas beaucoup — tu restes toute seule la majeure partie de tes journées.

Le mari de Jenna, Logan, lui avait prêté sa voiture et lui avait trouvé un logement, dans un bungalow situé au lieu-dit Shadow Lake.

A l'exception de ses vacances dans la ferme de son grand-père, à mi-chemin entre Chattanooga et Marietta, elle n'avait jamais vécu à la campagne. C'était une fille de la ville, mais elle appréciait cette nouvelle vie, surtout qu'elle retrouvait Jenna au moins une fois par jour, chez elle ou chez Gus.

Malgré ce climat paisible, impossible d'oublier complètement Bradley. Et les jours passaient ! Il ne lui restait plus que deux semaines pour terminer son livre. Ensuite, elle devrait rentrer chez elle et rendre le manuscrit à son éditeur.

Soudain paniquée par cette perspective, elle posa sa fourchette. La nourriture était délicieuse, mais elle n'avait plus faim.

Elle n'avait pas l'habitude d'être déprimée, mais aujourd'hui elle ne se reconnaissait plus.

— Il faut à tout prix que j'écrive ce livre.

— Je sais. Je sais aussi qu'il est parfois difficile de donner des conseils en amour quand sa propre relation va à vau-l'eau, fit Jenna avant de lui prendre la main pour la réconforter. Mais tu y arriveras, Tansy. J'ai une totale confiance en toi. Bon, maintenant, je vais devoir y aller. Nancy a pris rendez-vous dans le salon et elle tient à ce que ce soit moi qui m'occupe de ses ongles. Sans compter que j'ai bien envie de rendre une petite visite à Emma et son papa.

Jenna faisait partie de ces gens souvent sous-estimés. Elle était régulièrement décrite comme une blonde un peu simplette alors qu'elle était douée pour les affaires. Depuis qu'elle s'était installée à Good Riddance, un an et demi plus tôt, elle avait en effet monté un salon de manucure et de massage qui ne désemplissait pas.

Elle était très différente de sa sœur. Jenna était animée d'un grand optimisme qui lui permettait de profiter de toutes les opportunités qui lui étaient données par la vie. Elle, au contraire, avait plutôt tendance à tout analyser, à tout organiser avant d'agir.

C'était notamment pour cette raison que sa rupture avec Bradley l'avait autant déstabilisée. Elle ne s'y attendait pas, et n'avait pas eu le temps de s'y préparer.

Peut-être devait-elle suivre le modèle de Jenna et être un peu plus spontanée. Après tout, elle était venue en Alaska, c'était déjà un premier pas dans la voie de la légèreté et du naturel.

— Je suis heureuse d'être ici, reprit-elle. C'est génial de te voir pour le déjeuner, de faire partie de ta vie, et de pouvoir gâter ma nièce.

Certaines fois, lorsqu'elle regardait la vie parfaite de sa sœur, elle se rendait compte que sa relation avec Bradley avait été une erreur du début à la fin, même avant qu'il ne la trompe.

— Tu devrais venir dîner à la maison ce soir, Tansy. Et ne t'inquiète pas, c'est Logan qui sera aux fourneaux.

La maladresse en cuisine de Jenna était une légende, depuis l'Alaska jusqu'en Géorgie.

— Nous regarderons une comédie romantique, ajouta Jenna pour achever de la convaincre.

Sa sœur avait de bons arguments. Elle adorait les comédies romantiques et les contes de fées... Même si le sien avait plutôt pris des allures de drame sentimental.

— Un bon film, et tu vas retrouver l'inspiration, Tansy, j'en suis sûre.

C'était gentil de la part de Jenna de l'inclure dans ses projets mais, de temps en temps, voir cette petite famille parfaite rendait sa rupture encore plus douloureuse. Elle lui rappelait cette vie classique dont elle rêvait, et qu'elle n'avait pas eue. Cette vie idéale qu'elle croyait construire avec Bradley.

— Tu sais ce qu'il te faut ? continua-t-elle. Un homme, tout simplement.

A cet instant, Rooster McFie se leva, de l'autre côté de la salle, en parfaite synchronisation avec les mots de sa sœur. Avec sa longue barbe rousse et ses larges épaules, ce bûcheron était particulièrement impressionnant.

Peut-être même trop impressionnant pour elle.

Elle préférait rêver à un chevalier sans peur et sans reproche, à un jeune homme chic vêtu d'une armure brillante… Bon, d'accord, elle était tout ce qu'il y a de plus fleur bleue, mais elle ne s'en cachait pas. Et puis, à défaut d'obtenir ce qu'elle voulait, elle pouvait bien rêver un peu… Car ce n'était pas ici, au fin fond de l'Alaska, qu'elle risquait de croiser son beau chevalier.

— Et tu crois vraiment que c'est à Good Riddance que je vais rencontrer un homme ? demanda-t-elle, un brin ironique.

Jenna fixa la porte derrière elle et esquissa un sourire.

— Ne te retourne pas, Tansy, mais je crois que l'homme dont tu as besoin vient justement d'entrer.

Incapable de résister à la tentation, elle se retourna et, aussitôt, se figea et demeura bouche bée, sous le choc.

Elle ignorait qui était cet homme mais elle était sûre d'une chose : il était grand, musclé, mystérieux et surtout diablement sexy.

Au bout de quelques secondes, elle parvint enfin à détourner le regard mais elle frissonnait toujours, comme s'il l'avait caressée.

Cet homme n'avait rien d'un preux chevalier, mais il venait en tout cas de lui faire un sacré effet !

- 2 -

Liam balaya la salle du regard, à la recherche de Bull. Il n'avait pas vu son oncle depuis seize ans, mais ce dernier ne devait pas avoir tant changé que cela, il devait toujours dégager la même présence, le même charisme.

Il tendit le cou pour bien voir l'ensemble de la salle du restaurant de Gus, qui était presque comble, puis soudain se figea.

De l'autre côté de la pièce, une jeune femme venait de se retourner, attirant immédiatement son attention — le reste de la salle était comme devenu flou. Elle avait des cheveux sombres, courts, et des lunettes qui mettaient en valeur un joli visage rond.

Il riva son regard au sien et, aussitôt, sentit tous ses sens en alerte, comme lorsqu'il était sur le point de tirer. Sous le choc, il retint son souffle. Puis, quand elle se retourna, le bruit de la salle, qui semblait s'être évanoui, revint au premier plan.

Cet instant suspendu avait quelque chose de mystérieux. Il aurait été incapable d'analyser ce qui venait de se produire.

Tout ce qu'il savait, c'était que quelque chose de fort s'était passé. La preuve, il en avait des frissons, ce qui ne lui arrivait jamais.

Il s'efforça de reprendre ses esprits, pour se recentrer sur sa mission première : trouver son oncle, et se poser pour prendre un vrai repas.

Il ne tarda pas à le trouver, et le rejoignit pour l'embrasser.

— Tu es là, fit Bull.

Ces trois mots de salutation, malgré leur apparente sobriété, voulaient dire beaucoup. Bull n'avait pas simplement évoqué son arrivée à Good Riddance. Il avait surtout constaté qu'il avait survécu aux combats.

— Oui, je suis là.

— C'est une bonne nouvelle.

Pour la première fois depuis bien longtemps, Liam se sentit soudain plus léger et enfin capable de respirer profondément. Il ignorait toujours ce qu'il allait faire de sa vie, mais à cet instant il se sentait bien. Il se sentait mieux.

— Tu as l'air en forme, Bull, dit-il en regardant son oncle.

Liam avait vu des choses terribles, mais en rien comparables avec les boucheries auxquelles Bull avait assisté au Viêt-nam.

— Je ne me plains pas. Comment va ta jambe ?

Il haussa les épaules.

— Ma jambe n'est pas un problème.

La seule conséquence de sa blessure à la jambe avait été la découverte du défaut de sa valve cardiaque. Son cœur était donc le problème, pas sa jambe.

— Tu as faim ? lui demanda Bull en changeant de sujet.

— J'ai une faim de loup.

— Alors tu es au bon endroit. Nous allons te nourrir.

Pendant toute sa conversation avec Bull, il continua à sentir la présence de la femme, dans son dos.

Qui était-elle ? Il mourait d'envie de le savoir, mais pour cela il allait devoir attendre que Bull fasse les présentations.

Son expérience dans l'armée lui avait enseigné la patience. Il était donc capable d'attendre. Mais, avant que sa curiosité ne soit satisfaite, il demeurait conscient de sa présence, à quelques mètres de lui.

Plusieurs minutes plus tard, il avait l'impression d'avoir fait la connaissance de tout le monde au restaurant, à l'exception de la mystérieuse créature. Il possédait néanmoins quelques indices désormais. La jeune femme qui l'accompagnait, une blonde nommée Jenna, s'était arrêtée voir Bull, avant de sortir, et avait révélé le nom de la jeune femme. Tansy. Tansy Wellington était la sœur de Jenna. Originaire de Chattanooga, elle était en vacances ici.

Il n'avait jamais rencontré de femme prénommée Tansy. Il n'avait jamais non plus réagi ainsi, devant une demoiselle. D'un seul regard, elle s'était insinuée en lui. Il n'avait pourtant pas baissé la garde, il ne baissait jamais la garde. Mais elle s'était glissée dans sa peau, et s'y était installée. Et cela ne lui plaisait pas.

Une femme grande et large d'épaules versa une bonne louche de ragoût dans une assiette et la posa devant lui.

— Merci, dit-il en attrapant sa fourchette, avant de se tourner vers Bull. Au fait, je crois que les félicitations sont de rigueur. Merilee m'a annoncé que vous vous étiez mariés.

— Eh oui, répondit Bull. Lorsque tu trouves une femme parfaite, il ne faut pas la laisser filer, même si elle te fait patienter vingt ans avant d'accepter de t'épouser.

— Je suis surpris que vous vous soyez mariés, au bout de tant d'années, avoua-t-il.

Liam parlait en toute franchise à son oncle. Même s'ils ne se voyaient pas souvent, ils avaient toujours été directs l'un avec l'autre.

— J'aurais aimé l'épouser plus tôt, expliqua-t-il, mais elle était mariée. Ce qu'elle ne m'avait pas avoué, soit dit en passant. Mais comme je savais qu'elle était la femme de ma vie, j'ai attendu. Je n'ai pas renoncé.

— Elle était encore mariée ?

— Oui, et son mari refusait de divorcer, alors même qu'ils ne vivaient plus ensemble depuis des années. Puis un jour, il a pointé le bout de son nez, fiancé à Jenna, la jeune femme qui vient de sortir.

— Quoi ? L'ex de Merilee vit ici et vient d'avoir un bébé ?

Jenna avait évoqué son mari et sa fille, quelques minutes plus tôt.

— Non, Dieu merci ! Merilee l'a mis dehors sitôt qu'il a signé les papiers du divorce, et Jenna également. Mais cette dernière a décidé de rester en Alaska. Elle a épousé son petit ami du lycée l'année dernière. Un gentil garçon. A propos de mariage, j'ai appris que tu avais divorcé. Je suis désolé.

— Comment es-tu au courant pour Natalie ?

— C'est Dirk. Il est passé ici, l'été dernier.

Dirk, bien sûr… Son cousin avait en effet l'habitude de beaucoup voyager, de se poser quelques mois dans un endroit, avant de repartir.

Enfant, il avait passé de bons moments avec Dirk. Ce dernier avait un an de moins que lui et son jumeau, et un an de plus que son petit frère, Jack. Combien de vacances d'été les quatre garçons avaient-ils passées ensemble à pêcher, à chasser, et à camper dans la campagne à côté de chez leurs grands-parents, dans le nord du Michigan…

Pas étonnant que Dirk soit au courant de son divorce avec Natalie. Natalie et Dirk avaient grandi dans la même rue, et leurs mères étaient amies.

D'ailleurs, c'était Dirk qui lui avait présenté Natalie.

Cette dernière avait même été source de conflit entre son cousin et lui. Il l'ignorait lorsqu'il l'avait rencontrée, et de toute façon cela n'aurait sans doute pas fait de différence, mais Dirk avait toujours pensé qu'il lui avait volé Natalie. Alors ils avaient fini par prendre leurs distances l'un avec l'autre.

— Combien de temps Dirk est-il resté ?

Dommage… Cela faisait près de six ans qu'il ne l'avait pas vu, et il avait raté son cousin.

— Deux mois, répondit son oncle.

Sans même se retourner, il sentit Tansy bouger derrière lui. Il jeta un coup d'œil dans le miroir du bar. Il ne s'était pas trompé.

Contrairement aux autres clients du restaurant, elle ne s'approcha pas pour se présenter. Au contraire, il la vit se diriger d'un pas décidé vers la porte.

— Et elle, quelle est son histoire ? demanda-t-il à Bull, incapable de faire taire sa curiosité plus longtemps.

Autant être direct avec son oncle. Ce n'était pas en tournant autour du pot qu'il allait avoir les réponses à ses questions.

— Elle écrit. Elle a découvert que son fiancé la trompait et a voulu s'éloigner. Elle est donc venue ici pour finir d'écrire un livre. Elle est arrivée la semaine dernière et repart à la fin du mois.

— Encore une de ces femmes qui détestent les hommes, si je comprends bien.

— Je ne dirais pas cela. Elle est très gentille. Et puis qui sait, elle pourrait penser la même chose de toi… Alors, si elle me demande si tu es un de ces types qui détestent les femmes, que dois-je dire ?

— Qu'est-ce qui te fait croire qu'elle te posera la question ?

— Elle la posera, j'en suis persuadé. Bon, que dois-je répondre ?

En croisant soudain son regard dans le miroir, il baissa les yeux. Il n'aimait pas qu'on cherche à lire en lui.

— Réponds-lui que cela ne la regarde pas.

Tansy sortit sous le doux soleil du mois de septembre et demeura immobile quelques instants, pendant que la porte du restaurant de Gus se refermait derrière elle.

Elle se sentait complètement perdue.

Elle était censée rentrer chez elle pour se mettre au travail, mais il y avait des chances pour qu'elle ait beaucoup de mal à se concentrer. Jamais elle ne parviendrait à se replonger dans l'écriture de son livre tant qu'elle ne saurait pas qui était le mystérieux homme aux beaux yeux gris.

Jenna pourrait sans doute la renseigner… Mais elle travaillait, elle ne pouvait donc pas la déranger. Alors que faire ? La curiosité était en train de la dévorer, de lui faire perdre la tête.

— Quoi de neuf, Tansy ? lança soudain une voix féminine à côté d'elle.

Elle était tellement perdue dans ses pensées qu'elle n'avait même pas vu Alberta approcher. Pourtant, la vieille femme ne passait pas inaperçue.

Alberta était… disons haute en couleurs. Et au sens propre. Sous ses cheveux d'un roux flamboyant, elle portait un chemisier turquoise, une longue jupe multicolore à volants et des bottes mauves.

— Pas grand-chose, Alberta. Je viens simplement de déjeuner avec Jenna. Et toi ? Comment vas-tu ?

— Très bien. Dwight et moi vivons toujours une véritable lune de miel.

Une véritable lune de miel... Comme celle qu'elle-même ne vivrait jamais parce que Bradley était un menteur... Mais ce n'était pas le moment d'y songer. Il valait mieux se concentrer sur Alberta et leur conversation — cela lui changerait les idées.

Voilà un des points qui lui plaisait le plus à Good Riddance. Elle n'était arrivée en Alaska que depuis quelques jours, mais elle avait déjà l'impression de connaître tout le monde.

Alberta, une « marieuse bohémienne » selon les termes de Jenna, avait débarqué à Good Riddance au mois de mai dernier. Et elle avait épousé l'homme qui avait fait appel à ses services pour l'aider à trouver une femme. Ce dernier, Dwight Simmons, avait passé la majeure partie de sa vie à travailler dur, et ces dernières années à jouer aux échecs avec son ancien associé, Jeb Taylor. Lorsque Jeb était décédé, Dwight avait décidé qu'il était temps pour lui de se trouver une épouse et il avait contacté Alberta pour l'aider dans ses recherches.

Cette dernière lui avait trouvé une épouse parfaite... Elle-même !

A quatre-vingts ans, il s'agissait du premier mariage de Dwight, mais du sixième d'Alberta.

Malgré, ou à cause de son originalité, Tansy aimait beaucoup Alberta.

Elle l'avait croisée seulement deux jours après son arrivée en Alaska, et la bohémienne lui avait tout de suite prodigué ses conseils, avec conviction : elle ne devait pas se faire de souci pour Bradley. Il n'était pas l'homme de sa vie et son infidélité n'avait rien à voir avec elle.

Ces mots étaient destinés à la réconforter, elle en était bien consciente. Néanmoins, ils lui avaient fait chaud au cœur.

— Je suis heureuse pour vous, lui dit-elle avec sincérité. Une lune de miel qui ne s'achève jamais, c'est une chance…

— J'allais justement rendre une petite visite à mes hommes. Veux-tu m'accompagner ? lui proposa-t-elle.

Dwight et Lord Byron, le chien infirme d'Alberta, passaient leurs journées à l'aérodrome.

Et pourquoi ne pas la suivre, tiens ? De toute façon, elle n'avait pas envie de travailler. Et puis, qui sait… Peut-être pourrait-elle en apprendre un peu plus sur le mystérieux inconnu du restaurant. A Good Riddance, pour ce qui était d'obtenir des informations, il n'y avait pas source plus fiable que Merilee.

Elle avait seulement besoin de connaître son nom. Ensuite, elle pourrait enfin oublier son regard brûlant, et se remettre au travail.

Accompagnée d'Alberta, elle entra quelques minutes plus tard dans le bureau de l'aérodrome. Aussitôt, une bonne odeur de café lui chatouilla les narines.

Merilee et Juliette, une jeune pilote, étaient en train d'étudier le planning de la semaine. Juliette et son mari Sven étaient ses voisins, à Shadow Lake.

Le chien de Juliette, Baby, était assis entre les deux femmes. Quant à l'amour d'Alberta, il était installé de l'autre côté de la pièce, face à un échiquier.

Non seulement Dwight avait une nouvelle femme depuis quelques mois, mais il avait aussi un nouveau partenaire d'échecs, en la personne de Jefferson Walker Monroe.

D'après Jenna, Jefferson était simplement arrivé en ville un jour, s'était assis dans le fauteuil, devant l'échiquier, et ne l'avait plus quitté. Jefferson n'avait ici qu'un neveu, Curl, le barbier et entrepreneur de pompes funèbres de la ville.

Jusqu'à son arrivée, Curl ignorait l'existence de ce vieil oncle qui racontait avoir joué du saxophone avec Count Basie, Louis Armstrong, et avoir accompagné Billie Holiday et Ella Fitzgerald. Il l'avait néanmoins accueilli à bras ouverts, tout comme le reste des habitants de Good Riddance.

Curieuse, elle avait fait quelques recherches à son sujet,

sur internet. Et, en effet, son histoire était véridique. Jefferson Walker Monroe n'était ni un menteur ni un usurpateur.

Comme dans un film, la ville rassemblait une galerie de personnages improbables mais attachants. Sans doute était-ce pour cette raison qu'elle s'y sentait aussi bien.

Assis face à face, Dwight et Jefferson n'avaient en commun que leur âge, quatre-vingts printemps.

La peau burinée par le soleil, Dwight était grand et maigre. Il portait une longue barbe blanche descendant jusqu'à sa chemise à carreaux. Face à lui, Jefferson était vêtu d'un élégant costume trois-pièces. On aurait dit un acteur des années quarante.

— Coucou, mon amour, cria Alberta à Dwight qui entendait mal.

Sans laisser le temps au vieil homme de répondre, Jefferson adressa un clin d'œil malicieux à Alberta.

— Je t'ai déjà dit de ne pas me parler ainsi devant ton vieux mari, ma belle, fit Jefferson.

— Salut, ma beauté, répondit Dwight avant de se tourner vers son partenaire de jeu. Et toi, arrête de faire du gringue à ma femme !

— J'espère pour toi que ton jeu est meilleur dans la chambre à coucher que sur cet échiquier ! poursuivit Jefferson en le taquinant.

Pour toute réponse, Dwight lâcha un grognement avant d'avancer un pion.

— Mesdames, intervint alors Merilee.

Tansy la salua d'un geste de la main et d'un sourire.

— Quoi de neuf, Merilee ? demanda Alberta. Et toi, Juliette ?

— Pas grand-chose, répondit la jeune femme. Mais je vais tout de suite vous laisser, je dois aller chercher un client à Wolf Pass. A plus tard.

Merilee s'étira avant de répondre.

— Le neveu de Bull, Liam, vient d'arriver en ville. Cela faisait des années que nous ne l'avions pas vu. Il était à l'instant chez Gus, tu l'as peut-être croisé, Tansy.

Liam…

Elle se répéta ce prénom plusieurs fois, dans sa tête. C'était un prénom plutôt inhabituel… Un prénom qui lui allait bien. Car cet homme était inhabituel, il lui avait suffi d'un seul regard pour s'en rendre compte.

— J'ai vu Bull discuter avec quelqu'un, mais j'ignore si c'était lui. Je ne connais pas encore tout le monde en ville.

— Liam… joli nom, remarqua Alberta.

— Et c'est un homme bien, lui expliqua Merilee. Je ne connais pas les détails, mais il vient de quitter les Marines. Il était tireur d'élite.

Un tireur d'élite… Un homme dont le seul but était de tuer… Voilà qui était dangereusement excitant.

— Quand a-t-il quitté l'armée ? demanda Alberta.

— Tout ce que l'on sait, c'est la sœur de Bull qui nous l'a appris. Cette dernière nous a écrit au mois de mai pour nous annoncer l'arrivée prochaine de Liam. Mais elle n'en a pas dit plus. Que s'est-il passé à l'armée ? Pourquoi en est-il parti ? Je n'en ai aucune idée.

— J'imagine qu'il n'est pas marié. Sinon, il n'aurait pas laissé sa femme, continua Alberta.

— Il est divorcé. Son cousin Dirk nous l'a annoncé lors de sa dernière visite, cet été. Liam a un frère jumeau, Lars, qui est également dans les Marines, et un frère plus jeune, Jack, lui aussi militaire. Cela fait des années que Bull et sa sœur n'ont presque plus de rapports. Elle est un peu lunatique et ne s'entend pas avec grand monde.

En eux-mêmes, ces détails n'avaient rien de très intéressant : cet homme était un inconnu pour Tansy. Et, pourtant, il y avait quelque chose chez lui qui l'attirait.

Lorsqu'il l'avait regardée, elle avait senti tous ses sens s'éveiller. Et c'était bien plus que de la curiosité. Elle ressentait… oui, une certaine attirance sexuelle pour lui.

Ce qui ne lui était jamais arrivé.

Elle avait évidemment ressenti du désir pour Bradley, mais pas au premier regard. Il avait fallu qu'elle fasse sa connaissance, qu'il la charme, la séduise... Bref, qu'elle découvre qui il était vraiment.

Enfin... Elle s'était un peu trompée sur ce point.

Si seulement elle pouvait retourner en arrière et retrouver sa vie d'avant...

Elle refoula ce rêve dans un coin de sa tête et revint à l'homme mystérieux. Comment pouvait-elle être attirée à ce point par ce type, sans même le connaître ? Sans compter qu'elle avait toujours des sentiments pour Bradley...

— Intéressant, fit Alberta, lui donnant l'impression de ponctuer ses pensées, tout à coup.

Elle se mordit la lèvre pour reprendre ses esprits, et revenir à ce qui était vraiment intéressant...

— Liam va s'installer dans l'autre bungalow de Shadow Lake, était en train d'expliquer Merilee. Ce qui veut dire que vous allez être voisins, Tansy.

Liam et elle, voisins ? Etait-ce une bonne nouvelle ? Les jours prochains le lui diraient...

Les yeux rivés sur son écran d'ordinateur, Mallory Kincaid mordilla le bout de son stylo. La ventilation tournait à fond derrière elle, apportant un peu de fraîcheur dans la moiteur de la Louisiane. Elle aurait pu fermer le store derrière elle, mais elle aimait sentir le soleil lui chauffer le dos.

Good Riddance, Alaska... D'après l'image satellite, il s'agissait d'une petite ville bâtie de part et d'autre d'une rue principale et entourée de forêts. D'immenses forêts.

C'était là-bas que se trouvait Liam Reinhardt, aujourd'hui. Il ne cherchait pas à se cacher. La preuve, elle n'avait eu aucun mal à remonter sa piste en suivant les traces de l'utilisation de sa carte bancaire.

Après avoir quitté le Minnesota, il avait pris la direction du sud-ouest, avait traversé le Dakota du Sud, le Wyoming et l'Idaho avant de bifurquer vers le nord, vers le Montana, l'Etat de Washington et enfin l'Alaska, via le Canada. Il avait pris son temps, voyageant pendant près de quatre mois, alternant nuits dans des motels et camping.

Peut-être Liam reprendrait-il la route demain, mais elle avait comme le sentiment qu'il était arrivé à destination. Il n'avait sans doute pas choisi le lieu au hasard, puisqu'il y avait de la famille. Son oncle vivait à Good Riddance. Bull Swenson dirigeait la quincaillerie et possédait des actions dans l'aérodrome et l'auberge locale. Autant d'informations qu'elle avait dénichées, sans la moindre difficulté, sur internet.

Les immensités désertiques de l'Alaska semblaient parfaitement convenir à Liam Reinhardt. Elle ne concevait pas une seconde qu'un homme comme lui puisse vivre en banlieue.

A son départ de l'armée, il avait frôlé la dépression, et elle avait imaginé qu'il se trouverait un poste à Quantico, en tant qu'expert civil. Mais non. Apparemment, il avait décidé d'aller faire un tour en Alaska.

Elle ouvrit une nouvelle page sur internet et partit à la recherche d'un billet d'avion.

Quelques minutes plus tard, elle se raidit en voyant le prix. Elle se doutait bien que son voyage serait cher, mais à ce point… Enfin. Elle n'avait pas le choix. Quelques minutes plus tard, elle imprimait donc sa carte d'embarquement pour le vol du lendemain.

Bon, tout se passait comme prévu jusqu'à présent. Mais le plus difficile restait à venir. Le plus difficile, mais le plus excitant aussi… Elle allait devoir convaincre Liam Reinhardt de lui parler.

Elle était d'autant plus impatiente qu'elle ressentait une véritable fascination pour cet homme.

Fille, petite-fille et sœur de militaire, elle était logiquement devenue historienne militaire. Elle avait grandi entourée d'hommes en uniforme et avait toujours considéré que les soldats étaient ce qu'il y avait de mieux sur terre. Et, parmi les meilleurs des meilleurs, figurait Liam.

Ce dernier avait réussi de main de maître sa dernière mission. La presse n'en avait pas beaucoup parlé, mais ceux qui étaient au courant connaissaient l'importance de cette mission et les efforts qu'avait dû fournir Liam Reinhardt pour l'emporter.

Elle avait découvert l'homme un an plus tôt, lors d'une conférence retransmise par vidéo. Dès l'instant où elle l'avait vu, dès la seconde où elle avait entendu sa voix, elle avait été frappée par l'évidence : Liam était l'homme de sa vie.

Elle jeta un coup d'œil à la photo encadrée trônant sur son bureau. Ce regard… Cette mâchoire… Elle avait trouvé cette photo dans des dossiers militaires et l'avait fait encadrer tellement elle la trouvait belle. Elle en possédait également une autre, sur sa table de chevet.

Liam était l'un des meilleurs tireurs d'élite de l'histoire. Il représentait tout ce dont elle rêvait chez un homme. Il était beau, mais un peu sauvage, concentré, passionné… Elle aurait peut-être du mal à obtenir de lui qu'il lui parle de sa dernière mission, mais elle avait la certitude que, lorsqu'il la connaîtrait, il saurait qu'elle était la femme de sa vie.

C'était son destin, à elle, son destin à lui. Et personne ne pouvait aller à l'encontre du destin.

- 3 -

— As-tu des projets ? lui demanda Bull alors qu'ils sortaient du restaurant.

— Je pensais rester ici un moment, histoire de me changer les idées.

Il n'avait plus aucun but dans la vie, si ce n'est celui de s'en trouver un, justement.

— Si tu souhaites travailler, sache que Sven Sorenson est toujours à la recherche de bras supplémentaires pour ses chantiers.

— Des chantiers qui demandent plus de muscles que de réflexion ?

— Oui, confirma Bull.

— Alors je suis partant.

Il avait besoin de travailler jusqu'à épuisement pour oublier. Et avoir une chance d'enfin trouver le sommeil.

La porte de l'auberge s'ouvrit soudain et la jeune femme, cette fameuse Tansy qui l'avait bouleversé, sortit à son tour.

— A plus tard ! cria-t-elle en fermant la porte derrière elle.

Elle devait avoir le soleil dans les yeux, car elle ne le vit pas et lui rentra dedans. Sans réfléchir, il l'attrapa pour l'empêcher de tomber.

A ce contact, tous ses sens se mirent en alerte et il se figea.

Dans un léger coup de vent, le parfum vanillé de la jeune femme lui chatouilla les narines. Sa peau était douce et chaude sous ses mains. Derrière de grandes lunettes, il aperçut des yeux d'une rare couleur indigo.

Une étonnante et puissante alchimie semblait régner entre

eux… A tel point qu'il en était troublé, déstabilisé même. Ce qui ne lui ressemblait pas du tout. Il était un homme qui aimait le contrôle, qui ne s'était jamais laissé gouverner par ses émotions… Jusqu'au moment où il avait croisé ce regard.

Les yeux écarquillés, la jeune femme eut un frisson sous ses doigts, et se mordit la lèvre. Elle semblait aussi perdue que lui.

Puis, soudain, il la relâcha — il fallait qu'il se reprenne.

— Merci, murmura-t-elle en baissant les yeux.

Sa voix était grave, envoûtante et… terriblement sexy.

Bon sang, mais que lui arrivait-il ? Pourquoi cette femme lui faisait-elle un tel effet ?

— Eh bien, reprends-toi, lança Bull à Tansy.

Mon Dieu, Bull… Il avait complètement oublié la présence de son oncle.

— Tansy, continua ce dernier, je te présente Liam Reinhardt, mon neveu. Liam, voici Tansy Wellington.

— Ravi de vous rencontrer, dit-il machinalement.

Devait-il lui serrer la main ? Ce serait étrange, un peu trop conventionnel peut-être, après le moment de brusque intimité qu'ils venaient d'avoir… Et puis, mieux valait éviter tout contact s'il ne voulait pas perdre la tête et… la caresser, par exemple.

— Le plaisir est partagé, répondit-elle d'une voix si chaleureuse qu'elle ne fit qu'augmenter l'attirance qu'il avait pour elle.

Tout à coup, il mourait d'envie de l'embrasser. S'il voulait passer pour un fou, c'était la chose à faire, en tout cas…

— J'ai entendu dire que vous veniez d'arriver en ville, dit-il plutôt.

Elle lui sourit et, encore une fois, il se sentit perdre l'équilibre. Lorsqu'elle souriait, son beau visage devenait soudain extraordinaire. Elle resplendissait.

— Je suis arrivée la semaine dernière, lui expliqua-t-elle. Je ne fais pas encore partie des habitués.

— C'est ce que j'ai entendu dire.

— Ici, les nouvelles vont vite, intervint Bull.

A ces mots, elle laissa échapper un petit rire si envoûtant que des images on ne peut plus sensuelles lui vinrent brutalement à l'esprit : la jeune femme était nue dans un lit, elle portait un T-shirt serré qui laissait deviner la rondeur parfaite de ses seins, les courbes sensuelles de sa poitrine...

— J'ai cru comprendre que nous allions être voisins, reprit-elle. Voisins ? Comment cela ?

— C'est vrai ? demanda-t-il à son oncle.

— Lorsque ta mère nous a informés de ton arrivée, Liam, Merilee et moi avons pensé que tu apprécierais de t'installer dans l'un des bungalows de Shadow Lake, à l'extérieur de la ville. C'est aussi là que loge Tansy.

— C'est un endroit magnifique et très calme, l'informa-t-elle. Les bungalows offrent une vue plongeante sur le lac avec les montagnes à l'arrière-plan.

Tansy était en train de lui décrire une scène calme et idéale qui tranchait avec le feu qui le dévorait de l'intérieur. Il avait besoin de solitude pour digérer sa colère, sa frustration. Il ne souhaitait pas en faire étalage et n'avait surtout pas envie d'être séduit par sa voix chantante, par sa franchise, ou par sa douceur.

Ce qui voulait dire qu'il valait mieux garder ses distances avec elle.

— A l'origine, les deux bungalows appartenaient à deux domestiques qui s'étaient installées côte à côte, poursuivit Bull. Il existe même un système d'Interphone entre les deux. Sven les a rénovés l'année dernière. Leur aménagement est basique, mais ils sont confortables. Tu devrais t'y sentir bien.

Comment Bull pouvait-il savoir ce dont il avait besoin alors que lui-même l'ignorait ? Tout ce qu'il savait, c'était qu'il avait besoin de temps, et de solitude. Un besoin totalement incompatible avec la présence de cette femme à quelques mètres de chez lui.

— Fais-moi un peu confiance, Liam, reprit Bull, comme s'il devinait ses doutes.

S'il faisait confiance à quelqu'un dans ce monde, à part son frère jumeau, c'était bien à son oncle, Bull Swenson.

Mais certainement pas à Tansy Wellington, et à ses beaux yeux indigo.

Tansy s'installa sur son canapé, son ordinateur portable sur les genoux. Il y avait un bureau dans la pièce, mais c'était ici qu'elle était le mieux pour travailler, enfoncée sur le canapé, les pieds sur la table basse.

Elle avait mis un gilet sur son T-shirt — le temps s'était rafraîchi — et n'allait pas tarder à allumer un feu dans la cheminée. Elle adorait l'odeur du bois qui brûle et le crépitement des bûches.

En attendant, elle avait laissé la porte du bungalow ouverte pour profiter de la vue, fermant simplement la moustiquaire pour empêcher les insectes d'entrer.

Bon. Plus le choix, il était maintenant grand temps de se mettre au travail.

Elle commença à taper sur le clavier puis, au bout de cinq minutes, capitula. Elle n'y arrivait pas. Ce n'était plus Bradley qui envahissait son esprit, désormais, mais Bradley et Liam. En fait, Liam était même en train de prendre plus de place dans son cerveau que son ex.

Frustrée, elle repoussa son ordinateur puis sortit et alla s'installer sur les marches de la terrasse, déterminée à savourer le doux soleil du mois de septembre.

Devant elle, les montagnes se reflétaient sur la surface argentée du lac. Elles semblaient si proches qu'elle était tentée de tendre le bras pour les toucher.

Cet endroit était tranquille, paisible, reposant. Et elle n'avait pas envie que cet homme s'installe dans le bungalow voisin.

Liam lui semblait trop mystérieux, trop dangereux… Et pourtant, sans qu'elle comprenne pourquoi, il l'attirait. Il lui avait suffi de sentir ses mains fermes sur ses bras pour en vouloir plus, beaucoup plus.

Mais il l'avait relâchée.

Sur le moment, elle avait été soulagée, mais aussi un peu déçue parce que… Elle sortit brusquement de sa réflexion en entendant le ronronnement d'une moto.

Liam ? Peut-être était-ce lui… C'était tout à fait possible, elle n'avait aucun mal à l'imaginer conduire une grosse moto.

Elle eut envie de se lever pour rentrer, mais se força à rester. Pas question de fuir comme une petite souris.

Quelques instants plus tard, elle aperçut la moto entre les arbres et l'observa approcher, sans se cacher. Elle n'allait pas lui faire croire qu'elle ne l'avait pas vu ou entendu, ce serait idiot.

Liam passa devant son bungalow, puis se gara et descendit de sa machine.

Elle le détailla du regard. Il était grand, musclé et portait un jean serré qui moulait ses fesses à la perfection. Il était sexy, aucun doute là-dessus.

Il retira son casque et, d'un pas décidé, s'approcha d'elle.

Fallait-il qu'elle se lève ou qu'elle reste assise ? Elle voulait garder l'air naturel, mais ne savait pas vraiment quelle attitude adopter.

Après réflexion, elle finit par se lever — il valait mieux éviter d'avoir le regard juste au niveau de son sexe…

Quelque peu intimidée par son allure, dans son blouson de cuir noir, elle eut l'instinct de croiser les bras devant sa poitrine, mais parvint à se retenir.

En fait, c'était moins le blouson que l'attitude de l'homme, qui lui semblait hostile. Mais elle refusait de se laisser impressionner.

— Je suis venu à Good Riddance pour être seul, lui lança-t-il tout de go.

Et alors ? Non mais, où voulait-il en venir, au juste ?

— Cela tombe bien, répliqua-t-elle sans se laisser démonter, je suis moi aussi venue ici pour être tranquille.

— Je n'ai pas envie d'avoir une voisine.

Il n'avait *pas envie* ? Elle demeura bouche bée pendant quelques instants, sous le choc. Quelle arrogance…

— Je vais vous dire quelque chose, capitaine…, se reprit-elle, en colère tout à coup.

— Sergent.

Capitaine, sergent, peu importe.

— Moi non plus, je n'ai pas envie d'un voisin. Et si je devais m'en choisir un, vous seriez loin d'être mon premier choix. Mais, comme je ne suis pas grossière, je tolère la situation.

— Vraiment ? rétorqua-t-il en croisant les bras devant sa poitrine.

Il ne semblait pas impressionné par le regard noir qu'elle lui lançait. Au contraire. Il avait même l'air amusé.

— Si vous voulez être tranquille, pourquoi n'allez-vous pas plutôt vous installer chez votre sœur ?

— Et puis quoi encore ? Si quelqu'un doit trouver un autre logement, c'est vous. Je suis arrivée ici la première. Vous pouvez donc repartir chez votre oncle, je ne vous retiens pas.

— Hors de question. Je vous ai dit que j'avais besoin d'intimité.

— En quoi est-ce que je trouble votre intimité ? J'étais tranquillement installée sur la terrasse de ma maison. C'est vous qui êtes venu ici me déranger.

— Je voulais que ma position soit claire.

— Je vous rassure, elle est on ne peut plus claire. J'espère que la mienne l'est tout autant.

— Je refuse toute compagnie, toute conversation. Et, par pitié, épargnez-moi les politesses de voisinage. Pas de lait, pas de cookies… Rien de tout cela.

— Aucun risque, je ne cuisine pas. Et pour ce qui est de rechercher votre compagnie, ne vous en faites surtout pas : je ne suis même pas tentée.

— Tant mieux, car moi non plus.

Mon Dieu, elle avait envie de hurler. Non, de lui lancer quelque chose en pleine figure. De faire exploser toute cette colère qui la tenaillait, la rongeait.

— Bien, fit-elle, pressée de clore la conversation.

— Formidable, répondit-il.

— Je crois que l'on n'a plus rien à se dire, ajouta-t-elle.

Elle ne voulait plus parler à cet énergumène.

— Je vous préviens, reprit-il, je n'ai aucune intention de changer ma manière de vivre parce que vous êtes ici.

Alors, comme cela, Liam était un « gentil garçon ». Merilee avait perdu la tête… Il n'était qu'un abruti ! Un abruti de plus !

— Je ne me souviens pas vous avoir imposé quoi que ce soit. D'ailleurs, à quoi dois-je m'attendre ? Avez-vous l'habitude de hurler à la mort les soirs de pleine lune ?

— Rarement. Par contre, je nage tous les jours. Complètement nu.

Il nageait nu ?

Son regard était si insolent qu'elle ne savait dire s'il était sérieux, ou s'il cherchait uniquement à la provoquer. En tout cas, si c'était de la provocation, il s'y prenait plutôt bien — elle sentait le rouge lui monter aux joues.

— Pour votre gouverne, sergent, contre-attaqua-t-elle avant de vérifier que personne d'autre ne pouvait les entendre, ce ne sera pas la première fois que je verrai un homme nu. Alors je crois que j'arriverai à me contrôler.

— Je refuse qu'une féministe frustrée déverse sur moi sa rage contre les hommes.

Avait-elle bien entendu ce qu'il venait de dire ? Elle ? Une *féministe frustrée* ? Mais pour qui se prenait-il ? Il méritait les pires insultes, mais elle était tellement abasourdie que les mots lui manquaient. Il fallait qu'elle se maîtrise, qu'elle reste calme… Sinon elle risquait de devenir grossière.

— Vous êtes si galant, si charmant, que je suis étonnée que vous ne soyez pas marié. En tout cas, rassurez-vous. La tentation risque d'être insoutenable, mais je parviendrai à ne pas me jeter sur vous lorsque vous nagerez dans le plus simple appareil.

— Parfait. Je vois que nous sommes sur la même longueur d'onde, répondit-il, le visage toujours impassible.

Puis il se retourna et commença à s'éloigner.

— Une dernière chose, sergent, l'arrêta-t-elle.

— Oui ?

— J'ignore quel est votre problème, et pour être tout à fait honnête avec vous je m'en moque. Mais gardez vos distances avec moi, s'il vous plaît, c'est tout ce que je vous demande.

*
* *

Bon sang, quel idiot ! Sa tactique avait complètement échoué. Il avait cru qu'en informant Tansy de ses intentions, il parviendrait à la faire fuir. Il était certain qu'elle allait s'empresser de faire ses valises pour se carapater. Mais non. Elle avait tenu bon.

Sur le terrain, lorsqu'il se retrouvait en difficulté, la solution pour lui était d'attaquer. Le risque de mourir sous les balles ennemies était réel, mais il existait toujours une chance pour que l'ennemi batte en retraite, imaginant que du renfort allait arriver.

Tansy n'ayant pas fait un pas en arrière, à lui maintenant de passer à l'attaque, de jouer les salauds.

A l'évidence, il avait sous-estimé son adversaire. Tansy s'était avérée bien plus coriace qu'il ne l'avait imaginé. Elle n'avait pas bougé. Elle ne s'était pas laissé faire et avait répliqué à chacune de ses attaques.

Avant de mettre en œuvre sa nouvelle stratégie, il devait commencer par s'installer. Tout en sifflotant, il se mit à vider son sac.

Le bungalow était cosy, mais sans excès. Parfait, il préférait la sobriété aux fioritures inutiles.

La pièce principale comprenait une cuisine ouverte, un canapé, un petit bureau et une télévision. Derrière, se trouvaient une salle de bains et une chambre, meublée avec un grand lit, une armoire, une commode, deux chevets ainsi qu'un épais tapis.

Au mur, étaient accrochées des photos de nature auxquelles il jeta un coup d'œil. Un aigle, un lac, des fleurs… Des images simples et apaisantes.

Bull avait contacté Sven Sorenson qui s'était arrêté pour faire sa connaissance, quelques minutes plus tôt. Il commencerait à travailler pour lui dès le lendemain. Il était tellement pressé de se mettre au travail qu'il avait demandé à son patron les tâches les plus rudes. Il avait à tout prix besoin de se défouler.

En attendant, peut-être pourrait-il aller nager. La température était fraîche, mais il avait l'habitude de nager dans des eaux froides. Enfant, dans le Wisconsin, il adorait plonger dans la rivière avec son frère.

Tranquillement, il prit alors la direction du lac, pieds nus dans l'herbe. Mais, soudain, il sentit la chair de poule le gagner.

Elle était là. Elle était en train de le regarder, il le sentait. Il en avait la certitude.

Pourquoi diable Tansy ne pouvait-elle pas quitter Shadow Lake ?

Tentant de l'ignorer, il se déshabilla avec lenteur et méthode. Puis il plongea dans l'eau et commença à nager, se concentrant sur ses mouvements pour faire le vide dans son esprit.

Incapable de faire un geste, comme clouée sur place, Tansy demeura immobile, interdite, envoûtée par le spectacle de l'homme en train de nager au loin.

Même à distance, elle pouvait apercevoir ses muscles parfaitement ciselés, ses épaules puissantes effleurer la surface de l'eau.

Cet homme la perturbait.

Depuis son arrivée, elle avait perdu son calme, sa raison. Ou du moins le peu de raison qu'elle possédait.

Le voir se déshabiller sous ses yeux… Evidemment qu'elle avait regardé. Elle avait déjà vu un homme nu, mais Bradley ne ressemblait en rien à cet homme. Sa musculature était la preuve d'un entraînement, d'une rigueur et d'une discipline irréprochables. Il ne possédait pas le moindre gramme de gras.

Elle ouvrit la moustiquaire et sortit sur la terrasse. Puis, sans se cacher, elle continua à l'observer. Si un homme, beau et séduisant, choisissait de se déshabiller devant elle, pourquoi ne pas en profiter et se rincer l'œil ? D'autant que le spectacle était époustouflant. Ses mouvements étaient si fluides, si puissants, si réguliers, qu'il semblait faire corps avec le lac.

Le problème était que maintenant qu'elle l'avait vu de dos, nu, elle rêvait de découvrir l'autre côté.

La dispute qu'ils avaient eue, un peu plus tôt, n'avait fait qu'accroître son attirance, son désir. Et, étonnamment, cet échange lui avait fait du bien. Cela lui avait permis de transférer la colère qu'elle éprouvait vis-à-vis de Bradley sur quelqu'un d'autre, de l'exprimer, et d'oublier son ex pendant un moment.

Perdue dans ses pensées, elle n'avait pas remarqué qu'il avait ralenti son allure. Mais, tout à coup, elle le vit s'arrêter de nager et elle retint son souffle.

Son cœur se mit à battre plus fort dans sa poitrine à mesure qu'il marchait vers la rive. Elle fixa la toison de son torse, et puis… Mon Dieu. Elle déglutit avec peine, sous le choc, et sentit son sang s'enflammer dans ses veines.

L'eau était glacée et pourtant… Quelle puissance !

Il était peut-être un abruti, mais un abruti très… masculin.

Qui sait, peut-être était-il odieux pour des raisons hormonales, parce qu'il possédait trop de testostérone. Jusqu'à présent, elle avait toujours préféré les hommes plus doux, plus courtois. L'homme qui s'était déshabillé sous ses yeux n'avait rien de doux, et pourtant…

Il se redressa.

Il ne cherchait pas à masquer sa nudité. Pas étonnant, vu son arrogance… Il n'y avait donc aucune raison pour qu'elle détourne le regard.

Il avança, d'un pas sûr et viril vers son bungalow, la laissant savourer le spectacle : ses cuisses musclées, son sexe balançant entre ses jambes, les gouttes d'eau brillant sur sa peau dorée… Ni l'un ni l'autre ne prononça le moindre mot. Il marcha le regard droit devant lui et elle le fixa en silence, attendant qu'il parle en premier.

Mais il n'en fit rien.

Malgré tout, elle sentit ses sens se mettre à pétiller en elle. Son désir venait de s'éveiller.

Si jamais il s'approchait d'elle, elle ne fuirait pas. Sa décision était prise.

Mais il ne vint pas dans sa direction. Il se dirigea sans détour vers son bungalow, entra et ferma la porte derrière lui.

C'est seulement à cet instant qu'elle baissa les yeux. Désormais, elle se sentait vivante, vibrante, excitée, et elle avait besoin de se défouler.

Il voulait la guerre ? Eh bien, il allait l'avoir.

D'ailleurs, elle avait déjà une idée, songea-t-elle en sortant son téléphone de sa poche.

Son prochain mouvement risquait de faire son petit effet.

- 4 -

Liam éteignit la lumière et s'allongea sur son lit, les bras croisés derrière la tête.

Pourquoi sa vie lui paraissait-elle soudain aussi compliquée ?

Il croyait avoir tout obtenu et puis… Et puis, sa carrière dans l'armée s'était brutalement interrompue et son rêve était devenu un cauchemar.

Avant, tant qu'il travaillait encore, il n'avait pas eu trop de mal à ne pas penser à Natalie et à l'échec de leur mariage. Son travail était toujours passé en premier. Mais maintenant que ce qui avait toujours été sa priorité était détruit, l'échec de son mariage le hantait.

Et puis, il y avait cette femme… Sa voisine…, songea-t-il en se levant pour s'approcher de la fenêtre.

La température était plutôt douce ce soir, mais il avait passé tant de nuits dehors, lors de ses missions, qu'il dormait toujours mieux avec de l'air frais. Il entrouvrit donc la fenêtre de quelques centimètres.

Réinstallé sur son lit, il garda le regard fixé vers le bungalow de sa voisine. Elle venait d'éteindre la lumière du salon. Quelques secondes plus tard, les lampes de chevet de sa chambre s'allumèrent. Avec les stores descendus et la lumière tamisée, il avait l'impression d'assister à un spectacle d'ombres chinoises, de marionnettes.

Une marionnette qui était d'ailleurs en train de retirer son T-shirt, remarqua-t-il soudain, en retenant son souffle.

Tansy était une femme sensuelle à souhait. Elle possédait des formes parfaites, bien proportionnées, des formes appétissantes qu'il trouvait attirantes et séduisantes à souhait.

Des formes qu'il avait remarquées au premier regard.

Comme envoûté par ce spectacle, il s'adossa contre la tête de lit et la regarda faire glisser son jean le long de ses jambes galbées. Quand elle se tourna, il la vit dégrafer son soutien-gorge d'un geste sensuel et demeurer ensuite immobile quelques instants, dévoilant les courbes affolantes de ses seins.

Sous le choc, sous le charme, il déglutit péniblement, sans cesser de la dévorer du regard.

Quelques secondes plus tard, elle retira sa culotte, et l'air lui manqua. Ces fesses rondes, cette délicate toison brune… Elle était magnifique, à couper le souffle. La gorge sèche, il avait d'ailleurs du mal à respirer, et avait très chaud tout à coup.

Ce spectacle était d'un tel érotisme qu'il sentit peu à peu son sexe revenir à la vie et se tendre dans son pantalon. Et ce n'était pas fini… Il la vit se caresser les seins, et en pincer les pointes roses, la gorge déployée et offerte.

Elle se mit à glisser lentement une main entre ses cuisses. Mon Dieu… Il se sentait comme ensorcelé. La moiteur de son sexe féminin arrivait presque jusqu'à lui, tellement elle l'avait envoûté.

Hélas, au moment où il se sentait prêt à exploser, elle éteignit la lumière, baissant le rideau sur ce spectacle fascinant. Maintenant qu'il l'avait vue à l'œuvre, il avait une certitude : le désir qu'il avait pour elle était réciproque. Car ce n'était pas à son ex-fiancé qu'elle rêvait en se caressant, c'était à lui, Liam.

Cette certitude était plutôt plaisante, excitante même.

Cela faisait un moment qu'il n'avait pas eu d'aventure et il ne pouvait nier l'attirance qu'il avait pour Tansy.

Les yeux mi-clos, il referma la main autour de son sexe tendu pour laisser son imagination prendre le pouvoir.

Le regard aussi brillant que mille étoiles, elle baissa les yeux vers son sexe impatient. D'un geste qui électrisa tous ses sens, elle passa une langue tentatrice sur ses lèvres sensuelles, avant de le prendre entièrement dans sa bouche. Que c'était bon d'être en elle… il sentait déjà les prémices de l'orgasme l'envahir. Il la força alors à se redresser puis l'allongea sur le dos et referma la bouche sur les pointes offertes et roses de ses seins ronds. Il ne pouvait plus attendre. Il ne pouvait plus se retenir, elle était en train de lui faire perdre la tête.

D'un geste sûr, précis et viril, il pénétra alors son sexe brûlant et se mit à aller et venir en elle, d'abord lentement, puis de plus en plus vite, jusqu'à exploser, en proie à un orgasme fulgurant.

Epuisé, pantelant, Liam demeura immobile, tandis que sa respiration reprenait peu à peu un rythme normal.

Il devait avoir perdu la tête car, dans la nuit sombre et silencieuse, il était persuadé d'avoir entendu l'écho du cri de Tansy tandis qu'elle jouissait.

Le lendemain matin, vêtue d'une simple culotte et d'un T-shirt, Tansy esquissa un sourire tout en préparant ses œufs pour le petit déjeuner. Elle venait de passer sa meilleure nuit depuis des mois. La masturbation ne remplaçait pas les caresses d'un homme, ni la puissance d'un sexe ou la chaleur d'un véritable corps-à-corps, mais elle l'avait néanmoins bien détendue. Elle avait même joui en s'imaginant entre les mains de son odieux voisin. Ensuite, elle avait dormi comme un bébé et s'était réveillée de charmante humeur.

Elle sursauta au bruit d'une porte claquée et jeta un coup d'œil par la fenêtre.

Liam venait de sortir de son bungalow, vêtu d'un short, d'un sweat-shirt et de chaussures de sport.

Il possédait une sacrée paire de jambes, elle ne pouvait le nier. Elle n'y avait pas vraiment fait attention la veille, trop occupée qu'elle était à admirer d'autres parties de son anatomie.

Elle le vit s'engager sur le sentier au bord du lac et se mettre à courir. Voilà donc d'où venait son impressionnante musculature…

Elle était en train de rêver à ses muscles, chauds et bandés, lorsqu'elle sentit une odeur de brûlé. Zut ! Ses œufs…

Décidément, cet homme lui faisait perdre la tête. Elle venait de rater son déjeuner à cause de lui.

Elle mangea néanmoins ses œufs, ou ce qu'il en restait, puis retourna dans sa chambre pour s'habiller.

Pour la première fois depuis son arrivée à Good Riddance, elle hésita devant son armoire, pourtant peu remplie.

Comme par défi, elle opta finalement pour le T-shirt qu'elle aimait le moins et un jean usé. D'accord, le sex-appeal de son voisin la mettait dans tous ses états, mais ce n'était pas une raison pour qu'elle change ses habitudes !

Dix minutes plus tard, le visage nettoyé, les dents et les cheveux brossés, elle s'installa sur son canapé avec son ordinateur, et se mit au travail.

Au bout d'un moment, elle entendit le moteur de la moto de Liam rugir et elle releva la tête pour jeter un coup d'œil à la pendule. Déjà une heure trente qu'elle travaillait ? Eh bien, elle n'avait pas perdu sa matinée. Elle avait plus accompli ce matin que depuis qu'elle était arrivée, la semaine dernière.

Après réflexion, peut-être devrait-elle se disputer plus souvent avec son voisin… Et ne pas hésiter à se caresser en pensant à lui.

Amusée par cette idée, elle se remit au travail, un sourire aux lèvres et plus motivée que jamais.

Deux heures plus tard, elle venait de se lever pour s'étirer et faire une petite pause lorsqu'elle entendit une camionnette se garer devant le bungalow.

Elle sortit sous la terrasse et regarda le conducteur ouvrir sa portière.

— Je suis Clyde ! lui cria-t-il. C'est Bull qui m'envoie.

— Enchantée. Pouvez-vous déposer le sable ici, entre les deux bungalows ?

Clyde s'exécuta et descendit du camion pour en sortir un premier sac de sable.

— Voulez-vous que je l'étale quelque part, mademoiselle ?

— Ça ira, vous n'avez qu'à poser les sacs ici, merci.

La veille au soir, elle avait passé un coup de fil à Bull pour lui demander s'il ne vendait pas du sable et des cordes, à la quincaillerie. Par chance, il disposait des deux en stock. Elle avait prévu d'y faire un saut, mais Bull avait insisté pour qu'elle ne bouge pas. Clyde les déposerait chez elle, il devait de toute façon rejoindre le chantier de Sven. Cela tombait parfaitement.

— Comme vous voulez, répondit l'homme en posant les sacs à l'endroit qu'elle lui avait indiqué. Vous comptez vous aménager une petite plage ?

Il semblait avoir des doutes sur sa santé mentale, et elle ne pouvait pas lui en vouloir. D'ailleurs, peut-être avait-elle bel et bien perdu la tête. Entre la trahison de Bradley, son voyage en Alaska et l'arrivée de Liam, il y avait de quoi être un peu perdue.

Malgré tout, son projet n'avait rien d'extravagant. Elle avait simplement eu une idée et ne l'avait pas refoulée comme elle l'aurait fait quelques semaines plus tôt. Aujourd'hui, elle avait décidé d'oser.

— Une plage ? Non, pas exactement, se contenta-t-elle de répondre.

— En tout cas, je vous laisse la pelle. Bull m'a dit que vous en auriez sans doute besoin.

— Merci beaucoup, fit-elle en tendant à l'homme un billet de cinq dollars.

— Désolé, mais je ne peux pas l'accepter. Bull ne serait pas d'accord.

— Prenez-les, ce sera notre petit secret.

C'était la moindre des choses. Clyde avait eu la gentillesse de faire un détour avant de rejoindre le chantier sur lequel travaillait également Liam.

— Et si cela ne vous dérange pas, je préférerais que votre visite reste entre nous. Je prépare une surprise pour le sergent Reinhardt et…

Clyde lui sourit, visiblement heureux d'être dans la confidence.

— Faites-moi confiance, Tansy. Je serai muet comme une tombe.

Une heure plus tard, Tansy reposa la pelle et essuya les

gouttes de sueur qui perlaient sur son front. Elle était fatiguée, avait les épaules courbaturées, mais était satisfaite du résultat.

Très satisfaite même.

— Tu as fait du bon boulot, lui lança Sven Sorenson.

Liam avait passé la journée à porter des sacs de matériaux sur le chantier d'un nouveau bed and breakfast, à l'extérieur de la ville, ne s'interrompant que pour rejoindre l'auberge de Gus, à la pause déjeuner.

— Merci, répondit Liam. Tu n'as pas chômé non plus.

C'était Sven qui avait rénové les bungalows de Shadow Lake. Il faut dire qu'il avait le physique de l'emploi : avec ses longs cheveux blonds et son impressionnante moustache, on aurait dit un Viking.

— Je fais de mon mieux. Alors, prêt à remettre cela demain ?

— Compte sur moi. Je serai là, répondit-il avant de se diriger vers sa moto.

Quelques minutes plus tard, il démarra et ouvrit la visière de son casque pour savourer le vent frais contre son visage.

Il avait travaillé dur, mais n'avait pas encore atteint ses limites, même avec sa course de ce matin. Il n'avait pas encore évacué son trop-plein d'énergie.

Malgré tout, cette journée avait été une des meilleures pour lui, une des plus positives depuis qu'il avait renoncé à sa carrière dans l'armée. En passant des heures avec tous ces hommes, il avait retrouvé cet esprit militaire qui lui plaisait tant : celui d'un groupe animé par un même but. Sur le chantier, il ne s'agissait pas de vaincre un ennemi, bien sûr, mais il y avait tout de même cet esprit de groupe, ce goût partagé pour l'effort.

Toute la journée, il s'était concentré sur le travail, reléguant l'armée dans un coin de sa tête. Mais, toute la journée, une autre image avait hanté ses pensées : celle de Tansy.

La porte du bungalow de la jeune femme était encore fermée, ce matin, lorsqu'il était sorti courir. Et elle l'était toujours, lorsqu'il était parti travailler. Mais elle était là, et elle était réveillée, il l'avait senti. Il avait même senti son regard sur lui, lorsqu'il était parti courir.

Il tourna dans l'allée menant à Shadow Lake. Elle était là, assise sur les marches de la terrasse, dans la même position que la veille, lorsqu'il était arrivé.

Il n'était pas surpris. Il savait qu'il la trouverait ici.

Curieux, il la dévisagea néanmoins.

Elle portait un jean et un vieux T-shirt, mais comment s'attarder sur ses vêtements quand il savait les merveilles qu'ils cachaient ? Des courbes si envoûtantes, une peau si laiteuse…

Son désir avait été tel, la veille et la nuit dernière, qu'il avait eu l'impression pendant toute la journée que de l'essence coulait dans ses veines et qu'il n'en faudrait pas beaucoup pour qu'il explose.

Perdu dans ses pensées, il ne remarqua rien avant de faire quelques pas.

Qu'est-ce que… Il baissa les yeux et se retint d'éclater de rire. Tansy était folle ! Et quel caractère…

Il retira son casque et examina le sable, étalé entre les deux bungalows.

Tansy, alias le général Wellington, avait tracé une frontière, à l'aide d'une corde, entre leurs deux bungalows.

Sans un mot, elle approcha, jusqu'à ce que seuls quelques centimètres les séparent. Elle semblait très fière de son coup.

— J'imagine que je n'ai pas besoin de t'expliquer de quoi il s'agit, Liam, lui lança-t-elle sur le ton du défi. Tu es suffisamment intelligent.

Dieu, qu'elle sentait bon…

Elle sentait la féminité, le soleil, les fruits et… Et ses lèvres étaient si sensuelles et appétissantes qu'il rêvait d'y goûter. Il mourait d'envie de l'embrasser pour l'empêcher de sourire ainsi et de lui faire perdre la tête.

Mais ce n'était pas la bonne tactique, il devait écouter sa raison. Et revenir à la réalité, même si cela lui demandait tous les efforts du monde.

— Et si l'un de nous viole la frontière ? demanda-t-il avec insolence.

Dans un coup de vent, une mèche de cheveux vint masquer son regard. L'atmosphère entre eux fut alors comme chargée en électricité. Tous ses sens en éveil, il avait l'impression qu'une allumette jetée à ses pieds suffirait à l'enflammer.

Elle se mordit la lèvre, et les souvenirs de la nuit dernière revinrent à sa mémoire. Instantanément, il sentit son sexe se réveiller.

— Je vous déconseille fortement de violer cette frontière, sergent, répondit-elle avec autorité. Les conséquences pourraient être désastreuses.

Il sourit — une tactique classique pour tenter de déstabiliser l'ennemi.

— Vraiment ? J'ai déjà traversé des frontières sans le moindre souci.

— Eh bien, toutes mes félicitations. Faut-il toujours que tu te vantes comme cela ?

— Seulement pour rétablir la vérité, rétorqua-t-il en posant un pied sur la corde. Bon. Réponds à ma question, Wellington. Ou devrais-je t'appeler général Wellington ?

— Bienvenue à Waterloo. Si je suis le général Wellington, j'en conclus que tu fais partie du camp des perdants. Je me trompe ?

Bien vu. Elle avait manifestement des restes de cours d'histoire. Intéressant.

— Tu ne m'as toujours pas dit ce que tu feras si j'envahis ton territoire.

— Tu es celui qui a insisté sur l'importance de ton intimité, alors réponds-moi. Que fais-tu encore là ? Je croyais que nous nous étions mis d'accord sur le fait que nous allions garder nos distances…

En l'écoutant, il la dévora du regard. Elle était si belle qu'il était presque incapable de réfléchir.

— Tu ne réponds pas à la question, Tansy. C'est toi qui

as tracé cette frontière. C'est bien beau d'en établir une, mais encore faut-il être prêt à la défendre par des actions concrètes.

— Ne me provoque pas, Reinhardt.

— De quoi as-tu peur ?

— Je n'ai pas peur.

— Tu ne peux pas me battre.

— Cela reste à prouver. Mais une chose est sûre : je ne me laisserai pas faire sans lutter, Liam. Regarde-moi !

— Avec plaisir. D'ailleurs, j'ai adoré te regarder hier soir.

A ces mots, il la vit se raidir.

— Tu… Quand…, marmonna-t-elle, les joues roses et les yeux brillants.

Il se pencha jusqu'à approcher la bouche de son oreille.

— La nuit dernière, je t'ai vue à travers les stores, susurra-t-il. C'était bon ?

— Mon Dieu !

— A qui pensais-tu ? A moi ?

Il s'interrompit pour voir l'effet qu'il lui faisait et, il fallait bien l'avouer, pour reprendre ses esprits. Le seul souvenir de cette soirée suffisait à le troubler.

— Oui, à toi, finit-elle par répondre, comme si de rien n'était, après s'être redressée et recoiffée.

— Evidemment.

— Comment ça, « évidemment » ? Tu es… Tu es un être méprisable.

Elle avait prononcé ces mots sans haine, comme une simple constatation.

— Méprisable ou pas, il n'empêche que je t'excite. Et que c'est réciproque, Tansy.

— Tu ne…, commença-t-elle avant de s'interrompre. Je ne t'aime pas.

Peut-être, mais elle avait du désir pour lui, et elle ne cherchait pas à le nier. Ce qui n'était pas pour lui déplaire. Elle possédait un courage certain, il devait le reconnaître. Le général Wellington avait donc du courage.

— Je sais, Tansy. Et d'ailleurs, je n'ai pas envie que tu m'apprécies.

— Pourquoi ? De quoi as-tu peur ? D'où te vient toute cette colère ?

— Ma vie ne te regarde pas.

— Très bien, rétorqua-t-elle. Dans ce cas, garde tes distances et recule.

Amusé, il éclata de rire.

— Tu n'as aucune chance, Wellington.

— C'est ce qu'on verra, Reinhardt. N'oublie pas que je suis ton supérieur. Tu n'es qu'un sergent et je suis général.

Sur ces derniers mots, elle fit demi-tour et rentra dans son bungalow.

Ce départ n'était pas une fuite. Non, elle semblait plutôt fière d'elle et il ne bougea pas. Il se contenta de la fixer, jusqu'à ce qu'elle claque la porte derrière elle.

Elle, son supérieur ? Jamais de la vie.

Le général Wellington ne devait pas prendre ses désirs pour des réalités.

Mallory posa son sac de voyage au pied du lit, dans sa chambre du bed and breakfast de Good Riddance.

— Si vous avez besoin de quoi que ce soit, n'hésitez pas, lui lança Merilee Swenson.

— Merci. Je vais simplement me rafraîchir. La journée a été longue.

— Cela ne m'étonne pas. Venir jusqu'ici depuis la Louisiane… Vous avez eu de la chance qu'une réservation ait été annulée à la dernière minute. Nous étions complets.

Quand la patronne eut refermé la porte derrière elle, Mallory s'assit sur le lit.

Sa journée avait été épuisante, mais pas désagréable, au contraire. C'était la première fois qu'elle venait en Alaska et elle était déjà tombée sous le charme des immensités sauvages.

Sans compter l'excitation qui ne la quittait plus. Enfin, elle allait pouvoir rencontrer Liam Reinhardt ! Son héros.

Le militaire se trouvait toujours à Good Riddance. La ville étant toute petite, elle ne tarderait sans doute pas à faire sa connaissance.

Avec un peu de chance, peut-être logeait-il d'ailleurs dans la chambre voisine.

Une chambre s'était libérée juste pour elle : c'était un signe du destin. Aucun doute, Liam était l'homme de sa vie. Autre signe du destin, sa capacité à accéder aussi facilement à tous ses dossiers personnels.

Grâce à ses recherches, elle savait qu'il était divorcé, elle savait combien il gagnait et possédait même son numéro de sécurité sociale. Mais ces éléments n'étaient pas les plus importants. Le plus important était qu'avec sa date de naissance, elle avait pu découvrir son signe astral et arriver à une conclusion : ils étaient parfaitement compatibles en tant que couple.

Il ne lui en avait pas fallu plus pour succomber.

Elle était peut-être une historienne de l'armée et connaissait deux trois choses des techniques de combat, mais elle était d'abord une femme, une femme romantique, une femme qui croyait à l'amour, au coup de foudre et au destin.

Rêveuse, elle caressa le dessus-de-lit en crochet. Cette chambre respirait la sérénité, le calme. Par la fenêtre, elle apercevait au loin les sommets surmontés de neige et entendait des rires d'enfants et des chants d'oiseaux.

Elle se dirigea vers la salle de bains commune que Merilee lui avait indiquée et, dix minutes plus tard, descendit à la réception avant de se diriger vers le restaurant.

— Je crois que je ne serais pas contre un petit massage, annonça-t-elle à la gérante, déterminée à profiter de son séjour ici.

— Vous pouvez passer directement dans le salon de massage ou, sinon, je peux appeler et prendre rendez-vous pour vous, lui proposa Merilee.

Elle hésita quelques instants.

— Je passerai, c'est sans doute mieux.

— Pas de problème. Le salon est facile à trouver. Comme tout ici d'ailleurs.

En effet. Elle n'avait eu aucun mal à trouver Liam Reinhardt. Maintenant, il ne lui restait plus qu'à le rencontrer et à le convaincre qu'ils étaient faits l'un pour l'autre.

- 5 -

Tansy appliqua une deuxième couche de mascara sur ses cils puis jeta un coup d'œil dans le miroir. Parfait.

Au même instant, elle entendit la porte moustiquaire claquer chez son voisin.

Sans attendre, elle sortit de la salle de bains et alla regarder par la fenêtre de la cuisine. Pieds nus, Liam était en route vers le lac.

Il était la même heure qu'hier. Il devait donc aller nager.

Curieuse, elle demeura immobile devant la fenêtre. Décidément, elle avait changé depuis son arrivée en Alaska. Peut-être était-ce à cause de la nature sauvage ou de l'authenticité des lieux. En tout cas, elle avait l'impression de pouvoir suivre son cœur plus facilement, sans être obligée de jouer.

Bon, elle n'allait pas se mentir. Si elle restait devant cette fenêtre, ce n'était pas pour contempler ce paysage à couper le souffle. Elle voulait simplement apercevoir Liam nu.

Plus que cela, même. Elle mourait d'envie de le sentir nu contre elle, en elle. Le pire, dans cette situation, c'était que Liam en avait parfaitement conscience. Il savait le désir qu'elle avait pour lui, et il en jouait avec une délectation manifeste.

Il l'avait espionnée la nuit dernière. Il l'avait vue se caresser dans la nuit. Avait compris qu'elle pensait à lui à cet instant. Deviné qu'elle rêvait que c'étaient ses doigts à lui, qu'elle sentait se glisser entre ses cuisses pour s'insérer délicatement en elle.

D'accord, il savait tout cela, et alors ? Ce n'était pas comme si elle était la seule à éprouver du désir dans cette histoire. Lui aussi avait envie d'elle, il ne s'en était pas caché.

Mais pourquoi était-elle aussi confuse ? A vrai dire, elle était un peu perdue quant à cette révélation. Elle ne savait pas si elle devait s'en réjouir, ou au contraire en être mortifiée…

Tout à l'heure, en plongeant les yeux dans son regard gris, elle avait été surprise par la puissance du désir qu'elle y avait lu. Jamais Bradley ne l'avait regardée de cette façon, avec autant d'intensité. Mon Dieu, en y pensant, aucun autre homme ne l'avait jamais dévorée ainsi du regard… C'était la première fois. Cette découverte avait quelque chose de troublant, d'angoissant même.

Il fallait qu'elle se reprenne, qu'elle revienne à la raison. Et, pour commencer, qu'elle abandonne son poste d'observation pour retourner travailler. Mais impossible de bouger. Impossible de quitter ce spectacle du regard.

Immobile, comme hypnotisée, elle l'observa se déshabiller méthodiquement, lui dévoiler ses épaules puissantes, ses jambes fuselées.

Elle était tiraillée entre sa raison et son désir, en total désaccord. L'une lui disait de bouger, de s'éloigner de la fenêtre pour se remettre au travail. Mais l'autre prenait le dessus. Elle était brûlante de désir. Ce n'était plus du sang mais de la lave en fusion qui coulait dangereusement dans ses veines.

La frontière de corde qu'elle avait établie entre leurs deux bungalows était censée instaurer une distance entre eux. Mais c'était l'inverse qui s'était produit. Le désir avait pris possession de son corps dès l'instant où ils s'étaient fait face de part et d'autre de cette ligne interdite. Il avait suffi qu'elle sente son souffle chaud près de son oreille pour perdre la tête, pour qu'elle s'enflamme et que sa raison l'abandonne.

Désormais, elle n'avait plus qu'une envie, le goûter, le caresser, l'embrasser, sentir sa bouche gourmande sur ses seins, sa virilité puissante en elle.

En le voyant s'approcher encore de l'eau, elle eut un mouvement de recul, comme un instinct de survie — elle était sur le point de défaillir.

Mon Dieu, mais que lui arrivait-il ? Elle ne se reconnaissait pas. Voilà qu'elle se mettait à désirer un homme qu'elle n'appréciait même pas. C'était bien la première fois qu'elle éprouvait un tel sentiment.

Liam était sexy, d'accord, mais il était surtout odieux et la dernière chose dont elle avait besoin en ce moment, c'était d'un homme aigri dans sa vie. Elle devait bien garder cela à l'esprit, pour éviter de faire une bêtise.

Une bêtise dont elle ne serait pas réellement responsable d'ailleurs. Le vrai coupable, dans cette histoire, c'était Bradley. C'était à cause de lui et de sa trahison qu'elle ne parvenait plus à faire la distinction entre le bien et le mal. D'où son attirance pour l'odieux sergent Reinhardt.

Pour tourner la page, elle avait besoin d'un homme, d'un substitut, et son désir s'était simplement porté sur le premier venu.

Mais, heureusement, elle en avait pris conscience à temps. A elle maintenant de se contrôler pour ne pas tomber dans le piège. A elle d'oublier Bradley et ce fichu Liam.

Déterminée à se reprendre, déterminée à ne pas faiblir, elle retourna dans sa chambre et mit sa plus jolie robe.

Elle était petite et avait quelques kilos en trop, mais elle aimait cette robe qui mettait en valeur sa taille et camouflait ses fesses. Satisfaite du résultat, elle glissa ensuite les pieds dans des ballerines et, pour une fois, laissa ses lunettes dans leur étui. Elle avait l'habitude de les mettre sans se poser de questions, mais ce soir n'était pas un soir comme les autres. Ce soir, elle était en mission.

Son objectif, se trouver un autre substitut à Bradley, un homme pour remplacer Liam dans sa tête. Et pourquoi pas dans son lit.

Tous les jeudis soir, le restaurant de Gus organisait des soirées karaoké. Elle s'y était rendue la semaine précédente et s'y était beaucoup amusée. Ce soir, elle allait y retrouver Jenna et son mari Logan, autour d'un dîner en chansons. Qui sait ? Peut-être allait-elle rencontrer un homme charmant, croiser l'homme idéal, ce fameux chevalier sans peur et sans reproche que la grande romantique qui était en elle espérait trouver un jour.

Elle mit du rouge à lèvres — la touche finale — puis se regarda dans le miroir. Pas mal. Pas mal du tout même. Ce soir, elle se sentait jolie. Jolie et d'humeur conquérante, prête à tout. Et pour mettre toutes les chances de son côté, elle s'aspergea de parfum.

Elle attrapa ensuite son sac à main et sortit, verrouillant la porte derrière elle.

Elle était en train d'ouvrir la portière de sa voiture lorsqu'elle s'arrêta pour se retourner vers le lac.

Liam était toujours en train de nager, avec force et vigueur, comme un véritable athlète.

Avec un autre homme, peut-être aurait-elle été plus aimable, peut-être lui aurait-elle proposé d'aller boire un verre. Mais Liam n'était pas quelqu'un d'avenant et elle n'avait aucune envie de faire ces efforts pour lui.

Il lui avait clairement fait comprendre qu'il ne voulait pas de sa compagnie. Tant mieux. Elle ne désirait pas la sienne non plus.

Elle démarra alors sa voiture, sans même jeter un dernier regard dans le rétroviseur.

Que Liam se noie dans sa solitude, ou dans le lac, cela lui importait peu. Peut-être avait-il prévu de rester cloîtré dans son bungalow ce soir, et de ne voir personne… Eh bien, il allait être servi. Il allait pouvoir jouir de la solitude la plus totale, puisque ses lumières à elle seraient éteintes pour une bonne partie de la nuit. Une soirée légèrement plus excitante l'attendait.

Et si elle était vraiment honnête avec elle-même, elle éprouvait un certain plaisir au fait qu'il la sache absente ce soir. Allait-il se demander où elle était ? Etre curieux de savoir si elle rentrerait ? Elle n'en serait pas étonnée en tout cas…

A contrecœur et de mauvaise humeur, Liam poussa la porte du restaurant.

Wellington était sortie, ce soir, et Bull et Merilee avaient fini par le convaincre de les rejoindre pour dîner. Cette perspective ne l'enchantait guère, mais il leur devait bien cela. Grâce à eux, il disposait déjà d'un logement et d'un emploi.

La salle du restaurant était comble ce soir. La plupart des tables étaient occupées. Le bruit de la salle se mêlait à la voix d'Elvis Presley qui, en musique de fond, chantait *Love me Tender.*

Depuis qu'il avait terminé sa séance de natation, une question le hantait. Où diable était partie Tansy ? Elle n'était plus là lorsqu'il était revenu du lac, et son bungalow semblait vide.

Il fit quelques pas dans la salle et trouva la réponse à sa question. Tansy était là, chez Gus.

Accompagnée de Jenna, elle était assise face à un jeune homme aux cheveux noirs qu'il n'avait pas encore rencontré. Peut-être s'agissait-il de son cavalier pour la soirée.

Elle s'était mise sur son trente et un ce soir. Mais, personnellement, il la préférait avec ses lunettes. Il avait toujours eu un faible pour les femmes à lunettes. Sans doute le fameux fantasme de la maîtresse d'école…

Peut-être rentrerait-elle accompagnée à Shadow Lake, songea-t-il soudain. A moins que ce ne soit elle qui passe la nuit dehors… A choisir, c'était mieux ainsi. Cela lui permettrait au moins d'être tranquille. Oui, voilà qui serait parfait.

Dans un éclat de rire, Tansy tourna soudain le visage dans sa direction puis détourna tout de suite le regard, comme si elle ne l'avait pas vu.

Bon, tant mieux. Elle n'avait visiblement pas l'intention de lui parler. Il fallait maintenant qu'il se reprenne et qu'il arrête de penser à elle. Pour cela, retrouver Merilee et Bull serait un bon début.

Il les trouva à deux tables de Tansy et les rejoignit sans attendre.

— Bonsoir, dit-il en prenant place à leur table.

— Liam, te voilà ! lui lança Merilee. Je suis ravie. C'est un plaisir de t'avoir avec nous.

— Merci pour l'invitation.

La formule était sobre, mais il était venu ici en traînant les pieds, et avait du mal à manifester davantage d'enthousiasme.

— C'est idiot, enchaîna Merilee. J'aurais dû savoir que Tansy viendrait retrouver Jenna et Logan ici. Vous auriez pu venir ensemble. A propos, as-tu fait la connaissance de Logan ?

Logan… Le cavalier de Tansy, sans doute.

— Non, pas encore.

— Alors ne perdons pas de temps. Je vais faire les présentations.

Merilee adorait présenter les gens les uns aux autres et créer des amitiés, mais ce soir il n'était pas dans cet état d'esprit. Il n'était pas pressé de rencontrer cet homme… parce qu'il avait plutôt envie d'une soirée calme, voilà tout.

— Cela peut attendre, Merilee, intervint son oncle, stoppant son épouse dans son élan, comme s'il devinait ses réticences. Liam va rester dans les environs pendant un moment. Il n'a pas besoin de rencontrer tout le monde, tout de suite. Laisse-lui le temps de prendre ses marques.

— Bon, d'accord, fit sa femme en se rasseyant. Tu as sans doute raison.

Puis elle hocha la tête avant de reprendre.

— Je vais te dire un secret, Liam. Je déteste quand Bull a raison.

— Dommage pour elle : j'ai toujours raison, rétorqua ce dernier en éclatant de rire.

Amusé, il imita son oncle. Le bonheur de Bull et Merilee était palpable, et provoquait chez lui des sentiments mêlés. Il était sincèrement heureux pour eux, bien sûr, mais un peu nostalgique aussi. Jamais il n'avait connu ce genre de relation avec Natalie.

Il faut dire que cela faisait maintenant vingt-cinq ans que Bull et Merilee étaient ensemble. Pas étonnant qu'ils partagent une telle complicité. Lui n'était resté marié que deux ans…

Mais ce n'était pas le moment de penser à Natalie. Il revint alors au présent, tenaillé par une question : qui donc était ce fichu Logan ?

— Je ferai la connaissance de Logan plus tard, reprit-il, comme si de rien n'était, pour tenter de masquer sa curiosité. Qui est-il, au fait ?

— C'est le mari de Jenna, répondit Merilee. Il partage son temps entre l'Alaska et la Géorgie, même s'il est plus souvent ici, depuis la naissance de leur bébé en juin dernier.

Logan n'était donc pas le cavalier de Tansy… Mais alors, pour qui donc s'était-elle habillée ainsi ?

— Il faudra aussi que l'on te présente leur fille Emma, elle est adorable, ajouta Merilee. Tu aimes les bébés, n'est-ce pas ?

Les bébés ? A vrai dire, il n'en savait rien. Il n'en avait pas rencontré beaucoup. Natalie et lui avaient envisagé de fonder une famille, un jour, mais ce jour n'était jamais arrivé. Et sans doute était-ce mieux ainsi puisque leur mariage avait échoué.

— Oui, je crois, répondit-il, un peu gêné. Disons que je n'ai rien contre eux.

Tout en parlant, il sentit le regard de Wellington s'attarder sur lui, mais il se força à ne pas tourner la tête et continua à fixer Merilee.

Cette dernière allait reprendre lorsque la serveuse, une jolie rouquine portant le nom de Ruby, s'approcha.

— Etes-vous prêts à commander ? Voulez-vous que je revienne dans une minute ?

— Nous allons commander tout de suite, répondit Merilee.

— Ce soir, Gus vous propose en plat du jour des lasagnes, du ragoût de caribou et des hamburgers de bison, récita la jeune femme.

— Le caribou et le bison sont des plats locaux, lui expliqua Bull.

Liam avait remarqué que Wellington avait choisi le hamburger. D'ailleurs, elle était en train de manger ses frites avec une telle sensualité qu'il sentait tous ses sens s'affoler.

Encouragé par ce spectacle, il opta pour le hamburger, comme Bull et Merilee, et Ruby s'éloigna.

— Comment s'est passée ta journée de travail avec Sven ? lui demanda ensuite Bull.

— Très bien. Sven est un chic type. Et ses hommes sont très sympas.

— J'étais sûr que vous vous entendriez bien.

— Et le bungalow de Shadow Lake ? lui demanda ensuite Merilee. Tu y es bien installé ?

— Je ne pourrais rêver mieux.

— N'est-ce pas que Tansy est adorable ?

Liam jeta un coup d'œil vers la jeune femme en question.

Adorable… Ce n'était pas ainsi qu'il aurait décrit Wellington, mais sans doute valait-il mieux acquiescer pour ne pas entrer dans les détails.

— Absolument, mentit-il alors en se tournant vers Merilee.

— J'en conclus que vous vous entendez bien.

Il regarda de nouveau la jeune femme. Elle était en train de sourire.

— Nous nous entendons comme deux larrons en foire, renchérit-il.

— Tu me rassures, lui confia Merilee. Quand j'ai appris pour le sable, j'avoue avoir eu un peu peur.

Le sable ? Comment était-elle au courant ? Shadow Lake était situé à plusieurs kilomètres du centre-ville.

— Je te l'ai dit hier, Liam, intervint Bull, comme s'il devinait sa surprise. Ici, les nouvelles vont vite.

Vite, d'accord, mais de là à ce qu'elles se diffusent aussi rapidement…

— Ce n'était qu'une blague, continua son oncle. Tansy a un grand sens de l'humour.

Pas le même que le sien, alors.

— Je n'ai pas encore eu le temps de le remarquer, nota Merilee. Elle n'est là que depuis quelques jours, alors…

De temps en temps, il parvenait à entendre la voix chantante et sensuelle de Tansy. Malheureusement, il ne distinguait pas ce qu'elle disait.

— J'ai entendu dire que Lars allait venir nous rendre une petite visite, reprit son oncle. Logera-t-il avec toi ou préfères-tu que nous l'hébergions à la maison ?

Zut. Il avait complètement oublié son frère. Lars allait profiter de sa permission pour lui rendre visite.

Il avait imaginé pouvoir couper tout lien avec son ancienne vie en venant ici, mais apparemment cela n'allait pas être aussi facile que cela.

— Il pourra rester avec moi, déclara-t-il.

Quelques minutes plus tard, Ruby revint avec leurs hamburgers. Il croqua dans le sien avec gourmandise. Après sa journée de travail et sa séance de natation, il mourait de faim.

Tout en mangeant, Merilee lui raconta leur mariage, le jour de Noël. La maire de la ville était très douée pour raconter les histoires. Il aimait les écouter, et il lui était reconnaissant de ne pas lui poser de questions sur l'échec de son mariage avec Natalie. Il savait bien qu'elle finirait par l'interroger, mais pour le moment il n'avait pas envie de parler de son passé, ni de son ex-femme, ni de son ex-carrière.

Tout au long du repas, Wellington demeura dans son champ de vision. Il vit ainsi plusieurs personnes s'arrêter à la table qu'elle partageait avec Jenna et Logan, mais aucune s'asseoir.

Peut-être n'avait-elle pas de rendez-vous galant ce soir, finalement.

Tout en se concentrant sur Tansy, son radar intérieur détecta soudain une autre présence, de l'autre côté de la salle. Curieux, il se retourna.

Une femme blonde, assez grande, venait de s'installer au bar. Il ne l'avait jamais vue auparavant.

Cette dernière lui adressa un sourire qu'il lui rendit, avant de détourner le regard. Il n'était pas intéressé.

De l'autre côté de la salle, Nelson Sisnukett, un Indien qu'il avait rencontré la veille, prit le micro et monta sur la scène.

— Bienvenue à cette nouvelle soirée karaoké, lança-t-il à toute la salle.

Une soirée karaoké ? Mon Dieu…

Rien qu'en entendant ce mot, il avait envie de fuir. Il allait d'ailleurs se lever lorsque Merilee le stoppa dans son élan.

— Reste, Liam, je t'assure que tu vas passer une excellente soirée. Tout le monde participe et s'amuse beaucoup.

Dans ce cas-là… Difficile pour lui de s'enfuir après cette remarque.

— Nous allons commencer très fort ce soir, continua Nelson, puisque Jefferson Walker Monroe va nous jouer un peu de saxo.

Le joueur d'échecs se leva et les applaudissements se déchaînèrent dans la salle.

Au même moment, il vit Merilee se retourner vers une femme. Il s'agissait de la blonde du bar, qui venait de s'approcher de leur table.

— Est-ce que vous passez un bon moment ? était-elle en train de lui demander.

— Très bon, merci, répondit la jeune femme. Le restaurant est plein de gens très intéressants.

— Installez-vous donc avec nous, proposa-t-elle, à moins que vous ne préfériez rester avec vos amis du bar.

— Je ne voudrais pas m'imposer.

— Mais non, au contraire, insista Merilee. Je vous présente mon mari, Bull Swenson, et son neveu, Liam Reinhardt. Liam, Bull, voici Mallory Kincaid. Elle est arrivée aujourd'hui de La Nouvelle-Orléans.

Il dévisagea la jeune femme. Look très classique, cheveux blonds descendant jusqu'aux épaules, taches de rousseur… Sportive, musclée, elle devait avoir une trentaine d'années.

Elle était belle, il ne pouvait le nier, mais il ne ressentait absolument aucune attirance pour elle. Son désir était en éveil, mais elle n'en était pas l'objet.

— Ravie de faire votre connaissance, répondit-elle.

— Liam est arrivé en ville hier, reprit Merilee.

— Vraiment ? s'exclama la jeune femme en se tournant vers lui. Etes-vous en vacances ici ?

— Oui et non. Et vous ?

— Je ne suis ici que pour quelques jours, pour découvrir la nature sauvage d'Alaska.

Il ne connaissait pas cette femme, mais il n'avait pas

confiance. Le ton qu'elle employait lui paraissait faux, fabriqué. La détermination avec laquelle elle s'était approchée de leur table était louche, et il avait l'impression qu'elle avait manipulé Merilee pour y être invitée.

Pour des raisons inconnues, son instinct lui disait que cette femme n'était pas désintéressée et que cela avait un rapport avec lui.

— Avez-vous déjà pris rendez-vous pour un massage ? demanda Merilee à Mallory.

— Oui, c'est fait. J'ai rendez-vous demain à 14 heures.

Tout en l'écoutant parler, il vit que Wellington fixait elle aussi la femme blonde, en toute discrétion.

Jefferson finit son morceau de saxo et une première femme monta sur scène pour interpréter un vieux titre de Patsy Cline.

Elle chantait plutôt bien mais il attendit la fin de la chanson pour se lever. Maintenant qu'il avait rempli ses obligations sociales, il pouvait partir sans risquer d'avoir l'air impoli.

Tansy était toujours assise avec Jenna et Logan, mais elle ne souriait plus. Elle semblait même nerveuse. Peut-être parce que la chanson parlait d'une rupture.

— J'y vais, se dépêcha-t-il d'annoncer avant la chanson suivante. Merilee, Bull, j'ai passé un bon moment. Merci.

Il se tourna ensuite vers Mallory.

— Ravi de vous avoir rencontrée, dit-il poliment.

— Le plaisir était partagé. Nous nous verrons sans doute prochainement.

— Peut-être, se contenta-t-il de répondre avant de s'éloigner.

Il approchait de la porte lorsque celle-ci s'ouvrit sur son cousin Dirk, qui pénétra dans la salle. Son visage était tellement buriné par le soleil qu'il faillit ne pas le reconnaître sous son épaisse barbe. Mais ce regard, c'était bien Dirk… pas de doute possible.

— Liam, lança ce dernier. J'ai entendu dire que tu étais ici.

Eh bien, les nouvelles allaient vite. Il ne l'avait pourtant pas annoncé par voie de presse.

— Et moi, j'ai entendu dire que tu étais venu cet été.

— En effet. Et comme tu peux le voir, je suis de retour. J'ai quelque chose pour toi. Pour Natalie.

Puis, sans même lui donner le temps de répondre, il lui décocha un coup de poing en pleine figure.

- 6 -

Comme la plupart des clients du restaurant, Tansy se leva d'un bond. La musique s'était subitement arrêtée. Tous les yeux étaient tournés vers l'entrée et le drame qui venait de s'y dérouler.

Une minute plus tôt, Liam était debout et voilà qu'en l'espace d'un instant il se retrouvait au sol après avoir été frappé par un grand barbu blond.

— C'est bon, tu t'es bien défoulé, Dirk ? entendit-elle Bull demander à l'homme. Personnellement, j'en ai assez vu.

Lentement, elle vit Liam se relever, s'aidant d'une chaise. Sa joue était en sang, il avait l'air sonné.

— Oui, j'ai fini, lança le barbu. J'ai dit à Liam ce que j'avais à lui dire.

— Parce que tu as *dit* quelque chose ? s'étonna Merilee, outrée. Je t'ai vu agir, mais je n'ai pas l'impression de t'avoir entendu.

— Mes actes ont parlé pour moi, rétorqua-t-il.

— Vas-tu te laisser faire comme une fille, Reinhardt ? cria une voix masculine derrière elle, provoquant l'hilarité des hommes de la salle.

— Taisez-vous tous ! ordonna alors Merilee d'une voix forte et autoritaire.

Le grand barbu tendit la main à Liam. Après l'avoir frappé, il semblait maintenant vouloir l'aider.

— Nous sommes quittes, désormais, Liam.

— Si tu le dis… En tout cas, je constate que tu t'es mis à la musculation, répondit ce dernier en s'essuyant la joue.

— J'ai été bien obligé, je travaillais sur une exploitation pétrolière.

— Je suis désolée de gâcher ces retrouvailles émouvantes, messieurs, les coupa Merilee, mais tu es en train de saigner, Liam, et il y a des gens autour.

— Désolé, fit ce dernier en prenant la serviette en papier qu'elle lui tendait.

Au même instant, elle vit Nelson confier son micro à un autre convive et approcher du lieu de la bagarre.

— Le Dr Skye a eu une urgence — un accouchement —, lança l'homme. Mais suis-moi, Liam. Je vais nettoyer ta plaie à côté. Et tu auras peut-être besoin de quelques points de suture.

Dirk, Bull, Merilee, Liam et Nelson sortirent alors par la porte reliant le restaurant au bed and breakfast, suivis par cette jolie blonde qui, d'après ce qu'elle avait compris, s'appelait Mallory.

Tansy déglutit péniblement. Pourquoi avait-elle la gorge nouée tout à coup ? Imitant le reste des clients, elle se rassit lentement, troublée.

— Voilà qui était intéressant, nota Jenna.

— Sais-tu pourquoi ce type a frappé Liam ? s'enquit Tansy.

— Je sais juste qu'ils sont cousins. Je n'en sais pas plus.

— Ne t'inquiète pas, ma chérie, intervint Logan. Tu ne vas pas tarder à être mise au courant. A mon avis, tu auras même le fin mot de l'affaire avant demain matin.

— Sans doute, répondit sa sœur avant de se tourner vers elle. J'ai vu ton regard curieux, Tansy, alors sache que Mallory séjourne au bed and breakfast. C'est pour cette raison qu'elle les a suivis.

Peut-être… Mais, à vrai dire, elle n'était pas convaincue que ce soit la seule raison.

— As-tu vu la façon dont elle dévorait Liam du regard ? demanda-t-elle, intriguée par ce détail qui ne lui avait pas échappé.

— Difficile de ne pas le voir. Elle le regardait comme un chat observe une souris avant d'attaquer.

— Mais de quoi parlez-vous ? les coupa Logan en laissant

son regard traîner de l'une à l'autre. J'ai l'impression d'avoir raté un épisode.

— Je n'en suis pas surprise, mon chéri, lui répondit Jenna. Tu es un homme ! Mais sache que lorsqu'une autre femme craque pour un homme, nous le remarquons toujours. Et Mallory Kincaid a des vues sur Liam.

— Si tu le dis, fit son mari en hochant la tête, dubitatif.

— Crois-moi, insista Jenna. J'en mettrais même ma main au feu.

A ces mots, Tansy sentit le malaise la gagner. Peut-être avait-elle mangé un peu trop de frites. A moins que ce ne soit la jalousie qui la gagne…

Car Mallory Kincaid était tout ce qu'elle n'était pas. Elle était grande, mince, blonde… Bref, elle était belle. Sexy aussi, et Liam n'avait pas été odieux avec elle.

— En tout cas, on peut dire que cette fille ne cache pas son jeu, remarqua-t-elle.

— Qu'elle le cache ou pas, le résultat sera le même.

— Pourquoi dis-tu cela ?

Jenna avait visiblement l'air bien informée.

— Mais parce qu'elle n'intéresse pas Liam, tout simplement, répliqua sa sœur.

— Je n'ai pas eu cette impression.

Jenna leva les yeux au ciel.

— Comment Liam pourrait-il s'intéresser à elle, Tansy, quand il a passé sa soirée à te dévorer du regard ?

— Il ne m'a pas du tout dévorée du regard !

D'accord, il l'avait regardée en entrant dans le restaurant, mais rien de plus.

— Tansy Wellington, cet homme a passé sa soirée à te dévisager, je te le jure. Mais tu ne t'en es pas aperçue, tu étais trop occupée à l'ignorer. Je me trompe, Logan ?

— Ne me demande surtout pas mon avis, répliqua son mari, je ne suis au courant de rien. Tu sais bien que je ne m'y connais pas en amour. D'ailleurs, je préfère vous laisser et aller discuter avec Leo. J'ai une affaire à lui proposer.

— Bonne idée, chéri, mais ne parle pas business trop longtemps. Il ne faut pas que l'on s'éternise.

Le mari de Jenna était un homme d'affaires et s'était trouvé un associé, en la personne de l'ancien agent d'assurances, Leo Perkins.

Une fois Logan parti, Jenna se pencha vers elle.

— Maintenant que nous sommes seules, Tansy, dis-moi tout. Que se passe-t-il avec Liam ?

— Je te l'ai dit hier soir, il ne supporte pas le fait que je sois installée à Shadow Lake. Il pense que je vais compromettre sa tranquillité et, pour se venger, il est exécrable. Il me gâche la vie. Il est la pire chose qui pouvait m'arriver.

— Je pense au contraire qu'il est la meilleure chose qui pouvait t'arriver.

Elle aimait beaucoup sa sœur, mais ce soir celle-ci avait vraiment perdu la tête.

— Tu dis n'importe quoi, Jenna.

— Pas du tout. Regarde : aujourd'hui, tu as beaucoup travaillé, tu n'as pas passé ton temps à penser à Bradley.

En effet. Elle avait raison sur ce point.

— Comment le sais-tu ?

— Tu n'as mentionné ni le travail, ni Bradley, ce soir. Si tu ne parles pas de ton livre, c'est que tu progresses dans l'écriture. Si tu ne parles pas de Bradley, c'est que tu ne penses pas à lui. Et je crois que c'est grâce à Liam que tu es parvenue à le reléguer dans un petit coin de ta tête. Je confirme donc ce que je te disais tout à l'heure, Liam est la meilleure chose qui pouvait t'arriver.

En entendant ces mots, le souvenir du regard brûlant de Liam revint à sa mémoire et un délicieux frisson la traversa.

— Tu veux dire que Liam pourrait jouer le rôle de substitut.

— Evidemment. C'est comme cela que ça fonctionne.

— Le problème, c'est que je ne sais pas si je suis prête à tourner la page.

— Ne t'inquiète pas. Quand le moment sera venu, tu le

sauras. En attendant, profite simplement du moment présent. Il n'y a rien de tel.

Avant qu'elle puisse répondre, Merilee se glissa sur la banquette à côté d'elle.

— Liam n'a pas besoin de points de suture, leur annonça la gérante du bed and breakfast. Un pansement fera l'affaire. Mais étant donné le choc qu'il a eu à la tête, il vaudrait mieux qu'il ne conduise pas, ce soir. Si tu rentres à Shadow Lake ce soir, ça ne t'embête pas de le raccompagner ?

Mon Dieu, il ne manquait plus que cela… Mais elle n'avait pas vraiment le choix, elle pouvait difficilement refuser.

— Pas du tout, répondit-elle en tentant de masquer sa gêne.

— Je ne veux pas abréger ta soirée, mais Nelson a presque terminé de nettoyer la plaie, et j'ai peur que Liam s'échappe avec sa moto dès qu'il aura le dos tourné.

Sans attendre, elle attrapa alors son sac à main.

— Aucun problème, j'étais justement sur le point de rentrer. Comme cela, Logan et Jenna vont pouvoir profiter de leur soirée en amoureux.

Jenna éclata de rire en regardant autour d'elle.

— Il y a plus intime pour passer une soirée en amoureux ! Mais vas-y, Tansy, ramène le sergent chez lui. Pourquoi remettre à demain ce que tu peux faire ce soir, n'est-ce pas ?

Merilee fixa Jenna, l'air quelque peu perdu. Elle ne comprenait visiblement pas l'allusion.

Mais Tansy, elle, n'avait pas besoin que sa sœur l'explicite. La remarque était limpide.

Les lumières de Good Riddance s'éloignèrent dans le rétroviseur au fur et à mesure que Wellington se rapprochait de Shadow Lake. Ni l'un ni l'autre n'avait prononcé le moindre mot, depuis qu'elle l'avait retrouvé devant le bed and breakfast. Mais il n'était pas gêné par ce silence. Au contraire, la simple présence de Tansy l'enveloppait et suffisait à le réconforter.

— Vas-y, demande-le-moi, Wellington, lui lança-t-il au bout d'un moment.

— Te demander quoi, Reinhardt ?

— Tu n'as pas envie de savoir pourquoi il m'a frappé ? Tu n'as pas envie de savoir pour quelles raisons tu es obligée de me raccompagner à la maison ?

— Ce n'est pas mon genre d'être indiscrète, répondit-elle d'une voix qui lui parut soudain plus sensuelle, dans l'obscurité. Ni de pavoiser d'ailleurs.

Elle avait la mémoire courte… Elle n'avait pas hésité à tracer une frontière avec une corde, entre leurs deux bungalows.

— Quant à la raison de ce coup de poing, c'est entre ton cousin et toi. Je n'ai pas envie de me mêler de vos affaires. Je sais combien tu tiens à ton intimité, Liam.

— C'est vrai, mais je commence à penser que l'intimité est une notion qui n'existe pas à Good Riddance.

La preuve, tout le monde ne parlerait que de l'incident, demain.

— Il faut dire qu'il a bien choisi le lieu et le moment, reprit-elle. Il t'a frappé au milieu du restaurant, en public… Les gens vont forcément se poser des questions. Alors autant que je sois au courant dès maintenant.

— Il pense que je lui ai volé une fille.

— Et c'est le cas ?

— Pas consciemment. J'ignorais à l'époque qu'il était amoureux de Natalie. Dirk n'a jamais été très doué pour exprimer ses sentiments.

— Ce doit être un trait de famille, rétorqua-t-elle d'un ton moqueur. En tout cas, ce soir, il a été d'une transparence remarquable.

Elle jeta un coup d'œil vers lui avant de reprendre.

— Qu'est-il arrivé à Natalie ?

— Nous avons divorcé.

— Ah… Tu n'as pas simplement volé la fille qu'il aimait, tu l'as épousée. Pour la quitter ensuite.

Wellington ne prenait pas de pincettes pour résumer la situation, mais il n'en était pas vexé. Au contraire, il avait toujours été adepte de la franchise. Il y avait cependant un détail qu'il tenait à rectifier.

— Je n'ai pas volé Natalie. Je ne vole jamais les petites amies des autres.

— Je te crois, répondit-elle d'une voix douce. Je ne pense pas que tu sois ce genre d'homme.

Troublé par cette voix, il baissa les yeux vers ses mains fines, serrées sur le volant.

— Au fait, j'ai oublié de te dire que tu étais très jolie, ce soir, se risqua-t-il à dire.

— Merci. Tu devrais te faire assommer plus souvent : au cas où tu ne l'aurais pas remarqué, tu viens de me faire un compliment.

— Mais je te préfère avec tes lunettes, ajouta-t-il sans attendre.

— Ah, voilà qui te ressemble plus !

C'était la vérité. Elle n'avait aucune raison de se vexer.

— Alors, reprit-il, avais-tu un rendez-vous galant ce soir ? Un homme qui t'a posé un lapin ?

— Non, personne ne m'a oubliée, merci. Je n'avais pas de rendez-vous galant.

— Alors pourquoi t'être mise sur ton trente et un ?

— Peut-être parce que j'en avais envie et que rien ne me l'interdit. Je me fais jolie pour moi.

Elle s'était faite jolie, juste comme cela, sans raison particulière ? Natalie possédait un livre affirmant que les hommes venaient d'une planète et les femmes d'une autre, se souvint-il. A l'époque, il estimait qu'il ne s'agissait que de foutaises, mais il devait bien avouer que, parfois, il ne comprenait pas les femmes.

— D'accord, tu n'avais pas de rendez-vous galant ce soir, répéta-t-il.

Tansy tourna enfin dans l'allée menant aux bungalows.

— Tu as déjà subi une défaite ce soir, répondit-elle, alors je ne t'accablerai pas en te faisant des reproches.

Elle ne l'accablait pas. Au contraire, elle lui changeait même les idées.

— Je n'avais pas de rendez-vous, poursuivit-elle, mais je te rappelle que, de toute façon, cela ne te regarde pas.

— C'est vrai, cela ne me regarde pas.

Elle se gara et, sans attendre, il sortit de la voiture. Puis il prit le chemin de son bungalow tandis qu'elle partait vers le sien.

Il s'arrêta simplement pour vérifier qu'elle rentrait sans encombre.

— Merci, lui cria-t-il alors qu'elle ouvrait sa porte. Et n'hésite pas à te déshabiller devant la fenêtre, ce soir. J'ai apprécié le spectacle.

— Je n'y manquerai pas, répondit-elle d'une voix enjôleuse qui lui sembla fausse.

Puis, sans un mot de plus, elle claqua la porte.

Une demi-heure plus tard, Liam s'allongea sur son lit, le regard fixé sur la fenêtre, attendant que Wellington entre en action. Parce qu'elle allait agir, il en avait la certitude.

Quelques minutes plus tard, confirmant ses soupçons, il la vit allumer la lampe de chevet et, comme la veille, sa délicieuse silhouette apparut en ombres chinoises.

Curieux et impatient, il la regarda monter sur son lit, à genoux. Et, sous le charme, il déglutit avec peine, la bouche sèche.

A cet instant, l'Interphone à côté de son lit sonna.

— Oui, fit-il, le souffle court.

— Es-tu en train de regarder ?

— Oui.

— Très bien. Je voulais en être sûre, fit-elle avant de raccrocher.

Le cœur battant à toute allure, il se réinstalla à son poste d'observation.

Il la vit alors lever un bras, lentement, sensuellement. Elle prenait visiblement son temps, et s'appliquait pour lui offrir un spectacle qu'il n'était pas près d'oublier.

Ses mouvements étaient suggestifs, langoureux. Ils éveillaient tous ses sens et faisaient monter sa température en flèche.

Elle leva ensuite une main dans sa direction… Pour finalement l'agiter en signe d'au revoir, avant d'éteindre la lumière !

Il éclata de rire… Elle l'avait bien eu !

Mais il ne lui en voulait pas, il avait passé un bon moment. Un moment peut-être même encore meilleur que la veille.

Le lendemain après-midi, après son déjeuner chez Gus, Tansy s'arrêta à l'aérodrome pour saluer Merilee. Alberta était assise dans un fauteuil tandis que Dwight et Jefferson jouaient à leur traditionnelle partie d'échecs.

— Comment vas-tu, ma chérie ? lui demanda la bohémienne dès qu'elle entra.

— Très bien. Et toi ?

— Le soleil brille dans le ciel et Dwight est toujours vivant, que puis-je désirer de plus à mon âge ? Dis-moi plutôt comment va ton homme, après sa bagarre d'hier soir ?

A ces mots, elle sentit ses joues s'empourprer.

— Liam n'est pas mon homme, s'empressa-t-elle de corriger avec insistance. Mais hier soir, lorsque je l'ai déposé chez lui, il allait bien. Et j'ai entendu Sven passer le prendre pour aller travailler, ce matin, alors je pense qu'il est complètement remis.

Et avant cela, elle l'avait aperçu partir courir. Apparemment, ce n'était pas un coup de poing qui allait stopper le sergent Reinhardt.

— Ah, ces hommes…, lâcha Merilee dans un soupir. Quelques minutes après la bagarre, Liam et Dirk agissaient comme s'ils ne s'étaient jamais battus, et étaient les meilleurs amis du monde.

— Au moins, cela a donné un sujet de conversation à toute la ville, répliqua-t-elle avec une pointe d'ironie.

Jenna n'était pas libre pour la rejoindre chez Gus alors elle avait déjeuné seule et avait pu écouter toutes les conversations autour d'elle. Personne ne pensait à mal, mais chacun y allait de son analyse sur l'incident de la veille.

Personnellement, elle n'avait rien dit. Ce n'était pas à elle de répondre à la place de Liam.

Ses journées de travail commençaient à ressembler à quelque

chose. Ce matin, elle avait travaillé efficacement avant de faire une pause pour venir déjeuner chez Gus. Si elle gardait ce rythme, sans doute pourrait-elle rendre son manuscrit à temps.

Autre bonne nouvelle, elle avait enfin l'impression de parvenir à tourner la page. Qui sait, peut-être qu'en laissant passer encore un peu de temps elle pourrait donner une nouvelle direction à sa vie.

Elle allait en parler à Alberta lorsque Mallory Kincaid fit son entrée dans le restaurant.

Lorsque Merilee les présenta, Tansy serra poliment la main de la jeune femme blonde, mais sentit aussitôt la nervosité la gagner.

— Ravie de faire votre connaissance, lui lança Mallory.

— Enchantée, répondit-elle poliment.

Mais le cœur n'y était pas. Quelque chose en Mallory la mettait mal à l'aise. Quelque chose la perturbait, sans qu'elle parvienne à le définir.

Etait-ce parce que Mallory avait un physique qui en imposait ? Elle était si grande et si mince… Rien à voir avec la petite taille et les rondeurs de Tansy. Peut-être éveillait-elle en elle des complexes.

— Alors, lança Merilee à Mallory, êtes-vous prête pour votre massage chez Jenna ?

— Je le suis, répondit Mallory en lissant sa jupe. Je suis même impatiente.

— Vous passerez un très bon moment, vous verrez. A propos, je ne sais pas si vous êtes au courant, mais Jenna et Tansy sont sœurs.

— Vraiment ? Je ne l'aurais jamais deviné.

La surprise qu'elle manifestait n'avait rien d'exagéré, mais elle lui paraissait tout de même forcée, calculée. Comme pour masquer son manque d'intérêt pour cette information.

— Nous sommes sœurs par alliance, lui expliqua-t-elle alors pour lui éviter d'avoir à poser la question. C'est pour cette raison que nous ne nous ressemblons pas.

— J'ai moi aussi une demi-sœur, répondit la jeune femme.

Sa mère est chinoise alors Dina et moi, nous sommes très différentes. Vous vivez ici ?

— Je suis de passage.

— Elle loge dans l'un des bungalows de Shadow Lake, avec Liam, ajouta Alberta, une lueur de malice dans le regard.

— Ah… Je l'ignorais…, répondit-elle, visiblement déstabilisée tout à coup.

— Nous sommes voisins, s'empressa-t-elle de corriger.

— Je vois, répondit Mallory, l'air soulagé.

Elle semblait rassurée, mais également plus hostile à son égard, désormais. Il n'y avait pourtant pas de raison.

— J'ai entendu dire que Shadow Lake méritait le détour, reprit la jeune femme. Je devrais peut-être aller y faire un tour.

Hostile, mais intéressée aussi, apparemment… Par « y faire un tour », elle entendait certainement « rendre visite à Liam ». Et si elle la prenait pour un obstacle, elle la voyait sans doute aussi comme un moyen d'atteindre son but.

Liam ne lui appartenait pas, elle n'avait donc rien à dire. Et puis ce n'était pas la question. Le problème, c'était qu'elle n'avait pas envie d'être interrompue dans son travail, surtout maintenant qu'elle avançait efficacement, simplement parce qu'une femme avait des vues sur son voisin.

— Je suis désolée, mais j'ai beaucoup de travail. Quand je ne suis pas ici, je suis chez moi, en train de travailler, lui précisa-t-elle alors.

— Mais peut-être pourrions-nous organiser une visite un jour où vous ne travaillez pas ? Pourquoi pas demain, par exemple ?

Bon Dieu. Allait-elle devoir se faire tatouer les lettres NON sur le front pour qu'elle comprenne ? Cette femme ne renonçait jamais !

— Je suis désolée, mais je dois éviter toute distraction si je veux suivre mon programme.

Toute distraction… Et tout visiteur désirant s'incruster.

Son opinion était faite, elle n'aimait pas cette femme.

— Bon, reprit cette dernière comme si de rien n'était. Je vais devoir y aller si je ne veux pas être en retard à mon rendez-vous.

— Profitez bien, lui cria Merilee.

Au même instant, Juliette entra, en compagnie de son chien.

— Mlle Kincaid ne manque vraiment pas d'air, remarqua Alberta en levant les yeux au ciel.

— Ai-je manqué quelque chose ? demanda la jeune pilote, curieuse.

— Juste un petit duel entre femmes, répondit la bohémienne avec malice.

— Rien d'important, ajouta Tansy pour changer de sujet.

Elle appréciait Juliette et Sven. Chacun avait un chien qui ne le quittait pas. Elle les avait croisés plusieurs soirs de suite, alors qu'elle se promenait autour du lac, et s'était tout de suite bien entendue avec Juliette.

Juliette et Sven semblaient fous l'un de l'autre. Comme beaucoup de couples à Good Riddance d'ailleurs.

A cette idée, elle retint un sourire. La semaine dernière, la nostalgie l'avait envahie, mais cette semaine elle retrouvait l'optimisme.

— Bon, je n'en demanderai pas plus, fit Juliette avant de se tourner vers elle en souriant. Je suis contente de te voir, Tansy. Je voulais justement t'inviter à dîner.

La dernière fois qu'elle avait croisé Sven, il avait en effet suggéré qu'elle vienne dîner chez eux.

— Es-tu libre, ce soir ? Je sais que je m'y prends au dernier moment, mais on ne sait jamais…

Evidemment qu'elle était libre. Elle était même heureuse de pouvoir faire un peu mieux connaissance avec le jeune couple.

— Avec plaisir. Merci pour l'invitation. Que puis-je apporter ?

— Rien du tout. Ce sera un dîner simple, sans chichis.

— Je peux préparer des brownies, si tu veux. J'ai acheté le nécessaire en ville l'autre jour, en prévision de mes envies soudaines de chocolat.

Jusqu'ici, elle n'avait pas eu besoin de se mettre en cuisine. Jenna avait toujours été là pour lui remonter le moral.

— Si tu veux, répondit Juliette en riant. Disons 19 heures ? Cela laissera à Sven le temps de se changer en revenant du travail.

— C'est parfait.

Elle ne dit rien de plus, et pourtant il y avait une chose qu'elle mourait d'envie de savoir, sans pouvoir le demander, bien sûr… Son voisin grognon était-il invité, lui aussi ?

Voulait-elle qu'il le soit ? Une partie d'elle l'espérait, l'autre non…

Enfin, quoi qu'il en soit, elle serait au rendez-vous.

- 7 -

Liam sortit de chez lui, une bouteille de limonade à la main. Il l'avait achetée spécialement pour Juliette, sur le conseil de Merilee.

Au même instant, il vit Wellington passer la porte de son bungalow.

Waouh. Vêtue d'une robe violette descendant jusqu'aux genoux, dévoilant de belles jambes parfaitement galbées, elle était aussi jolie que la veille. Cette couleur printanière mettait en valeur ses cheveux sombres et sa peau dorée.

En l'invitant, un peu plus tôt dans la journée, Sven ne lui avait pas caché que Tansy serait également présente au dîner. De nouveaux amis étaient bien la dernière chose qu'il était venu chercher en Alaska, mais il s'était senti obligé d'accepter — Sven avait eu la gentillesse de lui donner du travail, c'était donc la moindre des choses. C'était dans ce même état d'esprit qu'il avait répondu présent à l'invitation de Merilee et Bull, la veille, mais après ce soir il aurait rempli toutes ses obligations sociales et pourrait enfin profiter de ce qu'il était venu trouver à Good Riddance : la tranquillité.

Autre raison pour laquelle il n'aurait pu dire non, il avait eu peur qu'en refusant Wellington y voie un signe de retraite, ou pire, de défaite. Et, rien que pour cela, il attendait cette soirée avec impatience.

— Je crois que nous allons au même endroit, lui lança-t-il. Je t'emmène.

— A moto ? demanda-t-elle, sur la réserve.

— Non, sur mon dos ! la railla-t-il. Evidemment, à moto.

Tu verras, c'est un moyen simple et rapide de relier un point A à un point B.

— En d'autres circonstances, j'aurais refusé, mais prendre deux véhicules pour faire quelques kilomètres serait un peu ridicule, je l'admets.

— Il fait bon ce soir, alors considère ma moto comme une décapotable ouverte sur tous les côtés.

Elle éclata de rire. D'un rire qui, instantanément, l'envoûta et lui réchauffa le cœur.

— Mais je te conseille quand même de prendre un gilet, ajouta-t-il.

— Je vais en chercher un. En attendant, peux-tu prendre les brownies ? Comment va-t-on faire, d'ailleurs ? Je ne peux pas me tenir à toi, avec les gâteaux dans les mains…

— Ne t'inquiète pas, je m'en occupe. Va plutôt chercher ton gilet. Et dépêche-toi, je meurs de faim. Je deviens grognon lorsque j'ai faim.

— Mon Dieu, dans ce cas, je fais au plus vite pour m'épargner cela, répondit-elle avec un clin d'œil malicieux avant de courir chez elle.

Il en profita pour enfouir la boîte de gâteaux et la bouteille dans le coffre de sa moto. A peine releva-t-il la tête, quelques secondes plus tard, que Tansy était déjà réapparue. Il devait admettre qu'elle avait été rapide.

Elle fixa la moto pendant quelques instants puis tourna son regard vers lui.

— Alors, Reinhardt, que dois-je faire ?

— Tu n'as jamais fait de moto ?

— Jamais.

— Ne t'inquiète pas, tu vas adorer.

— Comment le sais-tu ?

— Je le sais, c'est tout.

Il chevaucha sa machine puis se retourna.

— Monte derrière moi et tiens-toi bien.

— Je porte une robe.

— Wellington, arrête de jouer les chochottes et monte ! Fais simplement attention au moteur, il chauffe vite.

Elle grimpa puis, avec précaution, posa les mains sur sa taille. Elle semblait chercher à maintenir une certaine distance avec lui, mais ce n'était pas évident, sur une moto. Il pouvait d'ailleurs sentir ses cuisses contre ses hanches et ses seins pressés contre son dos.

— Nous n'avons pas besoin de casque ? lui demanda-t-elle.

— Le dîner n'est qu'à un kilomètre d'ici. Tout ira bien, détends-toi. Il faut juste que tu bloques ta robe pour l'empêcher de s'envoler. A moins que tes tendances exhibitionnistes ne prennent le dessus…

— Tu ne pourras pas admirer le spectacle, quel dommage… A propos, as-tu aimé celui d'hier soir ?

Sa voix était soudain plus grave, plus sexy, plus enjôleuse.

— Presque autant que le précédent. J'ai hâte d'assister au prochain, ce soir.

— J'ai le regret de t'annoncer que la dernière représentation a eu lieu hier, déclara-t-elle d'un ton coquin.

— Mais ton public en demande plus. Un artiste doit tenir compte de son public et faire en sorte de le satisfaire, tu ne crois pas ?

— Pas quand il n'est composé que d'une seule personne, insista-t-elle.

— Je suis déçu, Wellington, je ne pensais pas que tu étais le genre de femme à renoncer.

— C'est drôle, je ne pensais pas que tu étais le genre d'homme à se contenter d'espionner les femmes. Je te croyais plus entreprenant, comme un homme d'action.

— Pour un passage à l'action réussi, il faut d'abord bien observer, Wellington.

Cette maxime résumait d'ailleurs assez bien sa vie.

Confortablement installée sur une chaise longue, face au lac, Tansy savoura son verre de limonade.

Sven et Liam jouaient un peu plus loin à lancer des fers à cheval tandis que les deux chiots, sans doute fatigués d'avoir trop couru, dormaient au pied du transat de Juliette.

— Le dîner était délicieux, merci beaucoup, dit-elle en regardant Juliette. Et merci de m'avoir montré ta collection de carillons. Ils sont magnifiques.

— C'est gentil. Je suis contente qu'ils te plaisent, c'est moi qui les fabrique.

— Vraiment ? Félicitations. Tu n'as jamais songé à en vendre ?

— Non, ce n'est qu'un passe-temps.

— Peut-être, mais tu possèdes un véritable talent.

— Merci. Je suis heureuse que tu sois venue pour le dîner. Grâce à vous, Sven a pu étrenner son nouveau barbecue.

Elle éclata de rire.

— C'est un sujet qui a l'air de lui tenir à cœur, en effet !

D'ailleurs, les deux hommes étaient en train d'admirer l'appareil, comme s'il s'agissait d'une sainte relique.

— Ce sont bien des hommes, n'est-ce pas ? fit Juliette en souriant.

— Aucun doute là-dessus. On sent la testostérone jusqu'ici.

— Une fois que tu es habituée à toute cette testostérone, tu ne peux plus être séduite par un homme plus efféminé. Impossible de revenir en arrière.

Ces mots la rendirent songeuse.

Bradley était l'exemple type de l'homme efféminé. C'était d'ailleurs une des choses qu'elle aimait en lui. Il était calme, mesuré, sensible… Et lui empruntait fréquemment son gel pour les cheveux.

Tiens, elle n'avait pas pensé à lui de toute la soirée, remarqua-t-elle soudain avec surprise. Elle avait simplement profité de l'instant présent, et avait été ravie de découvrir que Liam pouvait être charmant, lorsqu'il le souhaitait.

Il avait pris soin de tirer sa chaise pour elle au moment de passer à table et il lui avait tenu la porte, lui prouvant à plusieurs reprises qu'il était bien élevé et qu'il possédait de bonnes manières, lorsqu'il acceptait de les montrer.

Plusieurs fois, au cours du dîner, sa jambe musclée avait effleuré la sienne, son bras avait frôlé le sien. Parfois aussi, il s'était penché en même temps qu'elle, et le fait de sentir son souffle chaud sur sa peau avait éveillé en elle un désir des plus vif.

En fait, elle n'avait pas envie de l'avouer, mais elle avait eu l'impression d'être en couple, ce soir, avec Liam. Et cela lui avait plu.

La soirée approchait de la fin, car Juliette travaillait ce week-end.

— Nous devrions remettre cela un jour ou l'autre, suggéra Juliette en les raccompagnant jusqu'à la moto.

— Avec plaisir, répondit-elle sincèrement. J'ai passé un excellent moment.

Après avoir salué leurs hôtes, Liam grimpa sur la moto. Elle s'installa derrière et s'accrocha à lui.

Le trajet fut très agréable. La sensation du vent dans ses cheveux… celle de son corps masculin brûlant contre le sien… Tout cela était enivrant.

Lorsqu'ils arrivèrent aux bungalows, quelques minutes plus tard, Liam coupa le moteur et, en silence, ils descendirent de la machine.

Une petite voix en elle — celle de la raison, bien sûr — lui disait de le remercier et de rentrer chez elle, mais son cœur n'en avait pas envie. Son corps, encore moins…

Mais pourquoi était-elle aussi faible ? Cherchait-elle encore une punition ? Une humiliation ?

Non. Elle avait passé un si bon moment qu'elle n'avait tout simplement pas envie que la soirée se termine. Elle n'avait pas envie de retrouver sa solitude.

— Merci de m'avoir accompagnée, murmura-t-elle alors.

— Tu as aimé faire de la moto ?

— Beaucoup.

— Cela ne m'étonne pas. Si tu veux, nous pourrions aller faire un tour, à l'occasion.

Un tour de moto ? C'était une invitation surprenante, venant de lui.

— Avec plaisir, répondit-elle néanmoins.

— Wellington…

— Reinhardt…

— Je crois que nous avons signé l'armistice, ce soir.

— Je n'avais pas déclaré la guerre.

— Non, mais tu avais tracé une frontière dans le sable. Et, ce soir, tu as décidé de la traverser, Wellington. Ce qui veut dire que je n'ai plus qu'une chose à faire.

A ces mots, elle sentit son cœur battre à toute allure dans sa poitrine et sa température grimper de quelques degrés.

— De quoi s'agit-il ? lui demanda-t-elle d'une petite voix timide, presque inaudible.

— De ceci, répondit-il avant de passer les doigts dans ses cheveux.

A ce contact, elle fut prise d'un frisson. Un frisson de plaisir, pas de crainte.

Elle ne connaissait Liam que depuis quarante-huit heures et, pourtant, elle avait l'impression que cela faisait une éternité.

Sa caresse était douce, étonnamment douce, et sous le charme elle posa la main sur son torse musclé.

Elle n'avait pas envie de rentrer chez elle. Au contraire, elle mourait d'envie de passer plus de temps avec lui. Mais elle n'osait pas le lui dire. Si elle faisait le premier pas, il risquait de se sentir harcelé.

Par contre, elle n'attendait qu'une chose : qu'il fasse un pas dans sa direction. Alors elle n'aurait plus aucune hésitation.

Il posa enfin ses lèvres sensuelles sur les siennes et, oubliant toute tactique, elle s'abandonna contre lui.

Son désir prit alors le pas sur tout le reste et, rapidement, le baiser se fit plus passionné, plus gourmand, plus intense. Tout à coup, elle avait l'impression de n'être plus qu'une boule d'émotions.

En feu, elle se pressa contre lui, mais Liam recula.

— Bonne nuit, Wellington.

C'était tout ? Il s'arrêtait là ?

Le baiser était donc terminé, songea-t-elle à regret. Dommage.

Encore sous le choc, elle ne réagit pas. Elle demeura immobile, comme figée au sol tandis qu'il rentrait dans son bungalow et claquait la porte derrière lui.

Nerveux, Liam arpenta son salon, les questions se bousculant dans sa tête. Son sexe était tendu dans son pantalon. Il désirait Tansy Wellington. Il ne rêvait que d'une chose : lui faire l'amour.

La ferveur avec laquelle elle avait répondu à son baiser lui avait prouvé à quel point c'était réciproque. Elle avait envie de lui, cela ne faisait aucun doute.

A cet instant précis, le désir qu'il ressentait pour Tansy était même plus fort que son envie d'intimité, plus fort que son besoin de tranquillité. Oh ! et après tout, pourquoi ne pas céder ? Cela n'aurait aucune conséquence, puisqu'elle repartait dans le Sud dans quelques semaines. Il n'y avait donc rien de mal à s'autoriser une aventure de quelques jours.

Oui, c'était le moment ou jamais d'aller la retrouver chez elle. Sans plus attendre, il se dirigea vers la porte.

Il l'ouvrit brutalement et se retrouva nez à nez avec Tansy, la main levée, visiblement sur le point de frapper. Elle avait eu la même idée que lui.

Sans un mot, il lui prit la main et l'attira à l'intérieur puis ferma la porte derrière elle.

— Je veux plus, murmura-t-elle en s'adossant contre la porte.

— C'est-à-dire ?

— Je veux ce que tu es prêt à me donner. J'ai besoin d'une distraction et… Tu me permets d'oublier… beaucoup de choses.

Evoquait-elle son ex-fiancé ? En tout cas, si elle avait seulement besoin d'une distraction et qu'elle n'attendait rien de plus de lui, cela lui convenait. Elle ne lui demandait pas la lune.

Pour toute réponse, il hocha la tête puis caressa doucement sa joue rose.

— Une distraction ? Cela ne me ferait pas de mal non plus, susurra-t-il, avant de s'approcher de son beau visage.

Mon Dieu, ce parfum fruité… Ces cheveux soyeux… Elle était délicieuse.

Il la sentit trembler sous ses doigts. Avait-elle peur ? Etait-elle excitée ? Peut-être les deux la fois. Quoi qu'il en soit, si elle était venue à lui, c'était qu'elle en avait envie. Et c'était tout ce qui comptait.

Déterminé à en profiter, il l'embrassa, envoûté tout à coup par cette façon qu'elle avait d'accueillir son baiser avec gourmandise, de s'ouvrir à lui, de s'abandonner entre ses bras. Elle était si sucrée, si douce…

Incapable de décoller ses lèvres des siennes, il approfondit le baiser et elle laissa sa langue danser avec la sienne comme pour le découvrir.

Brûlant de désir, il se plaqua sauvagement contre elle. Il mourait d'envie de s'enfouir en elle, de découvrir la rondeur parfaite de ses seins, les courbes sensuelles de ses hanches, l'extrême douceur de ses cuisses.

Sans jamais cesser de l'embrasser, il l'attira sur le canapé. Il n'en pouvait plus ! Elle aussi semblait pressée, glissant ses mains fines sous son T-shirt, comme pour le supplier d'aller plus vite.

Des idées osées plein la tête, il abandonna sa bouche pour laisser sa langue glisser le long de son cou fin, vers son épaule. Sa peau était si soyeuse, et cela faisait si longtemps qu'il n'avait pas embrassé une femme… Il n'allait pas pouvoir durer longtemps. Seulement, il n'était pas sûr non plus de pouvoir ralentir.

Il recula, à bout de souffle, comme s'il venait de courir un marathon.

— Tansy… Donne-moi une seconde… Cela fait tellement longtemps…

— Moi aussi, mais je suis prête, fit-elle, les yeux embués de désir. Sors tes armes, Reinhardt.

— Ce que je veux dire, c'est que… Je suis déjà prêt à exploser.

— Parfait, c'est tout ce dont j'ai envie. Maintenant.

— Dans la chambre ?

— Elle est trop loin, lâcha-t-elle dans un souffle.

Il ne se fit pas prier et, sans attendre, retira son jean et son caleçon tandis qu'elle se débarrassait de sa culotte.

— Voilà une arme impressionnante, murmura-t-elle, avant de se taire pour le dévorer du regard.

Il profita du silence pour la dévisager lui aussi, sans la quitter des yeux un seul instant.

Il avait toujours aimé prendre son temps avec les femmes. Jamais il n'avait possédé une femme après seulement un ou deux baisers. Mais cette femme-là n'était pas comme les autres. Elle le rendait fou.

Incapable d'attendre une seconde de plus, il lui agrippa les hanches pour se positionner entre elles puis se figea.

— Liam ? demanda-t-elle, visiblement surprise. Que se passe-t-il ?

— Un préservatif. Je n'en ai pas.

— Dans mon sac, sur le sol, dit-elle aussitôt en l'attrapant par terre.

Quelques secondes plus tard, elle lui tendit un emballage argenté.

— Alors, où en étions-nous, Tansy ? demanda-t-il après s'être protégé.

— Es-tu toujours…

— Prêt ? Plus que jamais.

Devant lui, les jambes écartées, son intimité dévoilée, elle le troublait, elle l'envoûtait. Cette vision était d'un tel érotisme qu'il en avait presque le vertige.

— Tu es tellement sexy, fit-il, la voix rauque de désir.

A ces mots, elle sourit et l'attira à elle. C'est alors que, n'y tenant plus, il la pénétra, d'un geste ferme, précis.

Elle était si étroite, si brûlante qu'il en perdait la tête.

— C'est si bon, gémit-il, en extase.

— Merveilleusement bon, acquiesça-t-elle, le sourire aux lèvres.

Elle avait l'air d'aimer cela autant que lui. Il se mit alors à aller et venir en elle, à un tempo tout de suite rapide. Comme si elle n'attendait que cela, elle bascula les hanches pour accompagner ses mouvements.

Il serra les dents pour tenter de se retenir mais les sensations étaient trop fortes, trop intenses. Puis, ce qu'il ne lui était jamais arrivé arriva. Il explosa trop tôt.

Beaucoup trop tôt.

- 8 -

Tansy eut la sensation d'effleurer les étoiles… Pour redescendre instantanément sur terre, lourdement. Elle avait pris du plaisir mais n'avait pas atteint l'apogée, faute de temps. Tout était allé beaucoup trop vite. Liam l'avait prévenue qu'il était prêt à exploser et qu'il ne pourrait durer bien longtemps, mais tout de même. Elle ne pouvait s'empêcher de ressentir une certaine frustration. Ainsi qu'une certaine déception.

— Ne bouge pas, fit-il en roulant à côté d'elle. Je reviens.

Il disparut dans la salle de bains et, aussitôt, le froid la saisit. Mal à l'aise, elle remit sa culotte et redescendit sa robe sur ses jambes puis s'assit sur le canapé. Elle allait attendre le retour de Liam et, ensuite, elle rentrerait chez elle.

Elle avait tellement attendu de ce corps à corps, elle l'avait tellement imaginé que… elle était déçue.

Très déçue même, il fallait bien l'avouer.

Oh ! et puis, à quoi bon rester, maintenant ? Le moment était passé, la magie retombée. Elle se leva et remit son sac en bandoulière mais, sous le coup de l'émotion, sentit ses jambes vaciller.

Au même instant, Liam ressortit de la salle de bains et s'approcha d'elle.

— Tu n'obéis pas aux ordres, Tansy, lui reprocha-t-il d'un ton sérieux, dénué de toute moquerie.

Puis, sans même la laisser répondre, il la débarrassa de son sac à main qu'il jeta au sol.

— Je t'avais demandé de ne pas bouger, Tansy.

Il lui prit la main mais elle recula.

— Tu n'es pas obligé, Liam…

— Je sais. Mais j'en ai envie. Je souhaite te satisfaire autant que toi, tu m'as satisfait. Je suis allé trop vite et…

Il tenta de nouer ses doigts aux siens mais elle lui opposa une résistance. Ce n'était pas une bonne idée.

— Il vaut mieux que je rentre chez moi, dit-elle, embarrassée.

— Arrête, Tansy. Fais ce que je te dis, s'il te plaît. Il est hors de question que je te laisse partir. Alors arrête de bouder et viens ici.

— Je ne boude pas.

— Bien sûr que si. Je suis déjà en colère contre moi-même, parce que je n'ai pas réussi à me maîtriser, alors ce n'est pas la peine d'en rajouter.

Il s'en voulait ?

L'incident avait donc été gênant pour lui aussi ? Elle n'y avait pas songé… Elle se sentit coupable tout à coup. S'il y avait bien une chose qu'elle ne désirait pas, c'était qu'il soit mal à l'aise.

— Je n'en ai pas terminé avec toi, insista-t-il.

Ces mots manquaient de romantisme. Il s'agissait même de la proposition la plus directe et la plus sèche qu'elle ait jamais entendue. Bradley avait toujours été adepte des mots doux, des bougies… Mais, à sa grande surprise, la franchise de Liam l'excitait. Elle l'attirait même plus qu'elle ne la faisait fuir.

— Ah oui ? Tu n'en as pas terminé avec moi ? répondit-elle alors d'une voix enjôleuse.

— Ce n'était que le début. Maintenant, allons dans la chambre.

Le début ? Voilà une nouvelle remplie de promesses. Soudain, elle avait moins envie de prendre la porte.

Le bungalow de Liam était la réplique exacte du sien, remarqua-t-elle en le suivant dans la chambre, le cœur battant.

Comme chez elle, la pièce comprenait un lit double décoré d'un patchwork coloré, une armoire et un épais tapis de laine au sol. Mais, contrairement à chez elle, aucun objet personnel ici. La pièce était nette, presque impersonnelle. Heureusement, la lumière de la lune, qui filtrait à travers le store, leur offrait une douce lumière tamisée qui réchauffait l'atmosphère.

Il s'arrêta à côté du lit puis, lentement, se baissa pour l'embrasser dans le cou.

Sa bouche était chaude, ses lèvres fermes et sensuelles contre sa peau frissonnante. Ensorcelée par ces baisers, elle laissa échapper un soupir de plaisir.

En quelques secondes, son désir pour lui se réveilla pour se décupler. Elle le voulait contre elle, en elle, maintenant ! Pour se noyer en lui… Elle mourait d'envie qu'il la possède, qu'il la fasse crier son nom, jusqu'à en perdre haleine.

Il ouvrit le lit et, ensemble, ils s'allongèrent. Avec d'infinies précautions, il l'installa ensuite sur le dos puis commença à l'embrasser. Il posa une main puissante sur ses hanches… laissa l'autre remonter sous sa robe… et, du bout des doigts, enflamma chaque centimètre carré de peau qu'il touchait. En feu, elle s'abandonna à cette délicieuse torture.

Folle de désir, elle se cambra contre lui, pour l'inviter à aller encore plus loin. Elle en voulait plus. Et ne pouvait plus attendre.

Liam saisit sa culotte et, lentement, avec une infinie sensualité, la fit glisser le long de ses jambes. Aussitôt, un délicieux frisson se glissa entre ses cuisses, l'électrisant, la faisant basculer dans un autre monde, un monde de plaisir intense.

Délaissant ses jambes, il enfouit ensuite le visage dans le creux de son cou, pour l'embrasser avec gourmandise. Ensorcelée, se sentant chavirer, elle noua les bras autour de son cou et se lova contre lui, faisant danser sa langue contre la sienne. Toute retenue l'avait désormais désertée, sa raison avait abdiqué. Elle n'était plus qu'une boule d'émotions, une boule de désir.

Plus les minutes passaient, plus l'intensité de son désir atteignait des sommets. Jamais elle n'avait connu une telle excitation, une telle envie.

Sans cesser de l'embrasser, il caressa ses cuisses et son ventre d'une main fiévreuse, jusqu'à effleurer sa toison, d'un doigt léger. Une nouvelle vague de désir l'enveloppa alors, mais ce n'était pas assez… Cet homme la caressait partout, sauf à l'endroit où elle voulait qu'il la touche, et il allait la rendre folle.

A bout, au bord du vertige, elle rompit le baiser.

— Liam, s'il te plaît..., fit-elle, implorante.

— Patience, la coupa-t-il en passant un doigt délicatement tentateur sur son sexe brûlant.

— Je croyais pourtant que la patience n'était pas ton fort, le taquina-t-elle.

A ces mots, il éclata de rire.

— Les circonstances étaient différentes. Maintenant, Tansy, ferme les yeux.

— Et si je refuse ? le provoqua-t-elle d'une voix sensuelle.

— Tu n'as pas le choix. Pour une fois, peux-tu obéir et arrêter de discuter ?

Très bien. Mais à une condition. Qu'il lui donne ce qu'elle attendait, car sa patience avait atteint ses limites.

Elle ferma les yeux et, aussitôt, sentit sa langue experte se poser dans le creux de son cou, derrière son oreille. Ce fut alors comme un feu d'artifice qui explosa en elle, comme si son sang venait de s'enflammer.

— Garde les yeux fermés, Tansy, lui ordonna-t-il de nouveau.

Avec plaisir. Sans la vue, la puissance des sensations était en effet décuplée.

Quelques instants plus tard, elle le sentit refermer sa bouche sur la pointe tendue de son sein, à travers sa robe, et son entrejambe se serra. Incapable de se retenir, elle laissa échapper un cri. Elle le désirait tant à cet instant que son intimité était devenue douloureuse. Elle ne pouvait plus attendre. C'était impossible.

Elle s'agrippa à ses épaules pour le faire accélérer, mais il continua à n'en faire qu'à sa tête, jouant avec son téton jusqu'à ce qu'elle se morde la lèvre pour retenir un cri. Mais lorsque, enfin, il insinua un doigt en elle, elle ne put s'empêcher de laisser échapper un gémissement de plaisir.

Liam était en train de la rendre folle. Toute raison l'avait désertée.

S'abandonnant à cette douce torture, elle écarta les jambes, s'ouvrant à lui, se libérant, oubliant toute pudeur, pour accueillir l'orgasme qu'elle sentait grandir en elle.

De nouveau il glissa un doigt coquin en elle, puis un

deuxième, pour s'attarder sur le point le plus érogène pour elle. Elle bascula alors la tête en arrière. Elle n'en pouvait plus ! Il était en train de la torturer.

— Liam... S'il te plaît ! cria-t-elle, pantelante.

Il intensifia ses caresses et, tout à coup, elle se raidit. Tous ses muscles se tendirent et elle explosa. Submergée par un raz-de-marée de plaisir, elle laissa échapper un cri qui résonna dans toute la pièce.

Le lendemain, Mallory s'installa sous le drap et laissa échapper un long soupir de satisfaction tandis qu'une douce musique résonnait dans la pièce, illuminée de quelques bougies. Elle s'était attendue à ce que le lieu soit assez modeste, voire rustique, mais non. Le spa de Jenna valait bien les établissements situés dans les grandes villes.

Ellie Sisnuket, la jeune masseuse, versa de l'huile chaude dans ses mains avant de poursuivre.

Elle avait été institutrice avant de tout lâcher pour devenir masseuse et travailler dans le spa de Jenna, lui avait-elle raconté. Si elle était aussi bonne institutrice que masseuse, c'était une perte pour l'école locale : ses doigts étaient ceux d'une fée.

— Vous êtes très tendue, remarqua la jeune femme. Si vous souhaitez en parler, n'hésitez pas. Est-ce à cause d'un homme ?

— N'est-ce pas toujours à cause des hommes ?

Ses tentatives d'approches de Liam Reinhardt avaient toutes échoué, jusqu'à présent. Elle l'avait bien rencontré, mais il ne semblait pas intéressé par la moindre conversation avec elle.

Chaque fois, la déception avait été forte. Il ne voyait pas ce qui était pourtant évident pour elle : ils étaient faits l'un pour l'autre. Mais ce n'était pas une raison pour renoncer. Au contraire. S'il n'avait pas saisi les signes subtils qu'elle lui avait envoyés jusqu'à présent, il était temps pour elle de jouer cartes sur table et d'attaquer.

De toute façon, elle n'avait d'autre option possible, c'était comme cela que les choses devaient se passer. Liam représentait tout, pour elle, un objectif aussi bien professionnel que personnel.

— Comment avez-vous rencontré votre mari ? demanda-t-elle à la jeune femme, pour faire la conversation.

— Nelson aime à raconter qu'il m'a découverte nue, dans le lac, répondit Ellie en riant. Il est vrai que, ce jour-là, j'étais en train de nager nue, dans un lac thermal. Mais nous nous connaissions déjà. En fait, je suis sortie avec son cousin, pendant quelque temps. J'avais déjà un faible pour Nelson, à l'époque, mais j'avais l'impression qu'il ne me regardait pas. Jusqu'à ce qu'il me voie, ce soir-là, dans le lac. Nous avons commencé à discuter et rapidement nous sommes tombés amoureux.

— C'est une belle histoire. Si seulement l'amour était toujours réciproque, la vie serait bien plus facile.

Elle avait misé sur le fait que Liam tomberait amoureux d'elle au premier regard. Malheureusement, il semblait davantage intéressé par la sœur de Jenna, Tansy, la petite brune installée à Shadow Lake.

Cette Tansy ne l'appréciait pas. Ce n'était pas un secret pour elle — par sa formation, elle était habituée à lire les réactions des autres, à comprendre le langage de leur corps.

La raison de cette méfiance n'était pas un secret non plus : elle avait des vues sur Liam, ce qui ne plaisait pas à Tansy. Mais pas de chance pour elle, Liam était l'homme de sa vie. Le destin en avait décidé ainsi et elle ne pouvait pas aller à l'encontre de son destin. Il n'était pas question qu'elle s'efface.

Quant à son objectif professionnel, il n'allait pas être des plus facile à atteindre. Il fallait qu'elle parvienne à convaincre Liam de lui accorder un entretien, pour parler de sa carrière, de son expérience. Il avait déjà refusé plusieurs offres d'interviews, de la part de journalistes, mais peu importe. Elle n'allait pas le laisser filer. Elle ne renoncerait pas. Jamais. Cet homme méritait d'entrer dans l'histoire.

Evidemment, elle aurait pu l'appeler avant de faire ce long voyage jusqu'en Alaska, mais elle avait préféré lui poser la question directement. Elle voulait voir sa réaction, et surtout son regard lorsqu'il comprendrait que le destin souhaitait les réunir.

— De temps en temps, les femmes devraient peut-être admettre qu'elles se trompent, répondit enfin Ellie.

Peut-être. Mais ce n'était pas son cas, à elle. Elle savait, au plus profond d'elle-même, que Liam était l'homme de sa vie. Elle n'avait aucun doute sur la question. Le destin allait les réunir, ce n'était qu'une question de temps et de patience.

Rassurée, elle finit par se détendre, profitant du massage d'Ellie. Le mieux était sans doute d'aller trouver Liam chez lui. Là, au moins, il ne pourrait pas l'ignorer.

Et n'aurait plus le choix de faire face à leur destin commun.

Liam ne fut pas surpris lorsque Dirk s'installa sur la banquette en face de lui, chez Gus.

Le coup de poing n'avait été qu'une entrée en matière — un peu brutale, certes — et sa conversation avec son cousin n'était pas terminée. Ils avaient maintenant des choses à se dire.

Il était donc prêt à parler, mais si jamais Dirk levait la main sur lui, cette fois-ci, il n'hésiterait pas à riposter.

— Comment va ta joue ? lui demanda son cousin, sans préambule.

— Disons que tu es plus beau que moi, aujourd'hui !

Surtout depuis que Dirk avait rasé sa barbe et s'était coupé les cheveux. Aujourd'hui, il n'avait plus du tout l'air d'un sauvage.

Dirk éclata de rire et, incapable de s'en empêcher, il sourit. Voilà le cousin dont il se souvenait. Le cousin sympathique, jovial. Le cousin avec qui il avait fait les quatre cents coups.

— Je n'ai pas eu le choix, continua Dirk en passant une main sur sa joue désormais imberbe. Je ne voulais pas risquer d'effrayer les enfants. A part ça, comment vas-tu ?

— Pas trop mal, commença-t-il avant de s'interrompre en voyant arriver la serveuse.

Ruby était très jolie, mais elle n'arrivait pas à la cheville de Wellington. En fait, aucune femme n'était aussi sexy et désirable que Tansy.

— Dis-moi tout, reprit Dirk après le départ de la jeune femme. Que fais-tu ici ?

— La même chose que toi, je roule ma bosse.

Si quelqu'un était capable de comprendre son envie de voir du pays, c'était bien Dirk.

— Et combien de temps vas-tu rester ?

— Aucune idée. Pour l'instant, j'ai pour seul objectif de me lever demain. Je ne pense pas plus loin.

Il ne jouait pas, ne buvait pas, ne fréquentait pas les clubs de strip-tease — trois sources de dépense non négligeables pour certains. Il avait donc des économies, ce qui lui permettait de voir venir, de prendre le temps de réfléchir à sa nouvelle carrière.

— Décidément, remarqua Dirk, tu as vraiment changé de vie.

— C'est vrai, dit-il simplement, sans plus de commentaires.

Il n'avait pas envie d'évoquer la fin brutale de sa carrière, ni la lassitude ou le manque de motivation qui l'animait désormais. Il avait besoin de se changer les idées, de parler d'autre chose.

— Et toi, Dirk, combien de temps as-tu l'intention de rester à Good Riddance ?

— Je vous apporte vos assiettes dans un instant, leur lança Ruby en posant leurs boissons sur la table.

— Je crois que je vais rester dans les parages pendant quelque temps, répondit ensuite Dirk. Mon contrat sur la plate-forme pétrolière est terminé et le prochain ne débute que dans quelques mois. D'ailleurs, si tu es intéressé, je pourrai facilement te faire embaucher. Le travail est dur mais la paie est bonne.

— Merci, j'y réfléchirai, se contenta-t-il de répondre, guère tenté par la proposition.

Pour l'instant, rien ne le tentait, mais il se forçait à garder espoir, se répétant que lorsque la bonne idée surviendrait il la reconnaîtrait.

— Je travaille sur des chantiers, en ce moment, avec Sven. Mais, écoute, pendant que tu es là, j'aimerais que nous réglions cette histoire avec Natalie. Sache que j'ignorais que tu avais des vues sur elle, à l'époque. Sinon, je ne lui aurais pas fait la cour. Ce n'est pas mon genre de voler une femme à un homme et…

Il s'interrompit. Ruby était en train de revenir avec leurs assiettes.

— Désirez-vous autre chose, messieurs ?

Il déclina d'un signe de tête.

— Si tu as toujours des sentiments pour elle, reprit-il ensuite, et j'ai l'impression que c'est le cas, tu devrais la contacter.

— Inutile. Elle a fait son choix.

— Le mauvais choix.

— As-tu au moins été correct avec elle ?

Eh bien, décidément… Dirk avait plus qu'un faible pour son ex-femme. C'était évident.

— Si quelqu'un d'autre me posait cette question, je répondrais que cela ne le regarde pas. Mais, comme je sais que tu tiens à elle, je vais te le dire. Oui, j'ai été correct. Je ne l'ai pas trompée, si c'est ce qui t'inquiète. Et, d'après ce que je sais, elle ne m'a pas trompé non plus.

— Ce n'est pas le genre de Natalie, ajouta son cousin avec conviction.

Dirk était vraiment fou d'elle, de manière inconditionnelle. Il n'en revenait pas.

— Tu as raison, ce n'est pas son genre. Elle m'a juste expliqué qu'elle ne supportait plus mes absences. Un mari absent pendant des mois entiers… c'est une vie que certaines femmes n'envisageraient même pas. Elle avait coutume de dire que j'étais marié à l'armée, plutôt qu'à elle… Et, en un sens, elle n'avait pas tort. Je ne lui ai pas donné assez de place.

Dirk piocha quelques frites avant de répondre.

— Tu n'as jamais pensé à la recontacter, maintenant que tu as quitté l'armée ? lui demanda son cousin.

— Non, notre histoire est terminée. Mais attends une seconde… Tu m'as frappé hier parce que je me suis marié avec elle et, aujourd'hui, tu me pousses de nouveau vers elle ? Tu as vraiment l'esprit tordu.

— Tout ce que je veux, c'est qu'elle soit heureuse.

— Alors tente ta chance. Appelle-la.

A ces mots, il vit son cousin rougir.

— Peut-être… Nous verrons. Dis-moi plutôt, Liam, comment se fait-il que tu aies quitté l'armée ?

— Ce n'est pas important. Tout cela, c'est le passé et je préfère penser à l'avenir.

— Je ne te crois pas. Si cela avait si peu d'importance, tu en parlerais volontiers. Mais je comprends que tu ne veuilles rien me dire. Je respecte ta position.

Tant mieux. En tout cas, Dirk avait raison sur un point, il n'avait toujours pas digéré l'échec de sa vie professionnelle.

En pénétrant dans le salon de massage de Jenna, en fin d'après-midi, Tansy fut accueillie par le bruit régulier et rassurant de la petite cascade murale. Les lieux étaient déserts.

Quelques instants plus tard, Ellie, la masseuse, fit son apparition.

— Salut, Tansy, dit-elle chaleureusement. Tu voulais voir Jenna ?

— Elle n'est pas occupée ?

— Elle est juste montée faire un petit coucou à Logan et Emma.

— Dans ce cas je vais la retrouver. Merci.

Sans attendre, elle se dirigea vers la porte marquée «privé». Jenna ne lui en voudrait pas de cette petite visite surprise.

Arrivée en haut de l'escalier, elle frappa à la porte.

— Entre ! lui cria sa sœur.

L'appartement de Jenna était magnifique. De grandes baies vitrées offraient une vue époustouflante sur les montagnes au loin. Quant à la décoration, elle était accueillante et cosy. Elle s'y sentait bien.

Elle avança dans le salon et trouva Jenna sur le canapé, en train de donner le sein à Emma, à côté de Logan.

La douceur qui se dégageait de ce spectacle était inouïe. A

cet instant, elle rêva d'avoir, elle aussi, une vie de famille, avec un homme à ses côtés.

— Assieds-toi, lui lança sa sœur.

— Ne te gêne pas pour moi, j'allais sortir, ajouta Logan en se levant.

— Je ne voudrais pas interrompre…

— Tu ne nous déranges, pas, Tansy. Emma est en train de boire et Logan allait sortir.

— A plus tard, ma chérie, fit Logan en embrassant la tête de sa fille. Occupe-toi bien de ta maman.

Il embrassa ensuite Jenna sur le front puis sortit.

La porte venait à peine de se fermer lorsque Jenna lui adressa un sourire malicieux.

— Mon Dieu, Tansy… Tu as couché avec lui ! explosa-t-elle.

— Ne me dis pas que toute la ville est déjà au courant.

— Non, mais ce n'est qu'une question de jours. Ça se lit sur ton visage : tu resplendis. Tu sembles beaucoup plus détendue qu'hier.

— Tu racontes n'importe quoi, Jenna !

— Pourquoi ? Ce n'est pas le cas ?

— Non, enfin… si, tu as raison. C'est vrai que je me sens détendue, mais de là à dire que je resplendis…

— Crois-moi, c'est la vérité. Tu irradies, même !

— Peut-être, mais ce n'est pas pour cette raison que je suis ici. J'ai un problème.

— Tu as besoin de préservatifs.

— Comment le sais-tu ? demanda-t-elle, bluffée par tant de perspicacité.

— C'est simple. Tu es arrivée ici le cœur brisé. Quant à Liam, il est arrivé en colère. Ni l'un ni l'autre ne pensait trouver l'amour, résultat, vous n'avez pas apporté de préservatifs. Mais tu ne veux pas aller les acheter à l'épicerie pour ne pas déclencher les ragots.

— Parfois, tu me fais peur, Jenna ! s'exclama-t-elle, forcée de constater que sa sœur lisait en elle comme dans un livre ouvert.

— Je suis juste logique. En tout cas, ne t'inquiète pas, j'ai une réserve en bas. Comme Merilee, d'ailleurs. Nous aimons que les femmes de Good Riddance soient heureuses, et protégées. Mais nous savons toutes que les préservatifs ne sont pas efficaces à cent pour cent. La preuve, Mlle Emma, ici présente.

Jenna mit sa fille sur son épaule et lui caressa doucement le dos.

— Elle est vraiment adorable, s'attendrit-elle.

Comme pour lui répondre, Emma laissa échapper un petit rot.

— Laisse-moi juste la coucher pour sa sieste, poursuivit Jenna. Ensuite, je m'occupe de toi pour que tu ne te retrouves pas avec un bébé sur les bras dans neuf mois.

Tansy laissa échapper un léger rire — pour tenter de masquer la gêne qu'elle ressentait soudain. Pour la première fois, elle se sentait un peu jalouse de la vie de Jenna et Logan. Leur existence semblait si simple, si évidente. Et si pleine d'amour.

Enfin, en attendant de connaître un tel amour, rien ne l'empêchait de profiter de ses moments avec Liam.

Liam l'aperçut dès qu'il s'engagea dans l'allée menant à Shadow Lake.

Assise sur les marches de la terrasse, elle semblait l'attendre. Elle avait garé sa voiture, empruntée à quelqu'un, à côté de son bungalow.

Mallory Kincaid lui adressa un petit signe de la main mais il ne répondit pas. Il n'en avait pas envie.

Il ne l'avait pas invitée et voilà qu'elle l'attendait chez lui. Décidément, elle ne manquait vraiment pas d'air. Il commençait à en avoir assez. Quand allait-on enfin le laisser tranquille ?

Bon. Surtout, rester calme. Au moins, il allait découvrir ce qu'elle lui voulait. Car elle attendait quelque chose de lui, il en avait la certitude.

Il gara sa moto puis s'approcha avant de s'arrêter à quelques mètres d'elle.

— Bonjour, Liam, lui lança-t-elle en se levant.

— Que voulez-vous ? demanda-t-il sèchement.

A ces mots, il la vit se raidir légèrement. Elle semblait surprise par sa riposte, mais pas déstabilisée. En fait, elle avait plutôt l'air amusée.

— Voilà qui est direct, sergent Reinhardt.

— Je n'ai aucune envie de tourner autour du pot.

Il avait prévu d'aller nager, puis de voir Tansy, et enfin de dîner. Dans cet ordre-là. Il n'avait pas envie de faire la conversation à une invitée qui n'était pas la bienvenue.

— Que voulez-vous, mademoiselle Kincaid ? répéta-t-il, pressé d'en finir.

— Mallory. Appelez-moi Mallory.

— Je ne vous ai pas invitée alors vous avez deux minutes pour m'expliquer les raisons de votre présence. Ensuite, je rentrerai chez moi, et vous, chez vous. Vous pouvez gâcher ces deux minutes en me racontant des histoires, ou bien me dire la vérité, et nous faire gagner du temps, à tous les deux.

Il s'interrompit pour jeter un coup d'œil à sa montre.

— Vos deux minutes commencent maintenant.

Pour toute réponse, elle hocha la tête, acceptant ses conditions.

— Très bien. Je suis historienne militaire. Ma famille est liée à l'armée depuis la guerre de Sécession. Mon oncle a servi au Viêt-nam avec Carlos Hathcock, mon frère aîné a été au Kosovo et en Afghanistan… Et je voudrais que vous me racontiez votre expérience en…

— Non, la coupa-t-il.

— Mais…

— Non.

— C'est important. Vous êtes un héros, Liam.

Il refusait de satisfaire sa curiosité alors qu'il n'était même plus militaire. Quatre mois plus tôt, peut-être aurait-il parlé, mais aujourd'hui, c'était hors de question.

— Vos deux minutes sont écoulées.

Sur ces mots, il ignora la jeune femme, et se dirigea d'un pas décidé vers la porte. Là, il se retourna.

Il avait tout de même une question pour elle.

— Comment m'avez-vous trouvé ?

Elle haussa les épaules.

— Il n'est pas difficile de trouver quelqu'un, aujourd'hui, se contenta-t-elle de répondre.

— Je ne supporte pas qu'on me harcèle, lâcha-t-il, agacé.

— Je ne vous harcèle pas. Je me contente de faire mon travail.

— J'espère au moins que vous passerez de bonnes vacances en Alaska. Sinon, vous n'aurez fait que perdre votre temps et votre argent.

— Je n'ai pas renoncé, Liam.

— Vous m'avez entendu ? Je ne supporte pas qu'on me harcèle, répéta-t-il, alors faites demi-tour.

— Jetez au moins un coup d'œil à mon travail, contre-attaqua-t-elle. Je suis assez douée pour les portraits et je vous promets de ne pas trahir votre parole.

— Laissez-moi seul, lui ordonna-t-il.

— Une heure, je ne vous demande pas plus. De toute façon, avec ou sans vous, j'écrirai sur votre expérience car elle est capitale. Alors soit vous me parlez, soit je me débrouille seule. Autrement.

En entendant ces mots, il se figea. Etait-elle en train de lui faire du chantage ? Il détestait cela, il était hors de question qu'il cède.

D'un autre côté, s'il refusait de coopérer, son expérience risquait d'être déformée. Et cela, il ne le supporterait pas non plus.

Il le voyait dans son regard. Mallory Kincaid était déterminée. Elle n'était pas près de renoncer.

Si elle racontait des mensonges, il pourrait toujours la poursuivre en justice, mais ce serait trop tard. Une fois son récit publié, il ne pourrait plus revenir en arrière.

L'opinion des autres lui importait peu, mais il accordait une grande importance à la vérité. Il ne voulait pas que les faits soient trahis.

— J'y réfléchirai, annonça-t-il alors.

— Je repars dans trois jours, insista-t-elle encore.

— Je vous ai dit que j'y réfléchirais.

Elle sortit de sa poche une carte de visite.

— Voici mon numéro de portable, Liam. Vous pouvez vérifier sur internet. Mon activité est tout à fait légale.

Il prit la carte et la rangea dans sa poche sans même la regarder.

— Je demande le droit à une relecture.

— Non, lâcha-t-elle fermement.

Elle semblait sûre d'elle.

— Vous me demandez un droit de censure, Liam, et je refuse d'être censurée. Je vous suggère donc de lire mes articles sur internet.

Mallory était courageuse, audacieuse, il devait l'admettre. Il réfléchirait à sa proposition.

— J'ai votre numéro, dit-il avant d'ouvrir sa porte. Je veux que vous soyez partie lorsque je ressortirai de chez moi.

— Je suis déjà partie, répondit-elle en souriant.

Il claqua la porte sans lui répondre.

Maintenant il avait besoin d'être seul. Il avait besoin de réfléchir.

- 9 -

Tansy tourna dans la petite route menant à Shadow Lake et eut la surprise de croiser une voiture. Bizarre… D'habitude, l'allée était toujours déserte.

Au volant du véhicule, Mallory Kincaid lui adressa un signe de la main. Aussitôt, elle fut prise d'un vif sentiment de trahison et de malaise.

Au fond d'elle-même, elle savait d'où provenait ce sentiment. Bradley l'avait trompée, ce qui avait été un véritable traumatisme pour elle. Et, aujourd'hui, savoir que cette femme avait rendu visite à Liam lui rappelait de mauvais souvenirs. Mais Bradley faisait maintenant partie du passé. Elle ne vivait plus avec lui.

Quant à Liam… Oui, elle avait bien fait l'amour avec lui, la veille, mais il ne l'avait pas trompée avec Mallory cet après-midi. Elle n'avait aucun doute sur cette question. Bien sûr, elle n'était pas complètement naïve, elle connaissait le goût de certains hommes pour la séduction. Une fois que ces derniers étaient parvenus à leurs fins avec une femme, ils s'intéressaient à une autre. Mais Liam était différent. Il était peut-être odieux, direct, mais il était intègre et honnête.

Et même s'il ne s'agissait que d'une aventure passagère, entre eux, elle savait qu'il ne couchait pas avec une autre femme.

Elle en était persuadée, ce qui pouvait signifier deux choses. Soit elle lui faisait confiance, soit elle s'était remise de la trahison de Bradley, et était passée à autre chose.

Mais cette deuxième hypothèse était peu probable. Elle avait beau considérer Liam comme un substitut, comme un moyen de se soigner et d'oublier tout le mal que lui avait fait

Bradley, elle n'avait toujours pas renoncé à leur couple. Par moments, elle rêvait même qu'il vienne jusqu'ici la reconquérir et lui jurer son amour éternel avant qu'ils ne se marient et aient beaucoup d'enfants.

Arrivée devant son bungalow, elle se gara et reprit ses esprits. Elle allait entrer chez elle lorsque Liam sortit.

— As-tu vu passer Mallory Kincaid ? lui demanda-t-il.

— Oui, je l'ai vue, répondit-elle d'un ton aussi neutre que possible.

Il descendit les marches et s'approcha, la main sur le front, l'air las.

— Elle m'attendait devant la porte lorsque je suis rentré, continua-t-il.

Mallory l'attendait ? Comme cela, sans être invitée ? Bon.

— C'est… surprenant, dit-elle, tentant de masquer son trouble.

Que Mallory soit une femme directe, cela ne l'étonnait pas, elle s'y attendait, mais à ce point… En tout cas, elle ne s'était pas trompée. Mallory avait bien des vues sur Liam. Sa visite ici en était la meilleure des preuves.

Mais ce n'était pas tout, il y avait autre chose. Quelque chose dans le personnage la dérangeait, la mettait mal à l'aise. Sans trop savoir pourquoi, elle avait un mauvais pressentiment.

— Elle souhaite que je lui accorde un entretien, poursuivit Liam.

— Une interview ?

— Oui. Elle est historienne militaire et voudrait que je lui parle de mes missions.

Une historienne militaire ? Mais oui, c'était donc cela ! Et dire qu'elle avait pensé que… Voilà qu'elle se sentait ridicule maintenant. Honteuse même d'être aussi soulagée.

— C'est une bonne idée, répondit-elle, incapable de réprimer un grand sourire.

Il y avait cependant un détail qui lui échappait. Mallory avait fait le déplacement jusqu'en Alaska, dans le simple but de demander à Liam s'il accepterait, oui ou non, de lui accorder une interview ? C'était tout de même étrange.

Elle avait bien envie de lui poser une question à ce sujet, mais…

— Je lui ai répondu que j'y réfléchirais, continua Liam, la coupant dans son élan.

— Pourquoi ne pas avoir accepté tout de suite ? s'enquit-elle, perplexe.

— Parce que je n'ai pas envie de parler du passé, répondit-il en croisant les bras sur sa poitrine, le visage fermé.

Ensemble, ils se dirigèrent vers son bungalow.

— Je ne comprends pas. Elle est justement historienne…

— Tu ne peux pas comprendre, rétorqua-t-il d'un ton sec, empreint d'une incroyable frustration. Je suis fini, Tansy ! Ce n'est pas de mon plein gré que j'ai quitté l'armée. J'ai été libéré de mes obligations militaires pour des raisons médicales, à cause d'une valve cardiaque défectueuse.

— Attends un instant… Tu cours tous les matins, tu nages des kilomètres tous les soirs et tu es en train de me dire que tu souffres d'une maladie cardiaque ?

— Je vais bien. D'ailleurs, le médecin m'a affirmé que ce défaut cardiaque n'était pas incompatible avec mon travail. Mais le simple fait qu'il soit noté dans mon dossier médical m'aurait cantonné dans un bureau.

— Waouh, fit-elle, à court de mots.

— Enfant, je n'avais qu'un rêve, rejoindre l'armée. Aujourd'hui ce rêve est brisé. Il s'est transformé en cauchemar.

Il s'interrompit, le temps de lâcher un soupir, avant de reprendre.

— Il y a une seule chose qui pourrait me convaincre d'accepter cette interview : si je ne l'aide pas, elle écrira son article quoi qu'il arrive. Et Dieu sait ce qu'elle ira y raconter…

— Tu n'as rien d'un fini, Liam, l'interrompit-elle.

— Tu vois pourtant que je ne suis plus soldat. Je ne fais plus mon travail. Ce n'est plus une arme que je porte, ce sont des sacs de ciment. As-tu seulement idée de ce que je ressens ?

Il se trouvait justement qu'elle en avait une petite idée. Il n'était pas le seul à avoir des doutes sur sa vie professionnelle.

— Je ne cherche en aucun cas à minimiser ta douleur, Liam, mais sache que je peux tout à fait imaginer ce que tu ressens. Mon métier est d'écrire des articles sur l'amour, de donner des conseils sur les relations amoureuses. Parallèlement, je suis en train d'écrire un livre intitulé *Comment rencontrer le prince charmant et vivre un conte de fées*. Mais j'ai découvert que mon fiancé me trompait, et depuis j'ai l'impression d'être une usurpatrice. Alors les déceptions professionnelles, crois-moi, je connais ça.

— Ce n'est pas comparable, Tansy. Personne ne t'a privée de ton stylo. Tu peux toujours écrire, toi.

— C'est vrai. Mais personne ne t'a privé de tes compétences non plus. Ce n'est pas parce que tu n'es plus soldat que tu ne sais plus manier un fusil. Utilise donc tes compétences autrement. D'autres débouchés doivent bien exister.

— Je ne vais pas devenir tueur à gages, tout de même.

— Mais qui a dit que c'était la seule option ?

Tout en prononçant ces mots, elle eut une idée.

— Mais j'y pense, puisque tu es ici, en Alaska, pourquoi ne crées-tu pas un camp d'entraînement à la vie sauvage ? Cela pourrait intéresser des touristes à la recherche de sensations fortes.

— Ceux qui peuvent agir agissent. Les autres enseignent, rétorqua-t-il d'un ton sec.

Elle leva les yeux au ciel. Décidément, Liam avait parfois le don d'être odieux et borné.

— Dans ce cas, heureusement que ceux qui ne peuvent agir sont suffisamment nombreux pour pouvoir enseigner aux autres. Laisse-moi te dire que parfois, Reinhardt, tu te conduis vraiment comme un enfant gâté.

— Es-tu en train de te reconvertir toi aussi, Wellington ? Adieu les conseils en amour, bonjour les conseils en gestion de carrière, c'est ça ?

Il devenait blessant. Mais elle se força à ne pas fléchir, à ne pas se vexer — la réaction de Liam n'était pas dirigée contre elle,

elle était avant tout guidée par la frustration. Cela dit, ce n'était pas une raison pour lui faire tout entendre et tout supporter.

— Tu dépasses les bornes, Liam, lui reprocha-t-elle en utilisant volontairement son prénom pour rétablir un lien personnel entre eux.

Elle le vit baisser la tête.

— Tu as sans doute raison, Tansy, finit-il par admettre, prenant visiblement conscience de sa maladresse.

Il ne s'agissait pas d'une excuse à proprement parler, mais venant de lui ce n'était déjà pas si mal.

D'accord, il traversait une mauvaise passe. C'était quelque chose qu'elle pouvait comprendre, elle-même en traversait une. Mais, justement, accorder cette interview à Mallory et envisager la création d'un camp d'entraînement à la vie sauvage pouvaient être un bon moyen d'en sortir, et d'aller de l'avant.

— Je vais y penser, ajouta-t-il au bout d'un moment.

Il semblait sérieux.

— Et toi, Tansy, continue à écrire tes articles et ton livre.

Il lui proposait de faire la paix, à sa manière, et c'était une première étape.

— Je vais le faire. De toute façon, je n'ai pas le choix. Il faut bien que je vive et que je paie mes factures.

— Qu'as-tu prévu pour le dîner ?

— Pour le dîner ? Rien.

Etait-il en train de l'inviter ? Décidément, il n'arrêtait pas de l'étonner.

— Veux-tu préparer le dîner pendant que je vais nager ? suggéra-t-il.

— J'ai une meilleure idée. Je vais me changer, et lorsque tu seras revenu tu m'invites à manger chez Gus.

Il la dévisagea pendant quelques instants avant d'éclater de rire.

— Marché conclu. Tu conduis ou nous y allons à moto ?

— J'ai bien aimé le tour à moto, mais peut-être vaut-il mieux que je conduise.

— Dans ce cas, je viens te chercher dans une heure et demie. Cela te convient ?

— C'est parfait. Je serai prête.

Elle avait un rendez-vous, voilà une bonne nouvelle. Rien ne pouvait lui faire davantage plaisir.

Bradley, comment ? Tout à coup, elle ne se souvenait même plus du nom de son ex.

Liam laissa échapper un long soupir.

Rien ne se déroulait comme prévu. D'abord, Mallory Kincaid l'attendait sur les marches de son bungalow. Ensuite, Tansy lui suggérait une idée de reconversion professionnelle, et voilà maintenant qu'ils sortaient pour dîner.

Qu'était-il arrivé à son projet de repas fait maison, dégusté tranquillement avant de faire l'amour ?

Il était tellement impatient à l'idée de passer une soirée tranquille avec Tansy qu'il était même passé voir Bull, lui demander s'il n'avait pas quelques préservatifs pour lui. Eh oui, pas le choix… Dans une ville comme celle-ci, les ragots allaient vite.

En fait, il avait passé une excellente journée aujourd'hui. Avec une seule ombre au tableau : sa rencontre avec Mallory Kincaid qui était venue tout gâcher. Pourquoi s'intéressait-elle ainsi à sa vie ? Pourquoi venait-elle mettre son nez là-dedans ? C'était quelque chose qui lui échappait.

Malgré tout, il devait bien admettre que discuter avec Tansy de sa situation professionnelle lui avait fait du bien. Elle n'avait pas fait preuve d'empathie particulière à son égard, ne s'était pas apitoyée sur son sort, mais elle lui avait offert un point de vue différent. Et même si leurs situations respectives étaient différentes, elle avait vraiment l'air de le comprendre.

Mieux que Natalie même. Natalie et lui s'entendaient très bien. Il l'aimait, la respectait et avait le sentiment que c'était réciproque, mais il avait l'impression qu'elle ne l'avait jamais véritablement compris.

Sans doute Natalie et lui avaient-ils davantage été amis que mari et femme.

Peut-être y verrait-il plus clair, un jour, à ce sujet, mais pour l'heure il devait retrouver Tansy. Impatient de la voir, il frappa à la porte de son bungalow.

— J'arrive dans une minute ! lui cria-t-elle.

Il l'écouta bouger dans le bungalow et, au bout de quelques secondes, la porte s'ouvrit sur une Tansy ravissante.

Heureux, il esquissa un sourire.

— Tu es jolie, lui lança-t-il avant de déposer un petit baiser sur sa joue.

Incapable de s'en empêcher, il ferma les yeux en l'embrassant, savourant le contact avec sa peau aussi douce que la soie.

— Tu n'es pas mal non plus, le complimenta-t-elle.

— Merci, fit-il en riant.

— Qu'y a-t-il de si drôle ?

— Je suis étonné que tu me trouves beau. Mon choix de vêtement est limité.

Il baissa les yeux vers ses chaussures avant de poursuivre.

— Je n'ai apporté que ce qui tenait dans le coffre de ma moto. Ne se charger que du strict nécessaire est une chose qu'on apprend lorsqu'on est soldat.

— Peut-être, mais je maintiens que tu es beau.

— Si tu le dis…

Il prit sa main dans la sienne.

— Tu es prête à y aller ? Je meurs de faim.

Quinze minutes plus tard, ils arrivèrent au restaurant. Il lui tint la porte et effleura, d'une main légère, le creux de son dos tandis qu'elle se glissait sur une banquette.

Il remarqua bien quelques regards curieux à leur égard, quelques murmures, quelques commentaires, mais il les ignora. Il répondit simplement au signe de la main que lui adressa Merilee.

Ils venaient juste de commander à boire lorsque Mallory Kincaid s'approcha de leur table.

— Bonsoir. Puis-je me joindre à vous ? leur demanda-t-elle sans détour.

— A vrai dire, non, répondit-il tout de go, sans même demander son avis à Tansy, sans même la regarder.

A ces mots, Mallory, moins audacieuse tout à coup, marqua un mouvement de recul, avant de se reprendre et d'afficher un sourire.

Mais un sourire toujours aussi faux.

— Tant pis, fit la jeune femme. Bon appétit et à plus tard.

— Voilà qui était direct, nota Tansy une fois qu'ils furent de nouveau seuls.

Et alors ? Où était le problème ?

— Je suis un homme direct, je ne le cache pas. Avais-tu envie de dîner avec elle ?

— Pitié, non !

— Moi non plus, alors quel est le problème ?

— Tu ne m'as même pas demandé mon avis, Liam ! Qu'aurais-tu fait si j'avais accepté la proposition de Mallory ?

— Laisse-moi te dire le fond de ma pensée, Wellington. Toute la journée, je n'ai rêvé qu'à ce dîner avec toi, je n'ai pensé qu'à reprendre ce que nous avons commencé hier soir. Si je t'avais demandé ton avis avant de lui répondre, ta politesse t'aurait empêchée de refuser, et mon rêve de dîner en tête à tête aurait viré au cauchemar. La seule personne satisfaite aurait été Mallory, or son plaisir ne m'intéresse pas. Je ne pense qu'au nôtre. Je veux bien être poli, mais pas si c'est pour gâcher notre dîner. Quelqu'un devait prendre le taureau par les cornes et j'ai décidé que ce serait moi. Et puis, si tu as envie de manger avec elle, rien ne t'empêche de convenir d'un rendez-vous un autre jour. Est-ce que je n'ai pas raison ?

— Si. Mais, la prochaine fois, je demande à décider.

Amusé, il éclata de rire. Tansy avait un sacré caractère. Elle ne se laissait pas faire.

— Cela me paraît juste.

Au loin, il aperçut Dirk s'approcher d'eux.

— Tu vas d'ailleurs pouvoir exercer ton pouvoir tout de suite, Tansy.

— Salut, fit Dirk quelques secondes plus tard, imitant Mallory. Puis-je me joindre à vous ?

Il ne répondit pas, et se contenta de fixer Tansy. C'était à elle de jouer.

Elle adressa un sourire charmeur à son cousin, réveillant aussitôt un sentiment de jalousie en lui.

— Peut-être une autre fois, dit-elle ensuite. J'ai envie de profiter de Liam ce soir.

— Tant pis, fit son cousin avant de se tourner vers lui. A l'occasion, il va falloir que tu me donnes des leçons avec les femmes, Liam.

Cette fois-ci, ce fut elle qui éclata de rire. Elle était si belle, si sexy lorsqu'elle riait, qu'il sentit tous ses sens s'éveiller. Elle était tout le temps belle et désirable, mais ce soir, c'était à couper le souffle.

— Je crois que Mlle Kincaid cherche un cavalier pour le dîner, ajouta-t-elle avec un air complice.

— Très bien, je vous verrai plus tard.

Sans attendre, son cousin s'éloigna en direction de la jeune femme blonde.

— Tu vois ? fit alors Tansy, l'air fier.

Mon Dieu, elle était si adorable… De la voir ainsi, contente d'elle, le visage radieux… l'instant était parfait.

— La subtilité n'est pas incompatible avec la franchise, ajouta-t-elle en lui adressant un clin d'œil malicieux.

— Tu as joué ton rôle à merveille, mais tu comprends pourquoi je te suggérais de cuisiner pour moi, tout à l'heure… J'ai l'impression d'être au milieu d'une gare, ici, avec tout ce monde.

— Tu as raison. Je te propose que nous prenions l'entrée ici et que nous commandions des plats à emporter, suggéra-t-elle.

Pourquoi pas ? Il pouvait bien faire des efforts et accepter une petite entrée en public avant de passer à son plat principal : à savoir l'appétissante jeune femme assise en face de lui.

— Excellente idée, répondit-il, impatient de finir son entrée.

— Viens ici, murmura Liam tandis qu'elle verrouillait la porte du bungalow.

Il posa les plats sur le comptoir de la cuisine et un délicieux frisson glissa le long de son dos. Les lueurs de désir qu'elle voyait se refléter dans son beau regard gris faisaient écho à l'incroyable excitation qu'il provoquait en elle.

— As-tu repris le pouvoir, Liam ?

— Qu'en penses-tu ? répondit-il en s'adossant contre le plan de travail, la dévisageant d'un regard gourmand qui la fit fondre sur place.

— C'est ce que j'ai envie de te laisser croire, en tout cas, rétorqua-t-elle sans jamais le quitter des yeux, s'approchant lentement de lui.

— Essaierais-tu de me manipuler ?

Elle ne répondit pas. Elle s'arrêta à un pas de lui, continuant à le regarder droit dans les yeux.

— Viens ici, femme ! dit-il tout à coup, visiblement sous son charme.

— J'aime quand tu joues les chefs, murmura-t-elle avant d'enfouir le visage dans le creux de son cou musclé, pour s'enivrer de son parfum musqué. Cela m'excite.

Terriblement même. Son air autoritaire avait un effet aphrodisiaque sur elle, excitant tous ses sens de façon inouïe.

— Garde ta robe, lui demanda-t-il. J'ai eu envie de toi la première fois que je t'ai vue la porter. Tu veux bien ?

— Tout ce que tu voudras, répondit-elle dans un souffle.

L'idée que cette robe — dans laquelle elle se sentait si sexy — ne le laisse pas indifférent ne faisait que décupler son désir. Un désir qu'elle n'avait jamais soupçonné auparavant. A tel point que tous ses corps à corps avec Bradley lui semblaient aujourd'hui n'avoir été que des prémices à sa rencontre avec Liam. Avec ce dernier, elle ressentait une incroyable alchimie. Il allumait des feux en elle qu'elle ignorait même posséder. Devant lui, elle se sentait plus vivante, plus vibrante que jamais.

Liam ne jouait pas. Il n'était que lui-même mais cela suffisait à l'attirer, à la séduire, à l'ensorceler.

Impatiente, elle promena une main sur l'entrejambe de son jean, s'attardant sur son sexe qu'elle devinait déjà tendu.

— Retire ton pantalon, le pria-t-elle. Sans vouloir te commander, bien sûr…

— Au contraire, je suis à tes ordres, rétorqua-t-il en s'exécutant.

Suivant son mouvement, elle se laissa glisser à ses pieds, jusqu'à se mettre à genoux.

Désireuse de le combler, elle donna un coup de langue à son sexe avant de le prendre dans sa bouche, de le savourer, de laisser sa langue jouer avec l'extrémité humide. Pendant ce temps, Liam enfouit des doigts fiévreux dans ses cheveux, avec un désir palpable.

Elle était prête pour lui. Elle n'avait plus envie de patienter la moindre seconde.

— Assez, finit-il par murmurer au bout d'un moment.

Il n'avait pas besoin d'en dire plus. Il désirait la même chose qu'elle, toucher les étoiles.

A cet instant, elle n'avait plus qu'un désir, sentir son sexe puissant aller et venir en elle, jusqu'à épuisement. Mais déterminée à rester maîtresse des événements, elle se releva et prit sa main dans la sienne.

— Direction la chambre, lui ordonna-t-elle de sa voix la plus érotique.

Une fois dans la chambre, où elle avait laissé, en partant, la lampe de chevet allumée, Liam se débarrassa à toute vitesse de ses derniers habits et la poussa sur le lit. Là, il lui enleva sa culotte et recula, comme pour l'observer, comme pour la dévorer du regard.

— Tu es magnifique, Tansy, murmura-t-il avant de dérouler le préservatif qu'il avait sorti de sa poche sur son sexe tendu de désir. Maintenant, je te veux à moi, tout entière.

Envoûtée par ce regard, par cette voix d'une sensualité folle, elle laissa une main glisser vers son sexe ouvert et commença à se caresser. Elle le vit aussitôt frissonner et se mordre la lèvre, attisant encore son désir, électrisant tous ses sens.

Quelques instants plus tard, il lui agrippa fermement les hanches pour la pénétrer enfin, et elle ferma les yeux, profitant ainsi au maximum des sensations.

Brûlante, elle noua les jambes autour de sa taille, pour l'attirer au plus profond d'elle-même. Elle voulait le posséder, elle voulait qu'il se noie en elle. Qu'il rende les armes et qu'il lui fasse crier son nom.

— Oui…, gémit-elle soudain.

Il se mit à aller et venir en elle, suivant un tempo lent et régulier, en prenant tout son temps, et elle s'abandonna aux plus exquises des sensations. C'était une torture, mais une torture délicieuse, dont elle voulait savourer chaque instant, en se laissant aller.

Au bout d'un moment, il se retira et s'allongea sur le dos.

— A ton tour, Tansy, fit-il en la regardant droit dans les yeux.

Contente de prendre le contrôle, elle sourit et le chevaucha avant de se laisser glisser sur son sexe tendu à l'extrême et de commencer à onduler des hanches.

Elle dansa ainsi quelques secondes, sans le quitter du regard, avant de basculer la tête en arrière, accélérant son tempo. Peu à peu, son plaisir devint plus fort, plus intense, et elle sentit qu'elle approchait de l'orgasme. C'était un torrent qui coulait désormais dans ses veines. Rien ne pouvait plus l'arrêter.

Il donna un dernier coup de reins et elle se cambra avant de relâcher sa jouissance dans un long cri d'abandon et de s'effondrer sur lui.

Liam demeura sur le dos, laissant les vagues de l'orgasme aller et venir sur lui. La nuit dernière avait eu des allures d'échappatoire, de halte au milieu d'une longue période de célibat. Mais ce soir… Il n'avait pas de mots pour décrire l'expérience.

Tansy était incroyable. Avec elle, il se sentait merveilleusement bien. C'était presque magique. Il avait toujours aimé faire l'amour mais jamais il n'avait imaginé pouvoir ressentir un plaisir d'une telle intensité.

Un sourire aux lèvres, il l'attira à lui et tira le drap sur eux.

— Lorsque je trouverai la force de bouger, je te retirerai ta robe, lui promit-il, la voix rauque.

Pour toute réponse, elle laissa échapper un petit rire sensuel.

— A moins que tu ne tiennes à le faire toi-même, Liam, je peux enlever ma robe tout de suite, si tu veux.

— Je t'en prie.

Elle se débarrassa sans attendre de sa robe.

— Il me reste mon soutien-gorge.

— Je m'en occupe, dit-il en nouant les bras autour de son dos pour le dégrafer avant de faire glisser les bretelles le long de ses bras soyeux.

C'était la première fois qu'il la voyait totalement nue. Elle était si belle qu'il ne parvenait pas à la quitter du regard. Sa peau était d'une incroyable douceur, laiteuse à souhait. Ses seins étaient ronds, sensuels, surmontés d'adorables tétons couleur cerise qu'il rêvait de caresser, de goûter du bout des lèvres.

Il en effleura un avec ses doigts et la sentit frissonner contre lui.

— Fatiguée ?

— Satisfaite. Et toi ?

— Comblé, mais j'ai un peu faim.

— Je n'osais pas le dire : je meurs de faim moi aussi !

Il éclata de rire. Rares étaient les femmes qui admettaient avoir un bon appétit, surtout les femmes nues. Il trouvait ce comportement naturel particulièrement rafraîchissant.

— Que dirais-tu d'un dîner au lit ? suggéra-t-il.

— Je dirais que c'est décadent, mais follement amusant.

— Attends… Je crois que j'ai déjà pris mon dessert ! plaisanta-t-il.

— Tais-toi et va plutôt chercher les plats. Peux-tu m'attraper un T-shirt au passage, dans le deuxième tiroir ?

Il se leva et lui lança un T-shirt.

— Merci.

Lorsqu'il revint quelques instants plus tard, avec les deux boîtes contenant le dîner, elle était assise en tailleur, adossée contre la tête de lit.

Elle n'avait pas remis sa robe, et elle était terriblement sexy.

Il lui passa une boîte et des couverts puis s'installa à côté d'elle.

— Je crois que l'heure est venue de parler de nous, d'échanger quelques informations personnelles… C'est bien cela ? demanda-t-il, hésitant.

— Mon Dieu, tu n'as pas l'air très convaincu…, répondit-elle en ouvrant la boîte contenant du bison rôti aux petits pois. Aurais-tu quelques lacunes en matière de relations sociales ?

— Je ne sais pas…, dit-il, embarrassé.

— Ne t'inquiète pas, je ne t'abreuverai pas d'informations inutiles à mon sujet. Je ne voudrais surtout pas que tu voies en moi autre chose qu'une voisine sexy. Rien ne fait plus plaisir à une femme que d'avoir l'impression d'être un objet sexuel sans cerveau !

— Ouh là… J'ai tout à coup l'impression d'avoir commis une gaffe.

— Tu crois ? le taquina-t-elle.

— Laisse-moi tenter ma chance de nouveau. Pourquoi ne me parles-tu pas un peu de toi, Tansy ?

— J'ai une idée, fit-elle, visiblement désireuse de rendre la conversation plus fluide. Dis-toi que tu es train de me soumettre à un interrogatoire militaire, et que tu peux me poser toutes les questions que tu souhaites. Je demande simplement à avoir le droit de ne pas répondre si une question ne me plaît pas. Bon. Je crois que nous avons déjà abordé les éléments de base. Tu connais mon nom, mon rang…

Il éclata de rire avant de se lancer.

— Jenna et toi êtes donc demi-sœurs ?

— Plutôt sœurs par alliance. Sa mère et mon père se sont mariés lorsque j'avais treize ans. A l'époque, je vivais avec ma mère, mais je voyais Jenna les week-ends et pendant les vacances, lorsque je rendais visite à mon père. Nous nous sommes toujours bien entendues. J'avais un frère aîné mais j'avais toujours rêvé d'une sœur, alors je l'ai adoptée. Nous sommes restées très proches, même après le divorce de nos parents.

— C'est chouette, remarqua-t-il.

— La mère de Jenna est très gentille et elle a toujours été adorable avec moi, mais elle doit en être à son cinquième ou sixième mariage, aujourd'hui. J'avoue que je ne me souviens plus. J'ai l'impression qu'elle est perpétuellement à la recherche de l'homme de sa vie.

— Et ta mère ? S'est-elle remariée ?

— Non, mais elle vit avec quelqu'un depuis longtemps. Elle a quitté mon père lorsqu'elle s'est aperçue qu'elle était homosexuelle. Dorothea et elle sont maintenant en couple depuis dix-huit ans.

Il ignorait comment réagir à une telle information.

— Oh ! se contenta-t-il alors de dire.

— Tout va bien, ne t'inquiète pas. A treize ans, il m'a fallu un peu de temps pour me faire à cette idée — les adolescents peuvent parfois être un peu stupides. Mais je n'ai aucun regret. Cela m'a permis de faire le ménage autour de moi et de découvrir qui étaient mes véritables amis.

C'était impressionnant à quel point Tansy semblait constamment animée par un incroyable optimisme, se concentrant sur le positif, quoi qu'il arrive. C'était quelque chose dont lui-même n'était pas capable.

— Je t'admire, lui dit-il avec sincérité. Trouver le bon côté des choses est parfois extrêmement difficile.

— Tu as été le témoin de beaucoup d'horreurs dans ta carrière, n'est-ce pas ?

En effet. Mais il n'avait pas été qu'un témoin. Il avait aussi été la cause de beaucoup de douleurs.

Il avait toujours essayé de maintenir un équilibre entre le bien et le mal mais, aujourd'hui, il se sentait perdu. Il n'arrivait plus à regarder le monde de façon objective.

— Peut-être est-ce pour cette raison que tu es ici, maintenant, reprit Tansy. Mais parle-moi plutôt de tes parents.

— Mon père est décédé lorsque j'étais petit, commença-t-il. Ma mère ne s'est jamais remariée. Notre relation est parfois un peu difficile — elle a tendance à vouloir contrôler ma vie. J'ai deux frères, un frère jumeau et un frère cadet. Nous avons tous les trois rejoint l'armée.

— Et, maintenant, tu débutes un nouveau chapitre de ta vie.

— On dirait. Et toi ? Si j'ai bien compris, tu es là pour quelques semaines.

— Je suis venue ici pour me vider la tête, pour réfléchir. Même si les événements ne se sont pas déroulés comme je l'avais imaginé, je crois qu'être ici me fait beaucoup de bien. La légende dit que celui qui arrive à Good Riddance laisse tous ses soucis derrière lui, et je crois que c'est vrai. J'ai en tout cas envie de le croire. Je me sens bien ici, je me sens mieux. J'ai l'impression de grandir, de mûrir. Je parviens à me concentrer sur le bien et à oublier le mal.

— Si tu le dis…, fit-il, sans grande conviction.

Elle éclata de rire.

— J'en suis même sûre.

- 10 -

Tansy mit le point final à son article et enregistra le document sur son ordinateur. Elle allait le laisser décanter quelques heures avant de le relire et de le mettre en ligne.

Jusqu'à présent, jamais elle n'avait eu de doutes sur ses écrits, sur les conseils qu'elle prodiguait aux autres. Mais, aujourd'hui, elle avait l'impression d'être une usurpatrice, tant ses sentiments pour Bradley étaient confus.

Sans compter que, désormais, Liam faisait partie de l'équation.

Enfin. Avant de faire le ménage dans son esprit, et de trouver des réponses à toutes les questions qui la tenaillaient, elle pouvait toujours commencer par ranger sa maison. Ce serait déjà un bon début.

Elle allait s'attaquer à la cuisine, lorsque son téléphone sonna. C'était Jenna.

— Salut ma grande, dit-elle en décrochant. Comment vas-tu ?

— Es-tu assise ? lui demanda sa sœur.

Jenna n'avait pas l'air inquiète, mais à ces mots elle sentit sa gorge se nouer et la panique l'envahir.

— Il y a un problème ? C'est Emma ?

— Non, non. Tout le monde va bien. Je te conseille tout de même de t'asseoir.

— Une seconde.

De plus en plus angoissée, elle traversa la pièce et alla s'installer sur le canapé.

— C'est bon, tu peux y aller. Que se passe-t-il ?

— Bradley est ici.

Mon Dieu… Une sensation de vertige la saisit.

Sous le choc, elle serra les poings sur le canapé. Elle avait besoin de s'accrocher, de se tenir, sinon, elle risquait de s'évanouir.

— Bradley…, répéta-t-elle tant bien que mal. Il est ici ? A Good Riddance ?

— Oui. Merilee vient de m'appeler.

Mon Dieu.

— Il est à l'aérodrome. Petey est en route pour aller le chercher et l'emmener chez toi.

Petey partageait son activité entre la mécanique, la prospection pétrolière et le taxi, transportant les habitants de Good Riddance qui en avaient besoin en échange de quelques dollars.

Incrédule, elle s'adossa contre le canapé.

Ainsi, Bradley était ici. Il avait fait des milliers de kilomètres pour la voir. Elle n'en revenait pas.

— Tansy, reprit Jenna, la tirant de ses réflexions. Es-tu toujours là ?

— Oui, je suis là.

— Tu vas bien ?

Bonne question. A laquelle elle n'avait malheureusement pas de réponse.

— Je crois. Enfin, non, je ne sais pas.

— Veux-tu que je vienne ? Je peux être chez toi dans un quart d'heure, si tu veux.

Jenna était adorable, mais elle devait régler cela toute seule. C'était entre elle et Bradley. Et quoi qu'il arrive, quel que soit le contenu de leur conversation, cela devait rester privé.

— Merci, c'est gentil, mais ça va aller.

— As-tu besoin de parler ? proposa encore sa sœur.

— Pas pour le moment.

Elle devait d'abord se reprendre, se remettre de ses émotions.

— J'ai simplement besoin de rassembler mes idées avant qu'il pointe son nez ici. En tout cas, merci beaucoup de m'avoir prévenue.

— Aucun problème. Appelle-moi si tu as besoin de quoi que ce soit. Je ne quitterai pas mon portable.

— Merci.

— Tu m'appelleras après son départ ?

— Il y a de grandes chances pour que tu aies de mes nouvelles avant même qu'il n'ait quitté Shadow Lake. Bon, je te laisse maintenant, dit-elle avant de raccrocher.

Elle prit une profonde respiration.

C'était incroyable à quel point tout pouvait basculer en l'espace d'un instant, avec un coup de téléphone. Il y avait encore quelques minutes, elle s'apprêtait à faire le ménage, l'esprit tranquille. Pour elle, Bradley était à des milliers de kilomètres, et faisait presque partie de son passé... Et voilà que, tout à coup, il réapparaissait dans son présent, sans préambule.

Elle était prise de court, mais il fallait qu'elle se prépare. Laissant son téléphone sur le canapé, elle se dirigea vers la salle de bains. Là, elle se brossa les dents, les cheveux, et se maquilla légèrement tandis que des questions par milliers envahissaient son esprit.

Tous ces gestes, elle les fit presque mécaniquement, sans réfléchir — elle était complètement perdue, n'avait aucune idée de ce qu'elle ressentait. Une partie d'elle avait envie de voir Bradley. L'autre se sentait blasée, détachée de lui.

Et Liam dans tout ça ? Cela le dérangerait-il ? L'arrivée de Bradley changerait-elle leur relation ?

Elle remit cette robe qu'elle avait si souvent portée, mais qui lui allait bien. Malgré la confusion de ses sentiments, elle avait de la fierté, et voulait être jolie. Pas question de se montrer faible et mal dans sa peau.

Elle s'apprêta à mettre ses lunettes, machinalement, mais eut un moment d'hésitation. Bradley la préférait avec ses lentilles... Oh ! et puis peu importe. Elle avait peut-être mis une robe et s'était maquillée, mais elle gardait les lunettes. Ce n'était pas comme si elle désirait le reconquérir. En plus, Liam la trouvait sexy avec ces lunettes.

Elle venait de fermer la porte de la chambre lorsqu'elle entendit le moteur d'une voiture, dehors.

Après la nervosité, un sentiment de calme s'empara d'elle. Elle s'assit sur le canapé et attendit.

Elle refusait de patienter à la porte. Bradley allait devoir frapper… Et l'attendre un instant.

A moins qu'elle ne décide de refuser de le voir.

Non. Si elle ne se montrait pas, il allait penser qu'elle avait peur de lui. Elle allait donc accepter de lui parler.

Quelques minutes plus tard, elle entendit ses pas sur la terrasse puis quelques coups à la porte.

Un geste si léger, si doux… Un geste qui la rendit nostalgique tout à coup. A l'époque où ils étaient ensemble, combien de fois l'avait-elle entendu frapper ainsi à la porte… Combien de moments de bonheur intense avaient suivi ce prélude…

Enfin. Tout cela, c'était le passé.

— Tansy ! cria Bradley en frappant de nouveau.

Elle ne répondit pas. Elle se leva, respira profondément, puis lui ouvrit la porte.

Bradley était là, face à elle, et… Rien. Elle ne ressentit rien. Ni colère, ni nostalgie. Rien.

Il se retourna pour indiquer à Petey qu'il pouvait partir, mais elle fit signe à l'homme de rester. Ce dernier laissa donc le moteur tourner.

— Salut, Tansy.

— Bonjour, Bradley.

Ses cheveux blonds étaient courts et parfaitement coiffés, comme toujours. Il était rasé de près, à l'exception de cette petite fossette, sur son menton, qu'il semblait incapable de raser. Autrefois, elle trouvait cette imperfection touchante. Aujourd'hui, plutôt ridicule.

Il portait un pantalon de toile bien repassé et une chemise bleu ciel — une tenue qu'elle avait toujours considérée comme classique mais sexy. Il portait également sa traditionnelle eau de Cologne qu'elle avait l'habitude de trouver enivrante… autrefois.

Bradley se balança nerveusement d'un pied sur l'autre et elle remarqua les chaussures légères à ses pieds. Elle laissa ensuite son regard remonter vers son visage. Il semblait fatigué, ses yeux étaient cernés. Malgré tout, il semblait avoir pris le temps de se changer, avant de venir.

— Tu es belle, Tansy, dit-il dans un souffle. L'Alaska te fait du bien.

— Merci, fit-elle simplement.

Elle le dévisagea. Il semblait nerveux, mal à l'aise.

— Tu ne m'invites pas à entrer ?

En avait-elle vraiment le désir ? A vrai dire, non. Elle ne voulait pas de Bradley dans son bungalow. Si elle avait effectué des milliers de kilomètres pour s'installer dans un endroit dénué de tout souvenir de lui, d'eux, ce n'était pas pour qu'il vienne y mettre ses empreintes.

Sans compter que Liam et elle avaient fait l'amour ici.

— Non, répondit-elle alors.

Puis elle sortit et ferma la porte derrière elle.

— Je vois que tu n'as pas l'intention de me faciliter la tâche. Mais je te comprends, Tansy.

— Je n'ai ni à te faciliter la tâche, ni à la rendre plus compliquée, Bradley. Je n'ai simplement pas envie de t'inviter chez moi.

Elle était sincère. Elle ne le voulait pas chez elle.

— Tu es toujours en colère, Tansy, et c'est compréhensible.

En colère ? C'était bien plus que cela. Elle avait ressenti, et ressentait toujours, un sentiment de trahison. Mais elle ne lui devait aucune explication et n'en avait que faire de ses reproches…

— Peu importe si tu me comprends ou pas.

Tout en parlant, elle aperçut un aigle au loin et sentit le vent frais se lever. Elle fut prise d'un frisson mais se retint de croiser les bras devant sa poitrine.

— Tansy, reprit Bradley en passant une main dans ses cheveux, je sais que je t'ai fait souffrir. Depuis ton départ, tu me manques… Tu n'imagines pas à quel point je suis rongé par le remords.

Pour toute réponse, elle lui offrit un regard distant.

Il prit alors sa main dans la sienne et noua ses doigts aux siens. Cette caresse était si douce… Elle lui rappelait des centaines d'autres de ce genre. A ce souvenir, elle sentit son cœur se mettre à battre plus fort dans sa poitrine.

— Je veux que tu rentres avec moi, Tansy. Je veux réparer notre relation. Je veux retrouver ce que nous avions.

A ces mots, elle secoua la tête puis détacha sa main de la sienne pour croiser les bras devant elle.

— On ne peut pas revenir en arrière, Bradley, affirma-t-elle aussi bien pour le convaincre que pour se le rappeler à elle-même. On ne peut qu'aller de l'avant.

Sans un mot, il hocha la tête, comme pour acquiescer, mais elle aperçut des lueurs d'espoir dans son regard.

— Alors allons de l'avant ensemble, Tansy. Faisons une thérapie de couple. Tu es la plus belle chose qui me soit arrivée et je sais que j'ai commis une erreur impardonnable.

Mon Dieu, avait-elle bien entendu ce qu'il venait de dire ? En le quittant, elle avait espéré qu'il prononcerait ces mots, qu'il la supplierait de rester, qu'il reconnaîtrait ses erreurs. Et voilà qu'aujourd'hui il était bel et bien devant elle, en chair et en os, à lui dire ces mots qui lui paraissaient si irréels. Pourtant, cela ne lui faisait rien. Ce n'était plus ce qu'elle avait besoin d'entendre.

Bien qu'elle ait croisé les bras devant elle, comme pour se protéger, Bradley l'enlaça et posa son visage sur sa tête.

Cette embrassade était familière, mais dérangeante plus que réconfortante.

— Mon Dieu, Tansy, tu m'as tellement manqué.

Il recula pour lui caresser tendrement la joue.

— Dis-moi au moins que tu vas y réfléchir, ma chérie. Peux-tu au moins me le promettre ?

A ces mots, elle fut prise d'un malaise. Elle se sentait soudain comme prise au piège.

— Je vais y réfléchir, murmura-t-elle en tentant de rompre l'étreinte tandis qu'elle entendait le vrombissement de la moto de Liam.

Hélas, Bradley ne semblait pas décidé à la lâcher.

Quelques secondes plus tard, elle regarda Liam couper le moteur et descendre de sa moto avant de se diriger vers sa maison. Vêtu d'un jean, d'un T-shirt et de bottes, il tranchait par rapport à Bradley. L'un avait l'air sauvage, presque dangereux. L'autre était plus efféminé, propre, bien sous tous rapports.

Liam aperçut Bradley et le détailla du regard avant de la fixer, elle.

— J'aurais bien besoin d'un massage après ma séance de natation, Tansy. Ensuite, je préparerai à dîner.

A l'évidence, Liam cherchait à marquer son territoire, exactement comme elle l'avait fait avec la corde dans le sable.

Mais cela ne la dérangeait pas. De toute façon, elle n'avait aucune intention de changer ses projets et de renoncer à sa soirée avec Liam, simplement parce que Bradley était ici. Et puis, il fallait bien avouer qu'elle ressentait un certain plaisir à ce que Bradley sache qu'il n'était plus le seul homme dans la partie.

— D'accord, répondit-elle alors, le plus naturellement du monde.

A ces mots, elle vit Bradley écarquiller les yeux puis laisser son regard glisser entre Liam et elle. Il semblait perplexe.

— Qui êtes-vous ? finit-il par demander à Liam, d'une voix ferme.

— Appelle-moi si tu as besoin de quoi que ce soit, Tansy, dit-il en ignorant Bradley, avant de faire demi-tour et de s'éloigner.

— Qui était ce type ? lui demanda aussitôt Bradley. On dirait que tu n'as pas perdu de temps.

Il avait l'air blessé. Non, mais quel culot !

— Je pensais que nous pourrions dîner ensemble, Tansy.

— J'ai des projets, tu l'as vu.

— Des projets ? Mais quels projets ?

— Ça ne te regarde pas.

— Tansy, j'ai traversé tout le pays pour toi !

— Je ne t'ai pas demandé de venir, Bradley.

— C'est vrai. Je suis désolé si je t'ai blessée.

Elle approuva d'un signe de tête. Il l'avait blessée, c'était le moins que l'on puisse dire.

— Bon. Je vais retourner au bed and breakfast et te laisser avec ce type. Mais accepteras-tu ne serait-ce que de discuter avec moi pendant que je suis ici ? Nous devons au moins essayer de réparer les pots cassés, tu ne crois pas ?

Elle hésita un instant. Elle ne voulait pas le renvoyer.

Elle ne pouvait pas le renvoyer ainsi.

Elle baissa les yeux vers ses pieds.

— As-tu apporté d'autres chaussures ?

— Oui, fit-il, l'air surpris.

— Alors reviens demain à 11 heures. Nous irons marcher et nous pourrons parler.

L'espace d'un instant, il la regarda comme s'il était sur le point d'argumenter, de négocier. Etait-ce parce qu'il ne voulait pas attendre 11 heures ou parce qu'il refusait de marcher ? Peu importe, c'était tout ce qu'elle pouvait lui proposer. Qu'il revienne à 11 heures et ils iraient marcher ou bien qu'il rentre chez lui.

— D'accord, finit-il par dire. Je serai là à 11 heures. Mais vas-tu au moins me dire qui est cet homme et ce qu'il est pour toi ?

Ce que Liam était pour elle ? A vrai dire, elle n'en avait aucune idée. Mais, une chose était sûre, elle ne devait aucune explication à Bradley. En la trompant, il l'avait trahie et avait perdu le droit de lui poser une telle question.

— C'est un ancien militaire, choisit-elle néanmoins de répondre.

— Mais qu'est-il pour toi ? insista-t-il.

— La réponse à cette question est privée.

Bradley hocha la tête, signe qu'il n'était pas satisfait.

— Nous parlerons demain, se contenta-t-il cependant de répondre.

Liam versa une boîte de thon dans les spaghettis et mélangea le tout. Ce n'était pas de la grande cuisine mais cela ferait office de dîner.

Le taxi avait disparu lorsqu'il était sorti pour aller nager. Ce n'était pas trop tôt.

Lorsqu'il était revenu du travail et qu'il avait aperçu cette voiture… Puis lorsqu'il avait vu ce type, Bradley, avec ses bras autour de Tansy… Il s'était senti gêné, curieux, mais surtouts enragé. Comme si un ennemi avait pénétré sur son territoire.

A ce détail près que Bradley n'était pas vraiment l'ennemi. Il devait justement se dire la même chose de lui. Sa relation avec Tansy n'était qu'une aventure, ce qui lui convenait parfaitement à cette étape de sa vie.

De toute façon, il était trop perdu en ce moment pour entretenir une relation sérieuse.

Il entendit soudain la porte de sa voisine claquer et, quelques secondes plus tard, ses pas sur l'escalier extérieur.

Elle s'était changée, remarqua-t-il lorsqu'il lui ouvrit. Elle portait maintenant un jean et un T-shirt.

— Salut, murmura-t-elle.

— Salut, répondit-il en souriant.

En s'écartant pour la laisser entrer, il sentit instantanément son désir se réveiller et son sexe se tendre dans son pantalon. Comment résister ? Elle était si sexy, si naturelle avec son T-shirt qui mettait en valeur ses seins ronds, qu'il mourait d'envie de la toucher, de la serrer contre lui.

— Tu vas bien ? demanda-t-il en faisant de son mieux pour garder son sang-froid.

— Ça va, répondit-elle d'une petite voix. Un peu chamboulée, mais ça va.

— Tu n'étais pas au courant de sa venue ?

— Absolument pas. Cela fait plus d'un mois que je n'ai pas eu de ses nouvelles.

— Notre dîner tient-il toujours ?

— Il faut bien que je mange quelque chose, répondit-elle avec un sourire las. Mais le massage me semble un peu compromis — je ne suis pas sûre d'être de très bonne compagnie ce soir.

— Je survivrai sans ce massage et, pour le reste, ne t'inquiète pas. Un simple dîner me convient parfaitement. D'accord ?

— D'accord. Merci.

— Assieds-toi, je vais finir de préparer le dîner. Mais je te préviens, je ne suis pas un cordon-bleu. J'ai juste préparé des pâtes au thon, un des rares plats que je ne fais pas brûler. Quand je cuisine, je cherche avant tout la rapidité et l'efficacité.

Elle s'installa devant la petite table de cuisine.

— Comme boisson, préfères-tu du lait ou de l'eau ?

— De l'eau, s'il te plaît, Liam.

Il remplit son verre puis s'installa en face d'elle avant de commencer à manger.

— C'est bon, Liam, dit-elle après une bouchée. C'est un plat simple mais qui fait du bien. Cela me rappelle un plat que ma mère avait l'habitude de préparer, lorsque nous étions enfants et qu'elle rentrait tard du travail.

— Ça te plaît ? Tant mieux, fit-il, satisfait. Alors, la visite de Bradley était-elle agréable ?

— Je ne dirais pas exactement cela. Disons que c'était juste une visite.

— Je vois. Reste-t-il longtemps ?

— Jenna m'a dit qu'il était là pour deux jours. Nous allons marcher ensemble demain.

— J'imagine que, s'il est venu jusqu'ici, c'est parce qu'il souhaite que tu rentres avec lui.

— C'est en effet ce qu'il m'a demandé.

— Tu vas donc devoir prendre une décision.

Sans dire un mot, elle haussa les épaules, l'air perdu.

— Je veux quand même que tu saches, Wellington, que je ne suis pas le genre à partager.

— Cela ne m'étonne pas. Mais moi non plus, tu sais. De toute façon, je te préviendrai s'il y a du nouveau.

— D'accord.

A vrai dire, il n'avait pas très envie qu'il y ait du nouveau. Il préférait que leur relation demeure inchangée, jusqu'à ce qu'elle quitte l'Alaska. Il appréciait sa compagnie et aimait lui faire l'amour.

Plus que cela, il adorait lui faire l'amour.

— Au fait, tu ne m'as jamais raconté comment tu as commencé à écrire des articles sur les relations amoureuses, lui lança-t-il au bout d'un moment, pour changer de sujet.

— Tu ne m'as jamais posé la question.

— Je te la pose maintenant.

— Eh bien, c'est arrivé de façon un peu bizarre… A vrai dire, mes études ne m'y destinaient pas — j'ai un diplôme en histoire de l'art et un autre en psychologie. Lorsque j'étais étudiante, c'était toujours vers moi que mes amies se tournaient lorsqu'elles avaient besoin d'un conseil. Et d'ailleurs, tout se passait comme elles le voulaient lorsqu'elles m'écoutaient, si bien qu'un jour une d'elles a créé un site internet pour que je publie mes conseils et, tout de suite, les lecteurs ont été extrêmement nombreux. Agnès, l'amie qui avait créé le site, m'a ensuite suggéré d'intégrer des annonces publicitaires. Rapidement, les entreprises m'ont contactée. Comme écrire ces articles me plaisait beaucoup plus que mon travail, et me rapportait plus, j'ai fini par démissionner pour m'y consacrer entièrement.

— Certaines personnes ont-elles déjà regretté d'avoir appliqué tes conseils ?

— Rarement. J'aime penser que je peux avoir un impact positif dans la vie des gens. J'ai beau leur dire des choses qu'elles n'ont pas envie d'entendre, cela leur permet au moins de tourner la page et d'aller mieux.

— Si je comprends bien, tu peux vivre n'importe où puisque tu travailles chez toi.

— J'ai simplement besoin d'une connexion à internet.

— Quelle liberté !

— C'est vrai, mais je n'ai jamais vraiment réfléchi à cette question avant de rompre avec Bradley.

— Et ta ville ? Elle te manque ? Chattanooga, je crois.

— Pas autant que je l'imaginais avant de venir ici. Mais c'est une chose de venir en vacances, une autre d'imaginer déménager pour de bon.

— Ce n'est pas faux.

Il se leva et se plaça derrière elle pour commencer à lui masser les épaules.

— Tu es très tendue. Relaxe-toi, Tansy. Ce soir, c'est moi qui vais te masser. Tu me rendras la pareille un autre jour.

— C'est gentil à toi, mais j'ai une meilleure idée pour me relaxer…, dit-elle en prenant aussitôt sa main dans la sienne pour la porter à sa bouche.

Si elle l'avait attiré ainsi à elle une demi-heure plus tôt — ce qu'elle n'aurait pas fait, puisqu'elle avait la tête ailleurs —, il l'aurait stoppée dans son élan. Il avait senti son besoin de parler, de se confier. Un besoin réciproque d'ailleurs. Après l'avoir vue dans les bras de Bradley, il avait eu quelques questions à lui poser. Mais, maintenant, elle n'avait pas besoin d'insister. C'était le bon moment.

— Cela me semble être une excellente idée, dit-il, déjà envoûté.

Elle se leva et il l'enlaça d'un geste passionné. Il demeura un moment ainsi, sans bouger, puis il posa sa bouche sur la sienne et l'embrassa avec douceur, avec tendresse, savourant le contact de ses lèvres sensuelles contre les siennes, prenant le temps de découvrir sa bouche, sa langue.

Puis il recula pour la regarder dans les yeux.

— Viens dans la chambre, fit-il dans un souffle.

Il ne ressentait pas l'urgence qu'il avait pu ressentir les fois précédentes. Ce soir, il avait envie de prendre son temps, de savourer chaque instant.

En silence, ils allèrent dans la chambre et ôtèrent leurs vêtements un à un, lentement, jusqu'à se retrouver nus, l'un contre l'autre.

Après avoir ouvert le lit, et l'avoir allongée près de lui, il lui caressa la joue, le cou, prenant le temps de sentir son cœur battre contre sa main, son sang couler dans ses veines.

Il l'embrassa dans le creux du cou et prit ses seins entre ses mains pour les caresser, les presser fiévreusement avant d'en approcher sa bouche. Délicatement, il referma les lèvres sur une pointe dure et chaude, et l'embrassa, la titilla du bout des dents, la lécha jusqu'à sentir Tansy se cambrer et l'entendre gémir contre lui.

Fou de désir, il délaissa ses seins pour tracer un chemin de baisers humides sur sa poitrine, vers son ventre, s'attardant sur les courbes si sensuelles de ses hanches, sur le petit grain de beauté à côté de son nombril.

Il continua son chemin, découvrant le galbe de ses jambes, la délicatesse de ses pieds, puis il remonta vers son sexe qu'il devinait déjà humide et brûlant.

Sans dire un mot, mais sans jamais la quitter du regard, il sortit un préservatif, le déroula sur son sexe tendu de désir puis lui agrippa les hanches pour la pénétrer d'un mouvement sûr. Elle était si belle, avec ses cheveux bruns étalés sur l'oreiller, qu'il sentait l'émotion l'étreindre et lui serrer la gorge.

Elle noua les jambes autour de ses épaules et il commença à aller et venir en elle, désireux de se fondre en elle, de se noyer, de succomber de plaisir.

Au bout d'un moment, il la sentit se raidir, il sentit tous ses muscles se tendre. Elle serra le drap avec ses poings et, pris d'un orgasme inouï, ils jouirent en même temps, secoués d'une vague de plaisir intense, avant de s'affaler l'un contre l'autre.

- 11 -

Le lendemain, Tansy jeta un coup d'œil à l'heure affichée par son ordinateur. Bientôt 11 heures.

Malgré le dîner et le moment fantastique passé avec Liam, elle n'avait pas bien dormi. Au contraire, leur merveilleux corps-à-corps n'avait fait qu'ajouter à sa confusion.

Elle avait donc passé une bonne partie de la nuit éveillée, à fixer le plafond tandis que, par dizaines, les questions se bousculaient dans sa tête.

Elle avait envie de clarté. Besoin de clarté. Hélas, jamais elle ne s'était sentie aussi perdue, aussi confuse. La seule décision à laquelle elle était parvenue était d'écouter ce que Bradley avait à lui dire. Elle le laisserait parler et, ensuite, elle aviserait.

Cela ne voulait pas dire qu'il allait mener la discussion sans qu'elle y participe. Elle aurait bien sûr des choses à lui dire, mais avant cela elle était curieuse de savoir ce qu'il pensait, ce qu'il ressentait.

Elle aurait aimé pouvoir dire que les sentiments de Bradley lui importaient peu, maintenant que le choc de la surprise était passé, mais c'était loin d'être le cas. Comment être indifférente à l'homme qu'elle avait aimé pendant tant d'années ?

En entendant soudain le ronronnement d'un moteur, elle se raidit. C'était lui. Quelques instants plus tard, une portière claqua et le véhicule redémarra. Elle reconnut ensuite le bruit des pas de Bradley sur les marches.

Le cœur battant à toute allure dans sa poitrine, et plus nerveuse que jamais, elle sortit sur la terrasse.

— Bonjour, Bradley, dit-elle simplement.

— Bonjour, Tansy.

Il portait un jean et un T-shirt parfaitement repassé, mais elle devinait à son visage qu'il n'avait pas mieux dormi qu'elle. Et il fallait reconnaître qu'elle n'en était pas mécontente. Elle avait pleuré toutes les larmes de son corps à cause de lui, surtout au début, alors elle était rassurée de savoir que lui aussi avait souffert un peu.

Et puis, elle devait bien avouer que cette fragilité avait un côté touchant.

— Tu es prêt ? demanda-t-elle en s'apprêtant à fermer la porte derrière elle.

— Tu ne m'invites pas chez toi ? répondit-il, visiblement surpris.

Non. Il n'était pas question que la présence de Bradley envahisse son espace vital et l'étouffe. C'était d'ailleurs une des raisons qui l'avaient poussée à venir jusqu'en Alaska. Elle voulait de l'air. De l'espace.

— Je t'ai proposé d'aller marcher, pas de venir prendre une tasse de thé.

Il eut une moue déçue. Ce n'était sans doute pas la réponse qu'il attendait, mais tant pis il allait devoir faire avec. L'air résigné, il la suivit donc en silence lorsqu'elle descendit les marches.

Il faisait bon, c'était agréable. Le soleil réchauffait sa peau, et ses rayons se reflétaient dans le lac, comme des milliers de diamants posés à la surface.

Au bout du chemin menant au bungalow de Liam, elle hésita entre plusieurs sentiers.

Le mieux balisé était celui qu'elle avait emprunté avec Liam, après leur soirée chez Juliette et Sven. Ce chemin suivait le lac et offrait une magnifique vue sur les montagnes environnantes. Mais elle opta finalement pour un autre sentier, un peu plus escarpé, traversant la forêt avant de mener à une large clairière.

— Par ici, Bradley, fit-elle pour le guider.

— Dis donc, tu es devenue une vraie fille de la nature, remarqua-t-il avec un petit rire forcé.

Elle ne répondit pas, préférant laisser le silence s'installer entre eux. D'accord, elle était prête à écouter ce qu'il avait à lui dire, mais cela ne voulait pas dire pour autant qu'elle allait lui faciliter la tâche. Il ne le méritait pas.

— Je comprends, Tansy, reprit-il au bout d'un moment, après avoir trébuché et manqué de tomber. Tu veux que je souffre, n'est-ce pas ? Je comprends.

Bradley la connaissait bien.

— La vie est rarement facile, Bradley. Elle n'est pas juste non plus, alors il faut profiter au mieux des opportunités qu'elle nous offre.

— Je ne sais vraiment pas par où commencer.

Elle ne dit rien. Elle continua à avancer.

Lorsqu'elle était arrivée ici, elle était tellement anéantie que même mettre un pied devant l'autre lui paraissait difficile. Aujourd'hui, elle allait mieux. A Bradley les efforts. A lui de s'ouvrir, de trouver les mots, ou de ne pas les trouver.

Les immenses sapins bloquaient maintenant les rayons du soleil et elle reconnut, mêlée au parfum de la forêt, l'odeur de l'eau de Cologne de Bradley. Un parfum citadin.

Trop citadin, elle s'en rendait compte maintenant.

Quelques minutes plus tard, ils arrivèrent à la clairière. Sans attendre, elle s'assit sur l'herbe, dos au soleil, et remonta les genoux devant la poitrine.

Bradley l'imita et s'installa à côté d'elle.

— C'est beau. Perdu, mais beau, fit-il.

— Je sais, se contenta-t-elle de répondre.

A lui maintenant de dire ce qu'il avait à dire. D'ailleurs, comme s'il devinait son impatience, elle l'entendit prendre une profonde respiration, pour se donner du courage.

— Je l'avoue, Tansy, j'ai commis une erreur. J'avais bu quelques verres et… et j'ai perdu la tête. Ce n'est pas une excuse, mais je veux juste que tu saches que c'est ainsi que les choses se sont passées.

Il la regarda avant de poursuivre.

— Si seulement je pouvais retourner en arrière… Mais je

ne peux pas. Tu m'as terriblement manqué depuis ton départ, marmonna-t-il d'une voix empreinte de douleur. Le son de ta voix m'a manqué…

Il s'interrompit, comme s'il cherchait soudain l'inspiration.

— Ton beau visage sur l'oreiller, le matin… Etre avec toi… Tout cela me manque.

Elle écouta avec attention ces mots. Des mots qui lui parlaient, car elle avait ressenti la même chose.

Certains hommes n'étaient pas de grands communicants, mais Bradley n'avait jamais eu de problème dans ce domaine. D'habitude, il s'exprimait sans la moindre difficulté. Le fait qu'il bute sur ses mots ce matin était donc un signe, une preuve de sa sincérité.

— Tansy… Dis quelque chose, je t'en supplie, reprit-il d'un ton proche du désespoir.

— Tu m'as manqué, lâcha-t-elle alors.

C'était la vérité. Il avait hanté ses jours, ses nuits… Jusqu'à ce qu'elle rencontre Liam.

— C'est vrai ? Mon Dieu, quel soulagement. Je suis complètement perdu sans toi, Tansy. J'ai eu tellement peur… Et lorsque j'ai vu ce type, hier… A cause de lui, je n'ai pas fermé l'œil de la nuit.

A ces mots, elle se sentit coupable l'espace d'un instant, mais parvint à se raisonner : Bradley et elle n'étaient plus ensemble, ils n'étaient plus un couple. Elle n'avait surtout pas à s'en vouloir de refaire sa vie de son côté. C'était lui qui avait tué leur couple en lui étant infidèle, elle ne devait pas l'oublier.

Tout cela à cause de quelques verres, disait-il.

— Combien de fois m'as-tu trompé, Bradley ?

— Pourquoi veux-tu savoir cela ? Est-ce vraiment important ?

Si c'était important ? Peut-être pas… En tout cas, elle estimait avoir le droit de le savoir.

— Réponds-moi, insista-t-elle.

— Je t'ai trompée deux fois. Pas plus, je te le jure.

Deux fois ? Cet aveu lui fit l'effet d'un coup de poignard

en plein cœur. Elle avait toujours cru qu'il n'avait été infidèle qu'une seule fois… Comment avait-elle pu être aussi naïve ?

Mais voulait-il dire deux fois avec la même femme ou deux fois dans les mêmes circonstances ?

— S'agissait de la même femme ?

— Oui, répondit-il dans un souffle.

Mon Dieu… Elle fut prise de nausée, de vertige. Il ne s'agissait donc pas d'une erreur d'un soir. Bradley avait revu cette femme, une autre fois. Il l'avait recontactée.

— D'accord.

— Comment cela, d'accord ? Que veux-tu dire par là, Tansy ?

Perdue, elle ferma les yeux. Le sentiment de trahison allait et venait en elle, comme une vague qu'elle ne pouvait retenir.

— Je dis juste d'accord, c'est tout.

— Et ton voisin… Tu as couché avec lui ? demanda-t-il à son tour, d'une voix empreinte de nervosité.

Visiblement, il n'en menait pas large. Très bien. Qu'il ressente un peu ce qu'elle avait ressenti. A ce détail près qu'elle ne l'avait pas trompé puisqu'ils n'étaient plus en couple.

— Oui, j'ai couché avec lui.

— Plus d'une fois ?

— Est-ce vraiment important ? lui rétorqua-t-elle, reprenant ses mots.

— Si c'était le cas, nous serions quittes, en quelque sorte.

Quittes ? Venait-il vraiment de dire une telle idiotie ?

Folle de colère, elle se força à se contrôler, à se maîtriser.

— Non, nous ne sommes pas quittes, Bradley ! Je te rappelle que nous ne sommes plus fiancés. Vois-tu encore une bague à mon doigt ?

— Non, mais c'est pour cette raison que je suis ici, répondit-il en sortant de sa poche une petite boîte en velours noir.

Il ouvrit la boîte et elle reconnut la bague, sa bague, brillant sous le soleil.

Lorsqu'il l'avait demandée en mariage, cette bague symbolisait l'amour, la fidélité, l'engagement d'une vie. Aujourd'hui, elle ne représentait plus rien.

— Cette bague n'est plus sur ton doigt, Tansy. C'est une erreur qui doit être réparée.

Elle détourna le regard. Elle refusait de voir cette bague.

— Je veux me faire pardonner, Tansy, et je souhaite que tu portes de nouveau cette bague car je t'aime et je veux que tu reviennes à la maison.

Trop nerveuse et en colère pour rester assise plus longtemps, elle se leva d'un bond.

Jamais elle n'avait imaginé que Bradley viendrait avec cette bague.

Elle baissa les yeux vers lui et remarqua que son début de calvitie s'était aggravé. Autrefois, elle n'y prêtait même pas attention, mais aujourd'hui…

La boîte toujours ouverte, il se leva à son tour.

— Range la bague avant de la perdre, Bradley, le pria-t-elle.

— Le meilleur moyen de ne pas la perdre serait que tu la portes à ton doigt.

En effet. Sauf qu'elle n'en voulait pas.

— Range-la, s'il te plaît, insista-t-elle. Je ne suis pas sûre de toujours en vouloir.

— Ne dis rien pour le moment, murmura-t-il en s'exécutant néanmoins. Je te demande juste d'y réfléchir et d'accepter de me donner une seconde chance.

Etait-elle capable de lui offrir cette seconde chance ? Elle n'en avait aucune idée. Elle était complètement perdue. Tout ce qu'elle savait, c'était qu'elle ne pouvait pas le quitter ainsi.

— J'y penserai, se contenta-t-elle de répondre en hochant la tête, mais tu dois me laisser du temps.

— Merci, répondit-il avant de l'attirer à lui. Ton parfum m'a tellement manqué, ma chérie.

Il enfouit son visage dans le creux de son cou.

— Tes baisers m'ont manqué, poursuivit-il.

Pour la première fois depuis une éternité, la bouche de Bradley trouva la sienne.

Il posa une main ferme sur ses hanches et se plaqua contre

elle. Elle sentit son érection mais… rien d'autre. Elle ne ressentit rien.

— Bradley, murmura-t-elle en le repoussant.

— J'ai tellement envie de toi, mon bébé.

— Je t'ai dit que j'allais réfléchir, dit-elle en reculant. Je n'ai toujours pas pris de décision, mais une chose est sûre, ce n'est sûrement pas ainsi que nous allons reprendre.

— Je sais. C'est difficile, mon bébé.

Elle avait toujours aimé qu'il l'appelle ainsi, mais aujourd'hui ce ton affectueux avait plutôt tendance à l'irriter. A l'énerver.

— Tu m'as manqué, répéta-t-il en se plaçant derrière elle avant de l'enlacer.

Elle sentit son souffle chaud dans son cou, son sexe tendu dans son dos, et elle ferma les yeux. Autrefois, elle adorait lorsqu'il la cajolait ainsi.

— Je vais te faire du bien, mon bébé, continua-t-il en prenant son sein dans la paume de sa main. Laisse-moi embrasser ton minou. Je sais combien tu aimes cela.

En entendant ces mots, elle lui agrippa le poignet, retira sa main de sa poitrine et tenta de rompre l'étreinte. Elle en avait assez.

— Doucement, Bradley ! gémit-elle.

Elle avait besoin de respirer — il l'étouffait. Pressée de mettre de la distance entre eux, elle finit par le repousser.

— Je ne sais même pas si j'aurai un jour envie de t'embrasser de nouveau, Bradley, alors arrête. Ce n'est pas le moment.

Elle avait fait un petit pas dans la direction de cet homme, et il s'imaginait déjà que… Elle se sentait insultée. Choquée, même.

— Jamais ? lui demanda-t-il avec des yeux de chien battu.

Du temps où ils étaient encore ensemble, elle adorait qu'il lui adresse ce regard désolé. A l'époque, elle le trouvait touchant. Mais plus aujourd'hui.

— Arrête, Bradley ! le supplia-t-elle.

— D'accord. D'accord, se reprit-il. Veux-tu au moins dîner avec moi, ce soir ?

— Non, rétorqua-t-elle sans la moindre hésitation.

— C'est à cause de ce soldat, n'est-ce pas ?

— Bradley, je t'ai dit tout ce que je voulais te dire concernant Liam. Et j'ai été généreuse lorsque je l'ai fait. Tu n'as aucun droit d'insister.

— Tu as raison, admit-il d'une petite voix. C'est juste que… Je ne supporte pas de penser que… Cela me rend fou.

Elle savait exactement ce qu'il ressentait, ces mêmes pensées l'avaient tenue éveillée des nuits durant. Mais il s'en remettrait.

— Tu n'as pas le choix, Bradley, fit-elle avec fermeté.

A ces mots, il la dévisagea un instant, comme s'il ne la reconnaissait pas.

— Tu as changé, dit-il soudain.

— Oui, j'ai changé.

Elle se sentait plus forte désormais, plus sûre d'elle.

Bradley et elle avaient été en couple pendant si longtemps qu'elle s'était toujours définie par rapport à lui. Mais, aujourd'hui, elle avait besoin de découvrir qui elle était. Qui elle était vraiment. Seule.

— Tu dis cela comme si c'était négatif, remarqua-t-elle.

— Peut-être, je ne sais pas.

De toute façon, son avis lui importait peu. La nouvelle Tansy lui plaisait à elle, et c'était la seule chose qui comptait.

Au moment où Liam poussa la porte du restaurant de Gus, comme par magie, toutes les conversations s'arrêtèrent. Tous les regards se tournèrent vers lui. Il fixa les clients à son tour et, au bout de quelques secondes, les conversations reprirent.

Eh bien, les nouvelles allaient vite. L'ex-fiancé de Tansy venait d'arriver en Alaska, et apparemment tout le monde s'interrogeait maintenant sur sa relation avec Tansy.

En apercevant Bull qui lui faisait signe, il le rejoignit aussitôt.

— Assieds-toi, je t'en prie, lui proposa son oncle. A moins que tu ne sois venu pour une commande à emporter.

— Oui, je ne peux pas rester. Nous avons beaucoup de

travail, alors Sven m'a demandé de venir chercher à manger pour toute l'équipe.

Etant le dernier arrivé sur le chantier, cette tâche lui incombait.

Un peu plus loin, derrière Bull, Mallory Kincaid était assise à une table, et lui adressa un sourire. Il se contenta de répondre d'un vague signe de tête et détourna vite le regard.

— Cette femme est vraiment pénible, fit-il, agacé.

— Elle a pourtant l'air sympathique.

— Elle est surtout envahissante.

— Elle a un travail à faire et elle veut le faire sérieusement, c'est tout.

Liam haussa les épaules. Pourquoi s'attarder sur le sujet ? Cette femme ne l'intéressait pas, et il avait autre chose en tête.

— As-tu rencontré Bradley ? l'interrogea Bull comme s'il devinait les questions qui le tenaillaient.

— Je l'ai vu et, honnêtement, il ne paie pas de mine. Tansy m'a dit qu'il retournait la voir, aujourd'hui.

— C'est vrai, mais il est déjà de retour. Petey l'a ramené au bed and breakfast il y a quelques minutes.

Tout en parlant, son oncle fixait un point derrière lui. Il ne se retourna pas pour voir de quoi il s'agissait, mais il eut un mauvais pressentiment.

— Quand on parle du loup, fit enfin son oncle.

Dans la salle, les murmures se firent plus nombreux, mais il ne bougea pas. Il savait tout ce qu'il avait besoin de savoir sur Bradley : ce type était un abruti qui avait fait du mal à Tansy, et il méritait un bon coup de poing en pleine figure, qu'il aurait été ravi de lui donner.

Hélas, ce n'était pas à lui de se venger. C'était à Tansy.

— Il approche, Liam, le prévint Bull.

— Je sais.

Il sentait Bradley juste derrière lui, mais il ne tourna pas la tête pour le regarder.

Plus personne ne parlait désormais. Ruby venait même d'éteindre la télévision.

— Reinhardt, lança soudain Bradley.

Lentement, il se retourna enfin et regarda l'homme droit dans les yeux.

— Vous m'avez parlé ? demanda-t-il calmement.

— Oui. Je suis le fiancé de Tansy.

Au même instant, Tansy pénétra dans le restaurant et se figea en apercevant le spectacle.

— Ne t'approche pas d'elle, Reinhardt, le menaça Bradley.

— D'après ce que j'ai compris, tu n'es plus son fiancé. C'est donc à Tansy qu'il appartient de décider, si oui ou non je peux l'approcher.

— J'ai l'intention de l'épouser.

— Vraiment ? Encore une fois, je crois que la décision revient à Tansy.

Cette dernière les rejoignit à cet instant.

— Arrêtez de parler de moi comme si je n'étais pas là, leur lança-t-elle.

— C'est Bradley qui a commencé, intervint une voix derrière lui. Liam ne voulait pas se mêler de votre histoire.

— Bradley ! s'écria-t-elle sur un ton outré. As-tu vraiment perdu la tête ?

— Je ne suis rien sans toi, Tansy, répondit-il d'une petite voix.

Bon Dieu. Cet homme était vraiment pathétique ! Qu'avait bien pu lui trouver Tansy ? Il n'avait pas besoin d'être un expert en amour pour voir que cet homme ne convenait pas à une femme de caractère comme Wellington.

Celle-ci passa une main sur son visage. Elle semblait gagnée par la lassitude.

— J'ai l'impression que ma vie est pire qu'un mauvais feuilleton, marmonna-t-elle en soupirant.

— Tu rigoles ! Elle est bien plus passionnante, au contraire, rétorqua un homme à la barbe rousse.

— Tais-toi, Rooster ! le coupa son voisin.

— Lequel des deux veux-tu ? insista Rooster. Nous avons ouvert les paris.

— Tansy, je…

— Tais-toi, Bradley ! Je ne veux plus vous entendre, ni l'un ni l'autre.

Ni l'un ni l'autre ? Il n'avait fait que répondre à ce type, sans le provoquer, et voilà que Tansy les mettait dans le même panier ? Enfin. A sa décharge, elle venait d'être humiliée en public. Il était normal qu'elle soit hors d'elle.

Sans un mot, Bradley fit demi-tour et repartit vers le bed and breakfast. Tansy, elle, se dirigea tout droit vers le comptoir.

— J'aimerais le menu du jour, à emporter, demanda-t-elle à Ruby.

— Tout de suite, lui répondit la jeune femme avant de se tourner vers lui. Votre commande est prête, Liam.

Ignorant tous les regards rivés sur lui, il traversa la salle.

— Rallumez la télévision, cria Bull, derrière lui.

Devant le comptoir, Tansy l'ignora et il fit de même. Sans doute était-ce plus sage de garder ses distances.

Il prit les sacs contenant les repas de l'équipe du chantier puis sortit en silence. De temps en temps, la retraite était la meilleure des tactiques.

Il y avait cependant un détail qui ne lui avait pas échappé, et auquel il ne pouvait s'empêcher de repenser. Tansy n'avait pas répondu à la question concernant son choix… Etait-ce parce qu'elle n'avait pas eu envie d'y répondre, ou parce qu'elle n'avait pas encore la réponse ?

— Bon Dieu, fit Jenna en la voyant entrer dans le salon de massage.

Quoi ? Sa sœur était déjà au courant du spectacle qui venait juste de se dérouler chez Gus ? Décidément…

— Mais comment le sais-tu ? demanda-t-elle, bluffée. Je sors à l'instant du restaurant.

Il ne lui avait fallu que cinq petites minutes pour rejoindre le salon.

— Alberta m'a fait suivre la scène en direct, par texto, avoua Jenna avant de s'approcher d'elle pour l'embrasser.

— C'était tellement irréel, Jenna !

— J'ai dix minutes de libre avant la manucure de Rachelle Richardson. Ellie ne peut pas nous entendre, elle est dans la salle de massage. Alors viens ici et raconte-moi tout.

Tansy s'assit en face de sa sœur, de l'autre côté de la petite table servant habituellement aux manucures, et lui raconta sa balade dans les bois avec Bradley… Jusqu'aux détails les plus croustillants.

— Il a proposé de… Là-bas, dans les bois ? s'étonna Jenna.

— Je sais, c'est incroyable, acquiesça-t-elle.

Quelques semaines loin de lui, quelques milliers de kilomètres entre eux et voilà qu'elle portait aujourd'hui un regard totalement différent sur cet homme. Elle avait longtemps cru que Bradley était l'homme idéal, mais aujourd'hui elle se rendait compte que son prince charmant n'était pas aussi charmant qu'elle l'avait cru.

— Vraiment ? répéta Jenna, comme si elle n'y croyait pas.

— Je t'assure.

— Et toi, tu as refusé, ajouta-t-elle sur un ton qui n'était pas neutre.

— Jenna !

— Je dis juste que tu aurais pu…, commença sa sœur avant de s'interrompre pour reprendre son sérieux.

— Je suis complètement perdue, Jenna, gémit Tansy en se passant une main lasse sur le visage. Je ne sais plus ce que je veux. Pendant des semaines, j'ai espéré qu'il viendrait pour se conduire exactement comme il l'a fait — sans compter la scène chez Gus, évidemment. Mais maintenant… Je ne sais pas. Je crois que j'ai tourné la page. Je pensais vouloir le voir revenir et jouer les princes charmants, mais entre-temps… j'ai changé.

— Est-ce à cause de Liam ?

— Il y est pour quelque chose, mais c'est surtout moi.

— Alors que vas-tu faire ? lui demanda Jenna, les yeux brillants comme si elle venait juste d'avoir une grande idée. Vas-tu coucher avec les deux ? Faire un test grandeur nature ?

A la fois désabusée et amusée, elle laissa échapper un petit rire.

— Désolée de te décevoir, mais je ne vais pas faire de test.

— Que vas-tu faire, alors ? s'enquit sa sœur, plus sérieusement.

— Prendre mes distances avec les deux, pour pouvoir réfléchir. Je ne vais coucher ni avec l'un, ni avec l'autre. L'amour ne ferait rien sauf me rendre encore plus confuse, car lorsque je suis avec un l'autre semble me hanter.

— Et Liam ? Que dit-il de tout cela ?

— Qu'il ne partage pas. Et je le comprends. Notre relation a beau ne pas être sérieuse, je ne partage pas non plus.

— Entre vous, il ne s'agit donc que d'une aventure.

— Bien sûr. Nous venons juste de nous rencontrer. Notre relation est simple et nous convient à tous les deux.

— Peut-être. Mais peut-être s'agit-il du début d'autre chose, d'une relation plus sérieuse…

— Je ne sais pas. Je n'arrive plus à y voir clair, en ce moment.

Jenna éclata de rire.

— Tu n'as pourtant plus le choix, il faut que tu réfléchisses et que tu prennes une décision.

— Mais tout est si compliqué. Je croyais vouloir que Bradley revienne, et il faut qu'il soit là pour me rendre compte que ce n'était peut-être pas ce que je voulais. Je connais Bradley et je sais que nous ne pouvons pas retourner en arrière. Mais je ne sais pas si je veux aller de l'avant avec lui non plus. En tout cas, une chose est sûre : je ne considère pas avoir à choisir entre l'un et l'autre. Ce n'est pas parce que je décide que je ne veux pas être avec Bradley que je vais vouloir être avec Liam pour autant. Et inversement. Tu comprends ce que je veux dire ?

— Je crois. Si cela se trouve, tu ne veux ni l'un ni l'autre.

— Exactement.

— Aimes-tu toujours Bradley ?

L'aimait-elle ? Voilà une bonne question. Il avait fait partie de sa vie pendant si longtemps… Après l'avoir quitté, elle l'avait haï pendant des semaines. Et puis elle avait fini par trouver du réconfort ici, et aujourd'hui, elle n'était plus sûre de ses sentiments pour lui.

— Je ne le déteste pas. Je ne lui souhaite pas de mal comme

au début, mais cela ne veut pas dire que je suis toujours amoureuse de lui.

— Et lui ? Que ressent-il, à ton avis ?

— Je crois qu'il m'aime. Et pour ce qui est de l'autre femme… Ce n'est pas à cause de moi qu'il m'a trompée. C'est un problème qu'il doit régler avec lui-même. Il lui a fallu beaucoup de courage pour venir jusqu'ici et je crois qu'il est désespéré, qu'il veut vraiment que je rentre. Sinon, il n'aurait pas fait cette scène chez Gus. Quant à Liam… Je ne sais pas. Je me sens perdue.

— Prends ton temps pour décider, lui conseilla Jenna.

— Le problème, c'est que je ne veux pas faire durer la situation éternellement. Pour moi, ne pas savoir est toujours pire que tout. En plus, Bradley risque de me suivre comme un petit chien jusqu'à ce que je prenne ma décision.

Elle hésita quelques instants avant de poursuivre.

— Qu'as-tu ressenti lorsque Logan est venu te rejoindre ici, après toutes ces semaines ?

— J'ai essayé de nier l'évidence, mais au fond de moi je n'avais aucun doute. C'est drôle mais je sens toujours ma gorge se nouer lorsqu'il entre dans une pièce. L'impression n'est pas aussi intense qu'avant, mais elle est réelle. Je crois que cette excitation ne me quittera jamais. Elle fait partie de nous, de notre histoire.

Elle hocha la tête, elle savait de quoi Jenna parlait. Elle avait ressenti la même chose… La première fois qu'elle avait vu Liam Reinhardt.

- 12 -

Le lendemain, Liam décida d'oublier sa traditionnelle séance de natation pour aller rendre visite à Bull. Il n'avait pas revu Tansy, ni eu de ses nouvelles depuis leur rencontre fortuite chez Gus, la veille. Mais cela ne le surprenait pas, elle devait avoir beaucoup de choses en tête.

Et lui aussi, d'ailleurs.

Le plus surprenant, c'était que Wellington lui manquait. Pourquoi, et comment cela était-il possible ? Ils ne se connaissaient que depuis quelques jours…

Il gara sa moto devant la quincaillerie de Bull, entra et trouva son oncle assis sur un tabouret, derrière un établi.

— As-tu une minute, Bull ?

— J'en ai même plusieurs, répondit l'homme en posant le rabot avec lequel il travaillait. Que me vaut l'honneur de cette visite ?

— Je voulais te soumettre une idée et avoir ton opinion.

— Pas de problème, répondit son oncle, sans cesser d'examiner un morceau de bois.

— L'autre jour, Tansy m'a suggéré de créer un centre d'entraînement à la vie sauvage, ici, en Alaska. Selon elle, les touristes qui viennent dans la région seraient intéressés par ce genre d'activités. J'ai réfléchi et je me demande si elle n'a pas raison.

Devant le silence de Bull, qui se contenta de hocher la tête, il poursuivit.

— Je suis très reconnaissant à Sven de m'avoir embauché,

mais je ne m'imagine pas travailler sur un chantier plus d'une saison. Je dois donc trouver ce que je veux faire de ma vie.

Il s'interrompit et serra les poings. Il suffisait qu'il évoque sa carrière brisée pour que la frustration le gagne de nouveau.

— J'ai trente et un ans et je dois me trouver un travail, maintenant que j'ai quitté l'armée. Le problème, c'est que je croyais avoir planifié toute ma vie et tout à coup… plus rien. Je suis perdu.

— La vie n'est pas faite que de bons moments, lui rappela Bull en relevant enfin la tête pour le regarder. Lorsque j'avais dix-huit ans, je fourmillais de projets, d'idées… Et puis j'ai été envoyé au Viêt-nam. Là-bas, je pensais juste effectuer mon service et rentrer, mais tout ne s'est pas déroulé comme je l'avais imaginé.

Avec la pointe de son couteau, il montra à Liam les cicatrices dans son cou.

— Tout ne s'est pas déroulé comme je le pensais, répéta-t-il, et pourtant, le jour où je suis enfin rentré à la maison, ma vie d'avant ne me convenait plus. Alors, oui, je sais qu'il faut parfois revoir ses rêves, les réévaluer. Je comprends ta frustration, je suis passé par là.

— Je suis tellement en colère… Tellement en colère que je ne sais plus quoi faire. Et, contrairement à toi, je n'ai pas eu de carrière avant l'armée, je n'ai rien connu d'autre. Comment as-tu réussi à te réhabituer à la vie civile ?

Bull croisa les bras sur son ventre rond avant de répondre.

— Pendant longtemps, Liam, j'ai été animé par la frustration, par la colère, jusqu'au jour où j'ai compris que cette hargne ne me menait nulle part. Ensuite, j'ai rencontré Merilee et j'ai compris qu'il ne pouvait rien m'arriver de mieux. J'ai compris que si je n'avais pas eu cette expérience, au Viêt-nam, je ne l'aurais sans doute jamais rencontrée. Une fois que j'ai été capable de l'admettre, ma frustration et ma colère ont disparu, comme par magie.

Liam avait beau éprouver du respect pour Bull, ce qu'il venait de lui expliquer ne lui paraissait pas très logique.

— Tu aurais peut-être rencontré Merilee dans d'autres circonstances, non ?

— Peut-être… Ou peut-être pas. Je n'ai aucun moyen de le savoir car on ne peut pas revenir en arrière. Ce que je sais, c'est qu'en rentrant du Viêt-nam je suis venu en Alaska et je l'ai rencontrée. Parfois, nous n'arrivons pas à voir la porte ouverte sous notre nez, trop occupés que nous sommes à fixer celle que nous venons de claquer derrière nous.

— Sans doute, marmonna-t-il sans grande conviction.

— Pour ne rater aucune opportunité, Liam, il est important que tu gardes l'esprit ouvert. En permanence.

— C'est ce que je fais. Regarde, j'ai cette conversation avec toi alors que, jusqu'à présent, j'étais focalisé sur ma colère.

— Ta mère m'a dit que tu venais ici pour guérir, mais j'ai compris que c'était faux à la minute où je t'ai vu. Tu es venu pour te plaindre et t'apitoyer sur ton sort.

— Sur ce point, je plaide coupable, admit-il.

— Tu n'as pourtant aucune raison de te sentir coupable, Liam. Et je suis heureux de voir qu'aujourd'hui tu es décidé à arrêter de t'apitoyer sur ton sort. L'idée d'un camp d'entraînement à la vie sauvage est excellente. Avec ta réputation et ton expérience, les clients pourraient être très nombreux.

A ces mots, l'excitation le gagna. Bull n'était pas le genre d'homme à mentir, ou à parler pour ne rien dire. Alors, si son oncle trouvait l'idée bonne, il pouvait le croire sans réserve.

Restait maintenant à réfléchir aux questions concrètes, aux problèmes de logistique.

— J'aurais besoin d'une grande parcelle de terre, une parcelle loin de tout mais tout de même assez proche pour pouvoir y transporter les participants et le matériel.

— S'il y a une chose dont nous ne manquons pas en Alaska, c'est bien de terres. Tu devras sans doute faire face à des conditions climatiques extrêmes, à l'absence de confort, mais la terre ne sera jamais un problème.

Les conditions climatiques et le manque de confort ne lui faisaient pas peur. En mission, il avait déjà passé des jours et des jours sans bouger, sans provisions, dans le froid et l'humidité, à guetter l'ennemi.

— Le principe est justement de créer un camp d'entraînement à la vie sauvage, à la vie primitive, alors si le confort n'est pas digne d'un cinq-étoiles, c'est encore mieux.

— As-tu pensé à la possibilité de t'associer, pour monter le camp ? Tu vas avoir besoin d'être secondé.

— J'aurai besoin d'aide, évidemment, mais je n'en suis pas encore là dans ma réflexion. Je voulais surtout commencer par te soumettre l'idée.

— Puis-je tout de même te faire une suggestion ?

— Je t'en prie. C'est pour cela que je suis ici.

— Dirk.

En entendant le nom de son cousin, il se passa une main sur le front, embarrassé. Il ne savait trop que penser à ce sujet.

— Tu crois vraiment que ce serait une bonne idée ? demanda-t-il, sceptique.

— Oui, affirma son oncle. J'en suis même sûr.

— Dirk est un solitaire. Et puis il est rancunier. Tu as bien vu comme il m'a frappé.

— Oui, mais ensuite il t'a aidé à te relever et vous avez tourné la page. Dirk est un homme impulsif, un franc-tireur, mais il possède toutes les qualités pour faire un excellent second. Il a juste besoin de trouver un bon commandant.

Pour le moment, il était encore loin d'être convaincu. Mais l'opinion de Bull était importante pour lui, et ça ne lui coûtait rien d'y réfléchir.

— J'y penserai, lui promit-il.

— Bien. Et Tansy ?

— Comment ça, Tansy ? Tu me suggères de m'associer avec elle ? Tu plaisantes ?

— Mais non, répondit Bull en riant, je voulais juste savoir où tu en étais avec elle.

— Ah. Eh bien, Tansy… Tansy est une femme intéressante.

A ces mots Bull se leva et, un sourire moqueur aux lèvres, lui donna une tape amicale dans le dos.

— Tu serais surpris, Liam, de toutes les portes qui peuvent s'ouvrir devant toi.

Tansy se releva du canapé. Elle en avait assez de réfléchir. Aujourd'hui elle n'avait fait que réfléchir, réfléchir, réfléchir. Et réfléchir encore.

Régulièrement, Jenna l'avait appelée pour l'informer des faits et gestes de Bradley. Elle savait ainsi qu'il avait passé du temps chez Gus, à jouer au billard, à boire des bières, et à lui envoyer des messages.

Elle n'était pas méchante, et ne cherchait pas à le faire souffrir, mais elle avait besoin d'être loin de lui pour pouvoir réfléchir. Quelle ironie… Elle venait de passer plusieurs mois sans lui, et elle n'était pas fixée pour autant.

Mais sa réflexion était différente, aujourd'hui.

En attendant de parvenir à une décision, peut-être fallait-il qu'elle se change les idées. Oui, elle avait besoin d'une distraction.

La nuit tomba sur le bungalow et elle entendit une chouette hululer au loin. Quelques minutes plus tard, elle reconnut le hurlement d'un loup.

Curieuse, elle sortit.

Liam était assis devant un feu de camp qui diffusait une douce lumière. Devant lui, était étalé un tapis sur lequel étaient posées différentes pièces — les éléments d'un fusil, apparemment.

Elle s'approcha lentement et il releva la tête.

— Salut, fit-elle doucement. Puis-je me joindre à toi ou préfères-tu rester seul ?

— Installe-toi.

Elle s'assit alors sur un tronc d'arbre, à sa droite.

Il ne faisait pas vraiment froid, mais l'automne approchait et l'air n'était plus aussi clément. Heureusement, le feu allait la réchauffer.

Elle serra les bras autour de ses genoux et regarda Liam nettoyer son fusil.

Il avait de belles mains. Des mains fortes, puissantes, sexy.

Peu à peu, le souvenir de ces mains sur son corps revint à sa mémoire et elle sentit sa température grimper de quelques degrés, mais elle se força à garder la tête froide et à se concentrer sur le présent.

— As-tu suffisamment de lumière ? demanda-t-elle.

— Ne t'inquiète pas. Je serais capable de nettoyer mon fusil dans le noir.

— Très bien, répondit-elle avant de se racler la gorge pour se donner du courage. Liam… Je voulais m'excuser… Pour hier, chez Gus.

— Tu ne me dois aucune excuse, la rassura-t-il, tu n'as rien fait de mal.

Sur le coup, entendre les deux hommes parler d'elle l'avait mise en colère. Jusqu'à ce qu'elle comprenne que Liam n'y était pour rien. Il s'était simplement retrouvé au mauvais endroit, au mauvais moment. C'était Bradley qui avait parlé d'elle en public.

Compte tenu de son amour pour la discrétion, Liam avait dû se sentir aussi gêné qu'elle.

— Bradley a été…

— Tu n'es pas responsable de lui, l'interrompit-il. Tu n'as rien fait de mal, tu n'as pas besoin de t'excuser.

— D'accord…, fit-elle alors, déterminée à changer de sujet. J'aime beaucoup les feux de camp. Cela me rappelle mes années de scoutisme.

L'air agréablement surpris par cette révélation, il lui adressa un large sourire qui resplendit dans la lumière du feu.

— Alors comme cela, tu étais scout…

— Eh oui !

— Tu as dû vendre des kilos de gâteaux, j'imagine.

— Je n'étais pas mauvaise. Et toi, as-tu été scout ? demanda-t-elle à tout hasard.

— Non, ce n'était pas mon truc, répondit-il, confirmant ses soupçons. Nous étions bien trop occupés à jouer dans les bois, à chasser, à pêcher.

Ils rirent en se racontant des souvenirs d'enfance. La soirée était douce et calme. La voix de Liam était chaleureuse, réconfortante, surtout dans l'obscurité. Ils parlaient de tout et de rien, et elle se sentait bien. Elle se sentait en paix.

— Veux-tu rentrer ? lui demanda Liam au bout d'un moment.

— Non, je suis bien, là. Le fait de parler avec toi, autour du feu… cela me fait du bien.

— Je comprends, murmura-t-il avant d'hésiter un instant. Je ne veux pas me mêler de ce qui ne me regarde pas, mais je ne veux pas que tu prennes ta décision en fonction de moi, Tansy. Je suis à un carrefour de ma vie. Je n'ai pas de place pour une relation, en ce moment.

— Ce n'est pas ce que j'ai l'intention de faire, dit-elle avec sincérité. C'est entre Bradley et moi.

Malgré son caractère parfois odieux, malgré son caractère très direct, Liam était vraiment un homme gentil.

— Puis-je te poser une question personnelle ? s'enquit-elle soudain. Mais si tu trouves que je me mêle de ce qui ne me regarde pas, dis-le-moi.

— Vas-y.

— Lorsque tu étais marié, étais-tu fidèle ?

Il ne répondit pas tout de suite et elle laissa le silence s'installer, se demandant quelle allait être sa réaction.

— Oui, finit-il par avouer. Je n'ai jamais trompé Natalie. Ma carrière passait en premier et nous étions souvent séparés, mais il n'y a eu aucune autre femme. Je suis un homme de parole.

Elle s'était attendue à ce qu'il ne veuille pas répondre, mais, pour ce qui était de sa réponse, elle n'en attendait pas moins de lui. En affirmant sa fidélité, il ne faisait que confirmer ce qu'elle pensait de lui, à savoir qu'il était un homme bien, un homme honnête et intègre.

— Merci d'avoir répondu.

— Tu trouveras la solution, Wellington. J'ai confiance en toi.

Elle était touchée par ses encouragements, mais il n'y avait plus de solution à trouver. Elle avait désormais toutes les réponses à ses questions.

*
* *

— Merci, sergent.

Satisfaite, Mallory éteignit le magnétophone qu'elle avait posé sur la table de la cuisine.

Liam avait finalement accepté l'interview.

A vrai dire, elle n'avait pas été surprise par sa décision. Elle avait su dès l'autre jour, lorsqu'elle avait quitté Shadow Lake, qu'il finirait par accepter. Pour s'assurer de la véracité de ses sources, mais surtout parce qu'il finirait par comprendre qu'ils étaient faits l'un pour l'autre.

Forcément.

L'alchimie qu'elle sentait entre eux était tellement incroyable qu'il ne pouvait pas ne pas ressentir la même chose.

Fatalement.

D'ailleurs, il l'avait invitée à faire l'interview chez lui. Officiellement, pour ne pas risquer d'être interrompu, mais sûrement pour être seul avec elle, pour apprendre à la connaître mieux.

Liam était le genre d'homme à faire passer le travail avant le plaisir et maintenant qu'ils avaient passé plusieurs heures sur l'interview et que celle-ci était désormais terminée, ils pouvaient passer au plaisir.

Elle était tombée amoureuse de Liam avant même de le rencontrer. Son amie Yvonne l'avait accusée d'en faire une obsession, mais ce n'était pas le cas. Elle avait simplement trouvé l'homme de sa vie. Il lui avait suffi de le voir par écran interposé, de lire son dossier, pour en avoir l'intime conviction.

— Puis-je vous offrir à dîner, Liam ? proposa-t-elle, bien décidée à passer un moment romantique avec lui.

— Je croyais que vous aviez déjà toutes les informations dont vous aviez besoin, lui répondit-il.

Alors comme cela, il voulait jouer au chat et à la souris avec elle. Ce ne pouvait être qu'une tactique de sa part, car il était forcément séduit. A ce sujet, elle gardait bien à l'esprit ce qu'une de ses amies lui avait dit un jour : elle était belle, mais pas au point de faire peur aux hommes.

Cela devait être vrai, la preuve : elle ne restait jamais seule chez elle le week-end. Malgré tout, la plupart des hommes l'ennuyaient. En tant qu'historienne militaire, elle avait l'habitude de rencontrer des hommes extraordinaires, des héros, si bien que les hommes qu'elle rencontrait dans les bars lui paraissaient fades, quelconques.

Elle aimait l'autorité et la puissance dont les militaires faisaient preuve. Et elle aimait Liam.

Elle était habituée à obtenir ce qu'elle voulait. Attaquer pour parvenir à son objectif, tel était son credo. Et, ce soir, son objectif était Liam.

— Il ne s'agit pas de travail, Liam. Je vous trouve simplement très séduisant. Vous êtes un des hommes les plus fascinants qu'il m'ait été donné de rencontrer et…

— Je suis flatté, la coupa-t-il tandis qu'elle retenait son souffle, inquiète, nerveuse. Et vous êtes très jolie, mais je vais refuser. Ma journée a été longue.

Quoi ?

Non, elle ne pouvait pas renoncer. Ils étaient faits l'un pour l'autre, cela méritait bien quelques efforts !

— Je comprends. Si vous voulez, je peux aller chercher des plats à emporter chez Gus. Ou bien vous préparer à dîner.

— Merci, mais non, insista-t-il.

Il refusait ?

ToXut cela, c'était à cause de Wellington, la fichue voisine. Cette dernière empêchait Liam d'avoir les idées claires.

Mais elle l'aimait ! Elle était la femme dont il avait besoin, ce qui n'était pas le cas de cette fichue Tansy Wellington.

Tout à coup, elle eut envie de pleurer, de crier. Au lieu de cela, elle se contenta d'un simple signe de la tête.

Rester digne. Toujours.

— Très bien. Je vous tiendrai au courant si j'ai d'autres questions.

*
* *

Quand Tansy entra dans les bureaux de l'aérodrome, Alberta était en train de tirer les cartes, dans un coin, tandis que, comme d'habitude, Dwight et Jefferson jouaient aux échecs.

Merilee et Dalton Saunders, un des pilotes, étaient en train d'étudier le programme de vols.

— Il part dans deux heures, l'avertit Merilee en allant tout de suite à l'essentiel.

— Je sais.

— Chambre numéro trois. Au bout du couloir.

Sans un mot de plus, Tansy monta à l'étage.

Elle avait longuement réfléchi, avait laissé passer la nuit, avait encore réfléchi sur le chemin, et avait finalement pris une décision.

Sûre d'elle, elle frappa à la porte et, quelques secondes plus tard, Bradley lui ouvrit.

— Entre, Tansy.

Son visage était défait.

Quelques mois plus tôt, lorsqu'elle était en colère contre lui, sans doute aurait-elle été heureuse de le voir dans cet état, rongé par les remords. Mais, aujourd'hui, elle ne ressentait que de la tristesse.

— Bon Dieu, Tansy, murmura-t-il, les larmes aux yeux.

Elle n'avait même pas besoin de prononcer les mots. Il avait compris sa décision rien qu'en la regardant.

— Cela ne servirait à rien, Bradley, tenta-t-elle d'expliquer. Je tiens à toi, mais je ne peux pas. Cela ne fonctionnerait pas.

— Cela veut-il dire que tu ne m'as jamais aimé ? Parce que, si tu m'avais aimé, tu pourrais me pardonner. A moins que tu ne cherches qu'à me punir…

— Je ne cherche pas à te punir, Bradley. Mais tes actes m'ont dit quelque chose sur l'homme que tu es et sur la femme que je suis. Et tu as raison, cet événement m'a changée, il m'a fait grandir, même si cela s'est fait dans la douleur. Nous ne sommes plus les deux mêmes personnes que nous étions autrefois et il est temps pour nous de prendre des routes différentes.

Sur ces mots, elle l'enlaça et l'embrassa sur la joue.

— Merci d'être venu, Bradley. Tu m'as libérée, murmura-t-elle.

Puis elle se tut et le dévisagea. Il ne la comprenait pas, c'était évident. Preuve supplémentaire qu'ils n'avaient plus rien à faire ensemble.

— C'est à cause de ce soldat, n'est-ce pas ?

— Non. Ce que je ressens pour toi n'a rien à voir avec Liam.

— Si j'étais venu ici une semaine avant lui…

— Cela n'aurait fait aucune différence, Bradley. C'est une histoire entre toi et moi, je n'ai pas fait un choix entre vous deux.

Il n'était visiblement pas plus avancé, mais peu importe. Pour elle, tout était dit, et il était désormais temps pour eux de se dire adieu.

— Rentre bien, Bradley. Je te souhaite beaucoup de bonheur.

— C'est cela…

Elle ne répondit pas. Elle sortit, fermant doucement la porte derrière elle.

Elle avait tourné la page.

Elle descendit puis passa directement chez Gus. Elle n'avait aucune intention de se donner en spectacle mais, dans quelques minutes, tout le monde saurait que Bradley avait quitté l'Alaska sans elle et elle désirait qu'un point soit clair dans l'esprit de tous.

D'un pas décidé, elle se dirigea vers Rooster. D'après ses informations, c'était lui qui organisait les paris, ici. Il lançait des paris sur tout et n'importe quoi, ce qui lui permettait même de gagner sa vie.

Norris, un journaliste retraité et son petit ami, un homme dont elle avait oublié le nom, étaient assis avec Rooster.

Tant mieux, à eux trois, ils pourraient diffuser l'information à la vitesse de l'éclair.

— Bonjour, messieurs. Je sais que des paris ont été lancés et vous saurez bientôt que Bradley repart seul. Je veux juste préciser que ce n'est pas parce que je n'ai pas choisi Bradley que j'ai choisi Liam.

— Tu n'as donc pas choisi Bradley mais tu n'as pas choisi Liam non plus, répliqua Rooster. Message reçu.

Elle approuva d'un signe de tête puis, sans attendre, prit le chemin de la porte.

— Message reçu cinq sur cinq, lança alors la voix de Liam dans son dos.

Elle ne l'avait pas vu. Mais tant mieux. Il était maintenant au courant.

- 13 -

Satisfait, Liam mit une touche finale à sa liste de matériel. Maintenant qu'il avait digéré sa frustration, il était enfin capable de réfléchir calmement.

Finalement, sa conversation avec Mallory Kincaid avait été positive, même si cette femme continuait à l'irriter.

C'était l'interview elle-même qui avait été profitable. Elle lui avait permis d'acquérir une nouvelle perspective sur sa carrière dans l'armée. Une carrière qui faisait désormais partie de son passé, tout comme son mariage.

Il avait toujours pensé que sa carrière serait toute sa vie mais, après avoir discuté avec Bull, il avait compris que son avenir ne tenait qu'à lui. Il avait le choix entre continuer à être en colère contre le monde entier, ou se reprendre et avancer.

Certes, sa vie n'était pas particulièrement juste, mais c'était ainsi. Et puis ce n'était pas un scoop. Il avait vu trop vu de souffrances, notamment en Irak et en Afghanistan, pour savoir que la vie était injuste.

S'il ne pouvait rien y changer, s'il ne pouvait plus revenir en arrière, revenir sur son départ de l'armée, il y avait néanmoins une chose qu'il pouvait contrôler : son futur. La balle était dans son camp. Et, une chose était sûre, ce n'était pas en s'apitoyant sur son sort qu'il irait de l'avant. Il lui fallait donc se redresser, ravaler sa hargne, et penser au futur. Et répondre aux questions de Mallory avait été un premier pas en avant, une première étape dans la recherche de sa nouvelle vie.

Quant à sa conversation avec Bull sur cette idée de camp d'entraînement, elle avait été le point de départ d'une longue réflexion. Il avait étudié des cartes topographiques et avait même prévu un vol de reconnaissance, demain.

D'ailleurs, à ce propos, il eut soudain une idée… Sans attendre, il se leva, se dirigea vers l'Interphone et appela Tansy.

— Wellington, quels sont tes projets pour après-demain ? Que dirais-tu de partir en voyage ?

— En voyage ? dit-elle, manifestement surprise. C'est-à-dire ? Et pour combien de temps ?

— Juste deux jours, deux nuits. Du camping sauvage, sans le moindre confort. Je comprendrais que cela ne te tente pas, mais on ne sait jamais.

— Je suis intriguée. Tu peux m'en dire un peu plus ?

— Je vais aller visiter un terrain, pour le camp d'entraînement à la vie sauvage que tu m'as suggéré. Dalton va m'y amener en avion. J'y passerai deux jours pour en faire le tour, étudier les possibilités, puis un autre avion reviendra me chercher.

— Je vois… Donc, pas d'eau courante, pas de toilettes, pas de lits…

— Le terrain est traversé par une rivière et j'apporterai une pelle pour les latrines. Nous aurons une tente et des sacs de couchage, des rations sous vide pour la nourriture…

— Et les ours ?

— Nous en verrons peut-être. Sûrement même.

— Et en cas d'urgence ?

— Nous aurons une radio pour joindre le camp de base. As-tu déjà campé ?

— Evidemment, je te rappelle que j'étais scout. Tous les scouts vont camper à un moment ou un autre. Nous dormions dans des petits tipis.

— Y avait-il des douches ?

— Pas dans les tipis, mais dans un bâtiment proche.

— Tu n'as donc jamais fait de camping sauvage.

— Non, je l'avoue.

Tant mieux, Tansy serait parfaite. Si elle pouvait le suivre pendant deux jours, alors tous les touristes le pourraient. Elle ferait un bon baromètre.

— Je dois tout de même te prévenir, Tansy, que si tu viens, je ne te ferai pas de cadeau. Tu devras porter ton sac, ton équipement, et me suivre, même si tu es fatiguée.

— Quand partons-nous ?

— Après-demain.

— D'accord, répondit-elle sans hésiter. Que dois-je faire pour me préparer ?

— Sors ce que tu souhaites emporter et j'y jetterai un coup d'œil. Souviens-toi que tu dois tout porter sur ton dos. Puis-je venir demain soir pour vérifier tes bagages ?

— Pas de problème.

— Me prépareras-tu à manger ou dois-je passer prendre à dîner chez Gus, avant ?

— Je m'en occupe, ne t'en fais pas.

— Une dernière chose, Wellington. Maintenant que Bradley est parti, lèves-tu ta grève du sexe ?

— Voilà qui est très romantique, Reinhardt !

— Alors, oui ou non ?

— On verra.

Le lendemain après-midi, Tansy était en train de préparer une soupe lorsque son téléphone sonna.

— Pitié, dis-moi que les rumeurs sont fausses, lui lança Jenna sans même dire bonjour.

— J'avais l'intention de t'appeler mais j'étais inspirée, alors j'ai préféré me concentrer sur mon livre.

Mais ce n'était pas la seule raison. Elle savait pertinemment que Jenna s'inquiéterait et elle n'avait pas envie que sa sœur tente de la faire renoncer à son projet.

— As-tu perdu la tête, Tansy ?

— Mais, enfin, on part juste à l'aventure. De telles opportunités sont rares, alors autant en profiter.

— Surtout si tu pars avec Liam, n'est-ce pas ?

— Evidemment. Liam sait ce qu'il fait, c'est un professionnel. En fait, lui et Bull ont déjà survolé les lieux, avec Dalton.

— Je le sais. Tout le monde est au courant, ici. J'ignorais, par contre, que ma sœur avait pris sa carte d'embarquement.

— Je te promets que j'étais sur le point de t'appeler pour t'en parler.

— J'ai peur pour toi, Tansy. C'est dangereux.

— Le danger est partout, Jenna. Tu te rends compte à quel point l'occasion est unique ? En plus, ce camp d'entraînement à la vie sauvage était mon idée, alors ça me fait plaisir de l'accompagner.

Elle était même heureuse que Liam lui ait proposé de l'accompagner.

— J'imagine que, si tu dois vivre à l'état sauvage, mieux vaut être accompagné de Liam, reprit Jenna en soupirant. Mais ce n'est pas moi qui accepterais. J'aime trop mon petit confort. Bon. Puisque je ne te ferai pas changer d'avis, dis-moi au moins quand vous rentrerez.

— Dimanche après-midi.

— Dans ce cas, je t'inscris dans l'agenda du salon lundi, à la première heure, pour massage, manucure et pédicure. Tu en auras besoin.

Amusée, elle éclata de rire.

— Ce programme me conviendrait même si je n'allais pas camper.

— Je n'ai pas le choix, tu risques de te casser un ongle !

— Peut-être. Et puis, qui sait, à mon retour, tu pourrais te laisser convaincre de t'inscrire au camp.

— A moins que les extraterrestres ne prennent possession de mon corps, cela m'étonnerait.

Elle était en train de rire lorsqu'elle entendit frapper à la porte.

— Il faut que je te laisse, Jenna.

— D'accord. Il faut que j'y aille moi aussi, je dois aller changer la couche d'Emma. Mais tu as intérêt à passer me voir demain.

— Promis juré, dit-elle avant de raccrocher.

Quelques secondes plus tard, elle ouvrit la porte et trouva

Liam. Aussitôt, elle sentit sa gorge se nouer et son cœur battre plus fort.

— Pourquoi riais-tu ? lui demanda Liam qui devait l'avoir entendue à travers la porte.

— C'est à cause de Jenna. Elle pense que je suis folle d'avoir accepté de t'accompagner.

— Laisse-moi deviner : elle a peur que tu te casses un ongle.

— C'est exactement ce qu'elle m'a dit ! s'exclama-t-elle, épatée.

— Ta sœur tient un salon de manucure, ce n'est pas très étonnant.

Mon Dieu, comme il lui avait manqué… Elle eut envie de le lui dire, mais elle se retint. Elle ne s'en était pas rendu compte avant cet instant, avant qu'il ne vienne la voir mais, pour la première fois depuis bien longtemps, elle se sentait heureuse. Heureuse comme elle ne l'avait jamais été auparavant.

— Bon, fit Liam, en la ramenant à la réalité, voyons voir ce que tu as préparé.

Elle l'emmena dans la chambre. Sur son lit, elle avait disposé sa sélection d'affaires à emporter.

En quelques gestes, il réduisit sa pile des deux tiers.

— Voilà ce dont tu vas avoir besoin, Tansy, rien de plus.

— Mais…

— Pas de chemise de nuit, la coupa-t-il. Tu dormiras tout habillée pour pouvoir te lever rapidement en cas de besoin. Tu n'as besoin que d'une culotte de rechange, pas de soutien-gorge. Une chemise et un pantalon, trois paires de chaussettes et un poncho pour la pluie. Pas de maquillage, pas de parfum. Tu peux également laisser tout ton nécessaire de toilette, à l'exception de ta brosse à dents.

Elle avait bien envie de rajouter quelques objets, mais elle se retint. Liam était l'expert, alors elle respectait son avis.

— Puis-je au moins emporter une brosse à cheveux ? dit-elle cependant.

— Un peigne serait mieux, moins encombrant.

— Un peigne, d'accord.

— Es-tu nerveuse ?

— Un petit peu, mais je suis surtout excitée.

— Veux-tu jeter un coup d'œil à la carte ?

Il avait prononcé ces mots avec une telle sensualité qu'elle sentit instantanément sa température grimper de quelques degrés.

— Avec plaisir, répondit-elle sur un ton qu'elle voulait tout aussi sensuel.

Il sortit alors la carte de sa poche et la déplia sur le lit. Il lui montra ensuite où ils étaient et leur objectif.

— L'avantage de cette parcelle est qu'elle comprend des parties boisées et des espaces de toundra. Les possibilités d'entraînement sont donc plus grandes.

— Je vois.

Mais ce qu'elle voyait surtout, c'était ses bras musclés, ciselés. Sous le charme, elle promena un doigt sur sa peau dorée et brûlante.

— A propos d'entraînement…, commença-t-elle, le souffle court.

— Oui ? répondit-il en repliant sa carte.

Puis, d'un mouvement rapide, il se retourna, s'assit sur le lit et l'attira à lui.

Heureuse, elle s'installa à califourchon sur lui puis noua les bras autour de son cou avant de s'emparer de sa bouche sensuelle pour un baiser gourmand et intense.

Lorsqu'elle rompit le baiser, elle riva son regard au sien et là… ce fut comme une évidence.

Elle aimait cet homme.

En une semaine à peine, elle avait découvert ce qu'elle n'avait jamais connu avec Bradley, ce qu'elle n'avait jamais ressenti avec Bradley.

Ses sentiments n'étaient ni conventionnels, ni rationnels. Elle n'était pas encore prête à prononcer les mots à haute voix, et lui n'était pas prêt à les entendre, mais rien ne l'empêchait de le lui montrer.

C'était d'ailleurs ce qu'elle avait bien l'intention de faire.

Le général Wellington était un bon soldat, il devait le reconnaître.

— Nous allons nous installer ici, pour la nuit, déclara-t-il en s'arrêtant.

Le terrain était dégagé et plutôt plat, à cet endroit. Ils se trouvaient non loin de la rivière, qu'ils traverseraient le lendemain matin, mais tout de même suffisamment loin pour garder leurs distances avec les animaux sauvages attirés par l'eau.

— D'accord, répondit-elle en posant à terre le sac à dos qu'elle avait porté toute la journée.

Elle ne s'était pas plainte une seule fois depuis ce matin, alors même qu'ils avaient beaucoup marché.

Il était habitué à être seul, mais il avait apprécié sa compagnie — elle avait toujours de bonnes idées.

— Peux-tu aller ramasser du bois pour le feu pendant que je plante la tente, s'il te plaît, Tansy ?

— Aucun problème. Rappelle-toi que j'ai été scout.

Il éclata de rire en la voyant se mettre au garde à vous avant de s'éloigner.

Une heure plus tard, il lui tendit une portion de bœuf Strogonoff.

— Voici, Tansy, le meilleur des plats déshydratés.

— C'est bon, s'étonna-t-elle après avoir mangé quelques bouchées. Je ne m'attendais pas à cela.

— Tu dis cela parce que tu as marché toute la journée. Si tu étais dans ta cuisine, tu serais d'un avis bien différent.

— Alors, c'est à cela que ressemblait ta vie lorsque tu étais dans l'armée ?

— Plus ou moins.

— Parle-moi de cette vie.

Assise de l'autre côté du feu de camp, elle lui adressa un sourire enjôleur. Elle devait sentir ses réticences à parler de lui.

— Tu n'as pas le choix, Liam. Tu sais bien que les scouts se racontent toujours des histoires, le soir, autour du feu de camp.

— C’est également ce que font les soldats. Quel genre d’histoire veux-tu ?

— Peu importe. Si tu as peur que je sois choquée par le récit de tes missions, parle-moi juste de ta vie de militaire.

— Une des choses que j’aime dans l’armée, c’est qu’elle rassemble des hommes qui viennent de tous horizons, des hommes avec des histoires différentes, avec des personnalités variées, mais tous unis autour du même objectif.

Il lui parla de Renwald, son second, qui l’avait accompagné dans toutes ses missions.

Maintenant qu’il avait commencé à parler, il ne pouvait plus s’arrêter.

Rien à voir avec sa conversation laborieuse avec Mallory Kincaid. Avec Tansy, la conversation devint rapidement plus personnelle. Sans réfléchir, il s’ouvrit à elle, aborda des sujets très intimes.

Jamais il ne s’était livré ainsi avec Natalie, mais Tansy, elle, semblait le comprendre.

— J’aime tes histoires, Liam, fit-elle tout à coup.

— D’habitude, je ne parle pas autant.

— Tu racontes bien.

— Et toi, tu sais écouter, dit-il en se levant. Il est tard, nous devrions ranger avant de mettre nos sacs dans un arbre.

— Dans un arbre ? demanda-t-elle, surprise.

— Oui. Nous devons tout nettoyer et mettre nos sacs en hauteur pour ne pas attirer les ours ou d’autres bêtes sauvages. Il faut également éviter toute nourriture dans la tente, y compris les chewing-gums. Ton chef scout ne te l’a pas appris ?

— Si, mais je l’ai oublié. Bon, allons-y. Je n’ai vraiment pas envie de me retrouver nez à nez avec un visiteur à quatre pattes.

— Ne t’inquiète pas, tout se passera bien.

Ils allèrent jusqu’à la rivière pour faire leur toilette, avant de placer leurs sacs en hauteur.

— Liam, j’ai une question, lui lança-t-elle alors qu’ils reprenaient le chemin du camp.

— Vas-y.

— Accepterais-tu de m'apprendre à tirer ?

Sa question le surprit. Il ne s'attendait vraiment pas à cela.

— As-tu déjà utilisé une arme ?

— Non, mais j'aimerais apprendre.

— D'accord. Je peux te donner une leçon basique, si tu veux.

— Ce serait fantastique.

Il déverrouilla alors son Glock, en sortit les munitions et vérifia qu'il était vide.

— Première chose à savoir, commença-t-il, toujours manipuler une arme comme si elle était chargée, même lorsque ce n'est pas le cas. Deuxième chose, ne jamais la pointer en direction de qui que ce soit, à moins d'avoir l'intention de l'utiliser.

Il lui détailla ensuite les différents éléments et le fonctionnement. Elle l'écoutait avec attention, lui posant de temps en temps des questions pertinentes. Lorsqu'il lui tendit finalement l'arme, elle ne fléchit pas, elle la tint avec assurance, sans la moindre hésitation.

— Tu as l'air plutôt à l'aise, remarqua-t-il.

— C'est vrai, je me sens bien. Elle n'est pas aussi lourde que je l'imaginais.

A vrai dire, il était impressionné.

— J'aime la sensation de ton arme dans ma main, Liam, dit-elle d'un ton neutre.

A ces mots, il esquissa un sourire. Sa remarque était pleine d'innocence, ce qui la rendait encore plus drôle.

— Pourquoi ris-tu ? lui demanda-t-elle, surprise.

— C'est la façon dont tu parles de mon arme, de mon pistolet, qui me fait sourire… Dans l'armée, nous avons coutume de dire qu'un soldat possède deux armes, une pour se battre, une autre pour s'amuser.

Tout en lui racontant cette anecdote, il vit un sourire sensuel éclairer son beau visage.

— Dans ce cas, Liam, sache que j'aime deux fois plus la sensation de ton arme dans ma main… Si tu vois ce que je veux dire.

— Rends-moi celle-ci, lui ordonna-t-il d'une voix faussement impérieuse.

Elle remit la sécurité puis la lui rendit. Sans attendre, il la rechargea avant de la ranger dans son étui.

— Maintenant, viens ici, femme ! fit-il en l'attirant sauvagement à lui, avec humour. J'ai une autre arme qui attend qu'on s'occupe d'elle…

Serrant une tasse de café entre ses mains, Tansy regarda Liam préparer le petit déjeuner. A sa grande surprise, elle avait dormi comme un bébé, dans son sac de couchage. Elle s'était sentie en sécurité, avec Liam à côté d'elle. Cela ne l'avait même pas dérangée de ne pas prendre de douche, ce matin, ni d'être obligée d'aller faire ses besoins derrière un buisson.

A vrai dire, elle passait un très bon moment.

— Je suis heureuse que nous ayons passé la nuit sans recevoir la visite d'animaux sauvages.

— Vraiment ? Alors ce n'est pas une bête sauvage que j'ai accueillie sous la tente, hier soir ?

Amusée, elle éclata de rire.

— Si tu as le temps, aujourd'hui, tu pourrais peut-être m'apprendre à tirer, suggéra-t-elle.

— Pourquoi pas. En attendant, mange pour prendre des forces.

— Quel est le programme ?

Ils avaient marché dix kilomètres la veille. Sur un chemin plat, cela n'avait a priori rien de sorcier, mais le terrain était parfois escarpé, ce qui avait rendu la marche difficile.

— Nous devrions marcher six kilomètres aujourd'hui, en direction du nord, annonça-t-il. Une fois sortis de la forêt, nous aborderons la toundra.

— Je suis heureuse que tu m'aies proposé de venir.

— Nous verrons si tu es toujours du même avis demain.

Elle ne percevait aucune moquerie, aucune méchanceté dans

ces mots. Sans doute disait-il cela parce qu'il était encore tôt et qu'ils allaient beaucoup marcher aujourd'hui.

— Maintenant, rangeons. Ensuite, je te donnerai un petit cours de tir.

Une demi-heure plus tard, Liam la dévisagea, les yeux remplis d'admiration.

— Tu apprends vite, Wellington. Tu es sûre que tu n'as jamais tiré auparavant ?

Ses compliments lui faisaient un bien fou. Venant d'un homme aussi franc et direct que lui, ils étaient appréciables.

— Non, jamais, affirma-t-elle.

— Alors bravo. Maintenant, recharge-le comme je te l'ai montré. Oui, la sécurité… Très bien. Te souviens-tu de la chose la plus importante, lorsqu'on manipule une arme ?

— Il ne faut viser que si on a l'intention de s'en servir, récita-t-elle en lui rendant son arme.

— Exactement, acquiesça-t-il en la rangeant. Bon, prête à te mettre en marche ?

Un sentiment de bonheur, d'excitation l'envahit. Elle aimait vraiment cet homme.

— Je te suis.

Cette journée s'annonçait vraiment bien.

- 14 -

Liam eut un mauvais pressentiment. Un danger se rapprochait. Cela faisait déjà quelques minutes qu'il le percevait. Et, jusque-là, son instinct ne l'avait jamais trompé. Il l'avait même sauvé à plusieurs reprises.

Mais inutile d'inquiéter Tansy pour le moment. Il se contenta de regarder discrètement les alentours, à la recherche d'un abri. Ce qui n'était pas chose facile : ils se trouvaient désormais en lisière de la forêt, là où les arbres devenaient plus rares et la végétation moins dense.

Quelqu'un les espionnait, il en avait la certitude. S'il s'était agi d'un ami, celui-ci se serait déjà fait connaître. Ce qui voulait dire qu'ils devaient faire face à un danger inconnu, à un ennemi.

— Arrêtons-nous ici, proposa-t-il à Tansy devant un groupe d'arbres.

— Nous pouvons continuer, je ne suis pas fatiguée.

— Non, dit-il fermement. Nous faisons une pause.

Il lui prit la main et l'attira vers le bosquet d'une manière un peu brusque.

— Je disais juste que je n'étais pas fatiguée, Liam, ne te fâche pas.

Il lui avait fait de la peine, il le voyait dans son regard et l'entendait à sa voix. Il se comportait comme un militaire en mission tandis que, pour elle, il ne s'agissait que d'une sympathique escapade dans les bois. Mais voilà, il avait le sentiment que cette promenade n'allait pas tarder à perdre son aspect bucolique.

Soudain, il eut comme un instinct de survie et attrapa Tansy avant de la plaquer au sol, derrière le bosquet.

— Mais…

Presque aussitôt, un bruit sec résonna, un bruit qu'il identifia comme un coup de feu, et une balle se nicha dans l'arbre situé à leur gauche.

Sans attendre, il dégaina son arme.

— Quelqu'un nous tire dessus.

Ou plutôt sur elle, sur Tansy. Si lui avait été la cible, la balle serait en effet passée à leur droite.

— Quoi ? demanda-t-elle, paniquée. Mais… Pourquoi, Liam ?

— Je ne sais pas pourquoi, mais obéis à mes ordres. C'est tout ce que je te demande.

Sans dire un mot, elle se contenta de hocher la tête.

Il ouvrit grand ses oreilles et, concentré, écouta. Au loin, il reconnut un bruit, faible, comme le craquement d'une branche. S'il recoupait ce bruit avec l'angle d'arrivée de la balle dans l'arbre, il déduisait que leur ennemi se trouvait à gauche.

Il sortit sa deuxième arme et la tendit à Tansy, mais elle secoua la tête. Avec autorité, il l'obligea néanmoins à la prendre.

— Je risque d'avoir besoin de toi pour me seconder et tu auras peut-être besoin de te protéger. Veille juste à ne pas me tirer dessus, lui souffla-t-il dans l'oreille.

Ensuite, il la dévisagea et, dans son regard bleu, vit la détermination se mêler à la peur.

Les chances que la balle ait été tirée par un chasseur qui les aurait pris pour du gibier étaient faibles. Malgré tout, ils ne bougeraient pas avant d'en avoir le cœur net.

— Arrêtez de tirer ! cria-t-il.

Mais pas un bruit, rien. Pourtant, la forêt n'étant pas très dense, le tireur les avait forcément entendus. Ce qui voulait dire qu'il ne s'agissait pas d'un chasseur, mais bien d'un ennemi.

D'après ses calculs, celui-ci devait se trouver à une distance de moins de cent cinquante mètres. Il examina les environs à travers le viseur de son fusil, mais toujours rien.

Il baissa son arme.

Pas le choix, ils allaient devoir bouger.

Cela aurait été beaucoup plus facile s'il avait été seul. D'autant que Tansy était vêtue d'un jean et d'un T-shirt rouge, visibles de loin. Il sortit alors de son sac une chemise marron de camouflage et la débarrassa de son sac à dos.

— Enlève ton T-shirt et mets ceci, lui ordonna-t-il.

Heureusement, elle ne lui posa aucune question.

Il gratta ensuite la terre avec les mains et s'en passa sur le visage et sur les bras. D'un signe de tête, il lui ordonna de faire de même, ce qu'elle fit en silence.

— Nous allons bouger, annonça-t-il enfin. Laisse ton sac ici.

Il pouvait se débrouiller avec son paquetage mais celui de Tansy la ralentirait. De toute façon, elle ne transportait que des habits et son sac de couchage — rien d'indispensable donc.

— Reste à terre et sois aussi silencieuse que possible, ajouta-t-il. Nous allons avancer en zigzag, en utilisant les arbres et les buissons pour nous cacher. Compris ?

— J'ai peur, lâcha-t-elle dans un souffle.

— Tu as raison d'avoir peur.

Elle prenait cette affaire sérieusement et elle avait bien raison : cela ne faisait plus aucun doute, quelqu'un leur tirait dessus.

Son cœur battait si fort dans sa poitrine que Tansy avait l'impression de pouvoir l'entendre. Jamais elle n'avait eu peur à ce point.

Elle se cacha derrière un buisson tandis que Liam examinait les lieux derrière eux.

Il lui fit ensuite signe de partir vers la gauche et elle lui répondit d'un signe de tête. Maintenant, elle allait devoir ramper jusqu'à sa prochaine cachette.

Si seulement tout pouvait déjà être terminé…

Ils s'installèrent derrière les arbres suivants et demeurèrent immobiles jusqu'à ce qu'elle sursaute, terrifiée. Une balle venait de passer à quelques centimètres d'elle, sur la gauche.

A sa droite, Liam s'allongea sur le ventre et regarda dans son viseur, comme il le faisait depuis chacune de leurs cachettes.

Ses mains étaient parfaitement stables, sa respiration régulière, son visage impassible, dénué de la moindre émotion tandis qu'elle, elle tremblait comme une feuille. L'air lui manquait comme si elle venait de courir un marathon.

Mon Dieu, mourir ici… aujourd'hui… Tout mais pas ça ! Elle avait encore trop de choses à faire, à vivre, à expérimenter. Elle n'était pas prête. Quelle horreur… Elle avait l'impression de vivre un cauchemar.

Calme et méthodique, Liam arma son fusil.

Il était tellement concentré qu'elle avait l'impression qu'il ne respirait plus. Enfin, il pressa la détente et elle sursauta une nouvelle fois — de peur, pas de surprise.

Au même instant, un cri résonna au loin.

— Je l'ai eu, lui annonça Liam en se relevant.

— Tu te lèves déjà ? demanda-t-elle, prise de panique. Mais c'est dangereux ! Et s'il y avait plusieurs tireurs ?

— Si c'était le cas, nous serions déjà morts. Je n'ai pas tiré pour le tuer, mais seulement pour le blesser. J'ai besoin de réponses, et ce n'est pas un homme mort qui me les donnera.

Elle ne broncha pas, elle sentait les larmes lui monter aux yeux et la nausée la gagner.

— Tu peux rester ici, si tu veux, Tansy.

Sous le choc, elle s'accroupit et, incapable de s'en empêcher, vomit tandis qu'il lui caressait l'épaule. Ensuite, il lui passa son bandana pour qu'elle s'essuie la bouche.

— Tu devrais t'allonger, Liam, parvint-elle à articuler. C'est plus prudent.

— Entends-tu ce bruit ? dit-il en restant debout. Il s'agit de quelqu'un de sérieusement blessé qui essaye de s'échapper. Son bras est touché, mais même s'il ne peut plus tirer on ne doit pas le laisser s'échapper.

— D'accord, murmura-t-elle avant de lui rendre son Glock.

— Encore une fois, Tansy, suis mes instructions, insista-t-il. L'homme est blessé, et donc dangereux.

Ils avancèrent rapidement entre les arbres. Les bruits avaient désormais cessé.

Au bout de quelques minutes, il lui ordonna de se cacher.

Vêtu d'une tenue de camouflage et d'un chapeau, le tireur était adossé contre un arbre, un peu plus loin.

Sa poitrine bougeait toujours mais son bras droit pendait, inutilisable.

Liam s'approcha de lui et le tireur releva la tête.

— Elle doit mourir afin que nous puissions être ensemble, lança alors Mallory Kincaid, les yeux brillant de fureur. Je t'aime, Liam !

Liam utilisa le dernier de ses T-shirts pour poser un garrot au bras de Mallory puis se releva.

— Elle a perdu beaucoup de sang, déclara-t-il, mais elle est jeune et forte. Son pouls est stable et régulier, c'est bon signe.

Pour toute réponse, Tansy se contenta d'un signe de tête. Découvrir que le tireur était Mallory et qu'elle tentait de la tuer avait dû être un choc, et depuis elle n'avait pas dit un mot.

Toujours silencieuse, elle avait aidé Liam à stabiliser l'état de Mallory, mais sans jamais la regarder. Sans doute était-ce une réaction au stress. Il ne fallait pas oublier que, s'il était habitué à ce genre de situation, elle ne l'était pas…

Les soins terminés, il l'enlaça et la tint serrée contre lui pendant un moment.

— Tout va bien, Tansy, tenta-t-il de la rassurer. Tout ira bien.

— Que va-t-on faire ? finit-elle par demander.

— Je vais l'attacher à un arbre, avec notre corde, pour m'assurer qu'elle ne bouge pas. J'ai eu besoin de ton aide pour stopper l'hémorragie, mais tu peux maintenant garder tes distances avec elle. Ce serait d'ailleurs sans doute mieux.

Oui, il valait mieux qu'elle s'éloigne un peu, pour reprendre ses esprits. Mais, toujours sous le choc, elle semblait incapable de bouger.

— Nous allons devoir passer la nuit tous les trois ici, n'est-ce pas ? demanda-t-elle en frissonnant.

— J'espère que non, répondit-il. Mallory a besoin d'un médecin. Avec un peu de chance, un avion pourra nous récupérer un peu plus au nord.

Il était d'ailleurs grand temps d'appeler les secours. Sans attendre, il alluma la radio et contacta Merilee.

De la façon la plus concise possible, il expliqua la situation à cette dernière et resta en ligne tandis qu'elle organisait un vol médical.

Pendant ce temps, Tansy s'assit sur le sol, les bras autour de sa poitrine, et se mit à fixer l'horizon.

Quelques minutes plus tard, Merilee annonça à Liam qu'un hélicoptère de secours arriverait dans quatre heures, à un point déterminé.

Ils allaient donc devoir transporter Mallory jusque là-bas.

— Je peux me débrouiller pour fabriquer un brancard de fortune, Tansy, mais je vais avoir besoin de ton aide pour la transporter. En es-tu capable ?

— Dis-moi simplement ce que je dois faire, fit-elle sans hésiter.

En quelques minutes, ils fabriquèrent un brancard avec des branches et un sac de couchage. Il utilisa ensuite l'autre sac de couchage comme couverture. La température était clémente, mais Kincaid devait éviter tout choc thermique.

— Porte les pieds, Tansy, je prends la tête. Utilise tes jambes pour te lever, pas ton dos. Prête ? Un, deux, trois… Partez.

Le terrain était irrégulier, il fallait avancer lentement. Mallory Kincaid n'était pas grosse, mais elle était grande et musclée. Et pourtant, pas une seule fois il n'entendit Tansy se plaindre. Elle lui demanda simplement de faire une pause à l'approche du point de rendez-vous.

Ils arrivèrent à la clairière une dizaine de minutes avant l'heure du rendez-vous.

Lorsque l'appareil approcha, il se leva mais Tansy demeura assise, loin de l'endroit où il avait posé le brancard.

L'hélicoptère atterrit, l'équipe médicale en descendit et se dirigea en courant vers Mallory, pour la transférer, quelques minutes plus tard, dans l'appareil.

Liam s'approcha alors de Tansy. Il était temps pour elle de partir.

— Viens. Monte dans l'hélicoptère, c'est le moment.

— Et toi ? dit-elle, l'air surpris.

— Il ne reste qu'une place alors prends-la.

Le visage fermé, elle secoua la tête.

— Non, je ne pars pas.

— Tansy, sois raisonnable, s'impatienta-t-il.

— Je suis venue ici avec toi, je ne rentrerai pas sans toi.

— Je suis habitué à ce genre de conditions. Je suis habitué à être seul alors je t'ordonne de monter dans cet hélicoptère.

Elle croisa les bras devant sa poitrine, comme pour lui signifier sa détermination.

— Je suis venue avec toi et je ne partirai pas sans toi, répéta-t-elle.

Il leva alors les yeux au ciel et fit signe au pilote.

Décidément, Wellington était une femme remarquable.

Tansy se sentait engourdie, perdue. Cette journée avait été un cauchemar… Personne n'avait jamais tenté de la tuer auparavant, et c'était pour le moins traumatisant. A cette seule pensée, elle avait envie de crier, de hurler, de taper.

— Il est l'heure d'installer le camp, lui lança soudain Liam, la sortant de ses pensées.

Cet ordre était le bienvenu. Elle avait grand besoin d'avoir les mains occupées pour se vider l'esprit.

— Je vais ramasser du bois, proposa-t-elle.

— Bonne idée, je vais planter la tente pendant ce temps.

Elle se dirigea vers la forêt, et réprima un frisson. A peine quelques heures plus tôt, elle y avait vécu un drame…

Mais la terreur qui l'avait étreinte aujourd'hui avait fini par laisser place à un soulagement immense. Que c'était bon d'être en vie ! Elle ne regrettait pas d'être restée auprès de Liam, elle n'aurait pas supporté de rentrer sans lui à Good Riddance. D'autant que, grâce à lui, elle se sentait grandie : il la pensait suffisamment forte pour aller de l'avant, et il ne s'apitoyait pas sur elle.

Elle ramassa du bois et, une demi-heure plus tard, le dîner était prêt.

— Que va-t-il se passer, maintenant ? s'enquit-elle, curieuse.

La routine du dîner créait un sentiment de normalité qui lui faisait du bien, qui la rassurait.

— Les policiers viendront ici, à la première heure demain matin. Ils vont vouloir étudier la scène du crime, recueillir nos témoignages. Ce qui veut dire qu'à un moment ou un autre, nous serons appelés à témoigner au tribunal.

Elle acquiesça d'un signe de tête, sans un mot.

— Tansy, poursuivit-il, je n'avais aucune idée des intentions de Mallory. Elle a été un peu insistante, à la fin de l'interview, alors j'ai repoussé ses avances, mais il ne s'est rien passé d'autre. Je ne lui ai jamais fait croire que j'étais intéressé. Je ne l'ai jamais touchée.

Elle demeura immobile, éprouvant le besoin de digérer les mots qu'il venait de prononcer. Il y avait une chose qu'elle avait du mal à comprendre. Comment Mallory avait-elle pu perdre la tête à ce point sans avoir été provoquée ? C'était peut-être quelque chose qu'elle ne comprendrait jamais, mais en tout cas elle croyait Liam.

C'était un homme intègre, et elle avait un bon élément de comparaison, en la personne de Bradley... Et puis, elle n'avait jamais eu confiance en les intentions de Mallory.

— Je te crois, Liam, finit-elle par le rassurer.

— Merci. Tu as eu une rude journée. J'ai vu beaucoup d'hommes qui n'auraient pas réagi avec autant de sang-froid que toi. Comment te sens-tu ?

— Je pense que ça va, dit-elle en se levant pour aller s'asseoir à côté de lui.

Tout à coup, elle avait le besoin, l'envie de sentir sa force virile, de sentir sa chaleur masculine la réchauffer.

— J'imagine que tu as vécu de nombreuses journées de ce genre, lorsque tu étais soldat.

Désormais, elle regardait d'un œil différent ce qu'il était, ce qu'il représentait.

Comment pouvait-on vivre ainsi, dans la peur permanente ? Cela lui paraissait impossible et, pourtant, nombreux étaient les hommes qui s'engageaient dans l'armée, avec la conscience qu'ils pouvaient mourir à tout moment.

— Oui et non, répondit-il en passant le bras sur son épaule pour la serrer fort contre lui. Aujourd'hui, le combat était personnel, surtout lorsque j'ai compris que je n'étais pas la cible, mais que c'était toi.

— Quand l'as-tu compris ?

— Quand la balle a touché l'arbre le plus près de toi. Si j'avais été la cible, la balle aurait touché l'arbre derrière moi ou celui à ma droite.

Il avait donc su.

— As-tu pensé à un moment qu'il pouvait s'agir de Mallory ?

— Non. Je croyais qu'elle avait quitté Good Riddance. Mais, sur le moment, je ne pensais pas à l'identité du tireur, je devais juste l'empêcher de continuer à tirer. Tout ce que je savais, c'était qu'il s'agissait d'une personne qui possédait des connaissances théoriques, mais peu d'expérience. Un professionnel, lui, aurait pris son temps pour viser et n'avoir besoin que d'une seule balle.

Tansy ferma les yeux. L'évocation de Mallory et de son coup de folie lui faisait froid dans le dos.

— Parle-moi plutôt de tes missions, demanda-t-elle pour changer de sujet.

Il lui raconta alors sa vie et, peu à peu, ce fut comme une évidence. Elle le comprenait. Elle comprenait comment des hommes pouvaient harceler un ennemi, pour une cause, pour un objectif précis, pour sauver des vies ou neutraliser un danger.

Elle ne lui demanda pas combien d'hommes il avait déjà tués. Peu importe, du moment que son passé ne le hantait pas.

Quand il eut fini de parler, ils firent la vaisselle, accrochèrent leurs sacs dans un arbre puis s'assirent de nouveau devant le feu. Ils étaient seuls au monde, sous l'immensité du ciel.

Elle noua les bras autour de sa taille et posa la tête sur son épaule pour lui offrir le même réconfort que celui qu'il lui avait procuré. Et surtout le remercier d'être l'homme qu'il était.

— Cela a été une fichue journée, un fichu voyage, très différent de ce que tu avais dû imaginer, murmura-t-il. J'imagine que tu regrettes de ne pas être restée à Shadow Lake.

La réponse à cette question allait de soi. Entre ses bras, tout lui paraissait évident.

— Non, affirma-t-elle alors en reculant pour pouvoir le regarder dans les yeux. Je ne regrette pas d'être ici. Je pourrais être de retour à Shadow Lake, ce soir, si je l'avais voulu.

— Pourquoi n'as-tu pas profité de l'hélicoptère ?

— Je ne voulais pas te laisser.

— Je m'en serais bien sorti.

— Je sais.

C'était un homme solitaire, elle le savait déjà. Et, pourtant, elle avait voulu rester à ses côtés. Sur le moment, cela lui avait semblé la seule chose à faire. C'était aussi simple et mystérieux que cela.

Elle avait surmonté les événements grâce à l'adrénaline, grâce à son instinct de survie et elle n'avait pas voulu le quitter.

Parce qu'elle l'aimait. Voilà tout.

— J'y pense, reprit-il en nouant ses doigts aux siens. Nous n'avons plus de sacs de couchage. Nous les avons laissés à Mallory.

Il n'avait pas été question de transférer Mallory sur un autre brancard. Les médecins avaient simplement branché une perfusion et fait le point sur son état avant de l'embarquer à bord.

— Nous allons empiler tous les vêtements que nous avons et nous serrer l'un contre l'autre pour partager la chaleur, lui expliqua Liam. La température risque de descendre cette nuit, mais la tente nous protégera du froid. Ne t'inquiète pas. Si j'avais eu le moindre doute, la moindre inquiétude, je ne t'aurais pas laissée rester.

— Je le sais.

Elle n'en avait pas le moindre doute, elle lui faisait une confiance aveugle. Du plus profond de son cœur, elle lui faisait confiance pour sa sécurité, pour sa vie. Elle n'avait pas prévu de tomber amoureuse de Liam Reinhardt. Elle n'avait même pas voulu tomber amoureuse de lui. Et pourtant, elle avait succombé.

Elle avait écrit dans son livre que l'amour était fait pour être partagé, pour s'offrir sans rien attendre en retour. Mais son cœur lui soufflait que Liam n'était pas prêt.

Il n'était pas prêt à entendre sa déclaration, ni à recevoir son cœur. Sans compter qu'une autre femme lui avait déjà avoué son amour aujourd'hui ! Cela faisait beaucoup pour un seul homme, même un homme aussi extraordinaire que Liam.

Et puis, elle le connaissait bien, elle savait comment il fonctionnait. Ce soir, il prendrait toute déclaration d'amour pour un remerciement, pour de la gratitude. Or il ne s'agissait pas de cela. Cela n'avait rien à voir.

Elle l'aimait, tout simplement. Elle n'avait absolument aucun doute à ce sujet. Qui sait, peut-être même l'avait-elle su à la seconde où elle l'avait vu, mais sur le moment sa raison n'avait pas été prête à l'admettre.

Tout comme Liam n'était pas encore prêt à l'entendre. Elle allait donc être patiente, sans toutefois s'empêcher de l'aimer.

De toute façon, elle n'avait pas le choix. Son cœur ne lui laissait pas le choix.

- 15 -

Liam regarda par le hublot la ville de Good Riddance se rapprocher.

La nuit avait été longue et il n'avait pas fermé l'œil, exactement comme s'il avait été en mission. A cette différence près que l'atmosphère n'était pas la même.

Tout au long de la nuit, il avait tenu Tansy dans ses bras, pour lui tenir chaud, pour la rassurer, tandis que les images de la journée tournaient en rond dans sa tête.

Pendant ces quelques heures, il avait également beaucoup réfléchi.

Jamais il n'avait fait passer Natalie en premier, elle avait eu raison de le lui reprocher. Mais ce qu'il avait compris, la nuit dernière, c'était qu'il n'avait jamais voulu la faire passer en premier, il ne s'était jamais autorisé à s'engager totalement. Il avait toujours refusé qu'une femme compte à ce point pour lui, de peur de se sentir vulnérable.

Jamais il n'avait accepté de se mettre en situation de vulnérabilité, accepté d'avoir peur de perdre la personne aimée. Mais voilà que, tout à coup, tous les sentiments qu'il avait refusé de ressentir pour Natalie, il les ressentait pour Tansy.

La question restait de savoir s'il allait s'autoriser à accorder cette importance à Tansy, à la laisser compter à ce point dans sa vie… Mais il avait déjà la réponse : c'était impossible.

Le voyage était maintenant terminé. Une fois rentrés à Good Riddance, chacun retournerait à sa vie.

Le moteur se tut enfin et, par le hublot, il vit que toute la ville les attendait sur la piste.

Jenna, les yeux rougis d'avoir trop pleuré, enlaça Tansy dès qu'elle sortit, la tenant serrée contre elle, pendant de longues minutes, comme pour s'assurer qu'elle était bien vivante. Pendant ce temps, Bull, Merilee et Dirk vinrent l'accueillir et il sentit les larmes de Merilee dans son cou lorsqu'elle l'embrassa.

— Je vais bien, murmura-t-il pour la rassurer. C'est terminé.

Merilee se contenta d'approuver d'un geste de la tête. Le fait que cette femme, d'habitude si bavarde, ne dise mot était éloquent. Elle avait dû être morte d'inquiétude.

En fait, elle lui faisait penser à Tansy. Les deux femmes avaient en commun une grande force intérieure.

— Eh bien, voyage mouvementé, lui lança Dirk en lui donnant une tape amicale dans le dos.

Quant à Bull, il resta silencieux, mais il serait là pour lui, lorsqu'il aurait besoin de parler. Il le savait.

Au milieu de la foule, il sentit soudain le regard de Tansy le chercher, mais il l'ignora. Il était temps pour eux de continuer leur route, en solitaire.

Tansy s'installa confortablement dans le fauteuil tandis que Jenna commençait à s'occuper de ses ongles.

— Je savais bien que tu te casserais un ongle, Tansy, mais je n'imaginais pas que votre voyage se terminerait ainsi.

— Et moi donc.

La nuit dernière, elle avait eu l'impression de traverser un tourbillon. Merilee était parvenue à maintenir la presse à distance, expliquant que ni elle, ni Liam ne souhaitaient faire de commentaire, mais elle avait ensuite dû passer plusieurs heures au téléphone avec sa mère, à la rassurer, à lui jurer qu'elle allait bien et à insister pour qu'elle ne vienne pas la rejoindre par le premier avion. Ensuite, Jenna avait insisté pour qu'elle vienne dîner chez elle et elle avait été heureuse de se retrouver dans ce petit cocon familial.

Elle n'était rentrée chez elle, à Shadow Lake, que très tard, alors que la nuit était déjà tombée. Elle avait bien aperçu de la lumière, chez Liam, mais avait deviné qu'il avait besoin de rester seul. Tout comme elle, d'ailleurs.

Ce matin, elle avait passé l'essentiel de son temps à rattraper son retard dans l'écriture de son livre, avant de venir se faire chouchouter dans le salon. Ellie lui avait offert le meilleur massage de toute sa vie et, maintenant, Jenna s'occupait de ses ongles.

— Je ne veux pas rentrer, Jenna, déclara-t-elle soudain.

— Dans ce cas, tu peux t'installer en haut, avec Logan et Emma, en attendant que je termine mon travail et nous dînerons tous ensemble, ce soir.

— Non, c'est à Chattanooga que je ne veux pas rentrer.

En prononçant ces mots, elle vit un sourire se dessiner sur le visage de sa sœur. Cette dernière lâcha sa main et fit aussitôt le tour de la table pour l'enlacer.

— Tu n'imagines pas à quel point cette nouvelle me rend heureuse, Tansy. Je n'ai pas envie que tu repartes, moi non plus. J'ai adoré t'avoir ici et, depuis ton arrivée, j'espérais secrètement que tu resterais. Sven pourrait te construire une petite maison…

— Je ne veux pas rester à Good Riddance non plus, précisa-t-elle. Je resterai si je dois rester, mais ce n'est pas ce que je désire.

Jenna hocha alors la tête — elle venait de comprendre.

— C'est Liam, n'est-ce pas ?

— Crois-tu que je sois folle ? demanda-t-elle d'une voix timide.

Jenna se rassit à sa place et reprit son travail sur ses ongles. Elle semblait hésiter, chercher les bons mots.

— Non, je ne crois pas que tu sois folle, Tansy, mais je te rappelle qu'il y a cinq jours à peine tu croyais être toujours amoureuse de Bradley. Liam et toi, vous avez partagé une expérience traumatisante et j'ai peur que tes sentiments n'en soient aujourd'hui que la conséquence.

— Je comprends ton inquiétude, admit-elle. En d'autres circonstances, j'aurais été d'accord avec toi, mais c'est en réfléchissant à mes sentiments pour Bradley que j'ai compris ce que j'avais sous les yeux. Je n'ai jamais été aussi certaine de toute ma vie. Je n'ai aucun doute, ni sur Liam, ni sur mes sentiments à son égard… Ces sentiments sont plus réels et plus profonds que ce que je ressentais pour Bradley. J'ai enfin compris la différence entre aimer un homme et être amoureuse, et lorsque tu as les deux… c'est juste…

A court de mots, elle s'interrompit.

Mais inutile de continuer de toute façon. Sa sœur avait bien saisi, son sourire en était la preuve.

— Je comprends, affirma-t-elle. Fais-moi confiance, Tansy, je comprends. Et je le vois sur ton visage, tes sentiments sont profonds. Mais lui ? Qu'en pense-t-il ?

— Je ne sais pas, avoua-t-elle. Ce n'est pas facile de lire en lui.

— Ce n'est pas pour gâcher ta bonne humeur, Tansy, mais tu devrais faire attention.

Elle ne put s'empêcher de sourire, sans dire un mot. Elle comprenait les inquiétudes de sa sœur, mais il n'y avait rien à répondre. Elle était éperdument amoureuse, voilà tout.

— Il est déjà trop tard, Jenna. Il n'y a rien de mieux qu'une tentative d'assassinat au fin fond de l'Alaska pour se rendre compte que la vie est courte. Sur le coup, je n'avais qu'une idée en tête, vivre. Vivre pour pouvoir dire à Liam que je l'aime. Et, aujourd'hui, la seule chose que je puisse faire, c'est de lui offrir mon cœur en espérant qu'il m'aime lui aussi. Je crois que nous pourrions avoir une belle vie ensemble. Nous formons une bonne équipe. En quelques jours, j'ai appris à le connaître, à le comprendre, et je crois qu'il me comprend lui aussi. Je crois qu'il m'aime, mais… J'espère vraiment que c'est le cas, parce que l'autre chose dont je suis certaine, c'est que je ne pourrai jamais aimer un autre homme. Aucun homme ne lui arrive à la cheville.

— Et s'il ne partage pas tes sentiments ? Rentreras-tu à Chattanooga ?

— Non, dit-elle, catégorique. Je ne fuirai pas. Je resterai ici et je poursuivrai ma vie. J'espère juste qu'il sera à mes côtés.

Liam rentra chez lui après sa séance de natation. Finalement, sa vie reprenait son cours. Tout avait changé, mais son quotidien restait le même. Ce matin il avait couru, puis il avait rejoint le chantier de Sven et avait avancé dans son projet de camp d'entraînement.

Il rentra dans son bungalow et prit une douche. Il avait juste fini de s'habiller lorsqu'il l'entendit frapper à la porte.

Il reconnaissait la façon dont elle frappait, comme il reconnaissait ses pas sur la terrasse.

Il ouvrit la porte et la regarda, dehors, vêtue de cette robe qu'il aimait tant.

Elle lui sourit, d'un sourire qui le fit fondre, mais il se força à demeurer impassible, à garder son sang-froid.

— Salut, Liam. J'espère que je n'arrive pas à un mauvais moment.

L'espace d'un instant, il songea à répondre par la positive, pour se protéger.

— Non, entre, dit-il finalement.

Elle sentait si bon qu'incapable de résister à la tentation il l'attira à lui et la serra dans ses bras. Elle lui avait tant manqué. Son sourire lui avait manqué, son parfum fleuri, sa peau douce, ses yeux à la teinte si profonde…

Tout en elle lui avait manqué.

Sans un mot, elle lui prit la main et l'entraîna dans la chambre. Là, elle retira sa robe. Elle ne portait rien en dessous.

Il l'imita et enleva les vêtements qu'il venait juste de mettre. Puis ils s'allongèrent ensemble sur le lit.

L'autre nuit, dans les bois, il avait partagé une incroyable intimité avec elle, jouant les sentinelles pendant qu'elle dormait. Et, maintenant, il désirait lui dire avec son corps, ses caresses et ses baisers, combien il était heureux qu'elle soit toujours vivante. Mais il ne lui dirait pas combien il tenait à elle, combien elle était importante pour lui.

Il ne pouvait pas.

Après l'amour, elle se redressa sur un coude et promena un doigt tendre sur son torse. Il riva son regard au sien et, instantanément, devina ce qu'elle allait lui dire.

— Je t'aime, murmura-t-elle.

Il ne fut pas surpris par sa déclaration. Il l'avait su, il l'avait senti avant même qu'elle ne parle.

— Et Bradley ? demanda-t-il alors.

— Jolie tentative d'esquive, Liam. Je te rappelle que Bradley est rentré à Chattanooga. Seul. J'ai pris ma décision en me fondant uniquement sur mon histoire avec lui. Ce soir, il ne fait pas partie de la discussion.

Là-dessus, elle se tut. Ils savaient tous les deux qu'il était en position de défense, pour utiliser une expression militaire. C'était maintenant à lui d'avancer ses pions.

Il faillit craquer, et lui dire qu'ils pouvaient vivre au jour le jour, mais cela n'aurait pas été honnête envers elle. Elle venait de jouer cartes sur table, il devait faire de même. Il n'avait pas le choix.

— Tansy, je n'ai rien à t'offrir. Je suis tout juste en train de reconstruire ma vie, en train de me trouver une nouvelle carrière. Je ne peux pas m'engager.

Elle ne répondit pas, et se contenta de le fixer. Sans doute parce qu'elle pensait qu'il ne cherchait qu'à fuir.

— Bon Dieu, Tansy ! s'exclama-t-il, nerveux.

Il sortit du lit et remit son jean puis lui lança sa robe. La voir nue le déconcentrait. L'empêchait de réfléchir.

Elle se rhabilla et s'adossa contre la tête de lit.

— J'ai décidé de rester à Good Riddance, lui annonça-t-elle ensuite.

— Je ne t'ai jamais demandé de rester.

— Non, tu ne me l'as pas demandé. Tout comme tu ne m'as pas demandé de rester lorsque l'hélicoptère partait, l'autre jour. Cela ne m'a pas empêchée de rester l'autre jour, et de rester aujourd'hui.

— Mais, enfin, que cherches-tu, Tansy ? A souffrir ? Tu sais bien que je ne peux pas te donner ce que tu me demandes.

— Histoire que nous soyons bien d'accord, Reinhardt, que crois-tu que je demande, au juste ?

— Je ne peux t'offrir que ce que nous partageons pour le moment. Et tu ne vas pas me faire croire que cela te suffit…

— Non, tu as raison. Je n'ai aucune intention de me satisfaire de demi-mesures. Peu m'importe si tu es grognon, et odieux, et aussi social qu'un ours. Je suis prête à l'accepter, mais je demande aussi les bons côtés d'une relation. Je veux cette partie de toi que tu caches. Je désire l'homme que tu es, en entier.

— Et moi, je te réponds que je ne suis plus un homme entier. Tu veux quelque chose que je ne possède pas. Demande à mon ex-femme !

— Je n'ai pas besoin de poser la question à ton ex-femme, je te connais. Je connais ton cœur. Tu es un homme courageux, même si je sais que la perspective d'aimer une femme t'effraie.

Bon Dieu. A l'entendre, tout était facile. Mais c'était loin d'être le cas.

— Que vas-tu faire, Wellington ? T'installer avec moi au milieu des bois ? Combien de temps penses-tu qu'une telle relation puisse durer ? Un mois ? Peut-être six ? Que feras-tu quand je serai parti pendant des semaines, et que tu resteras seule, au milieu de nulle part ? As-tu déjà pensé à cela, en imaginant ton futur ?

Elle lui lança un regard de dédain.

— Tu me prends pour une idiote ? Evidemment que je sais tout cela. Et, au risque de t'étonner, c'est quelque chose qui me plaît. J'aime passer du temps seule, moi aussi. J'en ai besoin. Et puis je pourrai toujours prendre l'avion si j'ai besoin de m'échapper. Ce n'est pas comme si j'étais prisonnière.

Elle semblait aussi déterminée que lorsqu'elle avait tracé la frontière dans le sable entre leurs deux bungalows.

— Je désire un partenaire, Liam, pas une ombre, ajouta-t-elle.

— Tu as vraiment réponse à tout.

— Voilà un point sur lequel nous sommes d'accord. Réfléchis un peu, Liam ! Ces jours où tu serais à la maison seraient fantastiques. Ah, et j'oubliais un détail essentiel : je souhaite un chien.

— Et puis quoi encore ! Bientôt, tu vas me dire que tu souhaites deux enfants.

A ces mots, elle se redressa et riva de nouveau son regard au sien.

— Quand le moment viendra, oui. Je pense que tu possèdes un bon patrimoine génétique et que tu ferais un bon père.

Mais que se passerait-il lorsque ce mode de vie ne lui conviendrait plus ?

Non. Impossible. Elle rêvait.

— Si j'ai bien compris, c'est une proposition à prendre ou à laisser.

— Tu as tout compris.

— Et si je n'accepte pas tes conditions, vas-tu partir ? Rentrer à Chattanooga ?

— Non, je n'ai pas envie de te quitter. Et puis, j'aime l'Alaska. J'aime les habitants de Good Riddance. J'aime ma sœur et je veux voir ma nièce grandir. Alors je resterai, avec ou sans toi.

— Je pourrais revenir en ville entre les différentes séances et nous pourrions…

— Non, le coupa-t-elle.

— Tansy, je n'aime pas me faire forcer la main.

— Tout ce que je demande, c'est à être traitée en égale.

— Et toi qui disais m'aimer… Si tu n'obtiens pas ce que tu désires, tu ne m'aimes plus, c'est comme cela que les choses marchent avec toi ?

Elle éclata de rire. Il n'y avait pourtant rien de drôle…

— Cela serait pratique, si c'était possible. Mais non. Je continuerai à t'aimer, quoi qu'il arrive. Mon cœur ne me laisse pas le choix. Mais ma raison m'autorise tout de même à choisir ma vie et je refuse les demi-mesures.

A ces mots, le souvenir de sa ligne dans le sable revint à son esprit.

— Encore une fois, tu marques ton territoire.

— Exactement.

Bon sang, ce qu'elle pouvait être têtue… Il allait pourtant falloir qu'elle se rallie à sa position, le moment venu.

On ne mourait pas d'un cœur brisé, se rappela Tansy, pour se convaincre. Elle allait souffrir, beaucoup, mais elle survivrait. Tout le monde survivait.

Le pire était qu'elle ne croyait pas une minute que Liam n'était pas capable d'aimer. Elle ne croyait pas non plus qu'il ne l'aimait pas. Ce n'était ni de l'arrogance, ni un déni de sa part. Non. Simplement, la tendresse de ses caresses était une preuve de ses sentiments.

Hélas, elle ne pouvait pas le forcer.

Elle avait dit ce qu'elle avait à dire. Maintenant, c'était à lui de jouer. En attendant, elle allait poursuivre sa vie.

Bien sûr, elle était parfois sur le point de craquer, et d'accepter le peu qu'il lui offrait, mais sa raison finissait toujours par reprendre le dessus : elle ne céderait pas. La vie était trop courte pour accepter n'importe quel compromis.

Elle appela Merilee et acheta un billet d'avion. Elle avait des affaires à régler à Chattanooga, notamment vider son appartement de façon à pouvoir déménager en Alaska. Ce serait aussi l'occasion de passer un peu de temps avec sa mère et de dîner avec son père, avant de partir et de tourner une page. Et puis, qui sait, peut-être qu'avec un peu de chance, à son retour, l'homme de sa vie aurait retrouvé ses esprits.

Elle se gara devant chez Jenna. Sa sœur l'attendait à la porte.

— Je vais t'accompagner, lui annonça cette dernière. Veux-tu porter Emma ?

— Avec plaisir.

Sa sœur lui mit alors le sac kangourou puis plaça Emma dans la poche.

Ensemble, elles remontèrent la rue principale et Jenna lui prit la main.

— Tout se passera bien, Tansy. Laisse-lui juste du temps.

— Je serai de retour dans un mois, se contenta-t-elle de répondre, sans évoquer Liam.

Quelques minutes plus tard, elles entrèrent dans l'aérodrome. Les habitués étaient présents : Alberta, Dwight, Jefferson, Bull, Merilee… Mais aucune trace de Liam.

Ce n'était pas une surprise, mais malgré tout elle n'avait pu s'empêcher d'espérer qu'il serait là.

Il savait qu'elle partait aujourd'hui mais, apparemment, il avait préféré garder ses distances. Il n'avait pas répondu lorsqu'elle avait frappé chez lui pour lui dire au revoir. Sa façon à lui de lui dire ce qu'il pensait, sans doute…

— Voilà ma princesse, lança Merilee en prenant Emma avant de se tourner vers elle. Nous aurons tout organisé lorsque tu reviendras. Ne t'inquiète pas, Tansy. Tu auras un logement, ailleurs qu'à Shadow Lake.

Il n'était pas facile de se loger dans une aussi petite ville, et, même si elle avait aimé son séjour à Shadow Lake, elle ne pouvait continuer à vivre à côté de Liam. Il valait mieux qu'elle reparte de zéro dans un nouvel appartement, sans aucun souvenir.

Plusieurs options s'offraient à elle : partager l'appartement au-dessus du restaurant avec Ruby, la serveuse, vivre chez Jenna et sa famille… Ou avec Liam, s'il finissait par revenir sur sa position.

— Je sais, répondit-elle enfin à Merilee.

Alberta lui prit la main.

— Tout va bien se passer, Tansy. Je l'ai su dès que tu as renvoyé ce Bradley chez lui. Mais, attention, pas d'aventure avec lui pendant ton séjour Chattanooga !

— Aucun risque, la rassura-t-elle.

Bull, à l'arrière, attira son regard.

— Laisse-lui le temps, Tansy, lui souffla l'ancien militaire.

Elle hocha la tête. Elle se répéterait ces mots pour se rassurer. Car Bull connaissait Liam mieux que quiconque.

— Es-tu prête ? intervint soudain Juliette, la pilote. Nous devrions partir avant la pluie.

Tansy embrassa tout le monde puis sortit sur la piste. Elle serait bientôt de retour. Elle n'avait pas le choix, son cœur était ici.

- 16 -

— Un nouveau coup de poing, c'est tout ce que tu mérites, lui lança Dirk sans la moindre animosité alors qu'ils étaient rassemblés, avec Sven et Bull, dans la quincaillerie, pour réfléchir au bâtiment principal de son camp d'entraînement.

— Je t'en prie, le provoqua Liam. Cette fois-ci, je ne me laisserai pas faire.

— Il faut pourtant bien que quelqu'un te ramène à la raison.

— Tu es en train d'user ma patience, attention !

Son cousin éclata de rire.

— Tu te moques de moi, Liam ? Depuis un mois, c'est toi qui fatigues tout le monde avec ta mauvaise humeur.

— Ce ne sont pas tes affaires.

— Bien sûr que si. Je te rappelle tout de même que je travaille avec toi, et que tu te conduis comme un abruti.

— Dirk n'a pas tort, intervint Bull.

— Nous devrions faire ce que nous avions fait chez Jenna et ajouter quelques pièces, pour une éventuelle famille, proposa Sven, revenant au sujet.

Ajouter quelques pièces supplémentaires ? Cela serait difficile, mais pourquoi pas. C'était une bonne idée.

A l'évocation d'une famille, il repensa instantanément à Tansy. La jeune femme lui manquait à un point inimaginable.

Son sourire, sa voix, l'amour… Tout en elle le hantait.

Plus d'une fois, il aurait voulu connaître son avis sur ses projets. Mais impossible… Il y avait toujours cette fichue ligne dans le sable. Alors il restait seul, comme un imbécile.

Dirk avait raison, il était de mauvaise humeur. Ce mois lui avait paru interminable.

Mais elle était revenue, aujourd'hui, il l'avait aperçue chez Gus. Il l'avait également vue alors qu'il était en route pour la quincaillerie. Mais il ne lui avait pas parlé.

Ils campaient tous les deux sur leur position.

Il avait cru que la situation s'améliorerait à son retour, mais apparemment ce n'était pas le cas. Au contraire.

Tant qu'elle était loin, il avait le sentiment que seule la distance les séparait. Mais maintenant qu'elle était de retour, il se souvenait que la seule chose qui les séparait, c'était ses conditions, sans négociation possible.

Bon sang, elle n'était pas raisonnable…

— A combien suis-je coté ? demanda-t-il à Sven, en sortant de ses pensées.

Sven avait la réputation d'être au courant de tous les paris organisés par Rooster et il savait bien que sa relation avec Tansy faisait l'objet de toutes les spéculations.

— Ta cote n'est pas très bonne, lui avoua son patron.

— Vous avez tous parié ?

— Je n'ai misé que quelques dollars, avoua son oncle.

— Vous avez donc tous un intérêt dans l'affaire.

Dirk éclata de rire.

— Pas du tout, répondit son cousin, car tout le monde a misé sur Tansy. Je ne gagnerai donc pas plus que quelques billets.

— Rien n'est encore perdu, dit-il pour se convaincre. J'ai déjà renversé des situations désespérées dans ma carrière.

— Ouvre les portes, fiston, lui lança Bull. De temps en temps, il faut savoir rendre les armes. J'en ai fait l'expérience. J'ai tenu le siège pendant vingt-cinq ans !

— Ecoute, ajouta Sven, de mon côté, je pensais que je ne me caserais jamais, et regarde-moi. Juliette est la meilleure chose qui me soit arrivée. Et, pourtant, j'ai failli la perdre.

— Et moi, je regrette de t'avoir laissé me voler Natalie, renchérit Dirk. A propos, je lui ai parlé la semaine dernière.

Il en avait assez. Cette situation avait trop duré. Las, il se leva et sortit un billet de sa poche pour le tendre à son cousin.

— Tu as cinq minutes pour donner ce billet à Rooster, Dirk.

— Tu ne peux pas parier sur toi-même.

— C'est sur Wellington que je parie.

Puis, sans un mot de plus, il sortit et prit la direction de l'aérodrome.

— J'ai besoin de quelque chose de blanc, demanda-t-il à Merilee, sans préambule. N'importe quoi.

Comme si elle devinait ses intentions, Merilee lui sourit et attrapa un napperon sur une table.

— Désolée, Liam, mais je n'ai rien de mieux.

— Je me contenterai de ce napperon.

— Elle est chez Jenna, lui confia-t-elle.

Sans attendre, il reprit sa route.

Tansy reconnut ses pas dans l'escalier menant à l'appartement de Jenna.

— Liam, murmura-t-elle à sa sœur avant qu'il ne frappe.

— Je vais aller dans la chambre, fit aussitôt Jenna.

— Tu n'es pas obligée.

— Bien sûr que si, insista-t-elle.

Elle ouvrit la porte et, sans un mot, le laissa entrer. Il se dirigea vers la table et jeta dessus un napperon blanc.

Puis, enfin, il se retourna.

— Tu m'as fait perdre la tête à la seconde où je t'ai vue. Tu m'as manœuvré, tu m'as battu, alors je suis ici pour me rendre et t'offrir un cessez-le-feu, Wellington.

— Tu es l'homme le moins romantique que je connaisse.

— C'est vrai.

— Tu connais les termes de la capitulation.

— Je souhaite les négocier.

Refusant de céder, elle croisa les bras devant la poitrine.

— Je t'écoute, Reinhardt.

— Deux chiens et trois enfants plutôt que deux.

— Cela n'a jamais été le point litigieux.

— J'imagine que tu désires une bague.

— Ce ne serait pas de refus, mais rien ne presse.

— Tu ne me facilites vraiment pas la tâche, Wellington.

— Pour ce qui est de la question principale, je te rappelle que la marge de négociation est très faible.

Il demeura immobile, grand et fier, et elle attendit, son cœur battant à toute allure dans sa poitrine. Liam était un homme entier, un homme intègre. Un homme de parole. Il ne céderait pas facilement.

— Je t'aime, Tansy. Je t'aime corps et âme.

Elle était tentée de lui demander à quel point cela avait été difficile de prononcer ces mots, mais elle n'en avait pas besoin, elle le savait.

— Je t'aime moi aussi, Liam, et je ne te quitterai pas, quoi qu'il arrive.

Elle attrapa le napperon et le lui rendit.

— Je n'ai pas besoin de ce drapeau blanc. Tu n'as pas capitulé, tu as juste rejoint mon camp. Nous avons toujours été du même côté, Reinhardt. Tu avais juste besoin de temps pour le comprendre.

— Viens ici, femme, se contenta-t-il de répondre.

Folle de bonheur, elle se lova contre lui et l'embrassa avec toute la passion qu'elle n'avait pas pu lui offrir depuis un mois.

Un mois et deux jours, très exactement, car, oui, elle avait compté les jours, un à un.

Comblée, elle s'abandonna contre ses lèvres sensuelles, des lèvres exprimant la promesse de leur futur en commun.

Après avoir détaché sa bouche de la sienne, Liam posa son front sur le sien.

— Il va me falloir du temps pour lancer mon affaire, lui confia-t-il. J'ai confiance, mais cela ne va pas être facile. En attendant, je n'ai pas grand-chose à te proposer, ma chérie, à part te promettre de travailler dur.

— Ce qui a de la valeur n'est jamais facile. Mais nous

avancerons ensemble et tu m'as offert tout ce que je désirais. Comment est-ce possible d'avoir autant de chance ?

— Je me suis posé la même question. Je crois que certaines portes se sont simplement ouvertes tandis que d'autres se fermaient et nos pas nous ont menés l'un à l'autre.

— Mais dis donc… Serais-tu en train de devenir sentimental ?

— Cela m'arrive.

Il plongea les yeux dans les siens, et la regarda avec cette intensité qui lui avait tant manqué ces dernières semaines, réveillant un désir trop longtemps enfoui.

— Tu peux garder ta robe, Tansy, mais…

— Liam, le coupa-t-elle. Jenna est dans la chambre.

— Salut, Liam, fit sa sœur en sortant la tête par la porte. Bienvenue dans la famille.

— Merci, fit-il en souriant. Je viens kidnapper ta sœur. Elle doit venir donner son avis sur des plans.

Jenna éclata de rire.

— Pas de problème. Sa valise est à côté de la porte.

— Nous reviendrons chercher ses affaires plus tard, dit-il en l'attirant vers la porte.

A cet instant, le désir que Liam avait pour elle était palpable. Aussi fort que celui qu'elle avait pour lui.

— C'est lui qui décide, lança-t-elle en riant à Jenna avant de sortir. Il aime croire qu'il est le chef !

Puis elle noua les bras autour de sa taille, savourant le contact si envoûtant de cette puissance masculine.

Elle avait enfin retrouvé son homme. Son chef.

DEBBI RAWLINS

Dans le secret des nuits

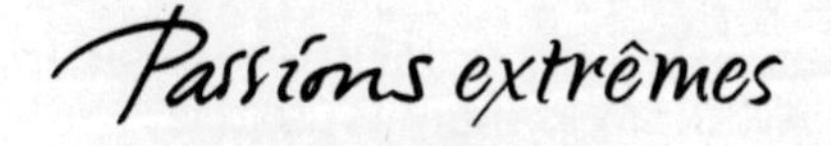

éditions HARLEQUIN

Titre original : TEXAS BLAZE

Traduction française de VERA CORTI

Ce roman a déjà été publié en novembre 2010

83-85, boulevard Vincent-Auriol, 75646 PARIS CEDEX 13.
Service Lectrices — Tél. : 01 45 82 47 47
www.harlequin.fr

- 1 -

Plongée dans ses pensées, Kate Manning sursauta au bruit de la détonation. En voyant la pluie d'étoiles multicolores qui tombait du ciel nocturne, elle pencha la tête en arrière pour mieux admirer le spectacle. Depuis toujours, sa famille organisait une grande fête au ranch pour célébrer la fête nationale et cette année, comme chaque année, après trois jours de festivités, la fin des réjouissances était marquée par un feu d'artifice. Encore une petite heure à tenir avant que le ranch retrouve enfin sa tranquillité ! Et elle, la sienne !

Vue de l'extérieur, Kate avait tout pour être une femme heureuse. Après tout, cette fête, c'était aussi celle de ses fiançailles. Pourtant, prise d'une soudaine mélancolie, elle avait préféré s'isoler un peu. Adossée à la porte de la maison, elle jeta un œil pensif au diamant d'un carat qui ornait son annulaire. Le mariage approchait à grands pas. Elle avait déjà choisi la robe et commencé à fixer les premiers préparatifs de la noce, prévue au cœur de l'hiver, la seule période de l'année où la chaleur était supportable au Texas.

Ses amies de la fac avaient fait exprès le déplacement même si elle s'y était prise au dernier moment — seulement quinze jours plus tôt — pour les prévenir de se libérer pour l'occasion. Et dire qu'à peine quelques heures plus tard, elle avait failli les rappeler pour tout annuler. A se demander si, au fond, elle n'avait pas souhaité qu'elles viennent uniquement pour qu'elles la dissuadent de son projet de mariage.

Profitant de ce que tout le monde avait les yeux rivés sur le ciel, elle se mit à chercher Dennis du regard. La dernière fois qu'elle l'avait vu, il était en grande conversation avec Clyde Thompson, le riche et influent propriétaire du ranch Red Rock. Cela ne l'avait guère étonnée, vu sa propension à toujours vouloir s'entourer de gens importants.

Si seulement leur relation n'était pas si… inexistante ! C'était à peine s'il s'était montré du week-end. Pourtant, ce n'était pas faute de lui avoir dit à quel point elle était heureuse de lui présenter ses amies ! Mais, de toute évidence, il ne faisait pas grand cas de partager sa joie. Non seulement il était resté introuvable tout le temps du barbecue et du bal de la veille, mais il n'avait pas non plus daigné l'honorer de sa présence lors du grand rodéo pique-nique de l'après-midi. Et, quand il avait fini par apparaître en toute fin de soirée, il avait passé son temps à *socialiser* avec tous les notables présents. Mince ! C'était elle qu'il épousait ou son carnet d'adresses ? A l'idée qu'il puisse se marier avec elle par intérêt, elle sentit son estomac se nouer.

C'était sans doute le stress qui lui faisait voir les choses en noir… L'organisation de ce week-end avec cent cinquante invités à sustenter et divertir n'avait pas été une mince affaire. Une fois le ranch remis en ordre et après une bonne nuit de sommeil, elle retrouverait son état normal et pourrait de nouveau se réjouir de son futur mariage.

Non, ce n'était pas le moment de flancher, se convainquit-elle. Il fallait qu'elle réussisse à mettre la main sur ce courant d'air de Dennis pour lui présenter enfin ses amies.

Les explosions pétaradantes du bouquet final la tirèrent de ses pensées. La réception touchait à sa fin et, à en juger par l'élogieux murmure de la foule, le succès était complet. Au moins une chose dont elle pouvait se féliciter, songea-t-elle, réfléchissant déjà à une façon diplomate de congédier tout ce petit monde.

En tournant la tête pour vérifier si l'éclairage du portail était allumé, elle aperçut la silhouette d'un homme qui avançait dans la pénombre de l'allée. Qui pouvait bien arriver si tard ? Elle resta là, à essayer d'identifier le mystérieux retardataire quand il surgit soudain de l'obscurité… Non, ce n'était pas possible que ce soit lui ! Elle sentit son cœur se mettre à tambouriner dans sa poitrine.

Mitch ! Mitch Colter ! C'était surprenant, mais… Cette carrure, ces longs cheveux bruns, cette démarche assurée… C'était lui, à n'en pas douter. Qu'est-ce qui pouvait bien l'amener ici à cette heure après toutes ces années d'absence ?

Huit, pour être exact. Huit ans qu'elle ne l'avait pas vu et elle tremblait comme une feuille ! Non, le temps n'avait pas effacé l'attirance qu'elle avait éprouvée pour lui par le passé. Elle se redressa, comme pour mieux chasser son trouble.

Il fallut à Mitch un certain temps avant de reconnaître la jeune femme adossée à la porte de la maison. A l'évidence, la petite Katie de son souvenir avait bien grandi car, à en juger par les courbes de sa silhouette, elle avait tout d'une femme à présent. Tout en elle semblait avoir changé. Tout sauf la couleur de ses cheveux : un auburn unique qui la rendait reconnaissable entre mille.

Comme elle regardait dans sa direction, il décida d'aller d'abord la saluer, mais en la voyant se raidir à son approche, il se demanda si elle l'avait reconnu. Il aurait dû prévenir, c'eût été plus correct, mais sa décision de revenir au pays avait été plutôt subite.

La réception allait bientôt se terminer — il avait assisté à suffisamment de fêtes du 4 Juillet chez les Manning pour le deviner — et il trouva curieux de voir Kate ainsi à l'écart.

— Mitch ? fit-elle en descendant la première marche de l'escalier du porche. Je ne te savais pas de retour.

— Oui, c'est un peu impromptu comme visite ! reconnut-il en lui ouvrant grands les bras. Viens un peu par ici que je t'embrasse !

Quoiqu'un peu surprise par la chaleur de leurs retrouvailles, elle descendit à sa rencontre en lui tendant les bras elle aussi.

— Quel bonheur de te revoir !

Elle avait à peine prononcé ces mots qu'il l'agrippait par la taille et la faisait tournoyer en l'air comme il en avait l'habitude autrefois. Qu'est-ce qui lui avait pris là ! En sentant la poitrine de Kate s'écraser contre son torse, il mesura l'ampleur de sa maladresse et la reposa sans tarder. La sentant gênée, il s'empressa de la relâcher et, dans la précipitation, effleura de la main son postérieur rebondi. Décidément, il allait devoir s'adapter à ses nouvelles courbes, et vite ! Il fit un pas en arrière et s'arrêta pour l'étudier.

— Tu es splendide ! conclut-il avant de demander : Je rêve ou tu as grandi depuis la dernière fois ?

— C'est vrai que j'ai eu une croissance tardive ! concéda-t-elle en haussant les épaules.

Un mouvement qui eut pour effet d'entrebâiller l'encolure de son chemisier, attirant le regard de Mitch sur son généreux décolleté. Il fallait qu'il se ressaisisse. Lorgner ainsi les attributs de la petite sœur de Joe et Clint, ce n'était pas très respectueux.

— Combien de temps depuis la dernière fois, Katie ? Six ans ? Sept ?

— Huit, répliqua-t-elle. D'ailleurs, personne ne m'appelle plus Katie depuis longtemps.

— Ah ! répondit-il amusé, avant d'ajouter : Je ferai attention, promis !

— Et tes parents, où sont-ils ? s'enquit-elle.

— Toujours à Little Rock, avec ma sœur et ses enfants.

— C'est triste ce qui leur est arrivé, déplora-t-elle. Tom Jenkins et les Reynolds aussi se sont fait voler du bétail. Le ranch Double R s'en est tiré, mais tout le monde ici accuse le coup.

Il l'écouta en acquiesçant d'un air soucieux, déjà au fait des détails de l'affaire.

— Mais, dis-moi, quel bon vent t'amène ? finit-elle par demander.

— Des affaires à régler au ranch, répondit-il le visage assombri.

Le ranch… Si tant est qu'on puisse encore appeler « ranch » cette vieille bâtisse inhabitée et ces terres à l'abandon. Et dire que cette propriété aujourd'hui déserte avait fait la prospérité de sa famille pendant plus d'un siècle ! Hélas, ces dernières années, ses parents avançant en âge et lui n'étant pas là pour les aider, la taille de l'exploitation s'était peu à peu réduite comme une peau de chagrin, et le vol des dernières bêtes en avait sonné le glas. Un vol et une série d'autres que les autorités locales semblaient, du goût de Mitch, avoir traités un peu à la légère.

— C'est drôlement vide ici depuis que tes parents sont partis, regretta-t-elle. Je ne suis plus là que quelques semaines par an pendant les vacances scolaires, mais tout de même, ce n'est plus comme avant…

— Tu es enseignante, c'est ça ?

— Oui, à Vernal. J'y ai un pied-à-terre. Trois heures de voiture aller-retour par jour, c'était devenu épuisant.

— Tu enseignes au lycée ?

— Heureusement non ! Les collégiens me donnent assez de fil à retordre comme ça.

— J'imagine, fit-il en acquiesçant d'un air entendu. Tu as dû en faire craquer plus d'un ! hasarda-t-il ensuite, en s'efforçant de ne pas baisser les yeux vers sa poitrine, dont le souvenir de la douce pression contre son torse semblait imprimé dans sa chair.

— Mais, pas du tout ! se défendit-elle, les joues écarlates.

Alors qu'elle remettait en place une mèche de ses cheveux, quelque chose de brillant attira l'attention de Mitch.

— Je vois que les félicitations sont de mise, lança-t-il, ayant remarqué le diamant à son doigt.

— Oh, ça ? fit-elle, embarrassée.

— C'est pour quand ?

Elle tourna la tête.

— Fin janvier, finit-elle par répondre, avant d'ajouter : Ecoute, je ne sais pas où est Clint, et Joe est comme qui dirait… occupé !

Elle leva la tête en direction des fusées qui fendaient le ciel dans une éclatante pétarade, puis jeta un œil à la foule des spectateurs.

— Il faut vraiment que j'y aille, maintenant.

— Oui, bien sûr. Va rejoindre tes invités, dit-il avant d'ajouter, plus bas : Je voulais te dire, ça m'a fait plaisir de te revoir.

— Moi aussi, Mitch. Il faut qu'on se trouve un moment pour discuter plus longuement, suggéra-t-elle sur le point de le quitter.

Et d'ajouter, après avoir tourné les talons :

— Si je vois Clint, je lui dis que tu es là !

Mitch resta là un moment, à la regarder s'éloigner. Même s'il ne voulait pas se l'avouer, la nouvelle de ce mariage lui avait fait un choc. Il avait beau se dire que c'était dans la logique des choses, il était contrarié. Sans doute avait-il besoin de temps pour digérer. Et la nouvelle du mariage et la métamorphose de Kate. Car le concentré de féminité qui s'éloignait sous ses yeux n'avait plus rien à voir avec le garçon manqué qu'il avait toujours connu. Et pourtant, il lui fallait se rendre à l'évidence : c'était bien elle et elle était fiancée. Il allait devoir maîtriser ses pulsions…

Kate se précipita vers le stand des rafraîchissements, là même où elle avait vu Dennis pour la dernière fois. Elle avait fendu la foule avec l'empressement d'un sapeur-pompier en opération. Et le fait est qu'il y avait bien un feu à éteindre. Celui qui s'était déclaré dans sa chair au moment où elle avait reconnu Mitch.

Elle n'en revenait toujours pas. Mitch l'avait touchée. Plus que ça même, il l'avait plaquée si fort contre son large torse qu'il avait failli l'étouffer. Un contact en réalité très bref, mais qui semblait s'être imprimé sur sa chair. Et qui l'avait laissée en proie à un trouble auquel elle ne s'attendait pas. Certes, à l'adolescence, elle avait eu un faible pour lui, mais c'était il y a si longtemps ! Chacun depuis avait fait son chemin. Mitch était un homme à présent. Et même un sacré bel homme ! songea-t-elle encore tout émoustillée par le timbre rauque et suave de sa voix. Contrairement à l'adage, le temps n'effaçait pas tout. Il n'avait pas atténué en tout cas son béguin pour lui.

— Tout va bien, *chiquita* ?

C'était Maria, elle avait reconnu sa voix.

— Oui, oui ! s'empressa-t-elle de la rassurer en se retournant vers elle. Je cherche Dennis.

A en juger par le regard circonspect que lui adressa la vieille femme, celle-ci avait senti que quelque chose n'allait pas. En même temps, cela faisait plus de vingt-cinq ans que Maria était au service des Manning. Et elle s'était toujours occupée d'elle comme de sa propre fille. N'était-ce pas elle qui, à la mort de ses parents dans un tragique accident de voiture, l'avait veillée nuit et jour le temps qu'elle surmonte sa peine ?

— Tu ne l'aurais pas vu par hasard ?

— Dennis ? reprit-elle avec un haussement d'épaules qui en disait long sur ses sentiments à son égard.

Kate le savait : Maria n'aimait pas Dennis. Ses frères non plus ne l'aimaient guère, même si jamais ils ne le lui avaient dit ouvertement. D'ailleurs, en y réfléchissant, l'inimitié de sa famille à l'égard de son futur mari était sans doute pour quelque chose dans son coup de blues de tout à l'heure… mais pas autant que l'indifférence de Dennis tout au long du week-end. Et même si elle n'avait pas besoin de l'assentiment de ses frères pour épouser qui que ce soit, elle comprenait de mieux en mieux leur position.

— Vas-y, Maria, dit Kate. Je vais bien.

Comme elle ne partait pas, elle insista :

— Allez, tu vas rater le final !

Cette fois-ci, la vieille femme obtempéra et Kate, soulagée d'avoir échappé à son œil inquisiteur, se remit à scruter la foule à la recherche de son fiancé. Il portait une chemise blanche… La belle affaire ! La moitié des convives en portaient une. Elle allait devoir trouver un autre signe distinctif. Le problème, c'était que Dennis n'avait rien d'exceptionnel. Il n'était pas spécialement grand ni musclé… comparé à Mitch, qui l'avait soulevée comme une plume ! Il n'était pas spécialement beau non plus… Tout le contraire de Mitch dont les traits fins et le visage carré l'avaient toujours fait craquer, de même que ses grands yeux gris qui changeaient de nuance au gré de son humeur… Sans parler de sa bouche…

Elle ferma les yeux, consciente qu'elle s'égarait. Non, cela ne pouvait plus durer ! Il fallait qu'elle chasse ces pensées de son esprit. Non seulement c'était déloyal envers Dennis, mais surtout, elle commençait à ne plus rien maîtriser. Il lui fallait un remontant, et vite ! Quelque chose d'alcoolisé. N'importe quoi pourvu que ce soit fort. Une tequila, tiens ! Parfait pour lui remettre les idées en place… Quoique, en y réfléchissant bien, la tequila allait plutôt la mettre K.-O., elle qui ne buvait qu'un petit verre de vin de temps en temps.

Mais la question n'était pas là. Elle était sens dessus dessous et seul le doux engourdissement procuré par un bon verre d'alcool pouvait encore l'aider à retrouver son calme. Elle fila droit vers le stand de boissons et se glissa derrière le bar. Tandis qu'elle se versait un verre en s'efforçant de ne pas trop attirer l'attention, elle remarqua que Sylvia Crabtree l'observait du coin de l'œil. Une femme au cœur d'or, mais cancanière au possible. En temps normal, elle se serait cachée par peur des ragots, mais là, elle était tout sauf dans son état normal. Sans se poser plus de questions, elle sortit de derrière le comptoir son verre à la main, et eut même la hardiesse d'adresser un large sourire à la vieille femme.

Elle tenta de repérer son fiancé une dernière fois, en vain. Il ne restait plus beaucoup de temps avant la fin du spectacle, en tout cas pas assez pour retrouver Dennis, mais juste ce qu'il fallait pour aller siroter son verre à l'écart, histoire de reprendre ses esprits avant l'heure des au revoir.

Elle se dirigea vers la zone de la propriété réservée aux employés du ranch, un endroit qu'elle savait désert en ce jour férié, et s'adossa au mur du préfabriqué le plus isolé. Elle ferma les yeux en poussant un long soupir de soulagement. Un répit qui fut de courte durée puisqu'au même moment, une voix qui semblait venir d'un peu plus loin lui fit rouvrir les yeux. Dennis ? L'espace d'un instant, il lui avait semblé reconnaître sa voix… Sans doute son imagination qui lui jouait des tours. C'était en tout cas ce dont elle essayait de se persuader tout en prêtant l'oreille. Elle n'eut pas longtemps à attendre puisque la minute d'après, ce fut un petit rire de femme qui vint briser le silence.

Sa curiosité piquée au vif, Kate se redressa le long du mur pour mieux écouter. Ce n'était pas possible, elle avait dû rêver. Cette voix, ce ne pouvait pas être celle de Dennis. Que serait-il venu faire dans cet endroit désert ? Cela n'avait pas de sens. Elle entendit ensuite des murmures, entrecoupés de rires étouffés. Elle se mit à suffoquer, comme si son corps essayait de lui faire entendre ce que son esprit refusait d'admettre. Le souffle court, elle fit quelques pas en direction du bruit, avançant à pas de loup pour ne pas se faire repérer. Une fois parvenue à l'angle du préfabriqué, elle prit une longue inspiration avant de passer sa tête de l'autre côté. Le vieux chêne juste en face lui obscurcissait la vue, mais la camouflait en même temps. Elle attendait depuis un petit moment, le cœur battant, quand les voix reprirent :

— Il faut que j'y retourne, dit la voix d'homme. Le spectacle est presque terminé.

C'était Dennis. Cela ne faisait plus aucun doute.

— Oh, s'il te plaît, reste encore un peu ! susurra la femme.

— Tu ne me facilites pas la tâche !

— Mais je ne suis pas là pour ça, Dennis chéri, gloussa-t-elle.

« Dennis chéri », reprit Kate avec dégoût. Cette fois-ci le doute n'était plus permis, ce qui se tramait sous cet arbre était on ne peut plus clair. Elle songea un instant à s'en retourner en catimini et s'épargner ainsi l'humiliation d'un face-à-face, mais elle était comme pétrifiée, incapable de respirer.

Le choc encaissé, ce fut la colère qui l'envahit. Comment avait-il osé ! Et dans sa propre maison ! Pire encore, pendant leur fête de fiançailles ! Il n'était pas question qu'elle parte sans rien dire et le laisse s'en tirer à si bon compte ! Remontée comme une horloge, elle sortit d'un bond de sa cachette. La femme était de dos. Une blonde vêtue d'un short en jean qui tenait plus du tanga que du bermuda. Dennis était de face, le visage littéralement collé à celui de cette fille qu'il embrassait en lui caressant dos. Il avait beau avoir les yeux cachés par l'ombre des branchages, lorsqu'il l'aperçut enfin, Kate sut immédiatement qu'il l'avait vue. Elle ne bougea pas d'un pouce, se contentant de le regarder faire un bond en arrière avant de lever les mains en l'air comme un enfant pris la main dans le sac.

— Sombre idiot ! lança-t-elle pour elle-même.

Elle avait une furieuse envie de lui coller une paire de gifles, mais au lieu de faire un esclandre, elle tourna les talons, préférant l'ignorer.

— Attends, Kate, ce n'est pas ce que tu crois !

Tant de platitude, c'en était presque risible, songea Kate sans prendre la peine ni de répondre ni de se retourner. Car après ce qu'elle venait de voir, sa décision était irrévocable : le dossier Dennis était classé.

- 2 -

Tapi derrière les buissons, Mitch enrageait devant la scène qui se déroulait sous ses yeux. Ce n'était pas l'envie qui lui manquait d'aller botter les fesses de ce butor que Kate avait eu la triste idée de prendre pour fiancé, mais en la voyant le planter là sans cérémonie, il finit par desserrer les poings.

Non pas qu'il se soit senti le droit de s'immiscer dans la vie sentimentale de Kate, d'autant que, vu la situation, son intervention n'aurait fait qu'ajouter à son humiliation, mais il voyait mal comment il aurait pu rester de marbre. Et encore, il avait réussi à se maîtriser. A sa place, les frères de Kate seraient tombés sur le malappris à bras raccourcis. Lui s'était contenu, un vrai miracle. Ou peut-être la preuve que le gamin impulsif qu'il était en quittant le Texas avait bel et bien mûri.

La fête était finie et les convives commençaient à regagner l'interminable file des véhicules garés le long de la route privée menant à la propriété. Mitch avait suivi Kate des yeux tant qu'il avait pu, mais avait fini par la perdre de vue dans la foule. Il compatit en songeant qu'après le choc qu'elle venait d'accuser, elle allait en plus devoir endurer la litanie des au revoir et des remerciements. Il espérait pour elle que le supplice serait de courte durée.

Il se mit à suivre la cohorte des invités, à distance suffisante pour éviter d'être reconnu, mais d'assez près tout de même pour repérer Clint ou son frère. Bien entendu, il n'était pas question de leur rapporter ce qu'il venait de voir. Quelle que soit la décision de Kate, qu'elle soit assez stupide pour laisser une seconde chance à ce mufle ou qu'elle l'envoie promener une fois pour toutes, c'était à elle qu'il appartenait d'en informer ses frères.

Pourvu qu'elle prenne la bonne décision, se prit-il à espérer avant de se rassurer : Non, Kate était bien trop fière pour reprendre ce vaurien. Elle allait rompre, c'était sûr. Mais rompre n'était pas le plus difficile. Le plus dur était de tourner la page, et il était bien placé pour le savoir…

Au souvenir de ce douloureux épisode de sa vie, Mitch se sentit tout tourneboulé. Furieux contre lui-même, il lâcha un juron. Pourquoi diable avait-il fallu qu'il aille faire un tour à cet endroit précis de la propriété ? Comme s'il n'avait pas assez de soucis avec l'affaire des vols de bétail. Oui, mais voilà, depuis son arrivée, son esprit était accaparé par une tout autre affaire. Une affaire nommée Kate…

Bien obligée de sacrifier un minimum à ses obligations d'hôte de la soirée, Kate donna le change tant qu'elle le put, puis profita d'un moment propice pour s'éclipser et foncer droit dans sa chambre. Ce n'était pas très convenable vis-à-vis de ses invités, mais mieux valait être introuvable que de craquer en public.

Car si elle avait tenu le coup jusque-là, c'était uniquement parce que les convives qu'elle avait croisés ne lui avaient pas parlé de ses fiançailles. Elle n'aurait pas réussi à se maîtriser bien longtemps sinon. Tôt ou tard, il allait bien falloir que cela se sache, mais elle préférait s'épargner les regards apitoyés, du moins le temps de trouver le courage d'y faire face. Car, de mariage, il n'y en aurait point. C'était clair et définitif et rien ne la ferait changer d'avis… pas même s'il prenait à Dennis l'envie de ramper à ses pieds.

Elle s'enferma dans sa chambre et s'adossa à la porte avant de se laisser glisser sur le plancher. Comment avait-il pu lui faire une chose pareille ? Qu'il la trompe avant le mariage était déjà inqualifiable, mais qu'il fasse ça chez elle, en pleine réception... Elle ne pouvait imaginer pire trahison. Elle sentit son cœur se briser et ferma les yeux pour se retenir de pleurer.

L'image de la fille avec laquelle elle l'avait surpris au pied de l'arbre s'insinua dans son esprit. Elle n'avait pas pris le temps de bien la regarder et était bien incapable de dire si elle la connaissait ou non. Tout s'était passé si vite. La seule chose qu'elle se rappelait, c'était son minuscule short et sa tignasse décolorée. Au-delà de la tromperie, c'était le fait de voir Dennis flirter avec une fille dans son genre qui l'avait le plus choquée.

Un frisson la parcourut. Comment avait-elle pu se tromper à ce point sur son compte ? Lui qui lui avait toujours semblé si collet monté, si conservateur, si... irréprochable. Le type même du principal de collège qu'il était... Et du recteur d'académie qu'il ambitionnait de devenir. Elle avait bien conscience que sa fonction exigeait de l'intégrité, c'était d'ailleurs la seule raison pour laquelle elle ne lui avait jamais reproché d'être si coincé, même si, dans l'intimité, rien ne l'obligeait à une telle... austérité. Car c'était bien ça le plus choquant, ce contraste entre l'image de respectabilité qu'il avait toujours donnée et la désinvolture avec laquelle il avait mis son mariage et sa réputation en péril en la trompant presque sous son toit.

Elle remonta ses genoux contre son menton et serra ses jambes entre ses bras. Quelle cruche elle avait été ! Comment n'avait-elle rien vu venir depuis deux ans qu'elle sortait avec lui ? Sans compter qu'ils travaillaient dans le même collège et se voyaient tous les jours.

Oh, oh ! Elle avait comme qui dirait oublié ce paramètre : le dossier Dennis n'était que provisoirement clos. A la rentrée, elle et lui allaient être amenés à se revoir. Et son bureau étant situé à deux pas de sa salle de classe, la coexistence allait vite tourner au calvaire.

Plus elle y réfléchissait, plus elle voyait clair dans son jeu. La distance qu'il avait mise entre eux, son absence de désir pour elle, ses marques d'affection toujours plus rares, tous ces signes qu'elle s'était complu à prendre pour de la pudeur et qui auraient dû la mettre sur la voie. Au lieu de cela, elle avait fait l'autruche, préférant ignorer ce que tous autour d'elle semblaient avoir compris au premier coup d'œil : Dennis ne l'aimait pas. Il ne l'avait même jamais aimée. Et s'il avait demandé sa main, c'était uniquement par intérêt.

Il fallait dire qu'à la mort de leurs parents, treize ans plus tôt, Kate et ses frères avaient hérité d'un ranch très prospère que Joe, l'aîné, avait repris en main. Tant et si bien d'ailleurs qu'au fil des ans, il l'avait hissé au rang de deuxième exploitation du comté. Mais surtout, au-delà de leur fortune, les Manning étaient une famille très appréciée et respectée au sein de la communauté. Une respectabilité qui manquait justement à Dennis pour prétendre accéder à la tête du rectorat.

Au fil de ses pensées, sa tristesse s'était muée en rancœur, puis en une colère empreinte d'une lucidité nouvelle. En fin de compte, bien lui en avait pris de ne pas envoyer tout de suite les faire-part. Avec le recul, c'était même symptomatique de constater qu'elle n'avait cessé de repousser leur envoi. Le dernier prétexte avait été qu'elle ne pouvait se consacrer en même temps aux préparatifs de la fête et à ceux du mariage. La vérité, c'était que depuis dix ans qu'elle organisait seule ce week-end, elle aurait pu gérer les deux de front sans grande difficulté. Sans doute était-ce son instinct qui l'avait incitée à la prudence. Ces derniers temps, il fallait bien l'admettre, le doute s'était emparé d'elle en dépit des efforts permanents qu'elle avait faits pour l'étouffer.

La sonnerie du téléphone retentit dans le silence de la maison. C'était lui. Elle le savait. Elle s'approcha tout de même de la table de chevet pour vérifier le numéro qui s'affichait. Elle resta là, un moment, les yeux rivés sur l'écran du téléphone, sa colère montant d'un cran à chaque nouvelle sonnerie. Fallait-il qu'il soit stupide pour s'imaginer un seul instant qu'elle allait vouloir lui adresser la parole après ce qu'il venait de lui faire ? Et même jamais ?

Quand la sonnerie s'arrêta, elle lâcha un long soupir, puis son regard se posa sur le sac rose devant l'armoire. Une nouvelle bouffée de douleur mêlée de haine la submergea. Prise d'une rage dont elle ne se serait pas crue capable, elle empoigna le sac qui contenait la lingerie achetée une semaine plus tôt. Ce body sur lequel elle avait craqué, c'était le seul caprice qu'elle s'était autorisé pour son mariage : une parure qu'elle destinait à sa nuit de noces et qu'elle avait choisie exprès pour réveiller la libido de celui qu'il convenait désormais d'appeler son *ex*-futur mari. Une libido qu'elle avait crue endormie alors qu'à l'évidence, elle tournait à plein régime… du moins, avec une autre qu'elle.

En furie, elle se mit à farfouiller dans les tiroirs de sa commode. Dans quel but, elle l'ignorait elle-même, vu qu'il était peu probable qu'elle y trouve la paire de ciseaux qu'elle y cherchait. Mais elle était à bout de nerfs et tailler en pièces ce stupide body en dentelle l'aurait un peu soulagée.

La vie était d'une ironie ! Dire que pendant deux ans, elle n'avait cessé de se convaincre que son fiancé n'était simplement pas porté sur la chose. Tout ça pour finir par le surprendre dévorant la bouche d'une bimbo en minishort ! Il fallait se rendre à l'évidence, son physique ne l'avait jamais attiré. Elle ravala un sanglot. Il n'avait qu'à aller au diable, ce mufle ne méritait pas la moindre larme.

Le téléphone se remit à sonner et cette fois, sans même prendre le temps de vérifier de qui il s'agissait, elle raccrocha illico le combiné. Elle s'apprêtait à sortir de la chambre quand la sonnerie retentit de nouveau. Ce type allait la rendre dingue ! Est-ce qu'il comptait appeler toute la nuit ? C'était plus qu'elle ne pouvait en supporter. Elle répéta la même opération, mais cette fois-ci, prit soin de laisser le combiné décroché. Clint et Joe utilisaient plutôt leur portable et ils ne se rendraient même pas compte que la ligne était occupée. De toute façon, c'était soit ça, soit à la prochaine sonnerie, elle balançait ce satané téléphone par la fenêtre.

Son body toujours à la main, elle balaya la pièce du regard à la recherche de ses clés de voiture avant de se souvenir qu'elles étaient rangées dans son sac, qu'elle ramassa à la hâte. De l'air ! Elle étouffait, il fallait qu'elle sorte. De toute façon, personne ne se rendrait compte de son absence. En tout cas, pas jusqu'au lendemain matin. Enfin, ce n'était pas le tout de sortir, encore fallait-il avoir quelque part où aller !

La main sur la poignée, elle hésita un instant. Mitch. Il allait sans doute dormir seul au ranch ce soir. Elle se sentit soudain sur le point de vaciller et retint son souffle, surprise par le tour que prenaient ses pensées. Aurait-elle le cran d'aller au bout de son idée ? Elle baissa les yeux vers le body qu'elle tenait encore à la main et se remémora leur brève étreinte. Les yeux mi-clos, elle écouta son corps lui rappeler combien elle s'était sentie bien entre ses bras et avec quelle force il l'avait serrée contre lui.

Non, ce n'était pas une bonne idée. Son cœur s'était emballé à la seconde où elle l'avait reconnu, c'était une raison suffisante pour ne pas aller sonner à sa porte, surtout dans l'état où elle était. D'autant que lui, l'avait toujours considérée comme ni plus ni moins que la petite sœur de Joe et Clint. Non, elle n'avait vraiment pas besoin d'une seconde claque.

Elle resta figée, la main agrippée à la poignée, en proie à une grande confusion. Elle avait beau essayer de se persuader que Mitch ne pouvait la voir autrement que comme la sœur de ses copains d'enfance, la réaction qu'il avait eue à son contact lui suggérait tout le contraire. Car leurs retrouvailles avaient été pour le moins… tactiles. Et sa façon de lui caresser le dos, tout sauf fraternelle. Sur le coup, elle s'était sentie trop coupable vis-à-vis de Dennis pour comprendre ce qui se passait, mais avec le recul, quelque chose lui disait qu'elle n'avait pas rêvé. Son émoi, elle l'avait bien perçu.

Elle ravala sa salive et prit son courage à deux mains. Elle ouvrit la porte, passa la tête dans l'embrasure pour vérifier que la voie était libre, puis fonça en direction de l'entrée. En se dépêchant un peu, elle pourrait peut-être même arriver avant lui.

Mitch était en train de garer son pick-up, encore tout à sa joie d'avoir revu son vieil ami Clint, quand son regard se porta vers le porche. Un bon coup de pinceau ne serait pas du luxe. Il se rassura en se disant que, vu l'âge de la maison, celle-ci était encore en plutôt bon état, même si — il était le premier à le déplorer — ce n'était pas grâce à lui.

Il s'empressa de balayer le sentiment de culpabilité qui s'était peu à peu insinué en lui depuis l'instant où ses yeux s'étaient posés sur la pancarte décrépite annonçant l'entrée du ranch. Même si son père ne s'en était jamais plaint, Mitch le savait bien, gérer l'exploitation était devenu de plus en plus difficile au fil des ans. Surtout depuis que leur contremaître de toujours avait pris sa retraite. A partir de là, tout était allé de mal en pis. D'abord, celui que son père avait formé pour prendre la relève s'était blessé au dos et avait dû renoncer au poste, puis, peu de temps après, les premiers vols avaient commencé.

C'était sa sœur qui l'avait mis au courant. Ses parents n'avaient pas jugé utile de le faire. Pourquoi l'auraient-ils fait ? Cela faisait belle lurette qu'ils ne comptaient plus sur l'aide de leur fils.

Harassé de fatigue par dix longues heures de route, il sauta de son camion pour aller directement se coucher. S'il avait su qu'il raterait la fête, il aurait au moins pris la peine de s'arrêter. Même si, en fin de compte, c'était sans doute mieux qu'il soit arrivé à la fin. Au moins n'avait-il gâché la soirée de personne en faisant remonter à la surface une histoire que beaucoup préféraient sans doute oublier.

Alors qu'il s'engageait dans l'escalier du porche, il lui sembla apercevoir une lueur à l'étage. Il s'arrêta net, s'efforçant de distinguer quelque chose à travers les vitres. La lune était pleine et sa lueur avait dû se refléter dans un miroir. En quittant la maison tout à l'heure après avoir pris une douche et posé son sac, il avait en effet vérifié que tout était éteint. Sauf que… il était parti sans fermer à clé, une vieille habitude qu'il allait devoir perdre vu les temps qui couraient.

Il pénétra à l'intérieur en tendant l'oreille, guidé dans ses pas par le seul clair de lune. Il grimpa les premières marches de l'escalier et sourit en les entendant craquer sous ses pieds. Combien de fois il s'était fait prendre en train d'essayer de sortir en douce ! Plus qu'il n'avait de doigts pour le compter, à n'en pas douter.

Il passa d'abord par la salle de bains pour se laver les dents avant de regagner son ancienne chambre. Il n'était pas pressé de dormir dans son lit d'adolescent. Il aurait été plus à l'aise dans le lit double de ses parents, mais l'attrait de sa chambre d'enfant était irrésistible.

Ses parents avaient laissé la plupart des meubles, mais ses objets personnels n'y étaient plus et il eut un pincement au cœur en songeant qu'un pan entier de sa vie avait été effacé de ses yeux.

En entrant dans sa chambre, il se retint d'appuyer sur l'interrupteur et avança à tâtons jusqu'à sa lampe de chevet.

— Mitch ?

Surpris par cette petite voix qui l'appelait dans l'obscurité, il sursauta et son front heurta l'abat-jour.

— Katie, c'est toi ?

Il y eut un silence, puis il entendit un petit « oui ».

Il remit la lampe en place et appuya sur le bouton pour l'allumer. Une lumière tamisée envahit soudain la chambre. Allongée dans le petit lit une place, le couvre-lit remonté jusqu'au menton, Kate se protégea les yeux le temps de s'accoutumer à l'éclairage.

— Mince, Katie, quelle trouille tu m'as fichue !

— Toi, la trouille ? ironisa-t-elle avec un sourire. Tu n'étais pas garde du corps pour cette célèbre actrice à un moment ?

— Qu'est-ce que tu fais ici ? demanda-t-il en reculant.

— Je t'attendais.

— Dans mon lit ?

Elle battit des cils avant de riposter :

— Tu veux que je m'en aille ?

Ne sachant quoi répondre, Mitch se contenta de l'observer. Sa présence ici s'expliquait sans doute par le coup dur qu'elle venait de subir. Elle était sous le choc et il devait faire preuve de tact pour ne pas rouvrir sa blessure. Difficile quand lui-même était pour le moins déstabilisé par la présence de la petite Katie en pleine nuit dans son lit.

— Non, tu peux rester, finit-il par répondre.

Elle sourit, soulagée, et s'empressa de se justifier :

— La porte était ouverte.

— Oui, c'est une vieille habitude que j'ai et surtout, une très mauvaise idée vu la situation, répondit-il en lui tournant le dos pour jeter ses clés sur la commode et sans doute mieux cacher son trouble aussi.

— Une très mauvaise idée, oui, répéta-t-elle.

Au ton blessé de sa voix, il se rendit compte du double sens de sa remarque et de l'interprétation qu'elle en avait faite, mais il ne savait quoi dire pour faire marche arrière. Ou simplement poursuivre la conversation. Le problème, c'était qu'il ne savait même pas ce qu'il était censé faire. Lui rappeler qu'elle était fiancée ? Cela n'allait pas aider. Il jeta un œil rapide en direction du miroir pour essayer d'y entrevoir son visage, mais il n'était pas bien placé. Une question lui vint à l'esprit : comment était-elle sous les draps ? Le couvre-lit était remonté si haut qu'il ne pouvait rien voir. Les hypothèses se bousculèrent dans sa tête jusqu'à ce qu'il l'imagine entièrement nue et revienne soudain à la réalité.

Il s'éclaircit la gorge en même temps qu'il se retournait vers elle.

— Bon, qu'est-ce qu'il y a, Kate ?

Elle sembla hésiter, puis replia le haut du dessus-de-lit jusqu'à sa taille avant de lancer, comme si de rien n'était :

— Rien, je réchauffais juste ton lit. Pour toi…

La dentelle noire tranchait sur le blanc laiteux de sa peau. A moitié découverte, elle était tentante comme le péché. Toutes les images d'enfant maigrichonne que Mitch avait d'elle s'envolèrent à mesure qu'il retraçait dans sa tête les courbes de son corps de femme. Tout en elle lui inspirait plaisir et volupté et son sexe dressé semblait déjà prêt à y goûter. Au fond de lui, c'était comme si une petite voix lui disait de tourner la tête, mais c'était plus fort que lui, il était comme hypnotisé.

La vue de sa poitrine débordant des balconnets et de ses mamelons roses visibles par transparence acheva de l'exciter. Pointant sous la dentelle, ses petits tétons durcis semblaient l'appeler. Il sentit son corps se raidir tout entier. Il avait toujours eu un faible pour les tétons roses. Pour un peu, il les aurait presque sentis rouler sous sa langue. Il se figea, tiré de sa rêverie par la vue de ses mains qui tremblaient. Il recula d'un pas, comme pour reprendre le contrôle sur ses sens.

— Je ne crois pas que ce soit une bonne idée, dit-il avec un regard qui se voulait sévère.

— Je ne suis plus une enfant, rétorqua-t-elle en rougissant.

— C'est certain, dit-il en contemplant ses seins malgré lui.

Sa réponse sembla la ravir, puis elle fronça les sourcils en demandant :

— Tu as quelqu'un, c'est ça ?

— Non, répondit-il en comprenant, trop tard, qu'il aurait mieux valu qu'il mente.

— Bien, bien, fit-elle en plantant son regard sur sa braguette.

Cette fois-ci, c'était cuit. Elle ne pouvait pas avoir manqué son excitation. Il fallait qu'il mette un terme à cette situation avant de commettre l'irréparable.

— Moi non, mais toi oui !

Sans doute y était-il allé un peu fort car elle écarquilla des yeux mouillés de tristesse et de honte avant de ciller pour repousser ses larmes. Son menton se mit à trembler et elle se cacha le visage sous les draps.

— Les apparences sont parfois trompeuses, lâcha-t-elle, des trémolos dans la voix.

Mitch sentit monter en lui une irrépressible envie de la consoler. Elle avait l'air tellement anéantie. S'il s'était écouté, il l'aurait serrée entre ses bras, mais un tel rapprochement aurait été périlleux. Non pas qu'il ait craint de craquer… Ou plutôt si, c'était bien là le cœur du problème. Car c'était une chose de se mentir à lui-même, mais rien ne l'obligeait à être aussi dur avec elle, surtout sachant l'épreuve qu'elle était en train de traverser. En même temps, son désir pour elle était si fort qu'en se laissant aller, il craignait de finir par bafouer ses sacro-saints principes de loyauté.

— Ecoute, Kate, finit-il par dire après s'être assis sur le bord du lit. Je comprends ta douleur et ta colère, mais ce type, qui est de toute évidence un beau salaud, ne mérite pas que tu fasses quelque chose que tu risques de regretter par la suite.

— Seigneur, quand est-ce que tu cesseras de me parler comme à une enfant…

Elle s'interrompit, interdite, avant de demander :

— Comment ça, ma douleur ?

Et voilà, en deux mots, il s'était trahi !

— C'est de Dennis que tu es en train de parler ? enchaîna-t-elle en le sondant du regard.

— Vous vous êtes disputés, ça crève les yeux, éluda-t-il en haussant les épaules.

Elle se redressa, puis le fixa du regard jusqu'à ce qu'il détourne les yeux.

— Tu étais là, c'est ça ?

Ses dernières paroles moururent dans un gémissement. Elle balança la couverture, prête à s'en aller, mais Mitch l'agrippa par la taille.

— Reste, Katie.

— Lâche-moi !

— Non, écoute-moi.

— C'est inutile. Tu avais raison, je n'aurais jamais dû entrer. Laisse-moi partir, je rentre chez moi.

— Reste, l'implora-t-il en resserrant son étreinte.

— Je ne peux pas.

Il la saisit par les mains et la fit s'asseoir sur ses genoux.

— Je te promets que je ne te toucherai pas. Tu n'as pas envie de rentrer et de tomber sur Clint ou Joe, n'est-ce pas ?

Il laissa passer un silence.

— Tu vois, je ne suis pas aussi insensible que tu crois…

Un rire étranglé s'échappa de ses lèvres et elle renifla.

— Je vais bien, vraiment !

— Pas moi. Imagine, si les voleurs reviennent. Tu voudrais me laisser là, tout seul ?

Elle pivota la tête pour le regarder et ses yeux embués se mirent à briller.

— Tu es bête !

— Mouais !

Il sourit et la serra contre lui.

— Reste ici cette nuit. On peut parler si tu veux, comme deux vieux amis. C'est ce que nous sommes, non ?

- 3 -

— J'ai connu plus amical comme accueil.

— Il faut dire qu'en temps normal, mes amis ne m'attendent pas à moitié nus dans mon lit.

— C'est bon va, j'ai compris.

Comme elle cherchait à se relever, il la maintint de force.

— Tu sais, Kate, ce n'est pas mon style de refuser une invitation au lit, surtout de la part d'une jolie fille, mais…

— Laisse tomber, Mitch. Je n'ai pas besoin de ta compassion. Je suis une grande fille maintenant. Et puis, ça fait un bail que ma vie ne tourne plus autour de toi !

Quoique surpris par la révélation, il se garda de relever.

— Désolé que tu le prennes comme ça.

— Non, c'est sympa de vouloir être gentil, j'apprécie, dit-elle, le sentant soudain agacé. Mais j'ai passé l'âge d'être consolée. De toute façon, Dennis n'est qu'un pauvre type, ça n'est pas une grosse perte.

C'était curieux comme elle avait prononcé son nom sans l'ombre d'une émotion, comme si déjà, il était relégué dans son esprit au rang des mauvais souvenirs. La preuve qu'elle ne l'aimait pas et même qu'elle ne l'avait même jamais aimé. Une vérité qui s'était peu à peu fait jour dans son esprit, jusqu'aujourd'hui où elle lui avait éclaté en pleine figure. Mais tout de même, sa trahison faisait mal. Son irrespect aussi.

Et maintenant, elle se sentait lasse et mal à l'aise dans sa tenue ridicule. S'il lui restait un soupçon de bon sens, elle se rhabillerait et rentrerait chez elle sans demander son reste. Elle fit la moue en regardant le minuscule bout de tissu qui la dévoilait plus qu'il ne la couvrait. Quelle idée stupide elle avait eue ! Comme si Mitch avait jamais été à sa portée : Mitch, le capitaine de l'équipe de foot, puis Mitch, le coach sportif des célébrités et le garde du corps des actrices de télé et enfin, dernière en date, Mitch, le pilote de jet privé. Qu'avait-elle espéré en venant l'aguicher chez lui en petite tenue ? Qu'il allait craquer pour la fille la plus ordinaire que le monde ait jamais portée ?

Elle profita du fait qu'il semblait perdu dans ses pensées pour s'extraire de ses bras. Etre ainsi collée à lui était bien trop bon et si, jusqu'ici, elle avait réussi à ne pas le montrer, elle n'était pas du tout sûre de pouvoir jouer l'indifférence encore longtemps.

— Kate, dit-il en la rattrapant par la main.

Elle se retrouva debout, dos à lui, son corps presque nu livré à son regard dans la pénombre de la chambre.

— Tu veux bien te retourner ?

Comprenant qu'elle ne pourrait pas lui échapper, elle se retourna d'un bloc et le surprit en train de lorgner ses seins. Par réflexe, elle se couvrit la poitrine et il en profita pour la saisir par la taille et l'attirer à lui.

— Tu es une femme magnifique, Kate, dit-il en faisant courir son index sur le renflement de ses seins. Très désirable.

Elle retint son souffle tandis qu'il poursuivait :

— Ne crois pas que je sois insensible à ton charme, loin de là…

Il s'interrompit et elle poursuivit à sa place :

— Mais ?

Il leva les yeux vers les siens.

— Mais… je ne vaudrais pas mieux que ce moins-que-rien de Dennis si je profitais de la situation.

Il avait l'air sincère. Cela se lisait dans ses yeux. Pourquoi alors se sentait-elle rejetée ?

— Tu es un vrai gentleman, Mitch, se contenta-t-elle de répondre en tournant la tête.

Il n'était pas question qu'elle se laisse émouvoir par sa gentillesse. S'il ne voulait pas d'elle, c'était tant pis pour lui.

Elle essuya d'un geste discret la larme qui perlait à sa paupière et demanda d'un ton agacé :

— Tu n'aurais pas vu mes affaires ?

— Katie, il est tard, tu es fatiguée, insista-t-il.

Il la saisit par la taille et l'approcha du lit jusqu'à ce qu'elle soit assez près pour l'y asseoir. Cette fois-ci, sa délicatesse eut raison de sa résistance. Elle le laissa l'allonger sur le lit et s'exécuta lorsqu'il lui demanda de lui faire de la place.

Ainsi collée contre le mur, elle le regarda la border, puis ôter ses bottes et venir s'allonger à côté d'elle tout habillé.

— Tout va bien ? demanda-t-il tout en se calant un oreiller sous la nuque.

Elle hocha la tête, de plus en plus embarrassée.

— Je prends toute la place. J'ai l'impression d'abuser…

— Viens par ici, dit-il en passant son bras sous sa nuque de sorte qu'elle repose sa tête sur son torse.

— Bien installée ?

Elle fit un oui timide de la tête. Elle s'en voulait de s'être emportée.

— Tu sais pour tout à l'heure, je…

Comme elle cherchait ses mots, il termina à sa place :

— Oui, j'ai tout compris, répondit-il d'un air entendu.

— Mais, tu ne sais même pas ce que j'allais dire.

— Tu en as dit assez pour que je comprenne l'essentiel : tu en pinçais pour moi ! lâcha-t-il, ravi de son petit effet.

Elle eut un rire stupéfait, puis leva vers lui un œil amusé.

— Quoi ? J'aurais mal interprété ? la taquina-t-il.

— Non, c'est juste que je trouve ça un peu gonflé de ta part de remettre ça sur le tapis. Qui plus est, j'avais douze ans, il y a prescription maintenant !

— Tu as bien caché ton jeu en tout cas…

— Quoi ? Tu ne savais pas ?

— Tu penses ! Un garçon manqué comme toi ? Jamais ça ne m'aurait effleuré l'esprit.

— Je vois…

— Donc, si j'ai bien tout compris, à douze ans, tu avais le

béguin pour moi et puis d'un coup, d'un seul, le monde s'est arrêté de tourner autour de moi ?

— Oh, la ferme, Mitch ! riposta-t-elle.

— J'aime bien l'idée d'avoir joué le rôle d'un homme mûr et désiré.

— Pourquoi, ton historique de coqueluche du lycée ne te suffit pas ? Si je me souviens bien, à l'époque, c'était toute l'équipe de pom-pom girls qui te courait après.

— Là, tu exagères.

— Toujours est-il qu'arrivée à la fac, ça faisait un moment déjà que je ne pensais plus à toi.

— Loin des yeux, loin du cœur, répondit-il, pensif.

— C'est vrai qu'après ton départ, on ne t'a plus guère vu dans le coin.

Un curieux silence s'installa et elle ne tarda pas à comprendre qu'elle avait mis le doigt sur un sujet sensible. En même temps, nul besoin d'être devin pour se douter que son absence n'avait pas dû être facile à vivre pour ses parents.

Comme il ne disait toujours rien, elle crut qu'il s'était endormi. C'était sans doute mieux vu l'état d'excitation dans lequel elle se trouvait. Le simple fait d'être allongée là, à côté de Mitch Colter, était trop surréaliste pour qu'elle parvienne à trouver le sommeil, d'autant qu'elle était à moitié nue sous les draps. Malgré la chaleur étouffante, elle bénissait l'épais couvre-lit qui les séparait quand la paume de sa main se posa sur son épaule.

— Tu ne dors pas ?

— Toi non plus ?

— On devrait essayer de se reposer maintenant.

— Oui, acquiesça-t-elle, enserrée dans ses bras musclés telle une prisonnière consentante.

Un moment passa, puis elle brisa de nouveau le silence :

— Dis, je peux t'avouer autre chose ?

Il posa son menton sur sa tête.

— Tu veux vraiment que je te réponde.

Sa réaction la refroidit. A l'évidence, il avait eu sa dose de révélations pour la soirée.

— De toute façon, maintenant, tu en as trop dit, ou pas assez, alors, vas-y, crache le morceau.

Elle prit son courage à deux mains et se lança :

— Eh bien, voila, quand j'étais petite, j'embrassais mon coussin en faisant semblant que c'était toi.

Un instant passa, puis le rire de Mitch éclata dans le silence de la nuit.

— Et c'était comment ? s'enquit-il une fois son fou rire maîtrisé.

— Hum… comme avec un oreiller !

Il rit de plus belle et elle rit avec lui comme jamais elle n'avait ri avec son ex-fiancé.

— Dennis était nul pour embrasser, lâcha-t-elle une fois son sérieux retrouvé.

C'était sorti tout seul, comme si elle avait pensé tout haut. Une pensée qu'elle regretta aussitôt prononcée. Elle sentit Mitch remuer mais comme il ne pipait mot, elle s'excusa :

— Désolée, ça m'a échappé.

— Oh, je t'en prie. Vide ton sac si ça te fait du bien.

Elle lâcha un long soupir.

— Plus ça va, plus je me dis qu'en fin de compte, c'est sans doute ma faute si ça n'a pas marché. Peut-être que je n'étais pas assez…

Elle s'interrompit, hésitante. D'un côté, elle avait besoin d'évacuer le trop-plein et de l'autre, elle doutait que s'épancher ainsi auprès de Mitch soit une bonne idée.

— Ecoute, je n'ai pas envie de t'ennuyer plus longtemps avec mes histoires, c'est mieux que je rentre sinon, ni l'un ni l'autre n'allons fermer l'œil de la nuit.

— C'est cette chaleur, on étouffe ici ! s'exclama-t-il en se levant d'un bond.

Elle profita de la place libre pour étirer ses jambes. Dès qu'elle en aurait l'occasion, elle filerait en douce. Il n'était pas question qu'ils se réveillent ensemble. Tout ce qu'elle avait à faire, c'était récupérer ses affaires et foncer à sa voiture, garée dans l'arrière-cour.

— Attends, j'enlève juste ma chemise.

Elle ravala sa salive, tiraillée entre l'envie de ne rien rater du spectacle et la peur de changer d'avis.

— Non, j'y vais. C'est mieux pour tout le monde.

— Ecoute, si tu pars maintenant, ça va m'obliger à te suivre pour être sûr qu'il ne t'arrive rien en route.

— Je te remercie mais je n'ai pas besoin de chaperon. Et puis, j'habite à deux minutes au cas où tu l'aurais oublié.

— Il n'est pas question que tu rentres seule à cette heure !

— On parie ?

Elle regretta vite sa bravade quand elle le vit commencer à tirer les pans de sa chemise. Ce n'était pas très fair-play de sa part de se dévêtir maintenant, mais ses arguments étaient pour le moins convaincants. C'était difficile à croire, mais il était encore plus sexy en vrai que dans son imagination, et elle fut vite hypnotisée par la vue de ses muscles qui se contractaient et se détendaient au rythme de ses mouvements.

Quand elle réussit à détacher enfin son regard de ses pectoraux, ce fut pour constater qu'il avait les yeux rivés sur ses seins, sous la dentelle transparente. Ouf, il était trop occupé à lorgner sa poitrine pour l'avoir surprise en flagrant délit.

Leurs regards se croisèrent et, sans ciller, il repoussa la couverture au pied du lit.

— Juste un drap, ça suffira, dit-il en chuchotant.

— Ça suffira pour quoi ?

Pour toute réponse, il lui adressa un petit sourire en coin qu'il ponctua d'un :

— Retourne te coucher !

Malgré tous ses efforts pour résister, Kate était sous le charme. Mitch était aux petits soins avec elle et sa tendresse lui faisait du bien.

— Allez ! Sinon je vais être obligé d'utiliser la force.

— Tu sais, il y a une autre solution, lui fit-elle remarquer, un peu gênée. Je pourrais dormir dans la chambre de ta sœur.

— Trop de poussière, trancha-t-il après un bref moment d'hésitation.

Il bâilla, puis ajouta :

— Et puis, je croyais que c'était réglé.

Réglé ? Elle était déçue. Pour lui répondre ça, il ne devait pas la trouver si irrésistible. Elle retourna se coucher sans broncher. De toute façon, c'était soit ça, soit elle risquait de tomber sur un de ses frères en rentrant, et elle n'en avait vraiment pas envie, surtout pas ce soir. Elle se glissa entre les draps, plus agréables que l'épaisse couverture, puis se recroquevilla contre le mur de façon à lui laisser autant de place que possible.

Mitch la rejoignit dans le lit et répéta la même opération qu'un peu plus tôt de sorte qu'elle se retrouva de nouveau la tête posée sur son torse, mais cette fois, sans couverture pour les séparer. Elle dut se raisonner pour ne pas céder à l'envie de faire courir ses doigts sur sa peau.

— Ça va, je ne t'étouffe pas trop ? s'inquiéta-t-il en lui caressant le dos.

— Non.

— Alors, détends-toi, dit-il, la sentant crispée.

Il lui sembla qu'il avait déposé un baiser sur ses cheveux, mais elle n'en était pas sûre.

— Encore une question et après, promis, je me tais.

— Je t'écoute.

— La fille, tu l'as vue ?

— Quelle fille ?

— Celle qui était avec Dennis.

— Non… Enfin, oui, vite fait.

— Je sais qu'elle était blonde, mais c'est tout.

— C'est important, tu crois ?

— Non, répondit-elle dans un murmure.

— Arrête un peu de penser à lui. Pour faire ce qu'il a fait, ce type est un vaurien, s'énerva-t-il. Doublé d'un crétin.

Elle sourit de voir comme il prenait sa défense et en rajouta une couche :

— Et un piètre amant.

Mitch posa l'index sous son menton pour l'obliger à le regarder dans les yeux et, penchant la tête de côté, il déclara :

— Ecoute-moi bien, Kate. Un homme qui n'est pas capable de t'aimer comme il se doit ne mérite même pas que tu parles de lui.

Elle retint son souffle. Est-ce qu'il allait l'embrasser ? Sa position le laissait supposer et son corps tout entier tendu vers le sien aussi. Les secondes s'égrenèrent dans un silence tendu, puis il approcha son visage du sien. Elle ferma les yeux, pantelante et sentit ses lèvres effleurer les siennes, mais ce fut tout.

— Tu vaux mieux que ça, Kate, lui murmura-t-il, sa bouche à quelques millimètres de la sienne. Tu es belle, intelligente…

— Pas assez pour retenir un homme, en tout cas, enchaîna-t-elle avec un haussement d'épaules résigné.

Pour le baiser, elle pouvait repasser, elle le savait à présent. Mitch était bien trop ancré dans son pseudo-rôle de grand frère protecteur. Elle enfonça le clou :

— Le genre de fille qui pour éveiller la flamme a besoin d'une allumette !

De nouveau, son sens aigu de l'autodérision le fit éclater de rire.

— Tu vois, en plus d'être belle et intelligente, tu as le sens de l'humour. Qu'est-ce qu'il te faut de plus ?

— Un minimum de… sex-appeal ?

— Ah, Katie. Je suis désolé de ce qui est arrivé ce soir, mais tu ne vas pas te dévaloriser comme ça à cause de ce crétin.

— Tu sais, Mitch, en y réfléchissant bien, ce qui est arrivé ce soir est plutôt un mal pour un bien. Ça faisait un moment que j'avais des doutes sur ce mariage. Il me manquait juste un motif et c'est Dennis qui me l'a apporté. Comme sur un plateau. Mais j'ai compris une chose, je ne suis pas faite pour les histoires d'amour.

Mitch se figea. Et dire qu'il avait failli l'embrasser une minute plus tôt. Elle avait perdu confiance en elle et vu la façon dont elle se dépréciait depuis tout à l'heure, elle allait avoir du mal à la retrouver. Pour autant, l'embrasser maintenant ne résoudrait pas le problème. Ou peut-être que si. Mais ne risquaient-ils pas de le regretter ensuite ?

Si, sans doute. C'était même la pire des choses à faire. Kate était sous le choc. Elle allait remonter la pente, il lui fallait juste un peu de temps. En attendant, le mieux qu'il pouvait faire pour elle, c'était d'être là pour l'écouter.

— Mitch ? demanda-t-elle avec un léger trémolo dans la voix. Tu veux bien m'embrasser ?

Pour toute réponse, il déposa un baiser sur le bout de son nez. La nuit allait être longue.

- 4 -

Quand elle se réveilla, Mitch était étendu sur le plancher, avec pour seul élément de confort, un coussin calé sous la tête. Kate fit la grimace. Elle était un monstre d'égoïsme. Mais l'heure n'était pas à l'autocritique. Il fallait qu'elle parte vite avant qu'il se réveille. La lumière de l'aube commençait déjà à poindre à l'horizon et ce matin, elle devait raccompagner Dory et Lisa à l'aéroport.

Elle était en train de contourner le corps de Mitch allongé par terre quand elle vit son sac posé sur le sol près de la porte. Elle s'en souvenait maintenant, elle l'avait laissé tomber là en l'entendant arriver. Elle avança sur la pointe des pieds, s'empara du sac et fonça en direction de la salle de bains. Les craquements du plancher l'avaient sans doute réveillé, mais par bonheur, il ne s'était pas retourné. Passait encore qu'il l'ait vue à moitié nue la nuit passée, mais à la lumière du jour, cela aurait été plus difficile à assumer. Et puis, il fallait bien l'avouer, l'idée qu'elle puisse trouver du réconfort, ne serait-ce qu'une poignée de secondes, entre les bras de Mitch, était suffisante pour la faire fuir.

Dix minutes plus tard, elle arrivait au Sugarloaf. Quelques hommes s'affairaient déjà dans les étables, mais dans la maison, tout était calme. Les domestiques étaient de repos et Kate prépara le café à la hâte avant de filer dans sa chambre pour quitter ses habits de la veille et prendre une douche.

En temps normal, à cette heure-ci, Joe et Clint étaient levés et habillés, et prêts à avaler leur café avant de partir travailler. Mais ce matin n'était pas un matin ordinaire. C'était un lendemain de fête et ses frères avaient passé la soirée, et sans doute la nuit aussi, avec ses copines de fac. La vie était décidément pleine de surprises. Ses amies étaient venues de l'autre bout du pays pour fêter ses fiançailles et, au final, elles avaient craqué chacune pour un de ses frères et elle, avait largué son fiancé.

Il y avait de quoi les envier, mais ce n'était pas dans le tempérament de Kate de regarder dans l'assiette des autres. Au contraire, elle était ravie pour ses amies et pour ses frères, qu'elle n'avait encore jamais vus aussi… épris ! Joe n'avait eu d'yeux que pour Lisa tout au long du week-end et Clint et Dory semblaient déjà liés par une complicité qu'elle-même n'avait jamais connue avec Dennis en deux ans de vie commune.

Si elle s'était écoutée, elle serait partie se terrer dans sa chambre pour oublier, mais au lieu de cela, elle prit une bonne douche et fit même l'effort de se maquiller, juste assez pour cacher ses cernes et sa mine fatiguée. Quant à ses cheveux, elle ne prit pas la peine de les lisser. Ils allaient être tout en bataille une fois secs, mais peu lui importait. De toute façon, pour ce qu'elle avait à faire… Dès qu'elle serait rentrée de l'aéroport, elle comptait se recoucher et ne plus mettre le nez dehors pendant au moins une semaine.

En descendant les escaliers, elle commença à réfléchir à ce qu'elle allait bien pouvoir raconter à ses amies pour expliquer sa désertion de la veille. Elles allaient lui demander où elle était passée, c'était sûr, mais elle ne voulait pas gâcher la fin du week-end. Cela aurait été trop bête.

— Kate ?

C'était la voix de Dory, qui venait de l'entrée et, à en juger par les chuchotements qui suivirent, elle devait être avec Lisa. Kate troqua illico sa mine déconfite contre un masque de bonne humeur, mais une fois face à elles, elle comprit que c'était peine perdue. Ses deux amies l'attendaient, l'œil inquiet et le sourcil en accent circonflexe.

— Salut les filles ! fit Kate de l'air le plus enjoué qu'elle put.

L'instant d'après, elle fondait en larmes.

Le ranch avait retrouvé sa quiétude. Tout avait déjà été démonté : les tentes, la scène, les stands. Ne restaient plus que quelques tables et bancs à remiser. Mitch avait prévu de venir aider à ranger, mais à l'évidence, il arrivait après la bataille. Il gara son pick-up le long de l'allée et remarqua le camion de Clint, garé près de l'étable. Cela tombait bien car il avait à lui parler, à lui et à son frère, Joe.

En descendant de son pick-up, il jeta un œil en direction de la maison. La voiture de Kate n'y était pas, mais cela ne voulait rien dire. Kate pouvait très bien l'avoir garée de l'autre côté de la maison. Il se demanda comment allait se passer leur premier face-à-face après cette nuit. Il aurait préféré avoir le temps d'en rediscuter avec elle ce matin, mais sans grande surprise, elle avait préféré s'éclipser en douce. Lui ne regrettait rien, mais peut-être qu'elle, si.

Le vieux Pete lui fit signe depuis l'étable. D'aussi loin qu'il s'en souvienne, il l'avait toujours vu au service des Manning.

— Bon sang, Mitch ! Ça fait plaisir de te revoir. Il me semblait bien t'avoir vu la nuit dernière.

— Oui, je suis arrivé tard. J'ai raté le rodéo.

— J'imagine que tu viens voir Joe et Clint, mais rentre plutôt, je viens de faire du café.

— Alors, là, ce n'est pas de refus !

Pete éclata de son bon vieux rire sonore et le précéda à l'intérieur. En le voyant se déplacer péniblement le dos voûté, Mitch prit la mesure du temps qui avait passé. Cela devait bien faire huit ans qu'il ne l'avait pas vu. Huit années pendant lesquelles son propre père avait dû faire tourner seul l'exploitation familiale, avec seulement deux aides pour l'assister dans les tâches quotidiennes. Certes, son père n'était pas aussi âgé que Pete, mais tout de même, il éprouvait un sentiment de culpabilité qui n'avait fait que grandir depuis son arrivée.

A l'intérieur de l'étable, rien n'avait changé ou presque. Tout était à la même place qu'autrefois : le coin café à gauche en entrant, le matériel et les outils un peu plus loin, les bottes de foin empilées entre les box, les rangées de selles, les brides, même l'odeur était la même. Seul élément nouveau, la grange qui donnait à présent dans l'étable.

Alors qu'il se remplissait un mug du breuvage corsé de Pete, il entendit Joe et Clint arriver vers eux. En les voyant tout endimanchés, il eut un mouvement de surprise. D'habitude, ils étaient toujours en jean et T-shirt.

— Ah, l'amour…, marmonna alors le vieil homme avant de s'en aller en rigolant.

Joe fut le premier à le voir.

— Mitch, mon ami ! On s'est ratés de peu hier, dit-il en lui tendant la main.

— Oui, je me suis retrouvé coincé dans les embouteillages en sortant de Dallas et je suis arrivé juste pour le final. Mais ne t'en fais pas, je compte rester ici quelque temps.

Il serra la main de Clint, qu'il avait vu la veille, et lança :

— Où vous allez comme ça ? Vous avez rendez-vous ?

— On revient de l'aéroport, répondit Joe en jetant un coup d'œil vers Clint. Les copines de Kate avaient un avion à prendre.

— Elles doivent être bien jolies, ses copines !

Clint eut un sourire triomphant et Joe se frotta la joue d'un air gêné. A l'évidence, le vieil homme ne s'était pas trompé. Ces deux-là avaient tout l'air d'être amoureux.

— Mais où est Kate ? Elle n'était pas avec vous ?

— Kate ? Non pourquoi ? fit Clint, étonné.

— Elle n'a pas raccompagné ses amies ? s'enquit Mitch, soudain inquiet.

— Euh… en fait, non. Elle avait la migraine et comme on voulait leur dire au revoir, c'est nous qui les avons accompagnées.

— Tu déjeunes avec nous ? proposa Joe.

— Merci, mais je dois faire un saut en ville, répondit Mitch, l'air absent.

De toute évidence, Kate n'avait encore rien dit à ses frères au sujet de Dennis et n'avait pas non plus parlé de la nuit qu'ils avaient passée ensemble. Le contraire l'aurait étonné, mais il fut tout de même soulagé de voir qu'ils n'étaient pas au courant.

— Avant d'y aller, j'avais une petite question à vous poser, dit Mitch. Vous en pensez quoi du nouveau shérif ?

— Nouveau ? Pas si nouveau que ça. Ça doit bien faire un an qu'il est en poste et tout le monde est plutôt satisfait de son travail, dit Clint en se servant du café.

— J'imagine que tu veux le voir au sujet des vols, dit Joe.

Il hocha la tête et les deux frères échangèrent un regard inquiet.

— Viens, on sera mieux à la maison pour en discuter, suggéra Joe.

Il préférait éviter de tomber sur Kate pendant qu'ils étaient avec ses frères.

— Oh, ça peut attendre. Je suis là pour quelque temps, tu sais.

— Oui, mais autant régler ça tout de suite. En plus, pour une fois, on a pris notre journée.

— Comme tu voudras, accepta-t-il pour ne pas le vexer.

Sauf que maintenant, il n'avait plus qu'à prier pour qu'il ne prenne pas l'envie à Kate de descendre juste à ce moment. Même si, il s'en doutait, elle devait elle aussi préférer l'éviter.

Une fois dans la cuisine, Clint sortit un pichet de thé glacé du réfrigérateur, Joe sortit les verres et Mitch s'assit à table comme il en avait l'habitude autrefois. C'était curieux, mais tout lui semblait si familier autour de lui qu'il avait presque l'impression de n'être parti qu'un week-end.

— Alors, tu comptes rester combien de temps ? demanda Joe en déboutonnant ses manches pour les retrousser.

— Le temps qu'il faudra pour mettre la main sur les voyous qui ont volé mes parents.

— Des voyous, oui, comme tu dis. Ces types-là sont sans scrupule. Ils se mettent au vert quelque temps, histoire qu'on les croie partis et ils remettent ça au moment où on s'y attend le moins. Et, ils choisissent bien leurs cibles.

— Vous n'avez pas été frappés, vous, au moins ? demanda Mitch.

— Non, tu penses. Ils préfèrent s'attaquer aux petits ranchs. Franck Reynolds y a eu droit deux fois. La deuxième, ils lui ont pris tellement de bêtes qu'il a été forcé de licencier la moitié de ses employés. L'autre soir, il m'a avoué qu'il allait être obligé de se séparer d'une partie de son terrain juste pour honorer la paie de ses employés et nourrir les quelques bêtes qui lui restent.

— Et ce week-end, il ne s'est rien passé ?

— Non, avec Joe, on a fait venir du renfort de Houston. On a posté des gardes devant chaque ranch, expliqua Clint.

— Avec l'agitation de la fête, on s'est dit que c'était plus sûr, ajouta Joe.

Depuis toujours, les Manning avaient veillé sur la communauté et Clint et Joe perpétuaient la tradition de la même façon qu'ils perpétuaient l'élevage que leur avaient légué leurs parents. Un respect de l'héritage dont Mitch ne pouvait pas se vanter.

— Le shérif ne pouvait pas s'en occuper ? s'étonna-t-il.

— Ce n'est pas avec ses deux adjoints qu'il va sécuriser tout le comté, déplora Joe avec un haussement d'épaules résigné. Tu sais, ils ne peuvent pas faire grand-chose.

Force était d'admettre que le territoire à couvrir était trop vaste pour trois hommes, mais tout de même, Mitch ne pouvait s'empêcher de trouver l'implication du shérif un peu légère.

— Vous vous êtes déjà rencontrés, le shérif et toi ? s'enquit Clint en voyant Mitch pensif.

— Non, on s'est juste parlé au téléphone, mais le moins qu'on puisse dire, c'est qu'il n'a pas été très coopératif.

— C'est bizarre, d'habitude, il est plutôt du genre serviable. D'ailleurs, je n'ai jamais entendu personne se plaindre de lui.

— Oui, enfin, s'il était si professionnel que ça, il devrait déjà avoir une piste, grommela Mitch. Et s'il n'en a pas, il pourrait au moins demander du renfort.

— Je suis d'accord avec toi, le rejoignit Joe.

— Cela dit, depuis la chute des prix du bœuf, il n'y a pas eu de vols à déplorer, tempéra Clint.

— Certes, mais ça ne répare pas le préjudice subi par ceux qui ont dû abandonner leur ranch, répliqua Mitch sans cacher son amertume. De toute façon, je n'ai pas du tout apprécié la façon dont il m'a reçu au téléphone. J'espère que le contact sera meilleur quand je le verrai en personne.

— Je t'accompagne, si tu veux, proposa Clint.

Mitch se leva et répondit avec un sourire :

— Ne t'en fais pas, je ne ferai pas d'esclandre.

Kate aurait préféré passer la journée au lit, mais en voyant Mitch arriver dans son pick-up, elle avait vite changé d'avis. Clint et Joe l'auraient sans doute appelée pour descendre déjeuner, mais elle ne se sentait pas prête à affronter Mitch, encore moins, en présence de ses frères. Elle aurait pu prétexter avoir encore mal à la tête, mais se rendre introuvable était encore la meilleure des parades.

Après avoir griffonné un mot disant qu'elle partait faire une course en ville, elle avait profité du fait que Mitch et ses frères étaient à l'étable pour filer en douce récupérer sa voiture, garée dans l'arrière-cour.

Une fois sur l'autoroute, elle se décida enfin à rallumer son téléphone portable sur lequel, elle le constata avec ennui, Dennis lui avait laissé une palanquée de messages. Ce n'était pas pour lui qu'elle l'avait rallumé, mais pour que ses frères puissent la joindre en cas de besoin. Lui pouvait bien aller au diable. Elle ne lui avait pas reparlé depuis la veille et n'avait aucune envie de le faire.

Elle n'avait pas non plus annoncé la nouvelle à ses frères. Lorsqu'elle leur dirait que le mariage était annulé, ils allaient vouloir savoir pourquoi et si elle leur avouait la vérité, il y avait fort à parier que le pauvre Dennis allait en prendre pour son grade. Pourtant, en dépit du fait que ce dernier aurait bien mérité une correction, elle préférait s'épargner l'humiliation de devoir admettre qu'il l'avait trompée.

Arrivée en ville, elle se gara devant chez Barney et resta là un moment derrière le volant. Elle avait la tête lourde après la nuit qu'elle avait passée et le confessionnal improvisé avec ses amies ce matin.

Elle s'apprêtait à ouvrir la portière quand son portable se mit à sonner. Persuadée que c'était Dennis, elle faillit ne pas répondre, mais se ravisa en se disant que c'était peut-être un de ses frères. Elle ouvrit le clapet et lut le nom affiché sur le petit écran : Lisa. Bizarre… Elle était censée être dans les airs à cette heure. Kate s'empressa d'appuyer sur le bouton vert avant le déclenchement de la messagerie.

— Tu es où ? demanda Kate sans cérémonie. Ton avion a eu du retard ?

— Non, je viens juste d'atterrir à Chicago.

Kate fixa sa montre, étonnée de l'allure à laquelle le temps était passé depuis son départ.

— Joe ne t'a pas raconté ? J'ai failli rater mon vol, j'ai embarqué *in extremis*.

— Non, je ne l'ai pas vu, ni Clint, d'ailleurs.

— Ah ! Voilà qui répond à la question que j'allais te poser. Tu ne leur as toujours rien dit, donc ?

— Non.

— Et Mitch, tu ne l'as pas vu, non plus ?

Kate lâcha un long soupir. Elle avait bien essayé de garder cette partie de l'histoire pour elle, mais elle avait tout balancé presque sans s'en rendre compte.

— Non. D'ailleurs, j'envisage de continuer à l'éviter… jusqu'à la fin de mes jours.

— Sacré plan, dis-moi ! ironisa Lisa avant de s'enquérir, plus bas : Et sinon, comment ça va ?

— On fait aller.

— Tu es où ?

— En ville. J'avais des courses à faire.

— Ça ne pouvait pas mieux tomber. J'ai justement un plan pour toi. Tu m'écoutes ?

Kate grommela un vague « oui ». Déjà à la fac, Lisa était championne pour se mêler de tout… Pas étonnant qu'elle soit devenue journaliste, avec un tel don pour fouiner dans les affaires des autres.

— Pour commencer, on ne ronchonne pas ! lui enjoignit-elle. Il y a bien un grand magasin là où tu es ?

— Si on veut.

— Ils ont des vêtements sexy ?

— Oh, non, fit Kate, comprenant où elle voulait en venir. Ne compte pas sur moi pour…

— Ça va, Kate. Pas la peine de monter sur tes grands chevaux. Je me suis mal exprimée. Est-ce qu'ils ont des vêtements que l'ancienne Kate n'aurait jamais osé porter ?

— Ma tentative de la nuit passée a plutôt mal tourné, tu as déjà oublié ?

— Euh, non, ce passage, tu as dû omettre de le mentionner… Bon, écoute, ça va bientôt couper, alors ouvre grandes tes oreilles. Ce dont je te parle, ça n'a rien à voir avec Mitch, c'est un défi pour toi-même. O.K. ?

— O.K.

— Non, c'est important ce que je te dis, Kate. Il est temps que tu existes pour toi en tant que femme et pas en tant que sœur ou future madame Machin Chose.

Kate soupira. Lisa n'avait pas sa langue dans sa poche, mais sa franchise était salutaire.

— Je ne dis pas ça pour remuer le couteau dans la plaie, tu sais. Tout ce que je veux, c'est t'aider, poursuivit Lisa.

Une série de bips l'interrompit et elle lâcha quelques jurons.

— Ecoute, ma chérie, je vais devoir raccrocher, mais je te rappelle. Surtout, ne te laisse pas abattre.

Kate eut à peine le temps de lui dire au revoir que la communication fut coupée, mais cette petite conversation lui avait redonné le moral et elle se sentait déjà beaucoup mieux. Ce n'était pas tant les conseils vestimentaires farfelus de Lisa qui l'avaient remise en selle que son incroyable et contagieuse confiance en soi.

Elle descendit de voiture pour aller rendre à Thelma, la gérante de la boutique de vêtements, la couverture qu'elle avait oubliée au ranch la veille. En traversant, elle ralentit le pas en voyant la robe rouge qui trônait dans la vitrine. Elle ne risquait rien à y faire un tour, même si cette robe n'était pas franchement son genre. Beaucoup trop courte. De quoi donner une attaque à Dennis.

Une idée qui méritait d'être creusée…

- 5 -

Mitch était en route pour le bureau du shérif. Il espérait que l'homme serait plus coopératif en personne qu'au téléphone, mais au fond de lui, il n'y croyait pas trop. Clint et Joe avaient bien essayé de le rassurer sur son compte, mais l'image de gentil shérif qu'ils lui avaient dépeinte ne cadrait pas avec l'accueil glacial que ce dernier lui avait réservé par téléphone.

Une fois arrivé au poste, il fut rassuré en voyant deux voitures de police garées juste devant. Avec un peu de chance, le shérif serait là et il pourrait enfin obtenir des réponses à ses interrogations. C'était bien la moindre des choses : n'avait-il pas fait le déplacement depuis la Floride dans ce seul but ?

En se garant, il parcourut du regard les enseignes qui longeaient la grande avenue. C'était incroyable comme rien n'avait changé. Même le vieux barbier était toujours là. A croire que le temps n'avait pas de prise sur cette petite bourgade sans histoire. Ou plutôt, jadis sans histoire.

Il traversa la rue sous les rayons encore brûlants du soleil et la bouffée d'air frais qui s'échappa du bureau lorsqu'il ouvrit la porte lui rafraîchit le corps et les idées. Un jeune homme à l'entrée leva les yeux de son écran d'ordinateur, le sourcil froncé :

— Je peux faire quelque chose pour vous ?

— Espérons-le, répondit Mitch en regardant en direction de la porte close au fond de la pièce. Le shérif est là ?

— C'est de la part de qui ?

— Mitch Colter. J'ai parlé au shérif Harding la semaine dernière. J'ai eu un de ses adjoints au téléphone. Peut-être que c'était vous.

Comme l'homme ne disait rien, Mitch demanda :

— Vous êtes monsieur ?

— Barns, répondit l'adjoint, d'un air ennuyé. Vous avez dû parler à Morton, pas à moi, ajouta-t-il en se levant dans son uniforme deux fois trop grand.

— Je vais voir si le shérif peut vous recevoir.

Pour patienter, il balaya le bureau du regard. Là non plus, rien n'avait changé ou presque. Il connaissait bien l'endroit pour y avoir passé quelques heures en garde à vue avec Clint à l'époque où ils étaient encore au lycée. Ils s'étaient fait pincer en possession d'alcool et s'en étaient tirés avec un sermon appuyé du shérif. Le fait qu'il soit un ami des Manning lui avait souvent sauvé la mise autrefois, mais aujourd'hui, la situation avait changé.

Des bruits de pas dans le bureau d'à côté le tirèrent de ses pensées. En se retournant, il vit un homme d'une quarantaine d'années apparaître dans l'embrasure de la porte, l'air las. Il était grand et bien bâti, mais boitillait d'une jambe.

— Que puis-je pour vous, monsieur Colter ? demanda-t-il en calant ses pouces sur la boucle de son ceinturon.

— Ravi de vous rencontrer, shérif Harding, répondit Mitch en lui tendant la main.

L'homme eut une légère hésitation, ce n'était pas bon signe, mais finit par accepter la main tendue de Mitch. Puis, il fit un signe de tête en direction de la machine à café.

— Café ?

— Non merci.

— Allons dans mon bureau.

Ils entrèrent ensemble, le shérif referma la porte derrière eux et pendant que Mitch s'installait, il déclara :

— J'ai bien compris pourquoi vous êtes là ; hélas, je crains de ne pas pouvoir vous aider.

— J'ai juste quelques renseignements à vous demander.

— Je vous ai dit tout ce que je pouvais au téléphone.

— Oui, autant dire, rien ! répliqua Mitch du tac au tac.

Le visage de l'homme, déjà pas très ouvert, se referma tout net.

— L'enquête est en cours. Il y a des éléments que je ne peux pas divulguer.

Mitch dut user de toute sa maîtrise pour garder son sang-froid. De toute évidence, le shérif cherchait encore à faire obstruction.

— Vous avez progressé un peu sur l'affaire ? Vous avez demandé du renfort ?

— Pourquoi ? D'après vous, je ne serais pas capable de résoudre cette affaire seul ?

— Ce n'est pas ce que je voulais dire, mais le comté est grand, shérif. Il y a beaucoup de territoire à couvrir. Et vous n'êtes que trois.

— J'envisage justement de recruter un autre adjoint, si ça peut vous rassurer.

Mitch serra les dents.

— Et vous pensez qu'un homme de plus fera la différence ?

— Ecoutez, Colter, je suis désolé de ce qui est arrivé à vos parents, mais le fait est que nous n'avons pas eu d'autres incidents à déplorer depuis, et ça fait trois mois. Les responsables doivent être loin à l'heure qu'il est. Qui plus est, je sais par le shérif de Lerner que des vols du même genre ont eu lieu dans son comté. Alors, il y a tout lieu de penser qu'ils ont migré au nord.

— Et donc, vous avez stoppé l'enquête ?

— Ce n'est pas ce que j'ai dit, répliqua le shérif sans cacher son agacement. J'essaie juste de vous faire comprendre que nous n'avons pas de nouveaux éléments. D'ailleurs, ce week-end, il ne s'est rien passé alors qu'avec la fiesta qu'il y a eu chez les Manning, c'était l'occasion idéale.

— Vous savez que Joe et Clint ont fait venir des vigiles ?

— Oui, je suis au courant, répondit-il d'un ton bourru. Si vous voulez mon avis, ils auraient mieux fait de s'abstenir. En faisant ça, ils ont saboté toutes nos chances de les prendre en flagrant délit.

— Mais vous venez de dire qu'ils avaient bougé au nord ?

Poussé dans ses retranchements, le shérif était au bord de l'implosion.

— Ecoutez-moi bien, Colter, je n'apprécie pas trop qu'un étranger vienne mettre en doute mes compétences dans mon bureau. Je vous prierai de sortir avant que l'envie me prenne de vous coffrer pour outrage.

— Vous avez raison, shérif, j'ai perdu assez de temps comme ça, répondit Mitch en se levant.

Et d'ajouter, une fois devant la porte :

— Finalement, je retire ce que j'ai dit. J'ai été tout sauf enchanté de vous connaître !

Mitch avait passé la porte avant que l'homme ait eu le temps de répliquer, mais ce dernier le rattrapa juste avant qu'il sorte.

— Laissez tomber, Colter, parce que si je vous trouve en travers de mon chemin, je serai contraint de vous arrêter.

La main sur la poignée, Mitch tourna la tête pour répliquer et vit l'adjoint le dévisager comme s'il avait commis un crime de lèse-majesté.

— Aucun risque, Harding. Comme vous l'avez dit, les voleurs sont loin, maintenant.

— Tiens, Kate, quelle surprise ! Après tout ce tintouin chez toi ces jours-ci, j'aurais pensé que tu dormirais pendant un mois, dit Marjorie Meeks en débarrassant son plateau.

— J'avais une course à faire en ville, alors, j'en profite pour ramener les affaires que les invités ont oubliées hier au pique-nique, dit Kate en ouvrant son cabas. C'est ton plat, ça, non ?

— Oui, c'est à moi.

Marjorie reprit son plat et le rangea sous le comptoir.

— Ça fait des lustres que je ne t'ai pas vue ici. Qu'est-ce qui te ferait plaisir ? Un thé glacé ? Un hamburger avec des oignons frits ?

Kate fit non de la tête. Il y avait du monde au comptoir et aux tables de billard.

— Allez, laisse-toi tenter, insista Marjorie en la voyant hésiter. Ces garçons ne vont pas te manger. Ils n'ont bu que quelques bières.

Kate eut un petit rire forcé. Comme si la présence des hommes l'avait jamais dérangée ! Elle avait grandi dans un ranch, alors ce n'était pas quelques garçons vachers qui allaient l'intimider, d'autant que, d'après ce qu'elle avait vu, la moitié étaient des employés du Sugarloaf.

— Alors, sers-moi un thé glacé, mais uniquement si tu n'es pas trop occupée.

— Tu penses, j'ai fait venir Ashley dès que j'ai vu que le bar se remplissait. C'est étonnant d'ailleurs tout ce monde, après la nouba de ce week-end.

— Clint et Joe avaient un peu de mal ce matin, ils ont dû donner congé aux employés pour le reste de la journée.

— Bouge pas, je reviens avec ton thé, dit Marjorie en voyant un client lui faire signe.

— Oui, prends ton temps, dit Kate en s'asseyant sur un tabouret.

Cela faisait des années qu'elle n'avait pas mis les pieds chez Barney. En même temps, elle ne venait pas souvent en ville, sauf pour faire une course quand Maria avait besoin de quelque chose. Et puis, elle savait ce bar très fréquenté par les employés du ranch et elle ne voulait pas interférer dans leur temps de loisir par sa présence. Justement, un type, plutôt pas mal, tournait souvent la tête dans sa direction, elle pouvait le voir du coin de l'œil.

De toute façon, ce thé glacé, elle l'avait accepté par pure politesse. Dès que Marjorie lui servirait son verre, elle en siroterait quelques gorgées et s'excuserait de ne pas pouvoir rester.

— Kate, tu es là ! fit Ashley, qui sortait de la cuisine un pichet de bière à la main. Super la fête, ce week-end ! Merci !

— Ashley ? Depuis quand tu as l'âge de servir de la bière, toi ?

Le rire d'Ashley retentit dans tout le bar.

— J'ai vingt-deux ans, tu sais ! Presque l'âge de piquer sa crème antirides à ma mère.

— A ce compte-là, je suis bonne pour un lifting, alors !

— Je reviens tout de suite, dit la jolie blonde, hilare.

Kate la regarda se diriger vers les tables de billard, son

plateau à la main, si moulée dans son jean qu'elle se demanda comment les coutures tenaient encore.

Les joueurs s'écartèrent pour la laisser passer et lorgner son derrière au passage et, à en juger par leurs sifflements admiratifs et leurs regards complices, elle ne put s'empêcher de penser que cette fille avait un sacré sex-appeal.

Pour autant, rien d'aguicheur dans son attitude, elle était juste avenante… et sexy en diable. Le même genre de fille que Lisa, et tout le contraire du sien, même avec la stupide robe qu'elle venait de s'acheter. Dès qu'elle aurait fini son thé, elle retournerait à la boutique et l'échangerait contre une tenue plus dans son style. Si tant est qu'elle en ait eu un…

— Kate ! la héla Ashley en posant son plateau sur le comptoir. Les types au fond voudraient t'inviter à une partie de billard.

— Tu plaisantes ?

— Non, non, non. Brad, en tout cas, avait pas l'air de plaisanter. C'est le plus mignon, le beau brun là-bas qui est en train de te faire signe.

En sortant de chez le shérif, Mitch fut attiré par une alléchante odeur de steak grillé et d'oignons frits. Son estomac criait famine et il décida d'aller manger un bout chez Barney. Clint lui avait bien proposé de dîner au ranch avec eux ce soir, mais il n'était pas sûr que Kate apprécie.

En approchant de la taverne, il fut surpris de voir autant de véhicules garés devant un jour de semaine. Et une fois à l'intérieur, quelle ambiance ! Il ne se rappelait pas avoir jamais vu le coin billard aussi animé.

— Allez, Kate, te fais pas prier, dit une voix d'homme.

— D'accord, mais c'est la dernière.

Nom d'un petit bonhomme, cette voix, il la connaissait. Il tourna la tête et vit Kate en train d'avaler une rasade d'un liquide ambré avant de s'essuyer la bouche du revers de la manche et d'éclater de rire.

Une espèce de grand cow-boy se glissa ensuite derrière elle.

Le sourire jusqu'aux oreilles, il lui tendit une queue de billard d'une main et posa l'autre sur sa hanche.

— Merci, Brad, répondit-elle, tout sourire, mais ce n'est pas ce petit verre de tequila qui va m'empêcher de te battre encore une fois.

— Sauf que cette fois-ci, je ne te laisserai pas gagner comme la dernière fois.

— Tu veux parier ?

Un sourire insolent éclaira le visage du cow-boy.

— Je n'ai rien contre le fait de mettre un peu de piment dans la partie.

Elle se laissait prendre à son jeu et ce n'était pas du goût de Mitch.

— Kate ?

Elle se tourna pour voir qui l'appelait.

— Mitch ? Ça va ? répondit-elle en s'efforçant de masquer sa surprise.

— Je ne savais pas que tu étais là, dit-il en se faufilant dans le petit groupe qui s'était formé autour d'elle. Tu comptes rester longtemps ?

— Je ne sais pas, répondit-elle d'un ton délibérément vague.

Elle n'avait pas l'air encore soûle, mais il n'aurait pas fallu qu'elle boive un verre de plus.

— Non parce que, si tu restes, on pourrait dîner ensemble.

Le dénommé Brad se mit à marmonner dans sa barbe.

— Je vais sans doute rentrer après cette partie.

Mitch comprit à son regard qu'il valait mieux ne pas insister.

— Très bien. Je serai au bar si tu changes d'avis.

Il alla s'installer au comptoir à un endroit stratégique pour surveiller Kate sans en avoir l'air.

— Qu'est-ce que je vous sers ?

Il reconnut la voix de Marjorie Meeks qui mit un certain temps avant de le remettre.

— Mitch Colter ? Ça par exemple !

— Comment ça va, Marjorie ? répondit Mitch en souriant.

— La dernière fois que je t'ai vu, tu m'appelais encore

madame ! dit-elle en s'empressant de passer de l'autre côté du comptoir. Viens me faire un bisou, jeune homme !

Il la laissa le prendre dans ses bras.

— Comme tu es grand et beau ! dit-elle en le détaillant des pieds à la tête. Et drôlement musclé avec ça ! ajouta-t-elle en tâtant ses biceps.

Il rit de bon cœur.

— Un beau gaillard comme toi, tu dois avoir une petite femme à présent ?

— Désolé de te décevoir, mais toujours pas.

— Si c'est pas malheureux d'entendre ça. Marjorie Meeks va s'occuper de toi, t'en fais pas.

— Te tracasse pas pour moi, va !

— C'est vrai que tu fréquentes du beau monde, maintenant, susurra-t-elle.

— Ça m'arrive, mais… que pour le travail !

La voix de Barney retentit depuis la cuisine.

— Le devoir m'appelle, répondit-elle en soupirant avant de s'excuser. Je vais dire à mon cher et tendre que tu es là.

Sur ce, elle tourna les talons et fit signe à Ashley de la remplacer au bar.

— Ashley, sers une bière à Mitch. C'est offert par la maison.

— Bouteille ou pression ? enchaîna aussitôt la blondinette.

— Pression, répondit Mitch en jetant un coup d'œil rapide en direction de Kate.

Elle était penchée sur la table, en position pour tirer. Brad était accoudé au rebord de la fenêtre, juste derrière elle, les yeux braqués sur son postérieur. Il sentit la moutarde lui monter au nez.

— Mitch Colter, c'est ça, n'est-ce pas ? poursuivit Ashley en même temps qu'elle lui servait sa bière. Vous jouiez au foot ensemble avec mon frère, Jerry.

Il mit un certain temps avant de réagir, obnubilé qu'il était par la scène qui se déroulait sous ses yeux.

— Ah oui, Jerry ! Il habite toujours dans le coin ?

— Non. Il est parti s'installer à Dallas avec sa femme et leurs deux enfants.

Il hocha la tête, n'écoutant qu'à moitié ce que la serveuse lui racontait, trop exaspéré par l'attitude de Kate pour se concentrer sur quoi que ce soit d'autre. D'accord, elle avait besoin de reprendre confiance en elle, mais là, elle donnait plutôt l'impression d'avoir perdu les pédales. D'autant que cette espèce de cow-boy du dimanche ne lui disait rien qui vaille.

— Dis-moi, Ashley, les types à la table de billard, tu les connais tous ?

La jeune fille se pencha au-dessus du comptoir pour mieux les observer et l'un d'eux, la voyant les regarder, lui adressa un clin d'œil.

— Oui. Tu dois d'ailleurs en connaître quelques-uns. Ils travaillent tous dans les ranchs du coin. Il n'y a que Brad et Seth qui sont là depuis un mois, dit-elle en les désignant du menton.

En tournant la tête, Mitch surprit le dénommé Brad en train de les observer, comme s'il avait compris qu'ils étaient en train de parler de lui. L'homme s'avança alors vers eux en tapotant ses poches.

— Ashley, tu veux bien nous resservir une tournée ?

— Tout de suite.

— Je vais chercher mes cigarettes dans la voiture et je reviens régler la note, dit-il en faisant un signe de tête à Mitch au passage.

— Hum, ça sent le rencard, cancana Ashley en remplissant un nouveau pichet de bière.

Tant que le rencard n'était pas Kate, ne put-il s'empêcher de songer en finissant son verre d'un seul long trait. C'était bizarre, ce signe de tête qu'il lui avait fait en sortant, un peu comme un joueur qui cède sa place. Il ne voyait pas le rapport, mais une chose était sûre. Il ne lâcherait plus Kate d'une semelle.

Une fois dehors, Brad fit un discret tour sur lui-même pour s'assurer qu'il n'y avait personne autour, appuya sur la touche de déverrouillage automatique de sa clé de voiture et pénétra à l'intérieur ni vu ni connu. Caché derrière les vitres fumées, il sortit son téléphone portable de sa poche et appuya sur la touche de rappel. Pendant que le numéro se composait tout seul, il fouilla dans la boîte à gants à la recherche de son paquet de cigarettes, qu'il conservait là comme prétexte au cas où il aurait besoin de se faire discret.

— C'est moi, dit-il les yeux braqués vers l'entrée du bar. On a comme qui dirait un problème.

Une série de jurons se succédèrent dans le haut-parleur, puis il confirma :

— Colter.

- 6 -

En voyant Mitch regarder dans sa direction, Kate tourna la tête en se demandant si ce n'était pas Clint et Joe qui l'avaient envoyé l'espionner. Mais c'était peu plausible vu que, n'étant pas encore au courant de sa rupture avec Dennis, ils n'avaient aucune raison de s'inquiéter pour elle. Donc, si Mitch la surveillait, c'était de sa propre initiative et elle avait bien envie de le prendre à son propre jeu.

Pas question pour autant de faire du rentre-dedans à Brad. Elle n'avait pas envie de faire jaser. Mais la petite robe qu'elle s'était mis en tête de rapporter au magasin, elle allait plutôt la garder.

Elle fit semblant d'être concentrée sur la partie, mais la vérité, c'était que ses moindres gestes étaient calculés pour attiser la jalousie de Mitch. Elle voulait être sûre qu'il la voie quand elle allait avaler son verre de tequila cul sec. En même temps, il ne risquait pas de la rater, vu qu'il ne l'avait pas quittée des yeux depuis le retour de Brad.

— Hé ho, Kate, c'est à toi ! fit Brad en faisant de grands gestes.

Elle se remit dans la partie, agacée par son propre manque de concentration puis, tout en enduisant le procédé de craie, annonça :

— La huit, en haut à gauche.

D'un geste précis, elle frappa la boule blanche, laquelle vint heurter la noire, dirigeant celle-ci droit dans la poche annoncée.

— Alors, là, chapeau, je suis bluffé ! s'exclama Brad.

— Merci, articula-t-elle en reposant le petit verre de tequila qu'elle venait de vider d'un trait, la gorge en feu, mais le sourire aux lèvres.

— Bon, fit Brad en ramassant son Stetson. Je crois que le moment est venu pour moi d'abdiquer. J'ai eu ma dose de défaites pour la journée.

Brad était bon perdant et les autres en profitèrent pour le charrier sans ménagement. L'ambiance était bon enfant et elle avait passé un après-midi bien agréable en leur compagnie.

— Tu vois, ce genre de moqueries, dit Brad, je vais y avoir droit tous les jours maintenant à cause de toi, alors, c'est quand tu veux pour la belle.

— On verra, dit-elle en ramassant son sac avant d'ajouter, la bouche en cœur : Ça me plaît bien à moi l'idée de rester invaincue.

Sur ce, il déposa un bref baiser sur sa joue et lui dit en s'en allant :

— Au plaisir, Kate !

Brad était parti sans qu'elle ait eu le temps, ou plutôt la présence d'esprit, de lui dire au revoir, accaparée qu'elle était par le regard de Mitch posé sur elle.

Elle prit congé des autres joueurs en les remerciant pour la partie, puis se dirigea droit vers la sortie sans leur laisser le temps de lui rendre la politesse. Et sans donner l'occasion à Mitch de la rattraper. Du moins le croyait-elle.

— Kate ? entendit-elle au moment même où elle s'apprêtait à pousser la porte.

Elle aurait bien prétendu n'avoir rien entendu, mais Marjorie les observait du coin de l'œil.

Kate se tourna vers Mitch en se retenant de soupirer.

— Tu ne veux toujours pas dîner ? demanda-t-il.

— Non, merci, c'est gentil.

— Alors, je te raccompagne.

— J'ai ma voiture, tu sais.

Il s'approcha d'elle et, à voix basse, lui fit remarquer :

— Tu es sûre que tu es en état de conduire ?

— Tout à fait, répondit-elle en hoquetant à moitié. Je n'ai presque pas bu si c'est ce que tu sous-entends.

— Un verre suffit quand on n'a pas l'habitude de boire.

— Qu'est-ce qui te fait croire ça ? Je suis cap' de boire un pack de six en une soirée, figure-toi !

Elle remarqua les efforts qu'il faisait pour ne pas rigoler et n'en fut que plus agacée.

— Qu'est-ce qu'il y a, Kate ? Ce matin, tu files à l'anglaise et là, tu cherches encore à me fuir.

— Tu devrais parler encore plus fort, ironisa Kate, soucieuse des regards tournés dans leur direction.

— Détends-toi. Personne n'a rien entendu, sauf peut-être le passage sur le pack de six, ironisa-t-il.

Elle serra les dents, cherchant quelque chose d'intelligent à dire, lorsque la porte s'ouvrit derrière elle. En voyant l'air surpris de Mitch, elle se retourna. C'était le shérif Harding, accompagné de son adjoint.

— Mademoiselle Manning, la salua le shérif, bien vite imité par son adjoint.

— Shérif, Andy !

— Toujours en ville, Colter ? lança le shérif à l'adresse de Mitch.

Il avait dit ça d'un ton si glacial que Kate se demanda si elle avait bien entendu. Elle n'avait pas eu souvent affaire à lui mais jusqu'ici, l'homme lui avait semblé plutôt affable. Qui plus est, d'où connaissait-il Mitch ?

— Je ne savais pas qu'il y avait un couvre-feu, répondit ce dernier du tac au tac.

— J'espère juste que vous n'êtes pas encore en train de fourrer votre nez là où vous ne devriez pas.

Les bavardages cessèrent dans le bar et, même s'il y avait peu de chances que les autres clients aient entendu, l'atmosphère de la salle s'était soudain tendue.

— Aux dernières nouvelles, nous sommes encore dans un pays libre, shérif.

Voyant que l'intimidation ne le mènerait à rien, le shérif choisit bon gré, mal gré de faire amende honorable.

— On est partis du mauvais pied, on dirait. C'est ma faute. Si on s'asseyait pour discuter ?

Le changement de ton du shérif les laissa perplexes, surtout Andy qui semblait scandalisé par sa volte-face.

— Ici ? finit par demander Mitch en désignant du regard l'assemblée.

— Allons plutôt là-bas, dans le coin.

— Comme vous voudrez, répondit Mitch.

Kate les suivit et répondit au regard courroucé du shérif :

— Nous allions dîner.

Le prétexte fit sourire Mitch qui se garda bien de la contredire. Au contraire de l'adjoint, qui ne se gêna pas pour manifester sa désapprobation, à grand renfort de soupirs et de raclements de chaise. Tous firent semblant de l'ignorer, sauf Marjorie qui le fusilla du regard au moment de prendre la commande.

Kate prit un thé glacé, par politesse, et les autres firent de même. Elle n'était pas là pour étancher sa soif, elle avait assez bu comme ça. Tout ce qui l'intéressait, c'était de savoir ce qui pouvait bien pousser le shérif à se comporter de la sorte avec Mitch, sans parler de son adjoint qui, à en juger par ses gestes furieux, avait l'air de prendre l'affaire très à cœur.

Une fois Marjorie repartie, le shérif Harding lâcha un long soupir et leva vers Mitch le même type de regard que celui qu'elle avait l'habitude d'adresser à ses élèves récalcitrants.

— J'admets que j'ai un peu surréagi tout à l'heure, commença le shérif, mais à ma décharge, nous avons vécu une période plutôt tendue ces derniers temps et le comté commence tout juste à retrouver sa tranquillité. Je suis sûr que vous comprenez.

Mitch acquiesça, sans desserrer la mâchoire pour autant. Il était sur la défensive et Kate n'eut aucun mal à comprendre à quoi le shérif faisait référence.

— Vu le contexte, vous comprenez que vos questions risquent d'être mal perçues dans la communauté. Vous voyez où je veux en venir ?

— Vous savez, shérif, je suis né et j'ai grandi ici, alors je ne pense pas que ça offense qui que ce soit si j'essaie de venir en aide à mes parents.

— Ça suffit maintenant le bavardage, s'exclama soudain l'adjoint en tapant du poing sur la table. On sait tout sur toi, Colter !

— Arrête ça, Andy, articula le shérif pour calmer le jeu.

— Tiens donc, fit Mitch d'un ton provocateur.

— Monsieur se croit supérieur parce qu'il pilote un avion et fréquente les starlettes d'Hollywood.

— Et alors, Andy, ce n'est un secret pour personne, tu es jaloux ou quoi ? railla Marjorie qui venait servir la commande.

L'adjoint lui adressa un regard vindicatif avant de lâcher :

— Certes, mais qui est au courant qu'il a été marié ? Et que ça n'a duré que deux mois ? Qu'est-ce qui s'est passé, Mitch ? La princesse n'a pas supporté la cohabitation avec un valet ?

Kate tourna les yeux vers Mitch, incrédule. Mitch, marié ? Ses parents ne lui en avaient jamais parlé.

Mitch n'avait pas bronché, mais il accusait le coup. Kate le connaissait trop bien pour ne pas voir la colère dans ses yeux.

— Ça suffit Barns, n'en faites pas une affaire personnelle, arbitra le shérif avant d'ajouter : Ce qui se passe, Colter, c'est qu'il s'agit d'un problème local et qu'on n'aime pas trop que des étrangers viennent mettre leur nez dans nos affaires…

Cette fois-ci, Kate sortit de sa réserve. Elle se devait d'intervenir.

— Shérif, je me permets de vous interrompre. Je ne sais pas si vous vous rendez bien compte, mais les Colter sont ici depuis des générations, au moins aussi longtemps que les Manning. La seule chose qui nous différencie, c'est que nous ne nous sommes pas fait voler nos bêtes et n'avons pas été forcés de quitter nos terres. Alors, j'ose espérer que vous ne considérez pas Mitch comme un étranger.

Piqué au vif, le shérif s'en tira par une pirouette :

— Il y a des éléments dans cette affaire qui vous dépassent, mademoiselle Manning.

— Dans ce cas, je ne vois qu'une solution. Si cela vous ennuie que Mitch pose des questions, mes frères et moi-même nous en chargerons. Je vous garantis que personne n'y verra aucune arrière-pensée de notre part.

Voilà. Elle lui avait bien cloué le bec. Le shérif allait sans doute lui en vouloir pendant un bout de temps, mais elle s'en moquait. Elle savait qu'il n'oserait rien contre elle. En tout cas, pas ouvertement. Quant à Mitch, il riait dans sa barbe, elle le voyait à ses yeux pétillants.

— Maintenant, si vous voulez bien nous excuser, conclut-elle, mon estomac crie famine. Sauf si vous voyez autre chose à ajouter ? ajouta-t-elle à l'adresse du shérif.

Pour toute réponse, le shérif et son adjoint baissèrent les yeux.

— Et toi, Mitch ?

Il secoua la tête, puis fouilla dans sa poche pour en sortir un billet de vingt qu'il déposa sur la table.

— Messieurs, les salua-t-elle en se levant, avant d'ajouter, à l'adresse de Barns : Oh, j'allais oublier. Andy, vous n'êtes qu'un demeuré !

Mitch la suivit dehors, impressionné par cette facette de sa personnalité. Enfant, elle avait toujours été très hardie, mais plutôt du genre introverti. C'était d'ailleurs la raison pour laquelle il n'avait pas cherché à l'arrêter car, dans l'absolu, il aurait très bien pu s'en sortir sans son aide. D'ailleurs, de la part de quelqu'un d'autre, il l'aurait sans doute mal pris.

— Tu me raccompagnes jusqu'à ma voiture, demanda-t-elle en s'agrippant à son bras pour ne pas tituber. Désolée, j'aurais pas dû m'en mêler.

— Tu n'as pas à t'excuser, j'ai beaucoup apprécié le spectacle.

— Ce shérif ne tourne pas rond, on dirait, commenta-t-elle en soupirant. Quant à son adjoint, je ne comprends pas comment il a pu être recruté. Mais dis-moi, qu'est-ce que tu leur as fait au juste pour les mettre dans un tel état ?

— J'ai téléphoné au shérif la semaine dernière pour savoir

où en était l'enquête sur les vols de bétail et il n'a pas arrêté de tourner autour du pot. C'est pour ça que j'ai décidé de venir. Pour en avoir le cœur net. Mais lorsque je suis allé le voir tout à l'heure à son bureau, il a eu la même réaction : il a refusé de me renseigner.

Elle s'arrêta devant un petit 4x4 métallisé et il demanda :

— C'est à toi ?

Elle fit oui de la tête.

— Un hybride. Très peu gourmand en carburant, précisa-t-elle.

— Bravo ! Quel sens des responsabilités, railla Mitch.

— Oh, arrête, j'ai l'impression d'entendre Dennis, dit-elle en sortant ses clés de son sac. Je ramène ce fichu engin demain et je l'échange contre une voiture de sport, ça te va ?

— Kate.

— Je ne plaisante pas.

— Je n'en doute pas, dit-il en prenant ses mains dans les siennes. Mais tu ne conduiras pas.

— Je suis tout à fait en état de conduire. Je ne prendrais pas le volant sinon.

Il lui attrapa les clés des mains et dit :

— Allez, laisse-moi te déposer, on récupérera ta voiture demain.

Comme elle semblait vexée, il ajouta :

— Je ne dis pas que tu n'es pas en état, mais c'est plus raisonnable.

Elle rit jaune.

— Si tu savais comme j'en ai ma claque d'être raisonnable… Pour ce que ça m'a apporté jusqu'ici.

— Oui, sauf que je te rappelle que tu viens de traiter Barns de demeuré et qu'il serait ravi d'avoir un motif pour te coffrer.

— Tu as raison, finit-elle par concéder.

Il sourit.

— Allez, mon vieux pick-up ne roule pas aussi écolo que ton 4x4, mais au moins, on est sûr d'arriver en un seul morceau, dit-il en se dirigeant là où il l'avait garé. On n'aura qu'à demander à tes frères de récupérer ta voiture.

— Je préférerais qu'ils ne soient pas au courant, répondit-elle en le suivant.

— Très bien, dans ce cas, on viendra la chercher ensemble demain matin si tu veux.

— Si ça ne te fait rien…

— Mais pourquoi tu ne veux rien dire à tes frères ?

— Pour qu'ils sachent que j'étais trop bourrée pour prendre le volant ?

— Vu sous cet angle.

— Ils vont se demander quelle mouche m'a piquée et forcément, ils vont s'inquiéter.

— Tu es sûre que c'est la seule raison ?

— Ben, je risquerais d'être amenée à me justifier et dans ma tête, c'était prévu que je leur annonce la nouvelle que demain. Non pas que j'y voie une excuse…

— Une excuse à quoi ?

— Au fait d'avoir trop bu.

Oups, elle venait de se trahir.

— Enfin, d'avoir bu tout court…

— Voilà, on y est, dit Mitch, comme si de rien n'était.

Elle observa le vieux pick-up.

— Ce n'est tout de même pas celui que tu avais à la fac ?

— Absolument ! Papa a continué de l'entretenir pour moi, dit-il en ouvrant la portière côté passager pour l'aider à monter.

Pendant qu'il faisait le tour pour monter à bord à son tour, elle eut le temps de constater l'état de délabrement des sièges.

— Il était déjà vieux à l'époque, remarqua-t-elle lorsqu'il se fut installé.

— Pas vieux. Classique ! rectifia-t-il en mettant le contact.

— Répare ce satané ressort qui me transperce le postérieur et on en reparlera.

Il éclata de rire.

— Rapproche-toi un peu de moi et je te dis un secret.

— Comme si j'avais le choix ! dit-elle en glissant du côté gauche de la banquette. Alors ?

— Eh bien, figure-toi que ce ressort, c'est ton frère qui a eu l'idée de le casser. Je venais d'avoir mon permis et mon père m'a offert ce pick-up qu'il tenait de mon grand-père.

— Et il l'a cassé exprès ?

— Oui.

— Pourquoi ?

— Pour que mes petites copines soient obligées de venir s'asseoir à côté de moi.

Elle éclata de rire.

— Sacré Clint, il n'y a que lui pour avoir des idées pareilles.

— Sauf qu'en l'occurrence, c'est une idée de Joe.

— Pas possible !

— Ça remonte à loin, on avait tout juste seize ans. Qu'est-ce qu'on a pu rigoler tous les deux avec cette histoire.

Au ton nostalgique de sa voix, Kate se remémora ses souvenirs de l'époque. Comment Joe, son frère aîné, avait pris la tête de la famille à la mort de leurs parents, à tel point qu'aujourd'hui, elle ne se souvenait pas de lui autrement que dans son rôle de soutien de famille.

— C'est bizarre, je n'ai pas de souvenir de lui enfant.

— Il a tout fait pour vous garder au ranch, toi et Clint, tu sais.

— Je sais, oui. Il a abandonné ses études, sacrifié sa jeunesse.

— Ne sois pas triste, dit-il en passant son bras autour de son cou. Si ça avait été Clint ou toi à sa place, vous auriez fait pareil.

— Le sens du sacrifice, la marque de fabrique des Manning ! ironisa-t-elle en pressant sa cuisse contre la sienne. Mais je dois dire, c'était bien vu le coup du ressort.

— Une idée de génie, tu veux dire, dit-il en se serrant un peu plus contre elle.

Elle sentait bon et son parfum lui rappelait la nuit de supplice qu'il avait passée avec elle, avivant le désir qu'il avait eu tant de mal à ignorer la veille. Calée tout contre lui, elle poussa un petit gémissement auquel son sexe répondit aussitôt en se redressant.

Craignant de se laisser emporter, Mitch retira son bras et se décala. Kate tourna la tête et il sentit son souffle chaud sur son visage.

— Mitch ?

— Oui, répondit-il en s'efforçant de regarder droit devant lui.

— C'est vrai cette histoire de mariage ?

- 7 -

C'était sans doute la question de trop, car à peine eut-elle prononcé le mot *mariage* que Mitch se figea et resserra les poings sur le volant. Elle le savait, elle aurait dû attendre qu'il aborde lui-même le sujet, mais la révélation de l'adjoint l'avait choquée et comme Mitch n'avait pas démenti, c'était sans doute que c'était vrai.

— Désolée, cela ne me regarde pas.

— Ce n'est pas ça, mais c'est une histoire stupide qui remonte à plusieurs années et, en toute franchise, il n'y a pas grand-chose à en dire.

Elle se mordilla la lèvre pour s'empêcher de le bombarder de questions, mais son explication l'avait laissée sur sa faim.

— Tes parents sont au courant ?

— Je leur en ai parlé après l'annulation.

Une annulation, pas un divorce ? Non pas que cela fasse une grande différence. C'était surtout l'idée que Mitch ait été marié, ne serait-ce que l'espace d'une journée, qui était déconcertante. Et pourquoi tant de mystère ? Elle se souvint qu'à une époque, Mitch avait été le garde du corps d'une célèbre actrice de télé.

— C'était Mandy Pearl, c'est ça ?

— Qu'est-ce que ça change ?

— Simple curiosité.

— Pour ton information, c'est une affaire privée.

— Bien entendu, répondit-elle un brin vexée, avant de demander : Vous aviez publié les bans ? Je ne lis pas la presse people, mais en général, tout ce qui concerne Mandy fait la une des tabloïds.

— Non, rien n'a filtré, on a eu de la chance. En plus, vu que j'étais son garde du corps, ça n'a étonné personne de nous voir ensemble à Las Vegas, ce week-end-là.

— Ne me dis pas que tu t'es marié dans une de ces stupides chapelles ?

— Quoi ? Ça ne te suffit pas de savoir qui c'était, maintenant il te faut les détails !

— Mais…

Le regard qu'il lui lança était sans appel. Elle se tut, s'en voulant d'avoir été si curieuse, mais c'était plus fort qu'elle : cela l'intriguait de savoir que son Mitch ait pu être marié. Qui plus est, à une célébrité !

— Bon, juste une petite question et après, promis, je me tais.

Mitch tourna le volant d'un coup sec pour s'arrêter sur le bas-côté. Kate glissa à l'autre bout de la banquette et maudit son frère en sentant le ressort s'enfoncer dans sa fesse.

— Aïe !

— J'en ai une, moi, de question !

A voir comme il était remonté, ce n'était pas une tactique pour changer de sujet.

— Pourquoi le shérif Harding s'est senti obligé d'aller fouiller dans mon passé ? Tu ne trouves pas ça bizarre, toi ?

— Moi, ce que je trouve bizarre, c'est plutôt l'attitude d'Andy.

— Celui-là ne me fait pas l'effet de quelqu'un de très futé. C'est Harding qui tire les ficelles, c'est sûr.

— Comment ça ? Tu ne le soupçonnes tout de même pas d'être impliqué dans les vols ?

— Ça m'a effleuré l'esprit, oui, et le fait qu'il cherche à tout prix à m'empêcher de mener ma propre enquête ne plaide pas en sa faveur.

— En tout cas, chapeau. A ta place, je n'aurais pas réussi à garder mon calme.

— En parlant de ça, tu m'as scotché, avoua-t-il en passant son bras derrière le dossier de la banquette.

— Moi ?

— Oui, toi et ta façon de lui rabattre son caquet, dit-il en faisant rouler une boucle de ses cheveux entre ses doigts avant de demander : Pourquoi tu les as coupés ?

— Trop bouclés, trop difficiles à coiffer.

— C'est dommage, j'aimais bien.

— Ah bon ?

— Oui, après ta période nattes.

Il sourit en la voyant faire la grimace.

— Je me souviens t'avoir vue une fois monter Shiloh le long de la rivière, cheveux au vent.

— C'était quand ?

— Ça devait être pendant les vacances de printemps. J'étais passé voir mes parents.

— Je devais être à la fac, en première année. Je me souviens qu'à l'époque, quand je rentrais au ranch pour les vacances, j'aimais bien aller galoper le long de la rivière pour décompresser.

Elle se tut un instant, avant d'ajouter :

— Et pourquoi tu ne m'as pas fait signe ?

— Tu avais l'air tellement bien, je n'ai pas osé te déranger.

Une douce sensation de chaleur envahit sa poitrine. Elle ne savait pas si c'était la douceur de ses paroles, la tendresse dans ses yeux ou sa façon de lui entortiller les cheveux, mais une chose était sûre, elle n'avait pas ressenti une telle osmose avec quelqu'un depuis fort longtemps. Et peut-être bien jamais.

— Tu es reparti si vite ce week-end-là, je n'ai presque pas eu le temps de te voir.

— J'aurais fait un effort si j'avais su.

— Tu dis ça juste pour être gentil parce que je suis déprimée, avoue !

— Pas du tout, je savais par mes parents que vivre loin du ranch t'était difficile, alors quand je t'ai aperçue au loin sur ton cheval, je me suis dit que tu avais mieux à faire que de tailler une bavette avec le vieux copain de tes frères.

Et de lui murmurer, à l'oreille :

— Et puis, à l'époque, tu n'étais déjà plus amoureuse de moi.

— Oh, ça va ! dit-elle en s'écartant.

Le ressort cassé la rappela aussitôt à l'ordre.

— Ouille !

Elle se cambra sur son siège, faisant bomber ses seins.

— Encore ce fichu ressort, dit Mitch, à deux doigts de craquer.

— Joe va entendre parler de moi.

Le coup du ressort n'avait en effet jamais aussi bien fonctionné. Hélas pour Mitch, c'était la petite sœur de son inventeur sur le siège passager. Il relâcha la boucle de cheveux qu'il tenait entre ses doigts et mit le contact.

— Viens par là. Je te raccompagne avant que ton postérieur soit couvert d'hématomes.

En s'approchant, Kate frôla son bras et il eut un mouvement de recul. Son brusque changement d'attitude l'étonna et elle demanda :

— J'ai fait quelque chose ?

— Non, ce n'est pas toi, dit-il en évitant son regard, c'est moi.

— Ah, je ne te plais plus, c'est ça ? plaisanta-t-elle.

— Pardon ? fit Mitch qui n'avait pas saisi son trait d'humour.

— Je blaguais. C'est le boniment type du gars qui veut rompre, c'est pour ça !

A en croire la gêne qui se lisait dans son regard, sa remarque avait fait mouche. Il avait sans doute lui aussi usé de ce baratin, mais quel homme ne l'avait pas fait ?

— Sauf qu'en l'occurrence, il ne s'agit pas d'un boniment.

— Ah oui ? Et toutes ces sautes d'humeur, tu voudrais me faire croire que ce n'est pas à cause de moi, peut-être ? Tu sais, Mitch, j'ai peut-être un peu bu, mais je te connais par cœur. En même temps, je ne t'en veux pas, j'ai tendance à poser trop de questions.

Il serra la mâchoire et secoua la tête avant de laisser tomber sa main d'un geste las sur le pommeau du levier de vitesse.

— Voilà, ce que je voulais dire, c'est que j'ai failli t'embrasser tout à l'heure, dit-il en voulant enclencher la première.

Il avait dû oublier les bases de la conduite parce qu'en voulant passer la première, il fit craquer la boîte de vitesses.

— Je t'interdis de prendre la route maintenant, s'époumona-t-elle. Pas après avoir admis ça.

— J'ai de plus en plus de mal à me contrôler, dit-il en serrant les dents.

— Tu veux dire, vis-à-vis de Dennis ?

— Oui, ça aussi.

Elle se repassa la conversation qu'ils venaient d'avoir dans sa tête. Elle avait parlé de Joe, puis il s'était renfermé sur lui-même et, pour finir, il l'avait appelée Katie. Pas la peine de chercher bien loin ce qui l'avait refroidi.

— Mitch, tu n'es qu'un idiot !

— Tu as raison, j'aurais déjà dû te ramener chez toi.

— Pendant combien de temps est-ce que tu comptes encore faire l'autruche ?

— C'est plus compliqué que ça. Tu sais bien que nos deux familles sont liées depuis des générations, sans compter que tes frères et moi sommes amis depuis toujours. Mais au-delà de ça, je ne suis pas à la recherche d'une relation.

— Juste d'un peu de sexe ?

— Bon sang, Katie, dit-il en se frottant le visage. Il ne s'agit pas de ça.

— Et qu'est-ce qui te fait croire que ce n'est pas ce que je recherche aussi ?

Il secoua la tête et un sourire triste s'esquissa sur sa bouche.

— Je n'ai pas envie de discuter de ça avec toi.

— O.K., très bien, dit-elle en croisant ses bras sur sa poitrine. Eh bien, qu'est-ce que tu attends pour me raccompagner ?

— Voilà, maintenant, tu es furieuse.

— Pas du tout.

Elle était triste et vexée, ça oui, mais furieuse, non.

Il hésita un moment, puis relâcha la pédale d'embrayage et s'élança sur l'autoroute. Après un ou deux kilomètres d'un silence pesant, il finit par lâcher :

— Tu boudes comme une petite fille et tu voudrais que je ne te prenne pas pour une enfant.

— J'en ai marre d'être manipulée, répliqua-t-elle en regardant le paysage défiler à travers la vitre.

— Et en quoi est-ce que je te manipule ?

— Si tu ne veux pas de moi, dis-le-moi une fois pour toutes plutôt que de te retrancher derrière de faux prétextes par peur de me blesser. De toute façon, le mal est fait, alors…

Mitch resta bouche bée.

— Je te parle de respect et toi, tu cries à la manipulation ?

— Respecter une personne, ça commence par savoir se montrer franc avec elle et ne pas décider pour elle ce qu'elle est capable ou non d'entendre. Je ne suis plus une petite fille, Mitch. En voulant à tout prix me protéger, tu m'empêches de faire mes choix.

Le pick-up fit un écart et Mitch redressa le volant d'un coup sec.

— Donc, tu veux que je t'embrasse, c'est ça ?

— Ce que je veux, c'est que tu fasses ce qu'il te plaît, ensuite à moi de décider ce qui me plaît ou pas.

Le soupir qu'il lâcha en disait long sur sa confusion.

— J'ai besoin de réfléchir.

— A quoi ?

— A tout ça !

Elle se pressa les mains sur les cuisses en s'efforçant de se mettre un peu à sa place. Il venait de lui faire un énorme aveu : il avait eu envie de l'embrasser. C'était en soi incroyable. Celui qu'elle avait aimé en secret toute son enfance, et même une partie de son adolescence, avait failli bafouer tous ses principes pour un baiser d'elle. Et elle, pour le remercier de lui avoir avoué le dilemme qui le tiraillait, n'avait rien trouvé de mieux que de jouer une fois encore les victimes. Au fond, il avait autant de mal à ne plus voir en elle la petite Katie, qu'elle à ne plus voir en lui son inaccessible amour d'enfance. Il avait sans doute raison, il était temps de réfléchir un peu à la situation.

Lorsque Mitch arriva au Sugarloaf le lendemain matin, Clint était en train d'empiler des bottes de foin à l'arrière d'un vieux pick-up. Joe était dans son bureau et Kate, quelque part, à l'intérieur de la maison. Elle devait aller récupérer sa voiture en ville et ils étaient convenus qu'il l'accompagnerait.

Il s'empara d'une paire de gants de travail posés sur le rebord d'une des fenêtres de l'étable et se mit au travail avec Clint tout en lui relatant sa visite chez le shérif de la veille et la façon dont ce dernier avait une fois de plus éludé ses questions. Il lui parla aussi de la petite enquête que le shérif avait menée sur lui et de son mariage éphémère avec Mandy Pearl. Il préférait que Clint l'apprenne de sa bouche plutôt que de celle d'un voisin, car il le savait, son vieux secret allait faire le tour de la ville en moins de temps qu'il ne fallait pour le dire. L'histoire, même vieille de six ans, était bien trop croustillante pour rester confidentielle.

Clint s'essuya le front du revers de la main.

— Tu as été marié à Mandy Pearl ? J'y crois pas !

— Oui, enfin, ça a été plutôt express, dit Mitch en même temps qu'il balançait une botte dans la benne. Mais, pour en revenir au shérif, il y a quelque chose qui cloche chez lui. Il est sur la défensive et je ne suis pas le seul à le penser. Kate aussi a la même impression.

— Kate ? s'étonna Clint.

— Oui, elle est passée chez Barney pour rendre quelque chose à Marjorie, s'empressa de répondre Mitch.

— Ah, c'est pour ça ! Justement, hier, je me demandais où elle était passée, dit-il avant d'ajouter d'un air pensif : C'est vrai que c'est suspect, cette enquête que le shérif a menée sur toi. Il faut croire qu'il se sent menacé.

— Je ne vois pas en quoi je pourrais représenter une menace pour lui.

— Il brigue un nouveau mandat et, même si les vols ont cessé, les voleurs, eux, courent toujours. J'imagine qu'il n'a pas très envie qu'on vienne remuer cette affaire juste au moment où les esprits commencent à s'apaiser.

— S'il se sent sur la sellette, pourquoi s'obstine-t-il à vouloir mener cette enquête tout seul ?

— Vous êtes en train de parler du shérif, c'est ça ? demanda

Kate en s'approchant dans son petit short blanc et son haut moulant.

— Bonjour, Kate, la salua Mitch en s'efforçant de ne pas s'attarder sur ses jambes.

— Bonjour Mitch, lui répondit-elle en souriant avant d'ajouter, à l'adresse de Clint : J'étais là hier quand le shérif s'est pointé chez Barney. Andy était avec lui et il cherchait la petite bête.

— Je ne comprends pas, c'est Andy ou le shérif qui te cherche des crosses ? demanda Clint en se tournant vers Mitch.

— Disons que le petit blanc-bec a eu plus de mal à se contenir.

— Tu parles, il est jaloux comme un pou, lança Kate en gratifiant Mitch d'un coup de coude dans les côtes. Entre Clint et toi, le pauvre n'a plus aucune chance avec les filles.

Clint fusilla sa sœur du regard. Il n'aimait pas qu'elle le taquine sur le sujet.

— Tu as eu le temps de déjeuner ce matin ? s'enquit-elle.

— Je me suis levé tard, j'ai juste eu le temps d'avaler un muffin avec mon café.

— Il me reste de la pâte à crêpes si vous voulez, proposa-t-elle en se tournant vers Mitch. Il y a aussi des saucisses que Joe a laissées au chaud, tu en veux ?

— Non merci, Kate, répondit Mitch étonné par son aplomb.

Elle s'était adressée à lui comme s'il ne s'était jamais rien passé entre eux, ce qui semblait normal en présence de son frère. Pourtant, quelque chose dans le ton de sa voix avait changé, une sorte de détachement qui suggérait que leur petite conversation de la veille l'avait fait réfléchir. Sans doute était-elle arrivée à la même conclusion que lui : il valait mieux pour tout le monde qu'ils gardent leurs distances.

— Tu comptes faire quoi maintenant ? poursuivit-elle, la poitrine bombée dans son débardeur.

— Finir d'aider ton frère à charger le camion.

— Je voulais dire, au sujet des vols.

— Vu la situation, je n'ai pas trente-six solutions, dit-il en ramassant une autre botte pour ne pas avoir à croiser son regard… et sa paire de seins.

— Tu repars quand ? s'empressa-t-elle de demander, soulagée de le voir résigné.

— Partir ? Je n'ai encore rien trouvé !

— Et tu comptes t'y prendre comment sans l'aide du shérif ?

— Tiens, on dirait qu'on a de la visite, les interrompit Clint en désignant du menton la grosse berline noire qui s'engageait dans le chemin de terre menant à la propriété. Tu sais à qui appartient cette voiture, Kate ?

Elle fit un tour sur elle-même et protégea ses yeux des rayons du soleil.

— Il me semble l'avoir déjà vue en ville, mais je ne sais pas à qui elle appartient.

Profitant de ce qu'elle lui tournait le dos, Mitch s'attarda sur ses longues jambes musclées. C'était curieux, mais les taches de rousseur qu'elle avait enfant semblaient avoir disparu. Il n'avait pas eu le temps de bien voir l'autre nuit, il faisait trop noir et il était trop tendu pour remarquer ce genre de détails. Mais là, sous les rayons du soleil, plus rien ne lui échappait, surtout pas les courbes rebondies de son joli petit postérieur.

— Je crois que je sais qui c'est, finit par dire Clint. Ça doit être ce vautour d'agent immobilier qui a vendu la propriété des Baxter.

En entendant Clint parler d'agent immobilier, Mitch reprit ses esprits. Ses parents avaient eux aussi été démarchés par une agence quelques jours après qu'ils avaient déménagé. Même s'il avait du mal à se l'avouer, la crainte de voir le ranch familial cédé à des étrangers avait compté pour beaucoup dans sa décision de venir sur place pour enquêter. Au moins autant que l'accueil déplorable que lui avait réservé le shérif au téléphone.

L'homme se gara à côté de l'étable et descendit de son auto flambant neuve. La trentaine, il luisait dans son costume bleu pâle, son Stetson et ses bottes cirées. A en juger par son style, il devait venir de Houston ou de Dallas. Encore un de ses cow-boys du dimanche, ne put s'empêcher de songer Mitch.

— M'dame, fit-il en ôtant son chapeau en voyant Kate approcher. Levi Dodd, se présenta-t-il en tendant la main à

Clint tandis que Mitch ôtait ses gants. J'espère que vous ne m'en voulez pas de passer à l'improviste.

— Pas de souci, répondit Clint. Que puis-je pour vous ? s'enquit-il une fois les présentations faites.

— J'ai entendu dire que monsieur Colter était un de vos bons amis, dit-il en se tournant vers l'intéressé. Je suis passé chez vos parents tout à l'heure, mais comme vous n'y étiez pas, j'ai pensé que je vous trouverais peut-être ici.

Mitch se raidit. Si cet homme était bien agent immobilier comme le pensait Clint, il n'avait rien à lui dire, en tout cas, rien qui lui fasse plaisir à entendre.

— Me voici, répondit-il d'un ton sec.

L'homme n'était pas déplaisant en soi, avec son air bonhomme et son sourire de pub pour dentifrice, mais lorsqu'il lui tendit sa carte, Mitch n'eut qu'un seul mot à lire pour se sentir agressé.

— Je ne vois pas bien ce que je peux faire pour vous, monsieur Dodd, dit-il en lui rendant sa carte.

— Appelez-moi Levi, répondit-il en lui faisant signe de la garder. J'imagine que vos parents ont dû vous parler de moi.

— Si c'est le cas, je ne m'en souviens pas, répliqua Mitch en glissant la carte dans la poche arrière de son jean.

— J'ai du thé glacé ou de la citronnade, si quelqu'un en veut, proposa Kate pour détendre l'atmosphère.

— Pas pour moi, merci, répondit aussitôt Mitch en renfilant ses gants pour retourner travailler.

— Non merci, m'dame, dit Levi avant d'ajouter à l'adresse de Mitch : Monsieur Colter, vous permettez que je vous touche deux mots en privé ?

Comme Mitch ne répondait pas, Clint brisa le silence :

— A la réflexion, je prendrais bien un verre de citronnade, dit-il en faisant signe à Kate de le suivre.

— Attendez, tous les deux, j'en ai pour une minute, les arrêta Mitch. Monsieur Dodd, si j'ai bien compris vous travaillez dans la transaction de biens, c'est ça ?

L'homme opina du bonnet.

— Ma famille n'ayant rien à vendre ni à acheter, je ne vois pas bien de quoi vous voulez me parler.

A l'évidence embêté, l'homme esquissa un sourire forcé avant de répondre, de sa voix mielleuse :

— J'ai eu l'occasion de discuter avec votre père il y a de cela quelques semaines et il songeait sérieusement à mettre la maison et le terrain en vente.

— Peut-être, mais pour l'instant, la décision n'est pas arrêtée.

Dodd eut un mouvement de recul.

— Vous ne seriez pas en contact avec une autre agence, des fois ? Parce que, si c'est le cas, je peux vous assurer…

— Non, non, vous n'y êtes pas du tout.

— Si c'est au sujet du prix, les Baxter pourront vous confirmer que leur bien n'a pas été bradé.

— Ecoutez, monsieur Dodd, n'y voyez rien de personnel, mais je doute que nous ayons besoin de vos services.

C'était on ne peut plus personnel au contraire. C'était de la terre des Colter qu'il s'agissait. Une terre que ses aïeux s'étaient transmise de génération en génération pendant plus d'un siècle. La simple idée que quelqu'un d'autre qu'un Colter puisse habiter la maison de ses parents lui retournait l'estomac.

L'homme, qui était resté coi un moment, insista :

— Mais les lieux sont vides…

— J'y suis, moi.

— Mais, vous ne comptez pas rester, n'est-ce pas ?

Mitch sourit.

— Qu'est-ce qui vous fait croire ça ?

- 8 -

Kate n'en revenait pas de ce que Mitch venait de dire. Etait-il sérieux ou était-ce juste une stratégie pour se débarrasser une fois pour toutes de l'agent immobilier ? Elle ne pouvait le dire. Elle observa en coin la réaction de son frère, mais celui-ci avait toujours été très doué pour masquer ses émotions.

Elle prit une longue inspiration pour mieux rassembler ses idées. Si Mitch était revenu, c'était d'abord et surtout pour essayer d'en savoir plus sur ces mystérieux vols, pas pour s'installer. Et donc, en dépit de ce qu'il avait laissé entendre à Dodd, son retour ne pouvait pas être définitif. Certes, il n'avait pas dit quand il comptait repartir, mais sa vie, son travail étaient en Floride et il ne pouvait pas avoir l'intention de revenir vivre ici.

Vu son aveu de la veille, il valait mieux pour elle qu'elle s'accroche à cette idée, en tout cas. Toute la nuit, elle n'avait cessé de se torturer l'esprit en se demandant ce qu'il adviendrait si jamais l'un ou l'autre venait à céder. Elle avait fini par se rassurer en se disant que la question se résoudrait d'elle-même quand Mitch repartirait chez lui mais, après ce qu'il venait de dire, elle n'était plus sûre de rien.

— J'ai fait beaucoup de route pour venir jusqu'ici, se plaignit Dodd, et si je l'ai fait, c'est parce que votre père m'avait donné l'impression de vouloir vendre.

— La prochaine fois, téléphonez, répliqua Mitch.

— Enfin, maintenant que je suis là…, dit-il en jaugeant la propriété d'un air avisé. Joli terrain que vous avez là. Vous ne compteriez pas en vendre une partie, par hasard ? demanda-t-il à l'adresse de Clint.

Le jeune Manning le fusilla du regard et sa sœur manqua de s'étouffer devant un tel sans-gêne.

— C'était juste une question, je ne fais que mon travail, se défendit Dodd en tirant un mouchoir de sa poche pour s'éponger le front avant d'ajouter : Vous avez ma carte si vous changez d'avis. Je devrais repasser dans le coin la semaine prochaine, alors si vous avez besoin de moi, n'hésitez pas.

Au bord de l'implosion, Mitch accepta sa main tendue, mais il la lui serra avec une telle poigne que l'homme dut comprendre, s'il ne s'en était pas encore rendu compte, qu'il valait mieux pour lui qu'il ne remette jamais les pieds ici. En tournant la tête, Mitch croisa le regard de Kate et s'en voulut un instant de s'être laissé submerger par ses sentiments, mais à son petit signe de tête, il comprit qu'il avait son plein assentiment. Elle devait ressentir la même indignation que lui face à cet étranger qui lorgnait sur les terres tel un vautour en repérage.

Ils étaient là, debout tous les trois, à regarder l'agent immobilier rebrousser chemin, quand Clint demanda :

— Tu savais que ton père avait fait appel à lui ?

— Il m'en a touché deux mots, oui, admit Mitch, les yeux rivés sur la voiture noire qui quittait la propriété. C'est aussi cela qui m'a décidé à revenir.

— Tu sais, si tes parents ont envisagé la possibilité de vendre leurs terres, c'est sans doute que c'est devenu trop dur pour eux. Je comprends que ça te fende le cœur, mais tu dois respecter leur décision.

— S'ils sont partis, c'est parce qu'ils n'ont pas eu le choix. En leur volant leur bétail, c'est toute leur vie ici qu'on a volée.

Clint et Kate échangèrent un bref regard.

— Tu sais que tu peux compter sur nous, dit Clint. Tu n'as qu'un mot à dire.

— Il y a bien quelque chose que tu peux faire, mon ami, mais, je préfère te prévenir, ce n'est pas un petit service. Il faudra que vous preniez la décision ensemble avec Joe.

— Joe fera tout pour t'aider, c'est sûr.

— Bon, voilà ce que je propose. Je t'explique mon plan et

ce soir, on en parle tous les deux à Joe. Si, au final, vous me dites que c'est non, pas de souci, je ne vous en voudrai pas.

— Toi, tu nous aiderais, hein, si nous étions à ta place? l'interrogea Kate le sourcil levé. Eh bien, nous, c'est pareil. Alors, dis-nous, comment est-ce qu'on peut t'aider?

— Ta sœur est devenue bien autoritaire en grandissant, plaisanta Mitch en échangeant un regard complice avec Clint.

— Un vrai dragon, renchérit ce dernier.

Elle aurait voulu répliquer et ce n'était pas la repartie qui lui manquait, mais voyant comme son frère les observait tous les deux avec curiosité, elle préféra faire profil bas.

— Alors, ce plan?

— Je voudrais vous emprunter deux douzaines de bêtes. L'idée ce serait de les mettre à paître sur le pré nord et de faire courir le bruit que j'ai repris l'exploitation.

— Tu veux te servir des bêtes comme d'appât au cas où les voleurs seraient toujours dans le coin, pensa Clint tout haut.

— Ils me croiront seul au ranch et me prendront pour une cible facile, d'autant qu'ils connaissent l'endroit et qu'ils ont l'habitude de revenir à la charge. De mon côté, je compte installer l'équipement vidéo nécessaire pour surveiller la propriété et en plus, je te garantis ton bétail. Si mon plan échoue et que les voleurs réussissent leur coup, je te rembourserai jusqu'au dernier centime. Tu as ma parole.

Kate laissa Mitch leur dévoiler son plan sans mot dire. De son côté, ce n'était pas le fait que le bétail risque d'être volé qui la tracassait, mais plutôt le temps qu'allait durer l'opération. Une fois le piège en place, cela pouvait prendre des semaines avant que les voleurs mordent à l'hameçon. Autrement dit, Mitch allait être son voisin encore pendant un bon bout de temps.

— Bon sang, Mitch, qu'est-ce qui te prend de parler de garanties? Le bétail est à toi, sans contrepartie, et je te le dis en notre nom à tous. Pas vrai, Kate?

Perdue dans ses pensées, elle hocha la tête avant de se tourner vers Mitch.

— Tu vas avoir besoin d'aide pour la surveillance.

— Ils ne frappent que la nuit. Je pourrais dormir le jour et commencer la surveillance à la tombée de la nuit.

— Mince, ça tombe mal, dit Clint. Je ne vais pas pouvoir être là pour t'aider, je vais sans doute m'absenter pendant une ou deux semaines… Par contre, si tu as besoin d'aide avec les bêtes, tu peux demander à Pete ou Silas.

— Oui, je pense que j'aurai besoin d'eux, mais je ne veux pas non plus que trop de monde soit au courant.

Kate avait reporté son attention sur Clint. Elle trouvait curieux qu'il doive s'absenter si longtemps, lui qui d'ordinaire n'allait jamais plus loin que Dallas ou Houston.

— Tu vas où ? demanda-t-elle en se doutant déjà de ce qu'il allait lui répondre.

— Dory a des vacances, répondit-il, le sourire jusqu'aux oreilles. Elle veut me faire visiter Hawaii.

En voyant Clint tout guilleret, Mitch adressa un petit sourire en coin à Kate et demanda :

— Et qui est donc cette Dory ?

Comme Clint ne répondait pas, Kate le fit à sa place :

— C'était ma colocataire à la fac. Elle était là ce week-end à la fête.

— Tu vois, si tu étais arrivé plus tôt, le taquina Clint. A force de rater le coche, tu vas finir vieux garçon, renchérit-il en le gratifiant d'une tape amicale sur l'épaule. Regarde, même ma petite sœur s'apprête à faire le grand plongeon !

Kate blêmit. Mitch la regardait, elle pouvait le voir du coin de l'œil, mais elle ne pipa pas mot.

— De toute façon, je n'aurai pas besoin d'aide, dit Mitch pour la tirer d'embarras. Je vais aller chercher le matériel à Houston, puis j'installerai les caméras et j'attirerai ensuite l'attention en déplaçant le bétail. Et, si tu n'y vois pas d'inconvénient, j'aimerais bien coller des puces à quelques bêtes.

— Non, au contraire, répondit Clint. Depuis le temps que je bassine Joe pour qu'on se modernise. On doit être le seul ranch de notre envergure à travailler encore sans informatique.

Soulagée de voir que la conversation venait de s'engager

sur un autre thème, elle se sentit redevable envers Mitch de l'avoir tirée d'affaire, mais aussi d'avoir abordé un sujet qui lui tenait à cœur. Car, tout comme Clint, elle considérait qu'il était grand temps d'adopter des méthodes de travail plus en phase avec leur époque. Hélas, leur frère Joe avait tendance à se montrer rétif à toute forme de modernité.

— Ça se pose comment ces puces ? s'enquit-elle.

— Ça s'implante sous la peau. La puce contient toutes les informations sur l'animal, son âge, son sexe, sa race, le nom de son propriétaire. Pour les lire, il suffit d'avoir le scanner adéquat. Et puis, dès qu'un animal est pucé, ses données sont enregistrées dans le fichier des forces de police. C'est plutôt dissuasif.

— Je comprends mieux maintenant pourquoi seuls les petits ranchs traditionnels ont été touchés, dit Kate. On peut s'estimer heureux d'avoir été épargnés.

Un peu secouée, Kate croisa ses bras sur sa poitrine. Jamais jusqu'ici, elle n'avait imaginé que le Sugarloaf puisse être une proie aussi facile.

— C'est quand même dommage que tout tombe en même temps, se désola Clint. Si ça n'avait tenu qu'à moi, j'aurais reporté mes vacances, mais je doute que le patron de Dory accepte qu'elle annule ses congés au dernier moment. Je vais en parler à Joe, il pourra sans doute vous donner un coup de main.

— Je ne crois pas qu'on puisse compter sur lui, non plus, dit Kate.

— Vous en faites pas, je saurai me débrouiller, dit Mitch.

— Qu'est-ce qui te fait penser ça, Kate ? s'enquit tout de même Clint.

— Il part rejoindre Lisa à Tulsa pour passer quelques jours avec elle.

— Quand est-ce qu'il t'a parlé de ça ?

— Ce n'est pas lui, c'est Lisa.

— Ah, je comprends mieux pourquoi il a déjà commencé à faire les fiches de paie.

— C'était un week-end spécial rencontres ou quoi ? s'exclama Mitch.

— Fallait pas être en retard ! répéta Clint.

— Je peux t'aider, moi, proposa Kate. Après tout, il suffit de surveiller un écran, non ?

Mitch perdit d'un seul coup son sourire.

— Et si les voleurs mordent à l'hameçon ?

— Tu seras bien content que je sois là pour t'aider à les mettre en joue.

Mitch fit non de la tête.

— Pas question.

— Je suis bonne tireuse, tu sais.

— Allons, Katie, dit Mitch en prenant Clint à témoin, s'entraîner sur une cible, c'est pas la même chose que de tirer sur quelqu'un.

— Alors, *primo*, arrête de m'appeler Katie et *secundo*, il n'est pas question de tirer sur qui que ce soit. Un coup de feu au-dessus de leurs têtes devrait suffire à les faire déguerpir.

— Je ne sais pas, Kate, s'interposa Clint. Pour ce qui est de la surveillance, je n'y vois pas d'inconvénient, mais par contre, il faut que tu me promettes que…

— N'y pense même pas, rétorqua-t-elle sans même lui laisser le temps de terminer sa phrase.

Mitch croisa les bras sur sa poitrine, faisant gonfler ses biceps sous les manches de son T-shirt.

— Inutile d'insister. C'est un non catégorique.

— On n'est pas en train de voter, là, se défendit Kate.

— Et Dennis, il a son mot à dire, lui aussi, ajouta Clint.

— Dennis ? Ce petit…

Elle s'interrompit, prit une longue inspiration et, le menton redressé, déclara :

— Ça tombe bien que tu me parles de lui parce que j'avais justement l'intention de vous annoncer quelque chose à Joe et à toi.

Et d'ajouter, en prenant soin de ne pas croiser le regard de Mitch :

— Au fait, j'aurais besoin de récupérer ma voiture en ville.

— Ta voiture ? Pourquoi, elle est en panne ?

— Non, mais hier après-midi, j'ai joué au billard chez Barney et il se trouve que j'ai un peu trop bu, répondit-elle sans se démonter. Alors, j'ai laissé ma voiture en ville et Mitch m'a raccompagnée.

Et d'ajouter, sans perdre son aplomb :

— Je serai à l'intérieur si vous avez besoin de moi.

Sur ce, elle tourna les talons et se dirigea vers la maison d'un pas déterminé. A vingt-sept ans, elle n'avait plus à se justifier.

Mitch la regarda s'en aller avec admiration, fier de l'immense pas en avant que la petite Katie venait d'effectuer. Elle qui, la veille encore, semblait redouter le regard de ses frères, venait de s'émanciper de Clint sous ses yeux. Et ce faisant, l'avait mis dans un beau pétrin.

— Qu'est-ce qui lui a pris de boire comme ça ? Chez Barney en plus ? se demanda-t-il avant de se tourner vers Mitch. Et pourquoi tu ne m'as rien dit ?

— L'occasion ne s'est pas présentée.

— C'est avec toi qu'elle a joué au billard ?

— Non.

— Et Dennis, il était là ?

De plus en plus mal à l'aise, Mitch se contenta d'un petit non de la tête, puis il regarda sa montre en faisant mine d'être pressé.

— Ecoute, j'ai juste le temps d'aller chercher le matériel à Houston, mais je veux être sûr que Joe est partant.

— Aucun problème, répondit Clint d'un air distrait avant de demander : Alors, si ce n'était ni toi, ni Dennis, avec qui est-ce qu'elle a joué au billard ?

Mitch hésita. Il ne voulait pas risquer de mettre les pieds dans le plat. Cependant, il était bien placé pour savoir ce que son ami pouvait ressentir.

— Il y avait pas mal d'employés du ranch aux tables de

billard, répondit-il, mais elle a surtout joué avec les deux nouvelles recrues du Double R.

— Ne me dis pas qu'elle a joué avec Brad Jackson.

— L'un d'eux s'appelait Brad, oui.

— Qu'est-ce qu'elle fichait avec ce type ?

— Tu le connais ?

— Suffisamment pour savoir que je ne l'aime pas. Il était à la fête ce week-end, il n'a pas arrêté de faire le beau.

— Tu ne trouves pas ça bizarre, toi, qu'il ait atterri là ? Les Reynolds ne doivent pas proposer des salaires mirobolants, après les pertes qu'ils ont subies.

— C'est vrai que sa tête ne me revient pas, mais de là à penser qu'il soit dans le coup. Surtout qu'il n'y a pas eu d'incidents depuis qu'il a été engagé.

— Tu vois d'autres nouvelles têtes dont il faudrait se méfier ?

— Non, aucune, soupira Clint avant de se donner un grand coup de chapeau sur la cuisse. Je n'aime pas du tout l'idée que Kate sympathise avec ce type mais, tu as vu comme elle est, si je lui dis quelque chose, elle va me sauter à la gorge.

— Tu ne vas pas lui reprocher de vouloir mener sa propre vie. Elle est adulte maintenant.

— Adulte, oui, mais avec la naïveté d'une enfant. Je ne sais pas si tu as eu l'occasion de voir son fiancé…

Mitch secoua la tête et Clint poursuivit :

— Je sais que sa vie sentimentale ne me regarde pas, mais…

Il s'interrompit, voyant que Mitch semblait gêné, et ajouta :

— Laissons tomber le cas Dennis. On en reparlera quand tu le connaîtras.

Ouf, se dit Mitch, soulagé de ne pas avoir à parler avec Clint de celui qu'il avait surpris en train de tromper sa sœur. Hélas pour lui, le répit allait être de courte durée, car son ami enchaîna :

— A ce propos, j'ai un service à te demander. Tu pourrais garder un œil sur Kate pendant mon absence ?

Mitch sentit tous ses voyants internes s'allumer. Il ne pouvait pas refuser un service à son ami, surtout après celui qu'il venait d'accepter de lui rendre, mais là, c'était peut-être un peu trop lui demander. Car, même si la veille encore, il s'était promis de ne plus lâcher Kate d'une semelle, il se rendait compte qu'être à ses côtés n'était pas une sinécure.

— Je ferai ce que je peux, mais je ne vais pas être très disponible. Je vais devoir faire le guet au ranch toutes les nuits et la journée, il faudra que je dorme.

— C'est pour ça que je me dis qu'en fin de compte, ce ne serait pas une si mauvaise idée.

— Quoi donc ? fit Mitch avec le curieux pressentiment qu'il n'allait pas aimer la réponse.

— Elle t'a proposé de t'aider, non ? Eh bien, laisse-la faire.

— Tu es devenu dingue ?

— Je ne te dis pas de lui confier une arme, mais, au moins, en cas de besoin, elle sera là pour appeler les renforts.

— Sauf que la majeure partie de la surveillance se fera la nuit et j'imagine qu'elle a mieux à faire.

— Fais-moi confiance, non ! Elle et Dennis ne se voient pratiquement pas de la semaine. C'est bizarre, leur relation, dit-il avant de s'interrompre, conscient que le sujet embarrassait son ami. Tout ça pour dire que si elle a du temps à perdre chez Barney, autant qu'elle le passe à t'aider.

— O.K., je vais voir comment on peut s'organiser, concéda Mitch.

— Merci. Tu pars pour Houston, là ?

— Je préfère avoir l'aval de Joe d'abord.

— Tu es aussi têtu que Kate, ma parole ! Voilà ce qu'on va faire : moi, je vais parler à Joe et toi, tu emmènes Kate avec toi à Houston, comme ça, au retour, elle récupère sa voiture.

Mitch fit un rapide calcul dans sa tête. Même en partant tout de suite, ils ne pourraient jamais être de retour avant la nuit tombée, ce qui signifiait que ce ne serait pas encore aujourd'hui que Kate annoncerait la nouvelle à ses frères.

— Après réflexion, finit par répondre Mitch, je vais me débrouiller autrement pour le matériel. Ce n'est peut-être pas la peine que je me déplace aussi loin. Et puis, pour la voiture de Kate, t'en fais pas, je m'en occupe.

— Viens, rentrons, dit Clint en se dirigeant vers la maison, j'ai peut-être une idée pour ton installation. Si tu veux, je peux me rencarder auprès du T&H. Ils ont investi dans une méga-installation de télésurveillance. Les écuries, les étables, l'intérieur et l'extérieur de la maison, chez eux, tout est surveillé vingt-quatre heures sur vingt-quatre.

— Depuis les vols ?

— Non, Clyde s'était déjà décidé à tout moderniser à la mort du vieux Thompson. Ils ont même des hélicos pour rassembler les troupeaux. Je n'arrête pas de dire à Joe qu'il faut qu'on s'adapte, nous aussi, mais il n'y a rien à faire, chaque fois que je lui en parle, il se braque.

Mitch savait Joe entêté, mais pas borné. Sans doute le fait qu'il ait dû endosser très jeune des responsabilités auxquelles il n'était pas préparé expliquait-il sa réticence au changement.

— Il finira par y venir, tu verras. Moi aussi, j'ai dans l'idée d'investir pour moderniser le ranch.

— Tu parles comme si tu comptais rester.

— Disons que mon père va avoir besoin d'un bon coup de main pour remettre le ranch en route. Il faudra bien que je reste au moins jusque-là.

Sa réponse sonnait comme un prétexte, même Mitch s'en rendait compte. En fait, il avait pensé tout haut et le plus curieux, c'était qu'il n'avait même jamais auparavant formulé l'idée de revenir s'installer au ranch.

— Laisse tomber, j'ai parlé sans réfléchir.

— En tout cas, si tu reviens t'installer ici, je ne vais plus te lâcher, mon vieux. Et, avant que j'oublie, au sujet de la petite virée de Kate chez Barney, mieux vaut éviter le sujet devant Joe.

— Ah bon, pourquoi ? Il va la priver de sortie ?

— Dis-le pour rire…

Mitch laissa Clint le précéder à l'intérieur. Les paroles de son ami résonnaient encore dans sa tête. Kate avait sans doute dû prendre sur elle pour arriver à s'imposer face à ces deux fortes têtes. Et lui, qu'avait-il fait jusqu'ici sinon se comporter avec elle comme un frère de plus ? Comme si elle n'en avait déjà pas assez avec les siens !

- 9 -

Le lendemain, en revenant de Houston, Mitch fit un crochet par le Sugarloaf. En toquant à la porte, il se dit qu'il aurait peut-être mieux fait de repasser chez lui pour prendre une douche et se changer, mais c'était trop tard. Il toqua de nouveau.

Kate ouvrit la porte. Elle portait un T-shirt bleu deux fois trop grand et elle avait ramassé ses cheveux en queue-de-cheval à la hâte. Elle fit de grands yeux ronds en le voyant.

— Je tombe mal peut-être ?

— Non. Entre, dit-elle en ouvrant grande la porte.

— Tes frères sont là ?

— Joe est sorti, il ne devrait pas tarder, et Clint est en haut, au téléphone avec Dory.

Elle se pencha vers lui pour chuchoter :

— Si tu l'entendais roucouler dans le combiné !

Mitch sourit.

— Je n'arrête pas de l'asticoter avec ça, lui confia-t-elle en le conduisant dans le salon. Par contre, Joe, j'évite de le taquiner, c'est tout nouveau pour lui et ça me réjouit de le voir si heureux. On dirait qu'il est sur un petit nuage.

Elle s'installa sur le canapé et lui fit signe de s'asseoir à côté d'elle. Quel lourdaud il faisait ! Il s'en voulait d'être passé à l'improviste. Maintenant, elle allait se sentir obligée de lui faire la conversation jusqu'à l'arrivée de Clint.

— Tu sais, je peux repasser plus tard.

Elle lui adressa un sourire las.

— Rassure-toi, je vais bien. J'ai fini par leur dire hier soir.

Sans entrer dans les détails. Je leur ai juste dit que Dennis et moi, on était revenus sur notre décision.

Mitch jeta un œil en haut de l'escalier pour s'assurer qu'ils étaient seuls.

— Ils savent que j'étais au courant.

— Non. Je ne leur ai pas dit, ils se seraient posé des questions. On n'a qu'à faire comme si je venais de t'annoncer la nouvelle.

Elle soupira avant de lui avouer :

— Tu sais, jusqu'ici, je n'avais jamais rien caché à mes frères, mais là, c'était trop. Ce qui s'est passé l'autre soir, il n'y a que mes amies et toi qui soyez au courant.

Il passa un bras autour d'elle, piégé dans ce rôle de grand frère confident derrière lequel il s'était lui-même retranché.

— Tu sais, rien ne t'oblige à leur raconter. Tu leur as dit ce qu'ils devaient savoir, le reste t'appartient. Et puis, ne sois pas triste, tu mérites beaucoup mieux.

— Je sais bien, dit-elle en se dégageant. C'est juste qu'aujourd'hui, je ne suis pas dans mon assiette. Je ne sais pas, c'est peut-être le fait de voir mes frères amoureux.

Comme il la regardait d'un œil interrogateur, elle poursuivit :

— Ça me fait m'interroger sur ma vie et sur la leur. En fait, je crois que quelque part, ça me pèse de savoir que Joe a tout sacrifié pour Clint et moi. Il n'a pas eu une vie facile depuis la mort de nos parents.

— C'est le moins qu'on puisse dire, renchérit Mitch.

— Clint aussi a eu son lot de sacrifices. Il avait de belles perspectives après ses études, mais il a préféré revenir aider au ranch. Je suis sûre qu'il culpabilisait vis-à-vis de Joe.

— Tu te fais du mal en ressassant le passé. Pense plutôt à la famille unie que vous êtes devenus. Et puis, crois-moi, s'ils avaient vraiment voulu vivre une autre vie, ils ne seraient pas là aujourd'hui.

— Peut-être, mais…

Il posa un doigt sur ses lèvres. Elles étaient douces et humides.

— Mitch, tu es un ange, dit-elle en se penchant vers lui pour l'embrasser sur la joue.

Le contact de ses lèvres sur sa peau le fit frémir d'anticipation et il fut presque déçu que rien d'autre ne se passe.

— Tu as pu récupérer le matériel que tu voulais ? s'enquit-elle en croisant ses jambes en tailleur.

— Une partie, seulement. Je me fais livrer et installer le reste de l'équipement demain matin.

— Tu penses pouvoir être prêt à temps ?

— Ça devrait aller. Il ne me restera plus qu'à déplacer le bétail le lendemain.

— Je crois que Clint a déjà demandé à Pete de se tenir prêt pour t'aider.

Elle ouvrit la bouche, comme si elle venait de se rendre compte qu'elle avait oublié quelque chose.

— J'y pense, je ne t'ai même pas proposé à boire. Tu veux quelque chose ?

— Volontiers, j'ai la gorge desséchée.

— Fais comme chez toi, tu connais la maison.

— Je te sers quelque chose ? demanda Mitch en se levant.

— Oui, mais pas d'alcool, répondit Kate en faisant la grimace.

Mitch sourit à son air de dégoût, puis alla se chercher une bière et prépara à Kate un thé glacé, moitié thé, moitié glace pilée, qu'il agrémenta de deux rondelles de citron et de quelques feuilles de menthe. C'était comme ça qu'elle l'aimait et il fut lui-même étonné de s'en souvenir aussi bien.

— Il est chouette le guéridon, repeint comme ça, dit-il en revenant avec les boissons.

— Merci.

Elle sourit en voyant les rondelles de citron et la branche de menthe.

— J'ai fait ça l'été dernier en même temps que d'autres petits meubles qui étaient abîmés.

— A l'occasion, tu me montreras comment tu fais, comme ça, je pourrais faire une surprise à mes parents quand ils reviendront.

— Pourquoi ? Tu penses qu'ils vont revenir pour de bon ?

— Je ne sais pas.

— Et l'entreprise qui va installer les caméras, elle vient de Houston ?

— Oui, d'ailleurs le livreur va devoir traverser la ville. Donc, pour que ce soit plus discret, il conduira une camionnette de marchand de meubles.

Kate laissa échapper un petit rire.

— Comme ça, tout le monde va se demander qui est-ce qui se fait livrer des meubles !

— C'est clair… Au moins une chose que je ne regrette pas dans la vie à la campagne, dit-il avant d'avaler une gorgée de bière.

— Parce qu'il y en a que tu regrettes ?

— Bien sûr.

— Comme quoi ?

— Je ne sais pas… Une certaine demoiselle aux cheveux auburn et aux magnifiques yeux verts, par exemple.

Un aveu qui n'eut pas l'effet escompté car Kate se figea.

— Kate ?

— Il ne faut pas te sentir obligé.

— De quoi ?

Les marches de l'escalier grincèrent derrière eux. Ce devait être Clint. On pouvait dire qu'il tombait à pic. Mitch prit un air surpris en regardant par-dessus l'épaule de Kate et elle changea aussitôt d'expression.

— Il me semblait bien que j'avais entendu ta voix, dit Clint en voyant son ami. Tu as réussi à faire tout ce que tu voulais à Houston ?

— Oui. D'ici à demain soir, je devrais être prêt.

Mitch regarda Kate se lever du canapé pendant que Clint se dirigeait vers la cuisine.

— Je vais me chercher une bière, dit Clint.

Kate rajusta sa queue-de-cheval.

— Bon, je vous laisse discuter entre hommes.

— Attends, dit Mitch en la rattrapant par le bras.

Il aurait voulu savoir ce qui l'avait contrariée, mais elle

n'avait pas l'air disposée à poursuivre la conversation. Et puis, Clint allait réapparaître d'un instant à l'autre.

— Toujours d'accord pour demain soir ?

Elle le regarda d'un air étonné.

— Pour la surveillance. Il faut que je te montre comment fonctionnent les appareils et qu'on se mette d'accord sur la marche à suivre une fois que le bétail sera en place.

Comme elle le regardait d'un œil circonspect, il ajouta :

— Je compte sur toi, Kate. Ne me laisse pas tomber.

Kate se gara à l'arrière de la maison comme Mitch le lui avait demandé. Cette nuit, il allait lui montrer comment fonctionnait l'équipement et demain, Pete et Silas l'aideraient à transporter le bétail d'un ranch à l'autre. Après quoi, le bruit ne tarderait pas à se répandre que le ranch des Colter était de nouveau opérationnel et d'ici à quelques jours, tout le comté serait au courant.

Postée devant la porte d'entrée, Kate ressentit une petite appréhension au moment de frapper, mais elle se raisonna en se disant que tout ce qu'elle avait à faire, c'était de s'en tenir à son plan : traiter Mitch ni plus ni moins que comme un de ses frères. C'était le seul moyen pour eux de traverser l'épreuve des longues nuits de surveillance en tête à tête qui les attendait. Avec un peu de bonne volonté, elle devrait bien arriver à passer cette première nuit sans se demander quel goût pouvaient avoir les baisers de Mitch.

Difficile d'y croire quand le simple fait d'imaginer la bouche de Mitch posée sur la sienne lui faisait tourner la tête. Il fallait dire qu'embrasser Mitch avait pendant longtemps constitué pour elle un rêve inaccessible. Le problème c'était qu'aujourd'hui, l'embrasser n'était plus une fin en soi, juste le moyen d'espérer l'avoir tout entier. D'où la nécessité pour elle de garder la tête froide et de ne surtout pas laisser transparaître son attirance pour lui.

Car Mitch avait raison, sa blessure était encore fraîche et se lancer dans une nouvelle relation juste après une rupture était tout sauf recommandé. Et ce même si, comme elle essayait de s'en persuader, l'attirance qu'elle éprouvait pour lui était purement physique. Car s'il était vrai qu'elle préférait garder son cœur à l'abri des tourments, elle ne voulait pas non plus se réveiller un matin avec le sentiment coupable de s'être servie de Mitch comme d'un moyen d'assouvir ses appétits.

En résumé, elle devait garder la tête froide et les idées claires. Elle en était arrivée à cette conclusion lorsque la porte s'ouvrit sur elle sans qu'elle ait eu besoin de toquer.

— Hé, fit Mitch en reculant.

Il avait les cheveux mouillés et était rasé de près. Il sentait bon le propre… et l'homme. Les bonnes résolutions de Kate s'évanouirent aussitôt, comme neutralisées par les effluves de phéromones.

— Entre.

— Je me suis garée derrière, comme tu me l'avais dit, dit-elle, soudain nerveuse.

Elle avait rassemblé ses cheveux en queue-de-cheval — c'était comme ça qu'elle se coiffait quand elle restait traîner à la maison — et s'était maquillée au minimum.

— Parfait, dit-il en refermant la porte. Tu veux boire quelque chose avant de monter ?

— Non, pas pour l'instant, répondit-elle avant de demander : Tu as installé les moniteurs au premier ?

— Oui, c'est plus sûr, si quelqu'un vient à passer.

Il la regarda un moment avant de s'engager dans l'escalier. Elle lui laissa assez d'avance pour pouvoir lorgner son postérieur et ne fut pas déçue du spectacle. Il était sexy en diable avec ses fesses musclées moulées dans son vieux jean usé.

— J'ai tout installé dans la chambre de Susie. Elle donne directement sur le pâturage. J'ai déplacé la grosse armoire dans une autre pièce et poussé le reste des meubles contre le mur du fond, mais c'est quand même encombré.

Kate s'efforça de rester concentrée tandis qu'elle le suivait dans le couloir.

— C'était devenu la chambre de mes neveux quand ils venaient passer les vacances.

— Ça fait un bail que je ne les ai pas vus. Ça leur fait quel âge, maintenant ?

— Leur âge exact, je ne sais pas, mais ce que je sais, c'est qu'ils sont au lycée tous les deux.

— Au lycée ? Déjà ? s'étonna Kate. Mais Susie n'a que quatre ans de plus que toi...

— Merci de me le rappeler.

— Oups, désolée, dit Kate en se retenant de rire. J'imagine que tes parents ne doivent pas arrêter de te tanner pour que tu leur fasses ta part de petits-enfants !

— Me tanner, c'est le mot ! dit-il en lui ouvrant la porte. Mais bon, vu qu'ils s'attendent à ce que je me marie avant, il y a comme un problème.

En entrant dans la pièce, ses fesses frôlèrent Mitch en son endroit le plus stratégique et Kate sentit son pouls s'emballer. Elle espérait qu'il n'allait pas croire qu'elle l'avait fait exprès, mais aussi, il aurait pu lui laisser un peu plus de place.

— Tu ne penses jamais à fonder une famille ? lança-t-elle pour ne pas laisser le silence s'installer.

— Oh, je sens que la nuit va être longue.

— Excuse-moi de vouloir faire la conversation.

Elle croisa les bras et s'installa en face d'un des moniteurs. Ils étaient alignés près de la fenêtre. Les rideaux étaient ouverts et elle pouvait voir au loin le pâturage désert où le troupeau des Colter passait autrefois.

— Tu sembles oublier que j'ai été marié une fois.

Elle se retourna, surprise qu'il aborde le sujet.

— Je croyais que ce n'était pas un vrai mariage ?

— Oui, mais il n'empêche, ça refroidit.

Il fit rouler une chaise de bureau jusqu'au moniteur du milieu.

— Assieds-toi et dis-moi si tu es bien installée.

Elle s'exécuta, mais ne parvint pas à trouver sa position. Elle se pencha sur le côté pour essayer de trouver le levier de réglage.

— Qu'est-ce que tu fais ?

— Je voudrais baisser le siège, je suis trop haut.

Il s'agenouilla derrière elle et bricola quelque chose sous le siège. Le siège descendit d'un coup et elle dut se cramponner pour ne pas tomber.

— C'est mieux comme ça ? demanda-t-il en levant les yeux vers elle.

Comment n'avait-elle jamais remarqué à quel point ses cils étaient longs et bien implantés, en haut comme en bas. Et tout ça, sans mascara. Il y avait de quoi être jalouse.

— Regarde plutôt vers l'écran et dis-moi s'il est à la bonne hauteur.

— J'étais en train de regarder tes cils, marmonna-t-elle avant de porter son regard en direction du moniteur. C'est parfait.

— Qu'est-ce qu'ils ont, mes cils ?

Elle aurait préféré qu'il se relève. Accroupi comme il était, il était beaucoup trop près d'elle. Elle se racla la gorge.

— Je crois que je vais aller me chercher quelque chose à boire avant qu'on commence.

— C'était une mauvaise idée, hein ? demanda-t-il en la regardant droit dans les yeux.

— Quoi donc ?

— Allons, Kate, dit-il en s'agrippant aux bras du fauteuil.

Elle sentit le souffle chaud et mentholé de son haleine contre son menton et se redressa dans son siège, dans l'expectative. Il n'allait tout de même pas l'embrasser ? C'est alors qu'elle le vit se redresser et lui tendre la main pour l'aider à se relever. Elle fit contre mauvaise fortune bon cœur et accepta son aide en disant :

— J'aurais dû apporter du thé. J'imagine que tu n'en as pas.

— Si. J'ai même du citron et de la menthe.

— Tu y as pensé ? Merci, dit-elle tandis qu'elle se frayait un chemin jusqu'à la porte en prenant bien soin d'éviter tout contact malencontreux.

Pourquoi lui avait-il dit ça ? Est-ce qu'il pensait qu'elle avait des vues sur lui ? L'idée l'agaça.

D'accord, elle lui avait fait un peu de rentre-dedans la

nuit où elle avait surpris Dennis en train de la tromper, mais depuis l'épisode chez Barney, elle s'était efforcée de maintenir avec lui une relation sans ambiguïté. Il fallait qu'ils tirent tout ça au clair et vite, sans quoi elle n'était pas sûre de passer la semaine… ni même la nuit.

Arrivée au pas de la porte, n'y tenant plus, elle se retourna. Il se tenait debout, juste derrière elle et lorsqu'elle leva les yeux vers les siens, ce fut comme si le sol s'effondrait sous ses pieds. Elle était censée dire quelque chose. Oui, mais quoi ?

- 10 -

La tension entre eux était trop forte et, Mitch le savait, les choses n'allaient pas aller en s'arrangeant. A compter du jour suivant, lorsque le bétail serait en place, l'enjeu serait trop grand. Il fallait désamorcer la situation et il ne voyait qu'une solution.

Il posa la main sur sa joue et de son pouce, lui caressa les lèvres, se laissant enivrer par la douce chaleur qui irradiait de sa peau. Des mèches de cheveux rebelles entouraient son visage et, l'espace d'un instant, il crut revoir la petite Katie de son enfance. Mais la sensation fut éphémère tant le regard qu'il portait sur elle avait changé. C'était Kate à présent et cette femme magnifique qu'elle était devenue, il la désirait plus qu'il n'avait jamais désiré aucune autre femme avant elle.

Voyant que ses yeux brillaient de la même flamme que celle qui le consumait, il pencha la tête de côté pour l'embrasser, mais au même moment, elle posa ses mains sur son torse et murmura :

— Serre-moi dans tes bras.

Quel crétin il faisait ! Il avait cru voir dans ses yeux la flamme du désir quand elle ne réclamait qu'un peu de réconfort. Il la prit dans ses bras et la serra contre lui en posant son menton sur le sommet de son crâne. Elle se recroquevilla telle une petite fille et il s'en voulut d'avoir pensé ne serait-ce qu'une seule seconde à l'embrasser.

— Merci, dit-elle, toujours collée contre lui.

— De quoi ?

— De m'avoir empêchée de faire quelque chose que j'aurais pu regretter l'autre nuit.

Mitch ferma les yeux. Dire que deux nuits durant, il n'avait pas pu trouver le sommeil, obsédé qu'il était par l'image de Kate allongée dans son lit. Il n'était pas en manque de sexe, pourtant !

— Mitch ? dit-elle en remuant entre ses bras pour se dégager. Je sais que j'ai mis le bazar dans notre relation en m'invitant chez toi l'autre soir, mais je te jure que cette fois, si je suis ici, c'est sans arrière-pensée. Tout ce que je veux, c'est t'aider à pincer les voleurs.

Elle fit un pas en arrière avant d'ajouter :

— Et puis, qui sait, si ça se trouve, ils ont peut-être décampé comme tout le monde semble le penser et tu n'auras plus à t'inquiéter.

— Moi ce que je veux, c'est les attraper.

— C'est vrai que ce serait mieux de les mettre hors d'état de nuire, mais le plus important, c'est que tout le monde ici retrouve sa tranquillité.

— Non, le plus important, c'est de les coincer en flagrant délit et de les faire coffrer, mais avant, je me ferai un plaisir de leur toucher deux mots en tête à tête.

— Tu me laisseras leur botter les fesses ? plaisanta Kate.

— Mieux que ça, je les tiendrai pour toi.

— Comme si j'avais besoin de ton aide, répliqua-t-elle en bombant la poitrine.

Il essaya de ne pas s'attarder sur ses seins, mais cambrée comme elle l'était, ils semblaient l'appeler à travers son T-shirt.

— Tu veux descendre avec moi dans la cuisine ou est-ce que je remonte le thé ici ?

— Je descends avec toi.

— Bien.

— Quel enthousiasme ! ironisa-t-il. C'est la poussière qui te rebute ? J'ai fait un peu de ménage l'autre jour, mais ça fait un moment que la maison n'est plus habitée.

— T'en fais pas, je vais t'aider.

— J'aurais bien cherché quelqu'un en ville pour m'aider

à tout nettoyer, mais maintenant que le matériel est installé, mieux vaut rester discret.

— On peut s'en occuper, tu sais. On n'aura pas grand-chose à faire la journée.

C'était bien ce qui inquiétait Mitch.

Le lendemain soir, Kate arriva tôt avec un panier garni de victuailles pour leur dîner : des biscuits, du poulet rôti et de quoi faire une salade composée. Elle avait aussi prévu des affaires de rechange et un nécessaire de toilette qu'elle avait laissé dans le coffre de sa voiture au cas où. Mitch ne lui avait pas proposé de rester dormir chez lui, mais comme Clint lui avait plusieurs fois fait remarquer, ce serait plus pratique qu'elle reste dormir chez lui plutôt que d'être chaque fois obligée de rentrer en pleine nuit.

D'ailleurs, plus elle y réfléchissait, plus elle soupçonnait Clint de chercher à lui faire oublier Dennis. S'il avait su ! Quelle ironie de penser que ce n'était pas son ex-fiancé le danger, mais celui-là même vers qui son frère s'obstinait à la pousser.

— Kate, tu es un ange, s'exclama Mitch à la vue du panier garni.

— J'en avais un peu marre du beurre de cacahouètes, avoua-t-elle en posant le panier sur la table de la cuisine. J'ai prévu large pour qu'il en reste pour nous faire des sandwichs demain.

— Euh, je serais toi, je ne compterais pas trop sur les restes… Je meurs de faim ! s'exclama-t-il en s'empressant de vider le contenu du panier.

Kate constata avec une amère déception qu'elle venait de se faire éclipser par son panier garni ! Il n'avait même pas remarqué qu'elle s'était faite belle pour lui.

— C'est le pain de Maria ? dit-il en regardant sous l'emballage en papier.

— C'est sa recette. Elle est en congé cette semaine.

Mitch leva vers elle des yeux admiratifs et un sourire s'esquissa sur ses lèvres.

— Tu es belle… et tu cuisines. Je suis impressionné.

— Tu es bête, répondit-elle en secouant la tête d'un air gêné.

— Et si on passait à table ?

— Attends, il faut préparer la salade.

— Je m'occupe de tailler les crudités.

Il n'avait pas rechigné à l'idée de manger de la salade et Kate en fut ravie. Ses frères, eux, auraient fait la grimace tandis que lui avait même pris l'initiative d'ajouter des carottes et un poivron qu'il avait dans son réfrigérateur.

— Tu te débrouilles comme un chef, dit-elle en le voyant manier le couteau avec dextérité. Mes frères détestent les légumes.

Mitch éclata de rire.

— J'étais comme eux avant, mais la pratique des arts martiaux m'a fait changer mes habitudes. Aujourd'hui, j'essaie de manger sain. Tu sais, ce n'est pas dans mes habitudes non plus de me nourrir exclusivement de beurre de cacahouètes.

— C'est vrai que tu es aussi prof de karaté, dit-elle en jetant un coup d'œil envieux à son ventre plat.

— Oui, mais je ne donne plus de cours.

— Tu m'apprendras à moi ?

— Tu es sérieuse ?

— Oui, j'aimerais bien connaître au moins quelques prises.

— Bien sûr, dit-il en laissant courir ses yeux de son décolleté jusqu'à ses hanches, puis le long de ses jambes nues. On peut commencer par quelques exercices de respiration si tu veux. Pour les mouvements, on verra ça un autre jour, quand tu auras une tenue plus confortable.

— Super, dit-elle en reprenant la découpe de son poulet pour mieux se convaincre que son regard ne signifiait rien.

Tout ce qu'il avait fait, c'était évaluer l'adéquation de sa tenue vestimentaire avec un cours de self-defence. Ce qu'elle avait cru voir d'autre dans ses yeux n'était que pur fantasme.

— Au fait, je ne t'ai pas dit, mais Clint est allé en ville aujourd'hui et on peut dire que les nouvelles vont vite parce qu'il y a déjà des gens qui lui ont parlé du bétail qu'il t'avait ramené.

— Tant mieux s'ils savent d'où viennent les bêtes.

— Clint a laissé entendre que Joe et lui t'avaient vendu un petit troupeau et que tu comptais faire venir un taureau de Houston.

Mitch regarda par la fenêtre de la cuisine le pâturage.

— Tu as une idée de combien ça peut coûter, toi, un Brahman en ce moment ?

— Pourquoi ? s'enquit Kate. Tu ne comptes pas…

— Tiens, l'interrompit Mitch en s'approchant de la fenêtre, on dirait qu'on a de la visite. Un 4x4 bleu foncé dernier modèle, tu vois à qui il peut appartenir ?

— Non, dit-elle en le rejoignant juste à temps pour voir le gros véhicule s'arrêter un instant devant le pâturage avant de reprendre son chemin en direction de la maison.

— J'espère que ce n'est pas encore ce maudit agent immobilier.

— Il conduisait une berline.

— Oui, je sais. Je monte voir ça de plus près sur les écrans de contrôle.

— O.K., dit Kate. Je t'attends là.

En y regardant de plus près, cette voiture lui semblait familière. C'était sans doute fortuit, mais tout de même, elle ne pouvait s'empêcher de trouver louche que le conducteur se soit arrêté à côté du pâturage.

Elle se lava et se sécha les mains, tout en continuant d'épier le visiteur par la fenêtre. Le 4x4 s'arrêta juste avant le chemin dallé qui menait à la maison. Elle reconnut Brad dès qu'il en descendit. Que pouvait-il bien venir faire ici ? Peut-être avait-il entendu parler du bétail que Mitch avait ramené et venait-il voir s'il n'avait pas besoin de main-d'œuvre supplémentaire ?

Kate se dépêcha de prévenir Mitch, mais celui-ci était déjà en train de descendre l'escalier quatre à quatre.

— C'est Brad du Double R, le prévint-elle aussitôt.

— Oui, j'ai vu. Je me demande ce qu'il peut bien vouloir.

— Du boulot, peut-être.

— J'ai plutôt l'impression qu'il vient en repérage.

L'idée avait bien effleuré l'esprit de Kate, mais pour elle,

Brad ne pouvait pas être suspect, aucun vol n'ayant été commis depuis son arrivée.

On toqua à la porte. Avant d'aller ouvrir, Mitch lui demanda :

— Ça t'embête s'il te voit là ?

Elle haussa les épaules.

— Ça n'a pas d'importance.

Mitch ouvrit la porte.

Brad était là, avec sa nonchalance de cow-boy, la main posée sur la boucle de son ceinturon. Dès qu'il vit Kate, il lui sourit et ôta son chapeau — il n'avait pas le moins du monde l'air surpris — puis il fit un signe de tête à Mitch.

— Désolé de passer à l'improviste.

— Que puis-je faire pour vous ? demanda Mitch d'un ton peu amène.

Brad se mit à tripoter le tour de son chapeau.

— Sacré beau terrain que vous avez là, finit-il par déclarer. J'ai entendu dire à la poste ce matin que vous aviez acheté un peu des bêtes du Sugarloaf. Belle opération.

— Ravi de savoir que vous approuvez.

Kate dévisagea Mitch, choquée par le ton sarcastique de sa réponse.

Brad fit la grimace, mais enchaîna sans se laisser désarçonner :

— En tout cas, c'est un beau petit cheptel pour commencer.

— Je n'embauche personne pour l'instant si c'est pour ça que vous êtes là, répliqua Mitch. Désolé que vous vous soyez déplacé pour rien.

Brad répondit par un sourire. Avec ses yeux bleus comme le ciel et ses cheveux noirs de jais, il était très séduisant.

— Non, je ne suis pas venu pour me faire débaucher, je suis très bien au Double R, répondit-il avec calme avant d'ajouter, en se tournant vers Kate : En fait, c'est la jeune demoiselle que je suis venu voir.

— Moi ? Pourquoi ? demanda-t-elle, surprise. Comment tu savais que j'étais ici ?

— Je suis passé au Sugarloaf et Silas m'a dit que tu étais allée apporter à dîner à Colter, répondit-il tout sourire.

— Je vois, répondit-elle aussi sobrement qu'elle put, sentant la tension qui émanait de Mitch.

— Je t'ai téléphoné avant plusieurs fois sur ton portable, mais impossible de te joindre. En plus, ta boîte est pleine.

— Oui, je sais, il faut que je pense à la vider.

A force de lui laisser des messages auxquels elle ne répondait jamais et qu'elle n'avait même jamais pris la peine de lire, cet idiot de Dennis avait réussi à saturer sa messagerie. Elle se dit qu'il finirait bien par se lasser. De toute façon, elle pouvait avoir l'esprit tranquille : il était bien trop couard pour oser venir la voir en personne.

— Alors, qu'est-ce qui t'amène ? finit-elle par demander.

— Ça t'ennuie si on va faire un tour dehors ? la pria Brad. J'ai quelque chose à te demander.

Elle s'apprêtait à répondre qu'il pouvait parler en toute liberté devant Mitch quand, voyant l'expression renfrognée de celui-ci, elle se ravisa.

— Je sors deux minutes, dit-elle à son adresse. Je reviens.

Brad la suivit et elle s'empressa de refermer la porte sur eux avant que Mitch ne dise quelque chose qu'elle ne voulait pas entendre.

— Tu sais, ce n'est pas dans mes habitudes de m'imposer comme ça, lui confia-t-il une fois qu'ils furent seuls dehors, mais je ne pensais pas que ça allait le déranger, surtout après ce que Silas m'a dit, que Colter faisait comme qui dirait partie de la famille.

— C'est vrai, répondit Kate en retenant un soupir. Mitch et mes frères se connaissent depuis la maternelle. Moi, j'étais la petite sœur chiante.

— Tant mieux, dit-il en souriant. Non parce que, l'autre fois chez Barney, j'ai eu l'impression qu'il était jaloux de nous voir jouer au billard ensemble.

— Tu penses ! dit-elle en secouant la tête d'un air qui se voulait convaincu. Il était juste un peu inquiet pour moi, je venais de lui annoncer que j'avais rompu mes fiançailles et il a été surpris de me voir chez Barney. Ce n'est pas mon genre de traîner dans les bars, tu sais.

— Je te crois.

Ils avancèrent sans mot dire le long de l'allée gravillonnée qui menait au pré où paissaient les bêtes.

— Cela dit, reprit Brad, son regard l'autre fois était plus agacé que protecteur.

Kate ne laissa rien paraître, mais à l'idée que Mitch puisse être jaloux de Brad, son cœur s'était emballé.

— Fais-moi confiance. Tu te trompes, il n'a aucunes vues sur moi.

— Eh bien, tant pis pour lui et tant mieux pour moi, dit Brad en lui effleurant le bras sans faire exprès.

C'était curieux. Ce garçon avait beau avoir tout pour plaire, elle n'avait rien ressenti à son contact.

— Tu comptais rentrer bientôt ? s'enquit-il.

— Euh, non, répondit-elle le temps de réfléchir à une excuse. J'ai promis à Mitch de l'aider à faire un peu de ménage.

— C'est dommage. J'espérais pouvoir prendre ma revanche. Je me sens en veine ce soir.

Kate déglutit. C'était un rendez-vous ou bien ?

— C'est moi qui ai eu de la chance l'autre soir. En vérité, je ne suis pas si bonne que ça.

— Je te rappelle que tu m'as mis la déculottée l'autre fois.

Elle rit en le voyant faire semblant d'avoir encore mal.

— Je n'avais pas vu les choses sous cet angle.

Il sourit et, en baissant la tête, remarqua ses ongles vernis dans ses sandalettes blanches.

— Oh, mais j'y pense, tu préfères sans doute marcher dans l'herbe. Je ne voudrais pas faire souffrir tes jolis petits pieds.

Kate pinça les lèvres. Mitch était sans doute en train de les épier par la fenêtre de la cuisine et elle ne voulait pas lui donner de grain à moudre. Ni à lui, ni à Brad, d'ailleurs.

— Il est temps que je rentre. On s'apprêtait à passer à table.

— Bien sûr, répondit Brad qui avait soudain perdu son sourire.

Et de reprendre après une courte pause :

— Ça te dirait qu'on dîne ensemble un de ces soirs ?

Elle hésita, ne sachant quoi répondre. Elle ne voulait pas le vexer, mais…

Comme elle tardait à répondre, il haussa les épaules.

— Laisse tomber, je ne voulais pas t'embarrasser et puis, j'imagine que tes frères n'auraient pas apprécié. Après tout, je ne suis qu'un garçon vacher.

— Quoi ? Pas du tout ! Ils ne sont pas comme ça.

— Bon, bah, dans ce cas, on n'a qu'à se retrouver un soir chez Barney, ou un ailleurs à Willowville.

Voilà, elle avait ouvert une brèche et il s'était engouffré dedans.

— Pour tout te dire, Brad, je sors tout juste d'une rupture et je ne me sens pas encore prête pour un rendez-vous.

Loin de se démonter, il lui décocha un sourire de pub pour dentifrice et répondit :

— Pas de problème, j'ai tout mon temps. Je serai dans les parages quand tu seras disposée.

— Bien, je m'en souviendrai, répondit-elle avec un sourire, stupéfiée par son arrogance, mais soulagée de voir qu'il semblait avoir compris le message.

— Est-ce que je t'ai déjà dit comme tu es belle quand tu souris ?

Elle sentit le rouge lui monter aux joues.

— Non, mais merci, c'est gentil, réussit-elle à articuler en jetant un regard coupable en direction de la fenêtre de la maison. Il faut que je rentre, à présent. Mitch m'attend pour dîner.

— Désolé, s'excusa-t-il en lui faisant signe de passer devant. Je ne sais pas pourquoi, mais quand je suis avec toi, je perds la notion du temps.

Ce Brad était un beau parleur. Pourtant — elle en était la première surprise — son baratin ne lui faisait aucun effet.

— Sacré défi que s'est lancé Colter, tout de même, lança-t-il après un bref moment de silence. Il n'envisage pas de gérer le ranch tout seul, tout de même ?

Ses paroles ressemblaient plus à une question qu'à une simple observation.

— Je ne sais pas quels sont ses projets, mais son père ne devrait pas tarder à revenir.

— Il compte acheter plus de bêtes ? s'enquit-il en désignant de la tête le petit troupeau qui passait dans le pré juste à côté, avant d'ajouter, sans même lui laisser le temps de répondre : Parce que si c'est le cas, il va devoir investir dans un quad.

Ses remarques semblaient anodines, mais le tour que prenait la discussion mettait Kate de plus en plus mal à l'aise.

— Clint et Joe sont là pour l'aider, se contenta-t-elle de répondre en accélérant le pas.

Si elle l'avait laissé faire, Brad l'aurait sans doute suivie jusqu'au pas de la porte, alors elle s'arrêta exprès devant sa voiture.

— Bon eh bien, merci pour la balade. Je t'appelle, dit-il lorsqu'il comprit que la petite balade était finie. Ou qui sait, peut-être qu'on se croisera avant en ville.

— Qui sait, oui, répéta-t-elle, pressée de le voir partir.

Il fallait qu'elle pense à vider sa messagerie sans quoi il risquait de se repointer sans prévenir.

— Au cas où tu n'arrives pas à me joindre sur le portable, essaie sur le fixe, lui suggéra-t-elle. Ou alors, donne-moi ton numéro.

Elle n'allait pas être souvent chez elle les jours prochains et mieux valait prévenir que guérir. Pourtant, en voyant le sourire réjoui qui fendit son visage, elle en regretta presque sa prudence.

— Ne bouge pas, je vais chercher de quoi écrire dans ma boîte à gants.

Elle attendit qu'il revienne et dut faire un effort surhumain pour ne pas tourner la tête en direction de la maison. En même temps, une question venait de lui traverser l'esprit.

Brad revint et lui tendit un bout de papier qu'elle plia en quatre avant de demander :

— Au fait, comment tu as obtenu mon numéro de portable ?

Il lui lança un regard insaisissable avant de hausser une épaule et de répondre :

— Par quelqu'un, mais je ne voudrais pas lui causer d'ennuis. Bon, allez, j'y vais, s'empressa-t-il d'ajouter. Rentre dîner et excuse-moi auprès de Mitch de t'avoir retenue si longtemps.

Sur ce, il remonta dans son 4x4, lui fit un signe de tête et s'en retourna comme il était venu. Il avait l'air bien pressé et Kate se demanda qui pouvait bien être ce « quelqu'un » qu'il ne voulait pas nommer. Hormis Dennis et ses frères, personne ne connaissait son numéro de portable dans le coin. Ceux qui voulaient la joindre utilisaient la ligne fixe.

En rentrant, Kate vit Mitch dans la cuisine, occupé à couper des tomates. S'il comptait lui faire croire qu'il ne les avait pas épiés, elle et Brad, c'était raté car la salade n'avait guère avancé.

— Désolée, tu dois être mort de faim, s'excusa-t-elle avant de reprendre la découpe du poulet. Le poulet, tu le veux chaud ou à température ?

— Ce que je veux, c'est savoir ce que Brad fichait ici.

— Ça n'arrivera plus, répondit-elle en se rappelant avec délectation que Brad avait cru Mitch jaloux. Je lui ai dit de m'appeler à la maison s'il n'arrive pas à me joindre sur mon portable. Et puis, maintenant au moins, j'ai son numéro.

Mitch croisa les bras sur son torse et s'adossa au comptoir, des éclairs dans les yeux.

— Ça ne me dit pas ce qu'il est venu faire ici.

— Rien qui te concerne. C'était personnel.

Il marmonna dans sa barbe en la suivant jusqu'à la table.

— Il se pointe chez moi comme par hasard juste après que j'ai ramené les bêtes et tout ce que tu trouves à dire c'est que sa visite n'avait rien à voir avec moi ?

Elle resta là à le regarder fulminer en se demandant s'il était inquiet pour son plan ou juste jaloux. Il fallait qu'elle en ait le cœur net et elle finit par lâcher :

— Il voulait qu'on sorte ensemble ce soir. Voilà, tu es content ?

La bombe qu'elle venait de lâcher avait eu l'effet escompté. Il était jaloux, à n'en pas douter.

— Et qu'est-ce que tu lui as répondu ?

— Je lui ai dit que ce soir j'étais occupée, mais qu'un autre jour, oui, peut-être.

- 11 -

Mitch ravala sa salive. Il était sous le choc. Il se dirigea vers le vieux buffet pour y prendre des serviettes, mais en ouvrant le tiroir, il constata que celui-ci était vide. L'espace d'un instant, il avait oublié que la maison avait été vidée de tous ses objets. Les quelques ustensiles dont il disposait, il les avait empruntés aux Manning ou achetés en ville.

— Pourquoi ? finit-il par demander lorsqu'il fut un peu calmé.

— Pourquoi sortir avec quelqu'un ? demanda Kate en roulant les yeux. Assieds-toi, je reviens avec le pain et les serviettes.

Il la suivit dans la cuisine, agacé qu'elle ait éludé sa question par une autre question. Il se dirigea vers le réfrigérateur et prit une bière.

— Qu'est-ce que tu veux boire ? demanda-t-il, d'une voix qui sonna plus sec qu'il ne l'aurait voulu.

— Hum, fit-elle en voyant la bouteille dans ses mains. Je vais prendre comme toi, tiens.

— Je croyais que tu n'aimais pas la bière.

— Je voudrais m'habituer au goût.

Il prit une bouteille de plus, mais ne lui proposa pas de verre. Il avait l'impression de savoir où elle voulait en venir et son petit manège ne lui plaisait pas du tout. Il la suivit jusque dans le salon et son regard se posa sans qu'il le veuille sur son postérieur. Elle était sexy en diable ce soir dans sa petite jupe courte. Il n'était pas question qu'elle sorte avec ce Brad. Il ferait tout pour l'en empêcher. Quitte à prévenir ses frères et à se liguer tous les trois contre elle.

— Voilà ta bière, dit-il en posant la bouteille devant son assiette.

Après tout, si elle ambitionnait de se convertir à la bière, elle n'avait qu'à apprendre à ouvrir elle-même sa bouteille.

— Merci, dit-elle en se glissant sur sa chaise et en décapsulant sa bouteille à l'aide d'une simple serviette.

Irrité de voir qu'elle semblait aussi douée pour ouvrir les bouteilles que pour jouer au billard, il lui passa cependant la salade sans rien laisser paraître. Du moins le pensait-il. Une fois servie, elle lui repassa le saladier et il prit quelques crudités avant d'attraper une cuisse de poulet.

— Elle est bonne, dit-elle en même temps qu'elle étudiait l'étiquette. Il faut que je mémorise cette marque.

Il s'abstint de tout commentaire et enfourna une fourchetée de salade dans sa bouche.

— Tu peux me passer le pain, s'il te plaît ?

Elle posa la miche entre leurs deux assiettes et il en prit une tranche.

— Pourquoi Brad ? reprit-il tout en beurrant sa tartine.

— Il est drôle et plutôt joli garçon. Alors, j'ai plutôt envie de dire : pourquoi pas ?

— Tu n'as pas l'impression d'aller un peu vite en besogne ?

— Comment ça ?

— Tu viens de rompre avec Dennis, je te rappelle.

— Il est juste question de faire un billard et de dîner, pas de faire un enfant ensemble.

Elle posa sa fourchette avant de reprendre :

— Tu réagis comme mes machos de frères qui, soit dit en passant, n'ont pas besoin d'être au courant de cette petite invitation.

Elle lui jeta un regard sévère.

— Ça ne les regarde pas. On est d'accord ?

— Si Brad envisage de leur voler leurs bêtes, je crois que ça les regarde, au contraire.

— Bon sang, Mitch ! Il n'y a eu aucun vol depuis l'arrivée de Brad. Je ne vois pas en quoi il est suspect.

— Alors, comment tu expliques qu'il soit venu fureter au ranch ? Tu ne trouves pas ça louche, toi, cette visite ?

Kate sentit le rouge lui monter aux joues.

— Pourquoi, c'est si inconcevable pour toi qu'un homme puisse s'intéresser à moi ?

Mitch baissa les yeux sur son assiette. Une fois encore, il avait manqué de diplomatie.

Le lendemain soir, Kate prit son sac à dos avec elle à l'intérieur de la maison. Elle voulait avoir le choix de rester dormir ou de rentrer chez elle au petit matin, mais plus que tout, elle voulait tourmenter Mitch. Et elle savait exactement comment s'y prendre pour parvenir à ses fins.

— Ce n'était pas la peine de frapper à la porte, je laisse toujours ouvert, tu sais bien, dit-il en ouvrant la porte et en remarquant aussitôt le sac à dos.

— Je sais, c'était juste pour prévenir, dit-elle en lui tendant un sac en papier. Maria a repris le travail plus tôt que prévu. Elle a préparé des tortillas et de la *carne asada*.

— Cette femme est une bénédiction, dit Mitch en respirant les effluves qui émanaient du sac. Donc, si je comprends bien, ce soir, c'est tacos !

— Pas pour moi, j'ai déjeuné tard, mais je vais te tenir compagnie pendant que tu manges. Il faut juste que j'aille poser mon sac là-haut.

— Donc tu dors ici cette nuit, c'est décidé, s'enquit-il en fixant le petit sac à dos d'un air inquiet.

— Ça ne te dérange pas au moins ? C'est vrai que j'aurais pu te demander.

— Non, non, tu as bien fait… Du moment que Clint et Joe sont d'accord.

Elle lui lança un regard de tueuse.

— Et ta grande sœur, tu es sûr qu'elle est d'accord, elle aussi ?

En pouffant de rire, Mitch ne fit qu'accentuer l'agacement de Kate.

— La chambre d'amis est prête. Je te monte le sac si tu veux, proposa-t-il pour calmer le jeu.

Bien mal lui en avait pris car elle lui répondit, furieuse :

— Je devrais pouvoir y arriver, merci.

Elle porta son sac jusqu'à la chambre d'amis, puis ferma la porte avant de déballer les deux robes qu'elle venait de s'acheter à Willowville, ainsi que la robe rouge de chez Porter. Depuis la stupide remarque de Mitch la veille, elle n'avait cessé de se passer et repasser leur conversation dans sa tête et avait fini par en conclure que celle-ci n'avait sans doute rien de personnel. Mitch était obnubilé par l'affaire des vols. C'était normal qu'il ait pété les plombs en voyant Brad débarquer comme ça chez lui. Pourtant, au-delà de ce fait, quelque chose lui disait que Mitch était jaloux. Et, s'il ne voulait pas l'admettre de lui-même, elle allait l'y obliger.

Après avoir étendu ses trois robes sur le lit et les avoir classées de la plus minuscule à la plus sexy, elle choisit la bleue, la plus moderne des trois et peut-être aussi la plus osée. Quitte à lui sortir le grand jeu, autant jouer à fond la carte de la séduction. D'ici quelques instants, Mitch allait être bien surpris de voir la nouvelle Kate débarquer.

Elle se déshabilla à la hâte, mais dut réfléchir un bon moment à la façon dont les lacets devaient se nouer dans le dos. Cela lui avait pourtant semblé simple au magasin avec la vendeuse à disposition pour l'aider, mais maintenant qu'elle se retrouvait seule, elle se rendait compte qu'être sexy n'allait pas sans difficulté.

La robe pêche s'avéra moins technique à enfiler, mais elle avait un défaut majeur : la respiration était en option ! Elle s'installa devant le petit miroir et se mit à étudier la façon dont la robe moulait ses courbes et plongeait entre ses seins. Il fallait se rendre à l'évidence, cette robe ne lui ressemblait pas du tout.

A sa place, son amie Lisa n'y aurait pas réfléchi à deux fois. Elle aurait porté la robe et fait tourner les têtes sans le moindre complexe. Kate, elle, était moins extravertie et c'était peu dire. Rien que pour s'acheter ces robes, elle avait fait la route jusqu'à

Willowville pour pouvoir faire ses achats incognito. Mais tout de même, c'était dommage qu'elle n'ait pas plus de cran car cette robe lui allait comme un gant. Ce n'était pas facile à admettre, mais si elle avait eu l'audace de porter ce genre de tenues quand elle était encore avec Dennis, peut-être que…

Elle s'arrêta tout net. Ce genre de considérations ne la mènerait nulle part. Après tout, si Dennis n'avait pas su l'apprécier à sa juste valeur, ce n'était pas sa faute. Elle n'allait pas en plus se sentir responsable de son manque de jugeote.

Ce que pouvait bien faire ou penser Dennis n'était plus son problème. Son seul souci à présent, c'était de trouver comment tirer le meilleur parti de cette robe. Elle jeta un œil au creux entre ses seins. Elle pouvait mieux faire, c'était sûr. Elle se pencha en avant pour mieux rehausser sa poitrine et profita de ce qu'elle était tête en bas pour donner du volume à ses cheveux.

Elle jeta sa tête en arrière en se redressant et admira le résultat dans la glace. Voilà, c'était mieux. Même pas besoin de push-up. Après avoir retouché son gloss et effectué une série de petits ajustements, elle lissa le tissu de soie sur son abdomen. Si elle voulait qu'il reste lisse, non seulement elle allait devoir se retenir de respirer, mais elle ne pourrait pas non plus se permettre d'avaler la moindre bouchée. Pas de quoi pourtant la décourager.

Mitch avait préparé des tacos en plus, au cas où Kate changerait d'avis et cette fois-ci, comme boisson, il avait opté pour du thé. Cependant, en posant le broc sur la table, il ne put s'empêcher de se dire qu'elle n'avait pas besoin d'un baby-sitter qui veut donner le bon exemple.

D'ailleurs, si elle l'entendait ne serait-ce que prononcer ce mot, elle était capable de lui trancher la tête. Il ne lui jetait pas la pierre, non. Elle n'était pas dans son état normal. Pour envisager de sortir avec un type comme Brad, elle ne devait pas avoir tous ses esprits. A croire que Dennis ne lui en avait pas déjà assez fait baver comme ça.

La sauce. Il avait oublié la sauce. Il retourna la chercher dans la cuisine. Au moment où il revenait, Kate descendait l'escalier. S'il ne l'avait pas lui-même fait entrer chez lui, il aurait douté que ce soit elle.

— J'espère que tu n'étais pas en train de m'attendre, dit-elle en voyant la table mise, parce que je ne vais rien pouvoir avaler.

Pas étonnant vu comment sa robe était ajustée, ne put-il s'empêcher de songer.

— Tu sors ? s'enquit Mitch en s'efforçant de ne pas s'appesantir sur ses seins qui débordaient de son décolleté — si tant est qu'à ce stade, on puisse encore parler de décolleté.

— Pas dans l'immédiat, non.

— Alors, pourquoi tu t'es pomponnée comme ça ?

— Je voulais avoir ton avis.

Il tira une chaise à lui en essayant de se concentrer sur une seule et unique chose : s'asseoir. Elle voulait le faire réagir ? C'était réussi, mais il ne lui donnerait pas la satisfaction de le lui montrer.

— Mon avis sur quoi ?

— La robe.

Elle fit un demi-tour sur elle-même et lui jeta un regard interrogatif par-dessus l'épaule.

— Alors ?

Le devant était court et le derrière… inexistant ! La robe formait un V jusqu'à ses reins, laissant nue une large partie de son dos, et s'arrêtait à mi-cuisse.

— C'est un peu court.

Elle se retourna face à lui et baissa les yeux sur ses jambes.

— C'est l'été, les tenues sont courtes, dit-elle de façon très désinvolte. J'ai pris de la crème pour bronzer au magasin aujourd'hui. Ma peau est plus belle quand elle est dorée.

Il la trouvait parfaite telle quelle, mais se garda bien de faire le moindre commentaire. Il leur versa un verre de thé à chacun et se servit un taco.

— Tu ne m'as toujours pas dit ce que tu en pensais.

Il leva les yeux au moment où elle tirait sa robe vers le bas pour l'ajuster, exposant davantage ses seins. Un millimètre de plus et il ne jurait plus de rien.

— Pas mal, finit-il par répondre le nez dans son assiette.

— Bonjour l'enthousiasme !

Mitch leva les yeux. Erreur fatale. Elle le regardait avec la bouche entrouverte et les tétons qui pointaient.

— Tu n'as pas froid ? s'enquit-il.

— Froid ? Il fait quarante degrés.

— Dehors peut-être, mais pas à l'intérieur.

Elle lâcha un long et bruyant soupir.

— Bon, n'insistons pas. Je vois bien que celle-ci ne te plaît pas. Peut-être que tu aimeras mieux la prochaine.

— La prochaine ?

— Oui, fit Kate, pas peu fière de son effet. J'en ai acheté trois. Je suis en train de décider laquelle je vais porter en premier.

— Pour aller où ? l'interrogea Mitch en délaissant tout d'un coup son dîner.

— Pour sortir avec Brad, pardi ! Je me suis dit qu'en tant qu'homme, c'était toi le mieux placé pour juger laquelle me va le mieux.

Etait-elle naïve à ce point ou cherchait-elle juste à le rendre fou ?

— Je croyais qu'il ne s'agissait que d'une petite partie de billard ?

Elle planta sa main sur sa hanche, provoquant une secousse qu'il préféra ignorer.

— Si tu me disais plutôt où tu veux en venir ?

— Porte ce truc et dans neuf mois, tu risques de passer pire qu'un sale quart d'heure.

Elle s'esclaffa.

— Nous sommes censés dîner avant. J'aimerais juste être jolie.

— Parce que tu comptes jouer au billard avec ce bout de tissu sur le dos ?

— Oui, papa ! répliqua-t-elle en tournant les talons, le

laissant seul face à ses tourments. Tu n'as qu'à finir de manger pendant que j'essaie la deuxième.

Il faillit lui dire que ce n'était pas la peine qu'elle s'embête, qu'il en avait assez vu pour ce soir, mais en la voyant remonter l'escalier en roulant des hanches, il sentit son sexe se redresser sous son pantalon.

Elle voulait son avis. Très bien. Il allait lui donner, une fois son petit numéro terminé, mais elle risquait de ne pas apprécier. Et lui, de ne pas tenir le coup jusque-là…

— Celle-là, c'est ma préférée, dit-elle en virevoltant sur elle-même. Mais en même temps, le rouge est ma couleur préférée. Et toi, qu'est-ce que tu en penses ?

Il en disait que si elle continuait à s'exhiber ainsi, sa braguette allait exploser avant même la nuit tombée. Il la détailla des pieds à la tête, s'attardant sur la découpe en forme de triangle qui allait de son nombril au creux de ses seins.

Ce nouveau modèle semblait fait d'encore moins de tissu que le précédent. Non seulement la robe était courte et le décolleté on ne peut plus plongeant, mais le dos présentait là encore une large découpe qui laissait entrevoir la courbe délicate de sa colonne jusqu'au creux de ses reins.

— La tendance est au minimalisme cette année, à ce que je vois, ne put-il s'abstenir de remarquer.

Kate laissa échapper un petit rire amusé.

— Tu n'imagines pas à quel point c'est agréable à porter. Pour un peu, j'aurais presque l'impression de ne rien avoir sur le dos.

Il faillit s'étouffer en avalant sa viande et dut prendre un long trait de thé pour la faire passer. Il regarda son assiette vide. Curieux, il n'avait même pas conscience d'avoir mangé.

— Je ne sais pas, j'hésite, dit-elle en regardant ses jambes. Tu ne trouves pas qu'elle est plus courte que l'autre ?

Elle tourna sur elle-même et une fois de dos, tourna la tête pour le regarder.

— Dis-moi la vérité. Tu ne trouves pas que j'ai trop de taches de rousseur pour porter ça ?

Il laissa courir ses yeux le long de ses cuisses. Là où il habitait en Floride, les femmes étaient toutes bronzées, souvent trop même. Il ne se souvenait pas de la dernière fois qu'il avait vu une peau d'une telle blancheur.

— Non, tu es très…

— Très quoi ?

Son honnêteté ne ferait que l'encourager.

— Si j'étais toi, j'y réfléchirais à deux fois avant de sortir habillée comme ça.

— Et pourquoi ça ? fit-elle, piquée au vif. Je fais grosse, c'est ça ?

Il se retint d'éclater de rire.

— Pas du tout, mais tu m'as demandé mon avis, non ?

— Tout à fait.

Elle tira une chaise pour s'asseoir devant lui et ce faisant, fit de nouveau rebondir sa poitrine sous ses yeux. Elle le faisait exprès, ce n'était pas possible, songea Mitch en sentant son sexe se durcir de nouveau.

— Bon, alors, je vais te dire ma façon de voir les choses, reprit-il en cherchant ses mots pour essayer de rester à la fois le plus clair et le plus diplomate possible. Si tu portes cette robe pour aller jouer au billard, tu vas te retrouver face à tout un tas de types qui vont te rôder autour pour essayer de te payer un coup à boire.

— Pas si je suis avec Brad.

Bon sang. S'il entendait encore ne serait-ce qu'une seule fois le prénom de Brad, il allait faire un malheur.

— Juste une question, dit Mitch qui sentait ses nerfs sur le point de lâcher. A ton avis, quel genre d'homme faut-il être pour venir se pointer chez moi pour te voir toi ?

Elle lui lança un regard perplexe.

— Tout le monde sait que tu es comme un frère pour moi.

Mince. Elle l'avait pris à son propre jeu. Il se passa la main sur le visage avant de rétorquer :

— Les gens d'ici peut-être, mais Brad n'en sait rien, lui.

— Il s'est renseigné, voilà tout.

Cette fois-ci, c'en était trop. Il n'avait vraiment pas besoin de ça juste avant la nuit de surveillance qui l'attendait.

— Oh et puis après tout, fais ce que tu veux, mais je t'aurai prévenue.

— C'est ta façon de me dire que je ne devrais pas sortir avec lui, dit-elle en enlevant la feuille de menthe de son verre pour prendre une gorgée de thé.

— A ton avis ?

Elle haussa les épaules d'un air indifférent.

— Ce serait juste histoire de me changer les idées. Rien de plus.

Et d'ajouter, en se levant :

— Il me reste une dernière robe à te montrer.

Il serra les dents en la regardant remonter les marches, aussi tentante que le péché. Après tout, c'était peut-être sa façon à elle de revendiquer son indépendance.

Et si c'était là l'explication à son curieux comportement, force était d'admettre qu'il méritait la leçon. Mais il n'empêchait, l'attaque était disproportionnée. Aucun homme normalement constitué ne pouvait endurer un tel supplice. D'autant que le pseudo-rôle de confident qu'il avait endossé avec elle jusqu'ici devenait de plus en plus intenable. Pourtant, force était de constater qu'il ne pouvait s'empêcher de la *paterner*. Pourquoi ? Il ne le savait pas au juste. A se demander s'il ne la traitait pas comme une sœur simplement pour s'empêcher de la voir comme la femme indépendante et sexy qu'elle était devenue. Car alors, plus rien ne lui interdirait de lui ôter son ridicule attirail de séduction.

Il fallait qu'il mette de la distance entre eux, d'autant plus qu'elle allait maintenant dormir sous son toit. Car, au-delà du fait qu'elle était la sœur de ses amis, Kate méritait mieux qu'un homme comme lui. Certes, n'importe qui, à l'exception de Brad, aurait été préférable à son ex-fiancé, mais Mitch était bien conscient de ne pas être celui qu'il lui fallait.

En débarrassant les couverts, Mitch se cogna la cuisse contre l'angle de la table et trébucha dans la cuisine. Il en avait assez de son petit manège et il comptait bien le lui faire savoir quand elle redescendrait. Et lui dire aussi qu'elle pouvait bien choisir la robe qu'elle voulait, qu'elle était super-sexy dans toutes et que Brad ne manquerait pas de le remarquer.

Et si c'était ça, le cœur du problème ? A bien y réfléchir, si elle le torturait ainsi ce soir, c'était sans doute en représailles de sa désobligeante remarque de la veille. Il fallait dire qu'il avait été en dessous de tout en sous-entendant que Brad ne cherchait qu'à se servir d'elle. Et maintenant, elle avait besoin d'être rassurée sur son sex-appeal. C'était bien normal, mais pas question pour autant de lui avouer qu'il la désirait. Il fallait qu'il trouve le moyen de flatter son ego sans pour cela tomber le masque.

Si seulement il arrivait à la convaincre de ne pas sortir avec Brad, il pourrait retrouver un semblant de sang-froid, ce qui n'était pas facile quand son sexe semblait mener sa propre existence à chacune de ses apparitions. Pour garder l'air naturel, il entreprit de faire la vaisselle. Il fit couler l'eau dans l'évier et le remplit avec tout ce qu'il trouva à portée de main, y compris deux verres à pied qu'ils n'avaient même pas utilisés. Puis il se mit au travail en sifflotant pour mieux se préparer à sa prochaine — et il l'espérait, dernière — exhibition.

Quelques instants plus tard, il entendit un bruit de talons hauts derrière lui. Par réflexe, il se retourna et là, son regard fut attiré malgré lui vers son interminable paire de jambes. Les talons aiguilles qu'elle portait aux pieds donnaient à ses jambes déjà magnifiques une allure incroyable. Il déglutit. Sa bouche était sèche. Il se retourna pour se remettre au travail, mais dans la précipitation, éclaboussa le devant de son pantalon. Il marmonna un juron et jeta un œil effaré sur la bosse qui continuait de grossir sous le jean.

— Qu'est-ce qui s'est passé ?

— Rien, je faisais la vaisselle, s'empressa-t-il de répondre en collant ses hanches contre le plan de travail.

— Je vois ça, dit Kate en lui tendant un rouleau d'essuie-tout.

Le mouvement de son bras fit glisser une bretelle de sa robe sur son épaule. Elle la rattrapa *in extremis*, mais en la remettant en place, ce fut toute sa robe qui descendit de plusieurs millimètres. Par chance, elle la fit remonter juste à temps avec un réflexe digne d'une championne de ping-pong.

— J'ai besoin de ton aide pour la fermeture Eclair, expliqua-t-elle en lui montrant son dos.

La robe était grande ouverte tout le long de sa colonne jusqu'à sa petite culotte de soie rouge.

— Aïe !

Mitch sortit sa main de l'eau savonneuse. Des gouttes de sang perlaient de son pouce.

— Oh, Mitch ! Ça va ? demanda-t-elle en s'armant d'une feuille d'essuie-tout qu'elle enroula aussitôt autour de son doigt. Tu as mis un couteau là-dedans, ou quoi ?

— Non, des verres ! dit Mitch en soulevant le pansement pour voir l'étendue de la plaie. Je me suis déjà fait plus mal avec une feuille de papier !

— Bien sûr, monsieur Macho. N'empêche qu'il faut quand même panser tout ça.

Elle fit le tour de la pièce des yeux tout en maintenant en place le haut de sa robe, puis elle croisa son regard et soupira :

— Il te faut tes deux mains pour m'attacher ma robe et il me faut mes deux mains pour te soigner.

— Tu n'as qu'à tout laisser tomber !

Il avait dit ça sans réfléchir, juste pour faire un bon mot et c'est en voyant les yeux de Kate se mettre à briller d'une flamme qu'il n'osait même pas analyser qu'il comprit qu'il aurait mieux fait de se taire.

- 12 -

Kate retint son souffle. Ses efforts pour faire sortir Mitch de sa réserve n'avaient pas été vains, elle pouvait le voir à la flamme qui illuminait à présent son regard. Et maintenant qu'elle l'avait percé à jour, il pouvait bien se retrancher derrière tous les mauvais prétextes possibles et imaginables, elle savait qu'il avait envie d'elle au moins autant qu'elle avait envie de lui.

— Chiche ? fit-elle en desserrant sa main sur sa robe.

— Arrête ça, Katie. Je disais ça pour plaisanter.

Piégé à son propre jeu, il baissa un instant les yeux sur sa plaie et lorsqu'il les releva vers elle, elle s'exclama :

— Pas la peine de me regarder avec ces yeux-là, je sais que tu mens.

Il la fixa, incrédule, puis fit mine de s'occuper de son doigt.

— Tu veux savoir comment je le sais ? poursuivit-elle.

— Je suis tout ouïe.

— Tu m'as appelée Katie. En général, tu fais ça pour toucher la corde sensible ou pour me rappeler que je reste la petite sœur de Clint et Joe à tes yeux. Enfin, disons plutôt pour te le rappeler à toi-même, n'est-ce pas ?

— Je n'ai pas besoin d'aide-mémoire.

— Hum… Tu as presque l'air sincère.

Elle sourit et s'approcha de lui. Assez près pour voir la peur dans ses yeux et le faire reculer d'un pas.

— Détends-toi, je ne vais pas te manger !

— Tu comptes rester là debout longtemps à jouer les psychanalystes pendant que je perds mon sang ?

Elle se retint de rire puis, par acquit de conscience, souleva le tissu en papier pour vérifier la plaie, mais la coupure n'était pas bien méchante.

— Tu sais quoi, je vais monter me changer et après, je m'occupe de te faire un pansement.

Elle hésita un moment, mais trop contente de pouvoir le faire enrager de nouveau, laissa exprès glisser le haut de sa robe sur sa poitrine.

— Garde le mouchoir appuyé jusqu'à ce que je revienne.

En relevant les yeux, elle constata avec ravissement que le regard de Mitch était tourné dans la direction qu'elle avait prévue. Dorénavant, il pourrait bien lui raconter ce qu'il voulait, elle savait qu'il l'avait dans la peau. Le seul problème, c'était qu'à force de jouer à ce petit jeu, elle se trouvait elle-même dans un dangereux état d'excitation.

Elle se demanda ce qui se passerait si elle décidait de laisser tomber sa robe. Certes, il l'avait déjà vue en body transparent, mais c'était la nuit. Quelle serait sa réaction en plein jour. Lui tourner le dos ? Lui enjoindre de se couvrir ? La prendre dans ses bras pour l'embrasser jusqu'à plus soif ?

De toute façon, rien ne servait de se torturer, elle n'aurait jamais le cran de faire une chose pareille. Elle n'était pas Lisa, même si elle avait joué à l'être depuis tout à l'heure. Qui plus est, si elle franchissait cette limite, sa relation avec Mitch prendrait définitivement un nouveau virage.

Elle s'éclaircit la gorge et fit un pas en arrière pour rajuster sa robe.

— Je reviens.

Elle avait dû oublier qu'elle portait des talons car elle faillit perdre l'équilibre en voulant tourner trop vite.

— Attends.

Stoppée dans son élan, elle vacilla, dans son corps comme dans sa tête, se demandant où avait bien pu passer sa confiance en elle. Mitch la désirait, c'était une évidence et une réalité qu'elle allait devoir affronter sans se cacher derrière son pseudo-rôle de réplique de Lisa. Elle prit une longue inspiration et se retourna.

— Tu te trompes, Kate, dit aussitôt Mitch en s'avançant vers elle.

— A quel sujet ? réussit-elle à articuler.

— Même handicapé, je devrais pouvoir m'en sortir, dit-il en désignant sa robe du menton. Tourne-toi.

— Bien, fit-elle, soulagée.

Elle se retourna et, une fois hors de sa vue, ferma les yeux en priant pour ne pas perdre contenance.

— Dis-moi ? Avec ta main libre, tu pourrais tirer la fermeture vers le bas pendant que j'essaie de remonter la glissière ?

— Oui.

Elle passa sa main dans son dos et il la lui positionna. Elle sentit alors son souffle chaud sur son épaule tandis qu'il manipulait la glissière avec délicatesse.

Elle se mordilla la lèvre en sentant sa main remonter le long de son dos. Pourvu qu'elle n'ait pas la chair de poule. Elle s'efforça de rester droite pour abréger son supplice et le sien, tout en espérant dans son for intérieur qu'il prendrait tout son temps au contraire. La chaleur qui irradiait de son corps fit monter sa propre température de plusieurs degrés. Ses seins étaient tout tendus et ses tétons si durs que le simple frottement du tissu devenait difficile à supporter.

— Si c'est trop dur, je peux… Oh !

Elle retint son souffle. Mitch venait de lui effleurer les fesses. Avec quoi, elle ne savait pas. Son bras ? Sa hanche ? Son sexe ?

— Ne bouge plus. J'y suis presque.

Elle n'avait pas eu l'impression de bouger, mais se sentait de plus en plus à l'étroit.

— Non, laisse, dit-elle dans une ultime tentative. De toute façon je vais monter me changer.

— Là, voilà ! fit-il en même temps qu'elle sentit la robe se refermer sur elle comme un étau.

Elle baissa les yeux sur sa poitrine. Le haut paraissait bien plus juste que lors de l'essai au magasin. Ses seins débordaient de partout et ses tétons transperçaient presque le tissu.

— Tourne-toi un peu que je voie ce que ça donne ?

Elle s'exécuta et resta debout devant lui, les mains sur les hanches, dans l'attente du verdict, qui tomba comme un couperet.

— Pas mal.

C'était tout juste s'il avait pris le temps de la regarder.

— L'armoire à pharmacie est vide, enchaîna-t-il aussitôt, mais j'ai une trousse de secours dans mon camion.

En le voyant s'éclipser par la porte de la cuisine, elle poussa un ouf de soulagement. Ce petit jeu l'avait mise à cran… et à bout de souffle. Elle n'était pas mécontente d'avoir un peu de répit.

Car maintenant qu'elle avait réussi à capter son attention, elle allait devoir passer à l'attaque. Si Lisa avait été là, elle lui aurait sans doute conseillé d'enclencher la vitesse supérieure, mais le problème, c'était qu'elle était loin d'avoir son audace. Elle se voyait plutôt battre en retraite et cesser illico ce petit jeu de tourments qui la torturait, elle autant que lui.

Elle allait essayer de rester naturelle et le laisser prendre l'initiative. Elle lui avait bien mâché le travail et il ne lui restait pas grand-chose à faire. De toute façon, elle ne voulait pas mettre en péril son plan de surveillance. Ni leur relation, d'ailleurs. Et puis, elle n'était pas dans son état normal. Son petit manège en était la preuve : la vraie Kate, elle, ne se serait jamais mis en tête de rendre un homme fou.

Elle tira sur le tissu de sa robe pour respirer un bon coup, puis profita de ce que Mitch n'était toujours pas revenu pour aller vérifier dans la salle de bains que tout était bien en place. Elle jeta un œil par la lucarne pour voir où il en était. Son camion était là, mais aucun signe de Mitch. Elle pencha la tête pour voir si, à tout hasard, il n'était pas assis à l'intérieur, mais non, toujours pas. Elle attendit un moment, s'attendant à le voir revenir par l'une des deux portes, mais cinq bonnes minutes plus tard, toujours aucune trace de lui.

Mitch rajusta son jean pour la troisième fois. La bosse avait réduit, mais pas encore assez pour passer inaperçue. Surtout qu'elle allait regonfler à la minute où il allait de nouveau poser les yeux sur Kate. Qu'est-ce qu'il lui arrivait ? Certes, elle était très sexy dans toutes ces robes, elle était même splendide, mais il était loin d'être novice en la matière. Depuis son départ du Texas, il n'avait cessé d'être entouré de femmes plus belles les unes que les autres.

Il devait se rendre à l'évidence. Elle l'attirait au-delà de ce qu'il aurait pu imaginer et s'il ne voulait pas craquer, il n'avait d'autre choix que de mettre de la distance entre eux. Ne serait-ce que par respect pour Clint et Joe.

Pour évacuer la frustration, il balança un grand coup de pied dans une meule de foin. La nuit commençait à tomber dehors et même s'il était encore tôt pour commencer la surveillance, il allait monter directement au premier et se poster devant les écrans de contrôle. Elle le suivrait, c'était sûr, mais dès qu'ils se mettraient au travail, elle ne pourrait plus le harceler.

Il s'étira le cou et le dos, puis entreprit une série d'exercices d'assouplissement. Il sentit son pouls palpiter au niveau de son doigt. Il jeta un œil à son bandage : il n'avait pas bougé. Il ouvrit la main et regarda le petit emballage carré au creux de sa paume.

La boîte de préservatifs se situait juste à côté de la trousse de secours dans la boîte à gants et il en avait pris un. Il ne savait pas pourquoi. D'ailleurs, il ne comptait pas s'en servir. Pas ici, pas avec Kate.

Il fit quelques mouvements de boxe et de karaté pour se défouler, puis sortit de l'étable et s'empressa de regagner la maison. Kate l'attendait sous le porche, toujours vêtue de sa robe et de ses hauts talons. L'image de sa petite culotte rouge lui revint en pleine face. L'espace d'un instant, il se dit qu'il ferait mieux de la renvoyer chez elle, mais elle risquait d'aller rejoindre Brad et cette idée, Mitch ne pouvait la supporter.

Sans compter qu'il avait promis à son frère Clint de veiller sur elle.

*
* *

Kate le vit sortir de l'étable et se diriger vers la maison. Elle lui fit signe de la main, mais il avait baissé la tête. Il l'avait vue et préférait l'éviter. L'évidence lui fit mal, mais elle eut vite fait de se raisonner.

— Tu en as mis un temps ! protesta-t-elle. J'étais inquiète, dit-elle une fois qu'il fut à portée de voix.

Il lui montra le bandage sur son doigt.

— Je venais de terminer ce pansement quand j'ai cru voir quelqu'un rôder autour de l'étable.

— Non !

Si elle s'était attendue à ça.

— Rien de grave, s'empressa-t-il de la rassurer. J'ai vérifié. Sans doute un chat.

— On devrait peut-être installer des détecteurs de mouvement.

— Bonne idée. J'irai en acheter demain.

— Je ne suis pas montée vérifier les écrans, dit-elle en tournant la tête vers lui en même temps qu'elle passait le seuil.

Ses yeux étaient rivés sur ses fesses et elle oscilla entre gêne et excitation.

— Je me suis dit qu'on était en sécurité tant qu'il faisait jour.

— Tu as bien fait. Les vols ont toujours lieu après minuit. Mais bon, on ne sait jamais. Mieux vaut commencer à être vigilant.

Il ferma la porte vitrée, puis celle de bois derrière lui, prenant son temps avant l'inévitable face-à-face.

— Je vois que tu n'as pas eu besoin de mon aide, dit-elle en désignant son doigt bandé.

— Je ne saigne plus. Je crois que je survivrai.

— Tant mieux. C'est vrai que mourir en faisant la vaisselle, c'est ballot…

— A ce propos, je vais la terminer.

— Tout est lavé, séché et rangé.

— Ce n'était pas la peine, mais merci, dit-il en tirant les rideaux avant de se tourner vers elle. Inutile de nous exposer.

Elle frissonna à l'idée que quelqu'un puisse être tapi dehors à les regarder.

— Je me suis toujours sentie tellement en sécurité ici. Avant les vols, on ne fermait jamais la maison à clé.

— Je ne voulais pas t'effrayer. Ce n'est pas après nous qu'en ont les voleurs. Ce qui les intéresse, c'est le bétail, dit-il en tirant un à un tous les rideaux des fenêtres du rez-de-chaussée. Mais si quelqu'un nous surveille et nous voit là tous les soirs, ça risque d'éveiller les soupçons.

— Tu as raison.

Il lui lança un long regard si pénétrant qu'elle en eut des frissons.

— Viens par ici, dit-il.

— Quoi ?

Elle le suivit jusqu'à la fenêtre suivante et attendit qu'il en tire les rideaux, mais au lieu de cela, il lui prit la main pour l'attirer contre lui. Puis de sa main libre, il lui pencha la tête en arrière et lui adressa un large sourire avant de venir poser sa bouche sur la sienne dans un baiser à la fois délicat et persuasif.

Elle ne réalisa pas tout de suite ce qui était en train de se passer. Après tout, elle était si désespérée que c'était peut-être un rêve, mais les lèvres de Mitch se firent plus insistantes et son sexe tendu contre son ventre lui fit comprendre que c'était bien la réalité.

Elle entrouvrit les lèvres et il glissa sa langue dans sa bouche. Il avait un goût épicé et mentholé à la fois et elle se prit à espérer que c'était l'abus de thé et non Mitch qui l'excitait et lui faisait tourner la tête.

Un baiser qui se termina comme il avait commencé, sans préavis.

— Comme ça, si quelqu'un nous regarde, dit Mitch, il ou elle ne se demandera plus ce que tu fais ici, dit Mitch avec un petit sourire.

— Je doute que ce soit assez convaincant, le taquina Kate.

— Ah oui ? fit Mitch tout excité.

— Trop chaste, répondit Kate avant d'ajouter d'un petit air machiavélique : Si quelqu'un est bien dehors en train de nous épier, il faut lui en donner plus à voir…

— Dans ce cas, je suis tout à toi.

Que n'avait-il dit là ! Il avait à peine terminé sa phrase que Kate l'agrippa par la boucle de son ceinturon et l'attira à lui avec une fougue à la mesure de l'attente qu'elle avait endurée.

— Qu'est-ce que tu fais ? demanda-t-il étonné.

— Laisse-toi faire, lui murmura-t-elle entre ses dents, ou tu vas tout faire capoter.

N'y tenant plus, il la serra contre lui, si fort qu'elle n'eut d'autre choix que de lâcher la boucle de sa ceinture. Ses tétons étaient tout durs et son sexe plus raide que jamais. Il prit le lobe de son oreille entre ses dents et le lui mordilla.

— On ne devrait pas, finit-il par lui glisser à l'oreille.

— Quoi ? S'exhiber comme ça ?

De ses lèvres, il pinça la peau sous son oreille avant de déposer un baiser au même endroit.

— Tu sais bien de quoi je veux parler, poursuivit-il sans parvenir à la lâcher.

Pour toute réponse, elle enroula ses bras autour de lui et entreprit de lui enlever sa chemise.

— On ne devrait pas faire ça devant la fenêtre, reprit-il.

— On ne devrait pas faire ça tout court, rétorqua-t-elle en enfonçant sa langue dans sa bouche.

Comme il semblait résister, elle s'arc-bouta contre lui, pressant ses seins contre son torse jusqu'à ce qu'un frisson de plaisir lui parcoure le corps. Puis, d'instinct, elle se mit à remuer les hanches pour mieux le sentir contre elle, si dur, si vigoureux. Il gémit dans sa bouche et prit ses deux fesses à pleines mains et lorsqu'il enfonça ses doigts dans sa chair, elle put sentir son cœur qui tambourinait dans sa poitrine contre la sienne.

Elle avait tant attendu ce moment qu'à présent elle ne pouvait plus souffrir de ne pas sentir sa peau nue contre la sienne, son torse musclé contre ses seins tendus de désir. Elle voulait qu'il l'embrasse de sa bouche humide, sur la bouche, sur les seins, partout, jusque dans les replis les plus intimes de sa chair. Qu'il laisse une empreinte si profonde sur sa peau qu'elle puisse en revivre les sensations à l'infini.

Il devait lire dans ses pensées, car l'instant d'après, il délaissa sa bouche pour se concentrer sur la peau si sensible de son cou. Il fit ensuite courir ses lèvres sur son épaule et continua ainsi jusqu'à son sein.

Elle l'aurait bien laissé poursuivre l'exploration de son corps, mais l'idée que quelqu'un puisse être en train de les regarder s'insinua dans son esprit et lui gâcha son plaisir.

— Tire les rideaux, finit-elle par lui murmurer.

Il marmonna quelque chose, mais ne cessa pas pour autant son exploration.

— Mitch, les rideaux !

Lorsqu'il releva la tête, Kate vit dans ses yeux qu'il venait de prendre conscience de la situation et elle dit, pour plaisanter :

— Je pense que les guetteurs sont convaincus maintenant.

Hélas, c'était trop tard, le charme était rompu et elle pouvait presque visualiser le mur qui se dressait de nouveau entre eux. Mitch n'avait pas seulement fermé les rideaux, il avait remis son masque.

— Désolé, dit-il en la fuyant du regard, je me suis laissé emporter.

— Je n'ai pas dit ça pour que tu arrêtes, dit-elle en ravalant sa déception. J'avais juste besoin d'un peu d'intimité.

— C'est mieux ainsi, Kate, crois-moi, dit-il en lui caressant la joue du bout des doigts.

— Non ! s'indigna-t-elle. Je sais que je te plais. Ton baiser m'a prouvé que ce n'était pas mon imagination. Donc, si tu réagis comme ça, c'est uniquement à cause de ce fichu respect pour mes frères.

Il eut un rire étranglé.

— Oui, c'est vrai que tu me plais. A tel point d'ailleurs que je n'ai pas réussi à te le cacher.

— Et donc ?

— Tu ne t'en rends peut-être pas bien compte, mais tu es fragile en ce moment. Fais-moi confiance, c'est mieux ainsi.

— Oui, tu as raison, dit-elle en faisant de grands gestes des mains. Pourquoi risquer de mettre en péril notre amitié, hein ?

— Tu es en colère ?

— J'admire ta loyauté, mais tu n'es qu'un hypocrite.

— Tu vois, tu mélanges tout.

— En fin de compte, je crois que tu as raison, dit-elle avec un sourire forcé, je suis un peu paumée et je vais aller me consoler dans d'autres bras.

Il lui lança un regard si noir qu'il la sentit près de vaciller. S'il ne voulait pas qu'elle sorte avec Brad, il fallait qu'il agisse, et vite !

- 13 -

Il s'était déjà passé quatre nuits depuis que Kate lui avait fait son défilé et qu'il avait bafoué tous les principes qui comptaient à ses yeux. Et pourtant, cette nuit encore, il était là, dans l'ancienne chambre de sa sœur, à la regarder dormir plutôt que de surveiller ses écrans. Recroquevillée en chien de fusil, elle serrait son oreiller contre elle, son tentant postérieur dirigé dans sa direction dans un pantalon kaki taille basse qui laissait entrevoir une culotte en dentelle rose.

Cela faisait une semaine jour pour jour qu'ils avaient débuté la surveillance et déjà, Mitch commençait à perdre patience. Non pas qu'il se soit attendu à ce que les voleurs mordent tout de suite à l'hameçon ni qu'il ait eu spécialement envie de rentrer à Palm Beach reprendre son travail, mais tout ce temps passé avec Kate mettait ses nerfs à rude épreuve.

Il se pinça le haut du nez pour retenir un bâillement. Encore deux longues heures à tenir avant le lever du jour et il sentait déjà ses yeux lui piquer. Cette nuit, c'était elle qui avait pris le premier tour avant de lui passer le relais vers une heure et demie. Une perte de temps, vu qu'il n'avait pas réussi à fermer l'œil jusque-là. Autant dire qu'il avait été mortifié lorsque Kate s'était endormie même pas dix minutes après qu'il avait pris sa relève. Elle s'était assise au bord du lit pour discuter un peu et s'était assoupie sans avoir le temps d'aller se coucher dans la chambre.

Il aurait dû la réveiller tout de suite et l'envoyer dans la chambre d'amis. Au lieu de ça, il s'était infligé le supplice de la regarder dormir en se demandant combien de temps il allait être capable de tenir sans devoir la ramener dans son lit. Il pensait avoir la force de tenir jusqu'au point du jour, mais qu'adviendrait-il après ? Ses nerfs étaient à bout et, il le savait, bientôt il ne répondrait plus de rien. Il n'était pas un saint et tôt ou tard, la discipline de fer qu'il s'était imposée à lui-même ne suffirait plus.

Kate roula sur elle-même et leva vers lui des yeux tout ensommeillés.

— Mitch, c'est toi ?

Il se redressa, soulagé de voir qu'elle était trop ensommeillée pour avoir remarqué qu'il la regardait.

— Tu t'es endormie.

— Je sais, mais… cette sonnerie ? C'est ton portable ?

Il était tellement absorbé qu'il n'avait même pas fait attention à la sonnerie, pourtant lancinante, de son téléphone portable. Il se mit à fourrager dans sa poche. Pour appeler si tard, c'était soit une erreur, soit une urgence. En voyant le nom affiché sur l'écran du téléphone, il fut soulagé. Ce n'était pas une urgence. En revanche, c'était une erreur d'avoir donné son numéro à la fille de son patron.

— Allô, répondit-il tout en jetant un œil aux écrans de contrôle, puis à Kate.

Elle avait l'air bien éveillée à présent et même un peu anxieuse. Elle devait craindre pour son frère qui avait pris l'avion pour Hawaii dans la nuit. Il s'empressa de lui faire signe que tout allait bien et sortit de la pièce pour ne pas la déranger.

— Oui, Bébé, je t'écoute.

— Mitch, tu me manques. Quand est-ce que tu reviens ?

A l'évidence, Savannah avait trop bu. Pas au point de ne plus pouvoir articuler, mais assez tout de même pour décevoir Mitch et lui faire se demander ce qui pouvait bien encore lui arriver pour le déranger à cette heure.

— Tu sais quelle heure il est ?

— Où ça ? A Palm Beach ou dans ton affreux trou perdu que tu ne veux plus quitter ?

— Tu es où, là ?

— Comme si ça t'intéressait…

Son surnom de « Bébé », qui lui collait à la peau depuis l'enfance, lui allait comme un gant. A vingt et un ans, elle se comportait encore comme une enfant gâtée.

— Tu sais bien que si…

— Alors, prouve-le-moi et rentre à la maison !

Il soupira avant de jeter un regard furtif dans la chambre. Il espérait que Kate s'était rendormie.

— J'ai encore à faire ici.

— Et personne d'autre ne peut s'en charger ? Tu sais que je déteste quand tu n'es pas là.

— Je sais, mais il va bien falloir t'y faire. Je ne serai pas toute ma vie là pour veiller sur toi. Dis-moi où tu es.

— Dans ma chambre, où je crève d'ennui… Content ?

— Tu devrais essayer de dormir.

— Dormir, c'est trop chiant, s'exclama-t-elle en bâillant. Et puis, je ne suis pas la seule à vouloir que tu reviennes. Papa aussi, il t'attend pour travailler.

— Allons, allons, Bébé. Tu sais tout comme moi qu'il est encore à l'étranger, dit-il avant de laisser un peu de silence passer.

Il espérait qu'elle s'endormirait à l'autre bout du fil comme c'était déjà arrivé. Il était désolé pour la petite. Il avait toujours fait en sorte de veiller sur elle, mais cette gosse était épuisante et qui plus est, il n'était pas son père.

— Mitch ?

— Oui, je t'écoute, Bébé, dit-il en fermant les yeux.

— Je déteste quand t'es pas là, répéta-t-elle d'une voix plus apaisée, le signe qu'elle n'allait pas tarder à tomber dans les bras de Morphée.

— Tu es dans ton lit ?

— Oui.

— Remonte les draps jusqu'à ton menton.

Elle lâcha un long soupir.

— O.K.

Il sourit d'un air triste au son enfantin de sa voix.

— Imagine-toi que je suis en train de te border.

— Tu m'appelleras demain, hein ? demanda-t-elle en bâillant.

— Promis, ma chérie, je t'appelle. Fais de beaux rêves.

Il attendit qu'elle raccroche, puis éteignit son portable et le glissa dans sa poche. Il soupira en songeant à toutes les fois où il l'avait ramassée à la petite cuillère. Elle allait accuser le coup quand il reviendrait vivre ici pour de bon.

L'idée le fit se raidir. Il n'avait pas encore envisagé de quitter sa vie à Palm Beach. En tout cas, pas pour de bon. Il aimait son travail, la liberté qu'il lui offrait, les voyages, l'argent… Il porta un regard circulaire vers le lambris et les poutres de bois qui avaient constitué son chez-lui jusqu'à ses dix-huit ans et qui lui semblaient à présent si loin de sa vie d'aujourd'hui.

Pourtant, c'était plus fort que lui, il ne pouvait supporter l'idée que le ranch soit vendu. Il fallait que cet endroit reste aux Colter comme un lieu de retraite lorsqu'il chercherait à fonder un foyer. S'il parvenait à résoudre l'affaire des vols, ses parents reviendraient y vivre et tout redeviendrait comme avant. Il fallait absolument que son plan fonctionne.

Encore sous le choc de ce qu'elle venait d'entendre, Kate ferma les paupières en entendant les pas de Mitch s'approcher. Une fois de plus, force était de constater qu'elle était le dindon de la farce. Il avait une femme qui l'attendait là-bas en Floride, c'était une évidence. Quand elle l'avait entendu l'appeler « Bébé », c'était comme si son cœur s'était décroché. Pourquoi ne lui avait-il rien dit ? S'il lui avait dit la vérité, elle ne se serait pas entêtée et se serait ainsi épargné une seconde humiliation.

Ne l'entendant plus, elle rouvrit les yeux et tomba sur les siens braqués sur elle.

— Désolé pour le téléphone.

Pas une once de culpabilité dans ses yeux. S'il ne s'était pas agi de Mitch, elle aurait pensé qu'il se payait sa tête.

— Tu devrais aller te reposer dans ta chambre.

Elle s'assit, perplexe. Sachant qu'elle était éveillée, il devait bien se douter qu'elle avait entendu ce qu'il disait. Pourtant, il n'avait pas l'air le moins du monde gêné.

— C'était qui ? demanda-t-elle de but en blanc.

— La fille de mon patron.

Elle tressaillit et vérifia l'heure sur sa montre.

— Et qu'est-ce qu'elle avait de si important à te dire à 3 heures du matin ?

— C'est exactement la question que je me suis posée. Cette fille n'a aucune limite ! déplora-t-il avant de reprendre son poste.

Elle hésita. Elle était tentée de le planter là sans cérémonie, mais sa curiosité fut plus forte.

— Tu aurais dû me le dire.

Il se tourna vers elle d'un air perplexe.

— Te dire quoi ?

— Que tu avais une petite amie.

— Si j'en avais une, je te l'aurais dit.

Cette fois-ci, c'en était trop. La couleuvre était trop dure à avaler. Elle bondit du lit et s'exclama :

— Bon, eh bien, maintenant que je suis réveillée, tu veux peut-être que je te remplace.

Il secoua la tête en la regardant essayer d'enfiler ses sandales.

— Je ne sais pas ce que tu as entendu, mais tu te fais des idées, je t'assure.

Il avait bien appelé cette fille « Bébé », elle n'avait pas rêvé. D'ailleurs, en y réfléchissant bien, il lui avait même dit « ma chérie ». Un mot affectueux, certes plus passe-partout, mais un mot affectueux quand même.

— Je serai dans la chambre d'amis, se contenta-t-elle de répondre en le quittant. Demain, je dois me lever tôt, j'ai des affaires à régler.

— Kate !

— Qu'est-ce que tu fais, Mitch ? Tu dois rester surveiller les écrans.

— Il y a autre chose que je dois faire.

Elle comprit à son regard ce qu'il avait en tête, mais pas

question de le laisser s'en tirer à si bon compte. Il l'attira dans ses bras. Elle résista. Il plaqua alors ses lèvres contre les siennes et profita de ce qu'elle avait la bouche entrouverte pour y enfoncer sa langue. Si chaude et si entreprenante qu'elle n'eut d'autre choix que de se laisser aller à la tentation. S'ensuivit alors une danse enfiévrée de leurs deux corps enfin réunis jusqu'à ce que Mitch, sans doute à bout de nerfs, l'agrippe par les fesses et la plaque sans plus de cérémonie contre son sexe dressé pour elle.

Il la désirait et, pour elle, c'était tout ce qui importait. Alors, sans le moindre scrupule, elle se laissa envahir par le plaisir de l'instant : la langue de Mitch qui jouait avec la sienne, le subtil parfum de sa peau, la chaleur de son cœur pressé contre le sien. Elle pencha la tête en arrière pour mieux savourer la caresse de ses mains dans ses cheveux quand elle sursauta en s'écriant :

— Mitch ! Les écrans !

Il grommela et, l'attirant de nouveau à lui, murmura à son oreille :

— Que c'est bon d'être avec toi.

Avant d'ajouter, à regret :

— Mais, tu as raison, retournons dans la chambre.

Elle acquiesça, ravalant sa salive. Pourquoi avait-il fallu qu'elle vienne tout gâcher avec son fichu sens des responsabilités ? Et surtout, comment avait-elle pu penser à la surveillance en un moment pareil ?

— O.K., mais il faut qu'on parle.

— Pas de problème, répondit-il en lui prenant la main pour la conduire dans la chambre de sa sœur.

Le reflet des écrans peignait la chambre en gris. Les rideaux tirés assuraient leur intimité, mais les privaient du reflet de la lune. La lumière était toutefois suffisante pour qu'elle voie son visage même si, elle l'avait appris à ses dépens, il était passé maître dans l'art de masquer ses sentiments.

Une fois qu'ils eurent vérifié que tout était normal dehors, elle s'installa au pied du lit, un peu mal à l'aise et il vint s'asseoir sur une chaise juste en face, ses genoux frôlant les siens.

Ce n'était pas une bonne idée de rester, elle le savait. D'ailleurs, si elle l'avait rappelé à son devoir sans le vouloir, c'était peut-être son inconscient qui avait parlé. Pourtant, le contact avait beau avoir été rompu entre eux, c'était comme si elle sentait encore ses lèvres sur les siennes. Même la chaleur entre ses cuisses n'avait pas diminué. Et le fait de le regarder n'arrangeait pas les choses. Il lui décocha un sourire qui la fit fondre, mais quand il s'approcha pour lui prendre la main, elle eut la présence d'esprit de reculer.

— Non, on parle d'abord, dit-elle en croisant les bras sur sa poitrine. Tu ne peux pas m'embrasser comme ça et ne pas me dire qui est cette fille.

— Je te l'ai dit, c'est la fille de mon patron, répondit Mitch sans ciller. Ce n'est pas ma petite amie, si c'est ce que tu crois. Bébé a tout juste vingt et un ans.

— Bébé ?

— Elle s'appelle Savannah, mais tout le monde l'appelle « Bébé ». Et crois-moi, elle porte bien son nom.

Elle resta silencieuse un moment. Ce n'était d'ordinaire pas son genre de tirer des conclusions hâtives, mais avec lui, elle ne contrôlait plus rien.

— Excuse-moi. De toute évidence, je…

— Quand j'ai commencé à travailler pour son père, elle m'a fait un peu de rentre-dedans, mais elle était trop jeune et puis, c'était la fille du patron. J'ai très vite mis les points sur les *i*.

Il haussa les épaules.

— C'est le genre de fille belle et riche à millions à qui son père a toujours tout cédé, sans jamais prendre la peine de s'en occuper.

Elle soupira. Le monde dans lequel vivait Mitch était à mille lieues du sien, elle s'en rendait compte à présent. Un monde de strass et de paillettes, d'argent facile et de filles toutes plus riches et plus belles les unes que les autres. Sa vie à elle paraissait bien ordinaire à côté.

— Aujourd'hui, nous sommes amis, poursuivit-il. Enfin, disons plutôt que je suis là quand elle a besoin de moi… Autant dire, souvent ! Surtout depuis qu'elle s'est mise à boire. J'ai essayé de lui faire entendre raison, mais au stade où elle en est, elle ferait mieux d'entreprendre une thérapie. Je crois qu'en fin de compte, elle est contente qu'il n'y ait pas de sexe entre nous. Voilà, fin de l'histoire !

Le soulagement qu'elle ressentit à cet instant précis fut tel qu'elle se laissa tomber de tout son long sur le lit. Il n'avait personne d'autre, son baiser était donc sincère. Quel bonheur de se savoir désirée par lui.

Mais… pas question pour autant de baisser sa garde. Elle devait réfléchir à la suite, faire preuve de bon sens. Si tant est qu'elle en ait jamais eu.

— Bon, je crois que je t'ai assez distrait comme ça, dit-elle en se relevant, fuyant son regard. Je vais me reposer quelques heures et…

— Kate, dit-il en lui prenant la main, refusant de la lâcher quand elle se mit à résister. Tu ne m'as pas cru ?

— Non, ce n'est pas ça. C'est juste que toi, tu as à faire et moi, il faut que je dorme.

— Regarde-moi.

Elle prit une longue inspiration et se força à le regarder dans les yeux.

— Allez, dis-moi ce qui ne va pas, insista-t-il.

Au pied du mur, elle finit par lâcher :

— C'est juste que je me sens ridicule de t'avoir aguiché comme ça. Voilà je l'ai dit. Tu es satisfait ?

— Disons plutôt soulagé… J'avais peur que tu sois fâchée que je t'aie embrassée.

Elle le scruta intensément. Ce n'était pas du baratin : elle pouvait lire le soulagement dans son regard.

— Quelle drôle d'idée !

Comment pouvait-il penser une chose pareille ? A croire qu'il avait oublié l'épisode de la première nuit chez lui. Un souvenir pénible qu'elle aurait bien voulu elle aussi effacer de sa mémoire. Quoique, en repensant à son torse chaud sous sa joue, elle frissonnait d'excitation.

— Alors, pourquoi est-ce que tu fuis ?

Elle le laissa l'attirer à lui et posa ses mains sur ses épaules lorsqu'il passa ses bras autour de sa taille. Son regard était si plein de tendresse qu'elle sentit ses jambes flageoler. Elle lui passa la main dans les cheveux et se délecta de le voir s'abandonner à ses caresses.

Pour la première fois depuis bien longtemps, elle se sentait sereine. Une sérénité qui faillit l'abandonner lorsqu'il se décala pour lui faire une place sur ses genoux. Elle était loin d'être un poids plume. Aussi musclé soit-il, elle devait lui faire mal aux cuisses.

— Si tu préfères, je t'apporte une autre chaise, proposa Mitch. Mais j'aime t'avoir blottie contre moi.

— Je peux m'asseoir sur le lit.

— C'est ce que tu veux ?

Elle faillit répondre que oui, mais elle aurait menti. Est-ce que, pour une fois, elle pouvait juste cesser de cogiter et se laisser aller ?

Elle fit non de la tête.

— Bien.

Il fit un mouvement sur lui-même de sorte qu'ils se retrouvèrent tous les deux face aux écrans de contrôle. Mais avec sa main qui lui chatouillait le dos, il se berçait d'illusions s'il pensait qu'elle allait pouvoir rester concentrée sur les petits carrés de lumière en face d'eux.

— Bien installée ?

— Oui, mais je sens que je t'écrase.

— C'est vrai.

Il ôta sa main et elle la regretta aussitôt, mais celle-ci revint, sous son T-shirt cette fois. Elle sentit ses tétons se durcir sous son soutien-gorge et son T-shirt en coton. En le regardant de biais, elle vit qu'il avait les yeux rivés sur l'écran, mais ses mains n'étaient pas inactives pour autant. Décidément, cet homme-là était plein de ressources ! En moins de temps qu'il n'en fallait pour le dire, il avait réussi à libérer ses seins tendus d'excitation sans quitter l'écran des yeux et sa bouche entreprenait déjà un excitant périple le long de son cou.

Bien qu'un peu nerveuse à l'idée de ce qui risquait de se passer ensuite, elle essaya de se détendre. C'est alors qu'elle sentit ses doigts se glisser sous le tissu de son soutien-gorge, puis de sa large paume, il se mit à soupeser son sein gauche.

Ses doigts se firent plus hardis et elle se retint de gémir lorsqu'ils se posèrent sur son téton boursouflé d'excitation. Elle jeta la tête en arrière et sentit une bosse gonfler sous ses fesses. Elle sursauta, mais il la maintint du bout du téton. Elle gémit de plaisir sous le délicieux pincement.

— Laisse-moi te goûter, lui chuchota-t-il à l'oreille.

— Mais, les…

Elle s'interrompit pour reprendre ses esprits. Ils étaient assis juste devant les écrans. Ils ne pouvaient pas mieux faire. Et puis, rien n'allait arriver de toute façon, pas cette nuit, elle le sentait. Rien dehors en tout cas, car à l'intérieur, elle n'allait bientôt plus répondre de rien.

Il entreprit de lui ôter son T-shirt et elle termina le travail. Elle l'entendit respirer plus fort tandis qu'il semblait s'enivrer de la vue de ses seins nus. Puis, il s'humecta les lèvres et laissa échapper un juron qui aurait pu sembler déplacé en d'autres circonstances, mais qui en cet instant flatta son ego et enflamma son entrecuisse.

Elle le regarda poser sa main délicate sur l'aréole de son sein, puis sur l'autre, avec un imperceptible tremblement qui la toucha droit au cœur. La chaleur de son souffle sur sa peau était plus qu'elle n'en pouvait supporter et elle ferma les yeux dans l'espoir que sa bouche vienne apaiser son tourment.

— Ah, Kate, tu es magnifique, dit-il avant d'enfouir son nez au creux de son cou, caressant sa gorge de la pointe de sa langue.

Elle se cambra, comme pour lui faire comprendre sans mot dire ce qu'elle attendait de lui, son corps tout entier tendu vers ce plaisir tant attendu qu'il allait enfin lui donner.

Il emprisonna ses seins dans la paume de ses mains et plongea ses yeux dans les siens.

— Dis-moi ce que tu veux, murmura-t-il en lui titillant le bout des seins.

Son audace la fit frémir et elle répondit, dans un souffle :

— Toi.

- 14 -

Jusqu'à présent, Mitch n'avait jamais mesuré avec quelle force il la désirait. Maintenant, il le savait. Il avait besoin d'elle, de la sentir entre ses bras, d'entendre le battement de son cœur contre sa poitrine. Sa douceur, sa moiteur, il aurait voulu plonger tout entier dedans et s'en repaître à l'infini. Ce qu'il ressentait pour elle était bien plus qu'une simple attirance physique. Il l'aimait. Son naturel, sa spontanéité, sa fraîcheur, tout en elle trouvait une résonance particulière chez lui. Jusqu'à sa façon de rire en reniflant. C'était dire son amour sans compromission.

Savourant la moindre seconde, il goûtait et regoûtait à ses seins, insatiable quand de sa langue, il excitait ses petits tétons durcis au rythme de ses gémissements étouffés. Il aimait sa poitrine, la couleur de ses tétons, leur douceur ferme. D'ailleurs, il ne pouvait en imaginer de plus parfaits. A croire qu'ils avaient été faits exprès pour lui.

— J'espère que tu gardes un œil sur les écrans parce que moi, je suis trop occupé, murmura-t-il en traçant des cercles concentriques autour de l'aréole de son sein.

— Mitch ! Tu es le diable en personne.

— Tu veux peut-être que j'arrête ? dit-il en cessant sur-le-champ ses caresses.

Elle le défia du regard et il sourit avant de partir à l'assaut de son autre sein, pas certain toutefois de pouvoir encore endurer longtemps le supplice qu'il s'infligeait à lui-même.

Sous ses fesses, elle le sentait si dur qu'elle le voyait mal faire marche arrière. Pire, il se mit à accélérer la cadence de ses caresses, échauffant ses sens comme jamais, jusqu'à lui arracher un cri rauque semblant venu du tréfonds de sa gorge.

— Mitch, dit-elle alors en lui entourant le visage des mains pour l'obliger à relever la tête. Attends !

Il leva les yeux, incapable de dire s'il l'avait entendue parler ou si c'était l'afflux du sang vers sa tête qui lui faisait bourdonner les oreilles.

— Il faut que je te dise, hoqueta-t-elle. Les écrans, j'arrive pas à les voir quand tu…

Elle déglutit avant de terminer :

— Quand tu me fais ces choses-là…

— Quelles choses ?

Il sourit. Elle sentait l'amour.

— Arrête !

— Arrêter quoi ?

— Ta respiration, ça me chatouille.

— Tu veux que je m'arrête de respirer.

Elle lui donna un coup de coude auquel il répondit par un grognement avant de glisser ses bras autour d'elle pour pétrir ses seins nus.

— Tu es parfaite. Tourne-toi que je te regarde, mais sans te lever.

— Il va bien falloir. Si ça se trouve il n'y a plus aucune bête dans le pré… Oh ! fit-elle en se cambrant, pressant ses seins contre la paume de ses mains, le corps parcouru de secousses.

Des secousses qui se répercutèrent jusqu'à son sexe tendu. Elle avait raison, mieux valait calmer le jeu. Le soleil n'allait pas tarder à se lever et ensuite, ils auraient tout loisir de poursuivre ce qu'ils venaient de commencer. Il la sentait pourtant prête à l'accueillir. Il pouvait presque sentir la moiteur entre ses cuisses.

— Viens par ici. Ne t'occupe plus des écrans, j'en fais mon affaire, dit-il en la faisant reculer sur ses cuisses.

La pression de son postérieur sur son sexe lui fit serrer les dents.

— Mais je…

Elle s'interrompit, voyant qu'il s'activait sur la fermeture Eclair de son short.

— Qu'est-ce que tu fais ?

— Détends-toi. Allonge-toi sur moi, lui murmura-t-il à l'oreille en l'embrassant le long du cou. Ferme les yeux si tu veux. Je surveille.

Il glissa la main sous la ceinture de son short, trouva l'élastique de sa culotte et la sentit trembler.

— T'en fais pas, je te tiens.

Mais ce n'était pas la peur de tomber qui l'avait fait trembler. Juste un réflexe.

Il ôta sa main de sa culotte, pour la rassurer, mais c'était reculer pour mieux sauter. D'une main, il se mit à caresser la peau soyeuse entre ses cuisses et de l'autre, s'en prit à son téton déjà rudement mis à l'épreuve. Mais ce n'était qu'un tour de passe-passe car l'instant d'après, il plongeait ses doigts experts entre ses lèvres humides.

Kate se sentait assaillie de toutes parts. Entre ses baisers sur son cou, sa main qui pétrissait son sein et ses doigts qui sondaient son intimité, elle ne savait plus où donner de la tête. Elle se raidit comme pour échapper à l'un ou l'autre de ces supplices, mais il n'arrêta pas. Bien au contraire. Elle était à sa merci et il le savait. Et lorsqu'il s'enfonça un peu plus en elle, elle se cambra pour l'accueillir plus loin encore.

Bientôt le frottement de sa main sur son clitoris devint intenable et elle se recula contre lui pour y échapper. Un mouvement qui, loin de la tirer d'affaire, ne fit qu'aider Mitch dans son entreprise, ses doigts allant et venant toujours plus loin et toujours plus vite, tandis que, du pouce, il lui prodiguait d'affolantes caresses.

— Oh, Mitch, gémit-elle, sentant qu'elle allait jouir.

Sans lui. Ce n'était pas ce qui devait arriver.

— Chut, laisse-toi aller.

Elle résista. C'était déloyal. Elle aurait voulu voir son visage. Elle aurait voulu l'embrasser. Le toucher. Lui donner elle aussi sa part de plaisir.

— Tu n'imagines pas l'effet que ça me fait de te sentir aussi chaude et humide, lui murmura-t-il à l'oreille. Allez, vas-y, jouis pour moi.

Les caresses de Mitch s'intensifièrent, avec la même persévérance et le même savoir-faire jusqu'à ce que cèdent ses dernières résistances.

— Oh, non, gémit-elle, se sentant près de défaillir.

Elle enfonça ses ongles dans la peau de son bras comme pour se raccrocher à la réalité.

— Oh, Mitch !

— Oui, Kate, vas-y.

Sa voix était si rauque qu'on aurait dit qu'il allait jouir lui aussi. Tous les scrupules de Kate s'envolèrent en un instant et elle s'abandonna avec délices au plaisir solitaire qu'il lui offrait volontiers. Une bouffée de chaleur l'envahit, puis elle fut secouée par une série de spasmes jusqu'à ce que le besoin de délivrance soit si fort qu'un cri inouï surgit du fond de sa gorge, brisant le silence nocturne.

Son corps tout entier était saisi de soubresauts, mais Mitch ne cessa pas pour autant. Tant et si bien qu'au moment où elle pensait avoir assouvi sa faim, une nouvelle vague de plaisir déferla sur elle, la laissant en proie à un tourbillon de sensations encore plus intense que le précédent. Elle se figea avant de se laisser tomber entre ses bras.

Elle entendit Mitch marmonner quelque chose. Un juron sans doute, mais elle n'était pas assez consciente pour en être sûre. Il la mit debout, repoussa le siège d'un coup de pied, puis la souleva pour la laisser tomber sur le lit. Encore toute pantelante, elle resta là, immobile à le regarder se déshabiller. La vue de son torse et de ses épaules musclés raviva le feu à peine éteint dans son ventre. Et lorsqu'il déboutonna son jean et le fit descendre sur sa taille, elle se mordit la lèvre et ferma les yeux. Quand elle les rouvrit, il était nu, tout en muscles et son membre tendu vers elle.

A l'état de douce torpeur dans lequel elle avait été plongée jusqu'ici succéda une bouffée d'excitation si vive, qu'elle put sentir son sang tambouriner dans ses veines. Il se pencha sur elle pour lui ôter son short et elle souleva les fesses pour l'aider à le faire glisser à ses pieds. Sa culotte avait suivi et il se recula pour l'admirer dans toute sa nudité. Dans son expression, plus une once d'ambiguïté, ses yeux brillaient de désir.

Elle se décala pour lui faire de la place dans le petit lit.

— Tu as un préservatif ?

Cette fois, le juron que prononça Mitch était on ne peut plus audible. Il se tourna pour ramasser son jean sur le plancher, lui offrant une vue imprenable sur ses fesses musclées tandis qu'il fouillait dans ses poches.

Elle vit quelque chose scintiller sur un des écrans, mais après vérification, ce n'était rien. De toute façon, à ce stade, même si elle avait vu quelque chose, elle aurait fait semblant de n'avoir rien vu.

— Je n'en peux plus d'attendre, lui chuchota-t-il à l'oreille en se rallongeant à côté d'elle.

Sa franchise lui fit l'effet d'une bombe.

— De toute façon, ça ne risque rien, il fait presque jour.

En dépit de tout ce qu'il y avait en jeu, il ne voulait qu'une chose : elle. Rien que d'y penser, elle en frissonnait. Elle chercha son sexe à tâtons et trouva son gland sur lequel elle fit courir son index avant de descendre le long de son membre qui se redressait toujours plus triomphant. Elle aurait volontiers poursuivi son exploration, mais avec la rapidité d'un éclair, il avait écarté sa main pour enfiler la protection de latex. L'instant d'après, il s'installait entre ses cuisses.

— Je te promets qu'on prendra plus notre temps la prochaine fois, promit-il en fermant les yeux au moment où il s'insinuait en elle.

En le sentant entrer en elle, elle ne put réprimer un sursaut. Il était plus… *massif* qu'elle ne l'aurait imaginé et elle lui fut reconnaissante de lui laisser le temps de s'habituer à sa morphologie.

— Ça va, je te fais pas mal ? s'enquit-il en repoussant une mèche de ses cheveux.

Elle fit non de la tête et posa ses mains sur son torse, appréciant le travail de ses muscles sous ses paumes.

— Hum, que c'est bon.

— Oh, ma chérie, tu n'imagines pas à quel point.

Il glissa en elle et elle releva d'instinct les hanches, mais avec ses jambes déjà accrochées à ses épaules, elle ne pouvait aller bien loin. Il la pénétra aussi loin qu'il put jusqu'à ce qu'elle manque de tomber du matelas.

— Non, ça va, le rassura-t-elle en voyant qu'il se retirait.

Ce ne fut qu'ensuite qu'elle comprit qu'il avait autre chose en tête. Elle le laissa écarter ses lèvres et frémit lorsqu'il posa son doigt sur son point le plus sensible.

— C'est ça, bébé, murmura-t-il. Jouis encore pour moi.

— Non, toi, hoqueta-t-elle. C'est ton tour.

— Oh, oui, je vais jouir aussi, ne t'en fais pas. Avec toi.

Sans relâcher la pression, il lui mordilla le téton tout en replongeant en elle. Dans une symbiose parfaite, elle l'accompagna dans son va-et-vient jusqu'à ce qu'ensemble ils se convulsent de plaisir. Il jouit juste après elle et, dans un râle de satiété, vint s'effondrer à côté d'elle.

— Ouah !

Elle pinça les lèvres. Avait-elle dit ça tout haut ?

— Pareil, murmura-t-il, réchauffant de son souffle la peau qu'il s'apprêtait à baiser. Tu es incroyable.

Elle rit doucement.

— Non, c'est toi qui es incroyable.

— Hum, fit Mitch en lui mordillant le lobe de l'oreille. Tu veux perdre ton temps à polémiquer ?

— Sauf si tu as mieux à proposer.

Elle le laissa continuer de la couvrir de baisers et ferma les yeux. Son corps en émoi se cambra, comme prêt à l'accueillir de nouveau. Elle le sentit sourire contre sa peau et frissonna lorsqu'il posa sa large main sur son ventre.

— Je n'en reviens pas, s'extasia-t-elle, se tendant comme un arc lorsqu'il posa ses doigts à la jonction de ses cuisses. C'est dingue.

— Quoi ?

— Toi, moi, ici. Dans ce lit.

Il rit de son étonnement.

— Si tu veux, j'arrête, dit-il tout en glissant ses mains habiles entre ses cuisses.

— Non, dit-elle en courant pour échapper à son regard. Je t'interdis de me regarder !

Goguenard, Mitch la suivait pendant qu'elle marchait en enfilant son T-shirt, en slip et pieds nus, tout comme lui. Il était déjà dix heures et demie du matin et ni l'un ni l'autre n'avait encore déjeuné.

— Alors, de combien de temps tu as besoin ? demanda-t-il.

— Il va me falloir au moins une semaine.

— Une semaine ? Tu rêves !

— O.K., alors vingt-quatre heures ? fit-elle en le suppliant du regard.

— Je te donne jusqu'à 7 heures ce soir, dit-il. Et c'est mon dernier mot !

Il sourit de la voir se retourner et descendre l'escalier en maugréant :

— Quelle générosité ! Comme si un après-midi allait me suffire à récupérer.

Il resta en haut à la regarder pester dans l'escalier. La vérité, c'était qu'il n'avait pas récupéré lui-même de leur marathon sexuel de la nuit, mais loin d'être épuisé, il se sentait en pleine forme pour commencer la journée. Il retourna dans la chambre finir de se préparer pendant qu'elle faisait le café et en profita pour jeter un œil dehors en direction du pré. Par bonheur, les bêtes étaient toujours là.

Faire l'amour avec Kate avait été une expérience extraordinaire. Kate était extraordinaire. Et ce n'était pas que sexuel. Quelque chose d'autre s'était produit. Il avait changé, comme si une fêlure en lui avait été réparée. Sauf qu'il avait beau chercher, il ne voyait pas ce qui avait pu provoquer une telle fêlure. Il avait un métier passionnant, une vie pleine d'agréments à Palm Beach… Il espérait juste que les choses restent ainsi. Avec Kate. S'il percevait une seule once de regret dans ses yeux, cela le tuerait.

Il avait déjà assez à faire avec sa propre conscience. Il s'était juré de ne pas profiter d'elle et le lui avait juré, mais n'avait pas tenu parole. Certes, elle l'avait cherché, poussé dans ses retranchements, même, en lui brandissant la menace de Brad, sans parler de son numéro d'exhibitionnisme qui l'avait rendu fou. Pourtant toutes ces circonstances n'atténuaient en rien une réalité difficile à admettre : il avait été d'une monstrueuse hypocrisie.

Enfin, cela ne servait à rien de ressasser. Ce qui lui était arrivé était bien mérité et ce n'était pas la culpabilité qui allait lui gâcher cette magnifique matinée.

Il ouvrit grands les rideaux pour voir derrière les écuries, là où les chevaux avaient l'habitude de brouter autrefois. L'herbe y était encore bien verte, mais on n'était qu'au début de l'été et les pousses n'avaient pas encore été brûlées par les rayons du soleil estival.

Il pouvait déjà distinguer des taches jaunes çà et là, signe d'un manque d'eau. D'ici à un mois, le paysage ressemblerait à un champ de paille. Sauf s'il retroussait ses manches pour réparer le système d'irrigation. C'était curieux, mais il se sentait encore chez lui ici. Pourtant, il n'avait pas travaillé au ranch depuis dix ans et n'avait aucune idée de ce qui pouvait fonctionner encore ou pas. Certains équipements avaient été revendus, mais le tracteur était toujours là, de même que deux quads et la plupart des outils. Il se souvint du jour où, trois ans plus tôt, il avait persuadé son père d'acheter un quad pour rassembler le troupeau. Son père lui avait ri au nez, mais avait fini par admettre qu'il était trop vieux pour couvrir l'étendue à cheval.

Un aveu que le vieil homme avait fait sans l'ombre d'un reproche. Ne l'avait-il pas d'ailleurs toujours encouragé à vivre sa propre vie ? Pourtant, ce jour-là, pour la première fois, Mitch s'était senti coupable. A l'époque, il y avait encore des employés au ranch — trois vachers qui avaient toujours travaillé pour les Colter. Pourtant le fait de savoir son père entouré n'avait pas suffi à apaiser son sentiment de culpabilité, lequel n'avait pas suffi non plus à le faire revenir au ranch.

La vérité c'était que, pour ne plus se sentir coupable, il avait espacé les visites.

— Hé ho !

C'était la voix de Kate qui l'appelait du rez-de-chaussée. Il prit ses bottes à la main. Elle l'attendait en bas, une main sur la hanche et l'autre tenant une tasse de café.

— Si tu veux ton café, je te conseille de descendre parce que je n'ai pas l'intention de remonter là-haut.

— J'attendais que tu viennes me servir au lit.

Elle sourit.

— T'as jamais essayé d'arrêter la caféine.

— Tu es drôlement bougonne quand tu n'as pas assez dormi, dis donc, dit-il en l'attrapant par la taille une fois en bas des marches.

Elle retint son souffle, écartant la tasse de café pour ne pas se brûler.

— Tu veux renverser la tasse ou quoi ?

Pour unique réponse, il lui colla ses lèvres contre les siennes et l'embrassa de sa bouche goulue.

— Bonjour, madame, lui murmura-t-il dans la bouche.

Elle soupira.

— Si tu espères m'amadouer…

Le bruit d'une portière qui claque les surprit et les fit se séparer. Ils restèrent là un instant à se regarder, puis elle le suivit jusqu'à la fenêtre de la cuisine. Il n'ouvrit pas les rideaux, mais les écarta juste assez pour voir sans être vu.

Il lâcha un soupir agacé en identifiant le visiteur.

— Qu'est-ce qu'il peut bien vouloir encore ?

— C'est qui ?

— L'agent immobilier.

Kate baissa les yeux sur ses pieds en chaussettes.

— Tu ferais mieux d'enfiler tes bottes, dit-elle en chaussant les sandales qu'elle avait laissées à côté de la porte.

— De toute façon, je ne réponds pas, dit-il en voyant l'homme s'approcher.

— Ton camion est juste là.

— Eh bien, comme ça, il finira peut-être par comprendre qu'il n'est pas le bienvenu ici.

— Si tu n'ouvres pas, il reviendra.

Mitch savait qu'elle avait raison. Il savait aussi que sa haine envers cet homme était disproportionnée, mais cela ne l'empêchait pas d'avoir envie de le mettre dehors à coups de pied dans les fesses.

Il enfila ses bottes, puis alla ouvrir la porte lorsqu'il entendit frapper pour la seconde fois. L'homme était en train de regarder vers le pré, mais tourna la tête en entendant la porte s'ouvrir.

— Vous vous souvenez de moi ? Levi Dodd ! dit-il à Mitch avant d'enlever son chapeau en voyant Kate arriver. Quelle chaleur ! s'exclama-t-il en s'essuyant le front avec un mouchoir qu'il venait de sortir de sa poche.

— Que me voulez-vous ? demanda Mitch en croisant ses bras sur sa poitrine.

Kate lui donna un discret coup de coude, sans doute pour l'inciter à le faire entrer, mais il n'était pas question de laisser ce rapace mettre un pied chez lui.

Comme il s'entêtait à le laisser dehors, elle s'approcha de lui et colla sa poitrine contre son bras pour lui pincer la peau du dos.

— Entrez, Dodd, finit par proposer Mitch avec une mauvaise grâce manifeste.

— Nous étions justement en train de boire le café. Je vous en sers une tasse ? proposa Kate pour rattraper le coup.

— Non merci, m'dame, mais c'est gentil de proposer.

En bon professionnel, l'homme balaya des yeux les murs jaune clair et le plancher en chêne avant de poser son regard sur la rampe d'escalier sculptée à la main.

— Bel endroit ! Vos parents ont bien entretenu la maison. De quand elle date ?

Mitch aurait voulu que Kate les laisse seuls pour ne pas avoir à essuyer son regard désapprobateur lorsqu'il le mettrait une fois pour toutes dehors.

— Elle n'est toujours pas à vendre, monsieur Dodd. D'ailleurs, j'espère que vous avez une autre raison pour venir m'importuner ici.

Le visage de Dodd prit une teinte cramoisie et Mitch eut le sentiment que ce n'était pas à cause de la chaleur.

— Je comprends votre réticence, Mitch. Croyez-moi, je comprends tout à fait.

Il s'interrompit pour le regarder en secouant la tête d'un air de regret.

— Toutefois, j'espère que vous comprendrez à votre tour que je doive téléphoner à votre père. Après tout, c'est lui le propriétaire. Et puis, si l'endroit reste ainsi à l'abandon, il va perdre de sa valeur. Et ce ne sont pas les quelques bêtes que vous avez ramenées qui vont y changer quelque chose.

Mitch sentit la moutarde lui monter au nez.

— Faites ce que vous avez à faire, Dodd, mais en attendant, sortez d'ici, s'exclama-t-il en évitant de croiser le regard de Kate.

L'homme parut surpris et un éclair rageur assombrit son visage. Il fourra son mouchoir dans sa poche et reposa son chapeau sur sa tête avec sa lenteur habituelle. Ses lèvres esquissaient un sourire narquois en complet décalage avec sa bonhomie apparente.

— Bonne journée.

Mitch attendit que l'homme soit sur le seuil pour claquer la porte.

— Fils de p…

— Je sais que c'est pas facile à entendre, dit Kate en passant son bras autour de sa taille. Moi aussi, j'ai eu envie de l'étrangler la semaine dernière quand il a demandé si le Sugarloaf était à vendre. Mais si c'est trop pour tes parents, il faudra bien que tu acceptes l'idée que l'argent qu'ils pourront tirer du ranch est peut-être plus important pour eux.

— J'ai de l'argent, moi, s'ils en ont besoin. J'ai fait de bons placements.

— D'accord, mais il n'empêche que le ranch ne va pas tourner tout seul.

Le cœur de Mitch se mit à tambouriner dans sa poitrine.

— Je suis là, moi.

Elle fit un pas en arrière et lui fit de gros yeux étonnés.

— Qu'est-ce que tu veux dire ?

Il ne savait pas ce qu'il voulait dire. Il ne savait même pas ce qu'il disait, alors ! Il détourna les yeux et se passa une main dans les cheveux.

— Mitch, qu'est-ce que tu veux dire ?

S'il avait seulement su lui-même…

- 15 -

Une semaine après qu'ils avaient fait l'amour pour la première fois, Kate s'était rendue à l'évidence : s'il y avait une leçon à tirer de sa relation naissante avec Mitch, c'était qu'il fallait qu'elle apprenne à être patiente. De toute façon, elle n'avait guère le choix. C'était soit ça, soit elle devait le harceler pour qu'il réponde à ses questions. Et encore, sans garantie de résultat. Pourtant des questions, elle n'en avait pas tant que ça. Il y en avait surtout une qui la taraudait : quand est-ce qu'il envisageait de retourner chez lui, en Floride ? Si elle avait été sûre d'obtenir une réponse franche et directe, elle lui aurait posé la question sans hésiter, mais de toute évidence, il n'était pas prêt à lui répondre et elle n'était pas sûre d'être prête à entendre sa réponse non plus.

Au fond d'elle, elle savait que les chances que Mitch revienne vivre au ranch pour de bon étaient minces. Et alors, quid de leur relation ? Car, il avait beau sembler déterminé à remettre l'exploitation sur pied, elle doutait qu'à long terme il se plaise ici. Il avait idéalisé son retour, sans doute en réaction à la perspective de voir la propriété familiale cédée à des étrangers, mais la dure réalité de la vie quotidienne au ranch allait vite le rattraper.

Elle imaginait déjà le choc qu'il allait vivre en passant d'une vie citadine, avec son confort, son argent facile et ses artifices, à une vie rurale de labeur quotidien. A croire qu'il avait oublié les raisons qui l'avaient poussé à se choisir une autre vie. Peu importait qu'il ait grandi dans un ranch, il n'avait pas l'âme d'un cow-boy et ne l'avait même jamais eue.

Un constat qui arrivait hélas un peu tard maintenant qu'elle en était amoureuse. En revenant au ranch, il avait mis une sacrée pagaille dans sa vie, transformant son amourette d'enfance en une histoire bien compliquée.

Elle lâcha un long soupir et poursuivit le rangement des assiettes dans le buffet, en faisant attention à l'étagère du milieu qui tenait mal. Il avait été trop occupé à l'extérieur pour terminer les réparations qui restaient à faire à l'intérieur. Elle avait fait ce qu'elle avait pu, mais n'étant pas très bricoleuse, elle s'était cantonnée à ranger et nettoyer la maison et acheter en ville les choses de première nécessité. La routine dans laquelle ils s'étaient installés était devenue si confortable qu'elle en était presque effrayante. Le matin, c'était courses et travaux, l'après-midi, sieste puis, au soleil couchant, ils faisaient l'amour avant de se relayer toute la nuit devant les moniteurs. Ils avaient fini par prendre cela comme un jeu, bavardant et rigolant comme deux adolescents jusqu'à l'aube, où ils se glissaient sous les draps et refaisaient l'amour. Ce petit train-train allait lui manquer.

A force de réfléchir à l'avenir de Mitch, elle avait aussi beaucoup réfléchi au sien. Elle n'avait toujours pas reparlé à Dennis, même s'il continuait de l'appeler tous les jours. Elle ne savait pas non plus si elle allait retourner enseigner au collège à la rentrée. Elle n'en avait pas très envie, en tout cas. Une partie d'elle-même aurait voulu laisser le Texas loin derrière elle, libre enfin qu'elle était de découvrir d'autres horizons. Oui, mais… si Mitch décidait de rester.

Elle avait déjà du mal à y réfléchir, alors quant à prendre une décision ! En attendant, il y avait une chose qu'elle pouvait faire : rappeler Dennis et lui dire ses quatre vérités. Elle sortit son téléphone de son sac et l'alluma. Quand on parle du loup, songea-t-elle en voyant qu'il venait de lui laisser un message.

Elle sélectionna son nom dans son répertoire en se disant qu'elle effacerait tous ses messages d'un coup dès qu'elle aurait raccroché.

— Kate ? C'est toi ?

Rien qu'au son de sa voix, elle sentit ses poils se hérisser.

— Oui.
— J'ai tout essayé pour te joindre. Pour t'expliquer.
— Tout sauf venir me voir en face, répondit-elle d'un ton glacial. Quant à tes explications, pas la peine de te fatiguer.
— Mais…
— Dennis, je n'en ai plus rien à faire de toi. En fait, je vais te dire, tu m'as même rendu service en me trompant. Alors, laisse-moi te rendre la pareille. Ne m'appelle plus. Plus jamais, tu entends ? C'est terminé entre nous et je n'ai plus rien à te dire. J'ai été assez claire ?

Dennis ne pipa mot. Du moins pendant les vingt secondes qui suivirent.

— Je voulais juste…

Alors, sans lui laisser le temps de terminer, Kate lui raccrocha au nez avant d'effacer son numéro et ses messages dans la foulée. Si elle avait imaginé le plaisir qu'elle éprouverait à lui dire ses quatre vérités, elle n'aurait pas attendu si longtemps. Et dire qu'elle s'était crue amoureuse de ce crétin. Même si Mitch partait le lendemain, elle lui serait à jamais reconnaissante de lui avoir montré ce que signifiait désirer un homme. Et être désirée par lui.

Elle entendit un bruit de moteur et vérifia l'heure sur l'horloge avant de se précipiter à la fenêtre. C'était Mitch. En partant, il lui avait dit qu'il reviendrait avec une surprise. Elle sortit en trombe de la maison et le rejoignit au moment où il descendait de son camion. Pas de son pick-up, non, mais du vieux Ford que ses parents utilisaient pour distribuer le foin.

— Et alors, ma surprise ? s'étonna-t-elle en le voyant les mains vides.

Il sourit.

— Monte. Je vais te montrer.

Méfiante, elle jeta un œil dans la vieille benne rouillée en montant sur le siège passager.

— Je croyais que tu allais revenir avec.
— C'est ce que j'ai fait, dit-il en enclenchant la marche arrière pour faire demi-tour.

— Mais où est ton pick-up ?

— Tu poses trop de questions.

— A ce stade, ce n'est plus une surprise, c'est un supplice, grommela-t-elle en balayant le paysage du regard.

Plus tôt, elle avait pensé à un cheval, mais elle n'avait vu aucune remorque. Quelle pouvait donc être cette surprise qui lui avait pris tout ce temps ?

— Tu étais où ?

— Tu verras. Sois patiente, dit-il en posant sa main sur sa nuque pour qu'elle se rapproche de lui.

C'est alors que quelque chose de brillant qui scintillait au loin du côté du ranch des McGregor attira son attention. Elle plissa les yeux, éblouie par le reflet du soleil sur ce qui devait être un objet en métal, mais celui-ci était trop loin pour qu'elle puisse deviner de quoi il s'agissait.

— Tu as vu ? demanda-t-elle, tout excitée.

— Quoi ?

Elle n'était pas dupe. Elle savait bien qu'il faisait l'innocent et le lui fit savoir par un froncement de sourcils.

— Allez, insista-t-elle, juste avant de voir qu'ils s'engageaient dans un petit chemin de terre qui semblait mener droit vers l'objet en question.

Elle se concentra sur le point à l'horizon et, au bout de quelques secondes, distingua une sorte de bande rouge. Il devait s'agir d'un petit engin…

— C'est un avion ou je rêve ?

— Non, non. Tu ne rêves pas, répondit Mitch en riant.

— Où est-ce que tu l'as eu ?

— Je l'ai loué.

— A qui ?

Il haussa les épaules.

— A quelqu'un.

— Non, sans rire, d'où il vient ?

— Ah toi, alors ! Quand tu as quelque chose dans la tête. Je suis allé en voiture jusqu'à Houston et je suis revenu en avion.

Un ami m'a remorqué avec un avion de fret. C'est un vieux modèle, alors je l'ai loué pas cher pour deux jours.

Il gara le camion à distance respectable et Kate sauta à pieds joints dans l'herbe. Elle n'avait jamais volé dans un avion aussi petit et ressentait un mélange de peur et d'excitation.

— C'est un vieux modèle, c'est ce que tu as dit, n'est-ce pas ?

La sentant inquiète, il s'approcha d'elle par-derrière et l'attira contre son torse avant de déposer un baiser sur sa tête.

— Tu ne me fais pas confiance ?

Elle fit un tour sur elle-même entre ses bras et effleura ses lèvres de sa bouche.

— Quand est-ce qu'on décolle ?

— Maintenant. Sauf si tu as une meilleure idée, dit-il en collant son sexe dur entre ses fesses.

Elle lui donna un coup de coude.

— Mitch, tu es incorrigible.

Elle ne s'était jamais sentie aussi désirable que depuis qu'elle était avec Mitch. Dès qu'il était près d'elle, c'était comme s'il ne pouvait s'empêcher de la couvrir de caresses et de baisers. En même temps, leur relation était toute jeune et pour l'instant, secrète. S'il décidait de rester, son désir pour elle n'allait-il pas s'émousser ?

— Bon, on y va ?

— Je te suis, répondit-elle en s'efforçant de mettre de côté les doutes qui l'assaillaient.

— On va faire un premier vol et en profiter pour chercher un endroit pour pique-niquer demain. Ah oui, j'allais oublier…

Il sortit un sac à dos de son camion et le rangea dans un petit casier à l'arrière de l'avion.

— C'est quoi ?

— Ce que tu es curieuse, dit-il en l'aidant à monter à bord.

Une fois installée sur le siège en cuir bordeaux, elle attacha sa ceinture et parcourut le cockpit des yeux pendant que Mitch faisait le tour de l'appareil. L'intérieur était impeccable, tout en cuir et boiseries et à l'arrière, une banquette avec deux dossiers permettait d'accueillir deux autres passagers. Une fois installé au poste de pilotage, il boucla sa ceinture et enfila ses oreillettes, puis lui fit signe de mettre les siennes.

— C'est plus facile de parler avec ça sur les oreilles, expliqua-t-il tandis qu'il enclenchait des boutons sur le tableau de bord.

Il alluma le moteur, mais celui-ci tardant à démarrer, il fronça les sourcils.

— Tout va bien ? s'enquit-elle, un tantinet nerveuse.

— Comme sur des roulettes, finit-il par dire une fois que le moteur eut enfin démarré. J'ai juste oublié quelque chose.

— Ah oui ? Quoi ? fit Kate soudain alarmée.

— Des lunettes de soleil pour toi, dit-il en abaissant le pare-soleil qui se trouvait juste au-dessus de sa tête. Mais bon, le soleil est dans notre dos, alors, ça devrait aller.

L'hélice à l'avant de l'appareil se mit à tourner sur elle-même de plus en plus vite jusqu'à ce que ses branches deviennent invisibles.

— Parée ?

Elle fit oui de la tête et ce ne fut que lorsqu'il lui tapota la main pour la rassurer qu'elle se rendit compte qu'elle s'était agrippée à l'accoudoir comme si elle s'apprêtait à descendre les montagnes russes. Il lui sourit et chaussa ses lunettes d'aviateur avant de se concentrer sur le décollage, puis sans qu'elle ait eu le temps de réaliser, ils étaient dans les airs et elle put enfin souffler.

Elle n'avait jamais eu peur en avion et même, elle aimait bien ça. C'était juste qu'elle n'avait jamais eu l'occasion de voler dans un si petit appareil, mais l'assurance de Mitch l'aida à prendre confiance et à apprécier l'expérience. A tel point même que lorsqu'ils passèrent au-dessus de la rivière où elle avait autrefois l'habitude de promener son cheval, elle ne put s'empêcher de crier de joie, pour le plus grand plaisir de Mitch.

— Regarde un peu par là !

Entendant la voix de Mitch dans ses oreillettes, Kate tourna la tête dans la direction qu'il pointait du doigt.

— Ça fait partie de vos terres, ça, non ?

Kate se pencha pour regarder, puis acquiesça. Grâce à une

source d'eau souterraine, l'écrin de verdure avec ses arbres et son petit point d'eau ressemblait à une véritable oasis au milieu d'un désert de champs.

— Ça fait bien longtemps que je n'y suis pas allée. Trop loin quand il fait chaud.

— Bel endroit pour pique-niquer.

Elle s'apprêtait à lui rappeler que le Sugarloaf abritait deux autres petits coins de paradis comme celui-ci, plus près du ranch, mais elle se ravisa, trop excitée à l'idée de l'intimité qu'ils pourraient avoir ici pour le faire changer d'avis.

Il lui prit la main et la porta à ses lèvres pour l'embrasser.

— On n'est pas obligés d'attendre demain.

— Mais… on n'a pas de pique-nique.

Un sourire malicieux éclaira son visage.

— Je pourrai te rassasier si tu as faim.

Elle rougit en repensant à leurs ébats du matin.

— Je préfère que tu gardes tes forces pour piloter.

Le rire de Mitch résonna dans ses oreillettes.

— C'est pas génial d'être en l'air comme ça ?

— C'est vrai que c'est sympa.

Ils passèrent ainsi près d'une heure à survoler les terres des McGregor, le Double R et le Sugarloaf, redécouvrant du ciel ce territoire où ils avaient grandi tous les deux. Il lui raconta ses anecdotes de pilote et ses souvenirs de vol au-dessus des Caraïbes.

Son enthousiasme faisait plaisir à voir. A n'en pas douter il était dans son élément. Il y avait même une espèce d'excitation sur son visage et dans le ton de sa voix qui rappelait à Kate le petit garçon qu'il était autrefois. Elle n'avait jamais vu Mitch aussi heureux et quelque part, cela la rendait triste car plus elle le voyait s'épanouir aux commandes de son avion, moins elle l'imaginait troquer son passionnant métier contre celui d'éleveur de bétail.

C'était une réalité difficile à accepter, même si, au fond, elle l'avait toujours su. Elle avait été stupide de croire ne serait-ce qu'un seul instant que Mitch reviendrait. Sa vie était ailleurs et elle allait devoir s'habituer à cette idée pour ne pas s'effondrer lorsqu'il repartirait.

Elle sentit l'avion virer et se cramponna aux accoudoirs.

— Quelque chose ne va pas ?

— Non. On rebrousse chemin.

— On rentre ?

Il secoua la tête et lui décocha son sourire le plus énigmatique.

Mitch était tout excité et pas seulement à cause de la nouvelle surprise qu'il réservait à Kate… mais par les perspectives que lui offraient ces vastes étendues de terres inutilisées. Il connaissait bien les McGregor et les Reynolds. Il était allé à l'école avec leurs enfants. C'étaient d'honnêtes gens qui n'avaient sans doute pas plus envie que lui d'abandonner leurs terres à un étranger, mais qui ne refuseraient pas de lui céder quelques parcelles s'il leur demandait. Car il voyait grand. S'il choisissait de rester et de reprendre le ranch en main, il voulait pouvoir le faire évoluer.

Il manœuvra pour poser l'avion aussi près que possible du coin arboré qu'il avait repéré. La descente avait rendu Kate nerveuse, mais il n'avait pas dit un mot. Après tout, c'était son premier vol dans ce genre d'appareils et après quelques autres, elle aurait l'habitude.

Une fois au sol, il récupéra son sac à dos dans le casier et lorsqu'ils eurent trouvé où s'installer, en sortit une couverture et une bouteille d'eau.

En le voyant faire, Kate, hilare, ne put s'empêcher de lui faire remarquer :

— Tu es démoniaque.

— Quoi, elle n'est pas bonne, mon idée ?

Elle s'assit au bord de la couverture et croisa les bras sur sa poitrine.

— Ce n'était pas demain qu'on était censés pique-niquer ?

Pour toute réponse, Mitch la saisit par les poignets et, ignorant son cri de surprise, la plaqua sur la couverture avant de murmurer, entre deux baisers :

— Aujourd'hui, c'est mission repérage.

Il la releva pour lui ôter son haut qu'il jeta dans l'herbe un peu plus loin. Elle portait un soutien-gorge qui s'ouvrait par le devant et il libéra ses seins en un rien de temps.

— Ce que tu es belle, murmura-t-il avant de baisser la tête sur son sein droit pour en aspirer le petit téton déjà dur pendant qu'elle cherchait à le débarrasser de son T-shirt.

Elle avait l'air impatiente et il prit d'autant plus de plaisir à lui résister tout en finissant de lui enlever son soutien-gorge.

— Et si quelqu'un nous voyait ? s'inquiéta-t-elle soudain, sans pour autant résister à l'envie de lui ôter son maillot.

— Il n'y a personne à des kilomètres. J'ai vérifié avant d'atterrir, la rassura-t-il en caressant sa joue de la pulpe de son pouce tout en espérant pouvoir tenir assez longtemps pour quelques préliminaires.

Car, malgré les apparences, il n'avait pas prémédité cette petite pause champêtre. Son intention première avait bel et bien été de trouver un endroit pour leur pique-nique du lendemain, mais la voyant si belle à ses côtés, sa magnifique crinière rousse sublimée par les rayons du soleil, il n'avait pas pu résister.

— Allonge-toi, lui dit-il.

Au lieu de s'exécuter, elle pencha la tête et lui mordilla un téton. Il se débattit et elle recommença, déclenchant chez lui une irrépressible envie de la posséder sur-le-champ.

— Tu joues avec le feu, murmura-t-il en s'agrippant à ses avant-bras comme pour l'implorer d'arrêter.

Elle leva la tête juste assez pour lui donner à voir son petit sourire vainqueur.

— Des menaces, rien que des menaces !

— Ah oui ? fit-il de plus en plus excité.

— Eh bien alors, qu'est-ce que tu attends ? le défia-t-elle, tout émoustillée.

C'en était trop pour Mitch. Il plaqua sa bouche contre la sienne et la fit s'allonger sur la couverture, puis d'une main, il se mit à pétrir ses seins tandis que de l'autre, il la débarrassait de son short et de sa petite culotte en même temps. Une fois qu'elle fut nue, il recula pour mieux l'admirer. Elle était si attirante que c'était un miracle qu'il ait réussi à tenir jusqu'ici.

— Enlève ton jean, dit Kate.

Il ignora sa demande et lui écarta les cuisses. Surprise, elle eut un mouvement de recul, mais le laissa rouler sa langue sur le bout de ses seins. Il préférait ne pas ôter son pantalon tout de suite, mais avec elle, il n'arrivait pas toujours à garder le contrôle de la situation.

Il suça ses seins l'un après l'autre, puis fit courir sa langue jusqu'à son nombril avant d'enfouir sa tête entre ses cuisses et de poursuivre son chemin jusqu'à ses lèvres déjà humides. Sous la caresse de sa bouche, elle s'arc-bouta, levant ses hanches haut au-dessus de la couverture, et il passa sa main sous ses fesses pour mieux aplatir sa langue contre son sexe. Ainsi calée entre sa bouche et sa main, elle était à sa merci et il ne tarda pas à trouver son clitoris qu'il titilla avec malice, savourant sa douceur moite qui commençait à l'exciter plus que de raison.

— J'espère que tu as ce qu'il faut, dit-elle entre deux gémissements de plaisir.

Mince. Il avait pensé à l'eau et à la couverture, mais avait oublié l'indispensable : les préservatifs. Peut-être lui en restait-il dans son jean ? Quoique… Il n'allait pas l'abandonner maintenant, elle était près de jouir et il préférait encore sacrifier son plaisir au sien.

— Mitch, j'en peux plus.

Il n'en fallut pas plus à Mitch pour redoubler d'ardeur, jouant de sa langue avec juste ce qu'il fallait de pression pour faire monter son désir. Puis, la sentant au bord du gouffre, il se servit de son index pour la pénétrer. Ses gémissements s'intensifièrent et elle se cambra contre sa bouche. Quel dommage qu'il n'ait pu venir en elle.

Il resta là à l'accompagner, même lorsqu'elle fut prise de soubresauts et l'agrippa par les cheveux. Lorsqu'il la sentit satisfaite, il se retira d'elle et vint s'allonger à son côté. Elle avait encore le souffle court, mais entre deux spasmes, elle réussit à articuler :

— Tu veux me tuer ?

— Te faire mourir de plaisir, rectifia-t-il en posant sa main sur son sein.

— Tu as encore ton jean ?

— J'ai oublié les préservatifs.

Elle se tourna vers lui et posa sa main sur son sexe encore raide, puis s'humecta les lèvres avec un sourire gêné. Mitch sourit et sans lui laisser le temps de parler, l'embrassa d'un long et tendre baiser. Il n'avait jamais été égoïste en amour, mais il n'était pas un saint non plus, mais pour Kate, il était prêt à tous les sacrifices.

— Bon, on rentre ?

— Déjà ?

Mitch hocha la tête.

— Je sais que tu ne vas pas me croire, mais je n'avais pas prévu tout ça. La seule chose que j'avais prévue, c'était de t'emmener en pique-nique demain et de te prendre en dessert.

Elle lui pinça le bras.

— Aïe !

Ils rirent à l'unisson.

— Tu oses te plaindre ?

De nouveau, le même sourire embarrassé s'esquissa sur ses lèvres.

— C'est juste que…

— Allez, viens, dit-il en l'aidant à se relever avant qu'elle le persuade de changer d'avis.

Ils avaient volé du nord au nord-ouest et il restait un peu de territoire qu'il voulait survoler avant de rentrer au ranch. Il enfila sa chemise et l'aida à ramasser ses affaires tout en évitant du regard son corps nu. Tandis qu'elle se rhabillait, il replia la couverture, puis fit le tour de l'avion pour une vérification rapide des pneus et de l'hélice.

Quelques instants plus tard, ils étaient dans l'appareil et Mitch s'apprêtait à décoller.

— Je me sens déjà moins mal que tout à l'heure, dit-elle une fois que les roues eurent quitté le sol et qu'ils commençaient à s'élever dans les airs.

— Il faut dire que tu étais très nerveuse tout à l'heure.

— C'était la première fois que je volais dans un engin aussi petit.

— C'est sensationnel, non ?

— Incroyable.

— Passer mon brevet de pilote, c'est ce que j'ai fait de mieux dans ma vie.

Il tendit la main pour lui presser la cuisse.

— Ça te dit de continuer encore une heure ou deux ?

— Bien sûr ? Tu veux aller où ?

— A l'est, en direction du ranch des Kingston.

— Je crois pas qu'il se passe grand-chose par là-bas. Le vieux Kingston est décédé il y a deux ans.

— Oui, je sais. C'est pas mon premier choix, mais j'envisageais de proposer à Ida de lui racheter quelques parcelles.

Elle se figea et du coin de l'œil, le vit se tourner vers elle. Après un long silence, elle posa la question fatidique :

— Pour quoi faire ?

Sans doute avait-il été maladroit, mais c'était le seul moyen qu'il avait trouvé pour voir sa réaction en apprenant qu'il pouvait revenir pour de bon. Non pas que sa décision ait été prise. Loin de là. Et c'était d'ailleurs là où le bât blessait. Il choisit de rester factuel.

— Pour pouvoir être concurrentiel sur le marché, il faudrait que je m'étende. Il faudrait au minimum que je triple le cheptel, ce qui signifie embaucher du personnel et moderniser les équipements.

Il s'interrompit avant d'ajouter :

— C'est dire comme je suis prêt à sauter le pas.

— Tu l'es ? demanda-t-elle à demi-voix.

— C'est un sujet dont j'aimerais qu'on discute tous les deux si tu veux bien, dit-il avant de tourner enfin les yeux vers elle.

Au même moment, au sol, du mouvement attira son

attention. Il se concentra sur l'homme qu'il venait de voir sortir d'une jeep vert olive arrêtée au milieu de nulle part.

— Qu'est-ce que ce type peut bien faire ici ?

Kate suivit son regard.

— On dirait le shérif, répondit-elle en même temps qu'elle remarquait un nuage de poussière plus loin, provoqué par un quad qui semblait se diriger dans la même direction.

Deux autres hommes approchaient à cheval. Le pilote du quad leur fit signe de la main. Mitch entama une légère descente mais, voyant que les cavaliers tournaient la tête en direction de l'avion, remonta le nez de l'appareil pour préserver son identité et celle de Kate. C'était moins une, mais au moins avait-il eu le temps de reconnaître le pilote du quad. C'était Brad et Mitch se demanda quel type de liens ce douteux cow-boy pouvait bien entretenir avec le shérif.

- 16 -

Si Mitch voulait l'embrouiller, il y avait réussi. D'abord, il lui avait fait comprendre qu'il n'aimait rien de plus au monde que piloter un avion, puis il lui avait laissé entendre qu'il avait dans l'idée de reprendre le ranch. Ou alors, il avait dit ça juste parce qu'il croyait que c'était ce qu'elle voulait entendre, auquel cas il devait la croire bien fragile pour penser que faire l'amour avec lui avait de quelque manière que ce soit pu changer ses attentes.

Et le pire, c'était qu'il avait raison. Car elle le voulait tout à elle, maintenant plus que jamais. Pour autant, elle n'avait eu aucune espèce d'exigence à son égard et s'était bien gardée de lui dévoiler ses sentiments profonds. Aucun besoin, donc, pour lui d'aller lui raconter des mensonges et encore moins de lui donner de faux espoirs… Parce que, oui, elle voulait qu'il revienne, mais plutôt mourir que de le lui avouer.

Ils rentrèrent au ranch, presque sans échanger un mot. Mitch était de toute évidence préoccupé par ce mystérieux rendez-vous entre le shérif et Brad et même si Kate n'avait pas eu vraiment l'intention de sortir avec lui, l'idée qu'il puisse être mêlé de près ou de loin à cette affaire de vols lui répugnait. Encore plus que celle que le shérif en personne soit impliqué. Toutefois, en dépit des apparences, Mitch et elle en étaient arrivés à la conclusion que cette rencontre secrète collait mal avec leurs hypothèses.

— Je devrais sortir avec Brad, suggéra-t-elle dès qu'ils furent montés dans le camion. Voir ce que je peux découvrir.

Il fronça les sourcils avant de se tourner vers elle d'un air stupéfait.

— Attention ! s'écria-t-elle en se cramponnant au siège en le voyant foncer tout droit sur un énorme cactus.

Il redressa le volant *in extremis*.

— J'espère que tu n'es pas sérieuse, car la réponse est non !

— *Primo*, c'est une bonne idée et *deuxio*, je ne suis pas en train de te demander la permission.

— Allons, un peu de bon sens, Kate, rétorqua-t-il agacé. Brad ne va rien te révéler. S'il est impliqué, c'est lui qui va chercher à te soutirer des informations.

Elle leva le menton, cherchant quelque chose à répliquer, mais aucun argument ne lui vint à l'esprit. Sa remarque l'avait blessée. Certes, elle n'était pas une bombe, mais était-il si difficile pour lui de penser que Brad ait pu l'inviter juste parce qu'elle lui plaisait ?

— Hé, je ne voulais pas dire ça, dit Mitch, voyant qu'elle était vexée.

— Et que voulais-tu dire ?

— Kate, je suis désolé. Je sais que ce n'est pas une excuse, mais je suis sur les nerfs.

Il tendit sa main vers la sienne et elle le laissa la lui prendre et la porter à ses lèvres pour y déposer un baiser. Ils roulèrent ensuite en silence, tout le temps du trajet jusque chez Mitch. Lui était plongé dans ses pensées et elle, n'arrêtait pas de repenser à cet air épanoui qu'il avait lorsqu'il pilotait un avion. C'était ça, son monde. Cela crevait les yeux.

A l'intérieur du camion, elle manquait d'air et à peine furent-ils arrivés qu'elle en descendit pour prendre une bonne bouffée d'oxygène. Mitch était ailleurs et n'avait pas remarqué son changement d'humeur. Il s'était excusé et devait penser que l'incident était oublié. Elle le lui avait laissé croire en tout cas.

— Je vais faire ce que j'aurais dû faire il y a quinze jours quand je suis arrivé, dit-il en sortant son téléphone de sa poche. Me renseigner sur ce shérif.

— Bonne idée. Je t'aiderai, si tu veux… à mon retour.

Ils avancèrent jusqu'au porche et elle évita son regard lorsqu'il lui ouvrit la porte.

— Ça fait des jours que je ne suis pas rentrée à la maison et j'ai deux ou trois trucs à récupérer là-bas.

En réalité, ce qu'elle aurait voulu, c'était passer une nuit seule sans lui pour prendre le temps de réfléchir, mais il avait besoin d'elle cette nuit pour la surveillance.

— Pas de problème, dit-il en la sondant du regard. Prends ton temps.

— Je peux ramener à dîner si tu veux, mais je ne compte pas revenir avant la nuit tombée.

Il devait avoir senti que quelque chose n'allait pas car il demanda :

— Tout va bien ?

Elle fit oui de la tête.

— Je suis juste fatiguée.

— Pourquoi tu ne restes pas dormir chez toi cette nuit ? suggéra-t-il en écartant la mèche de cheveux qui lui barrait la joue. Je préférerais t'avoir avec moi, mais au moins, tu pourrais te reposer.

— Et comment tu vas faire cette nuit ?

— Ne t'inquiète pas. Je commence à avoir l'habitude des nuits sans sommeil, la rassura-t-il avec un sourire complice.

— C'est vrai, acquiesça-t-elle.

Il avait l'air de ne pas avoir envie qu'elle parte. Pourtant, il lui donna un rapide baiser avant de la tourner vers sa voiture, comme pour se débarrasser d'elle. Les réactions de Mitch n'étaient pas toujours faciles à interpréter, mais elle se rassura en se disant que les siennes aussi devaient parfois lui paraître obscures.

Au volant de sa voiture, Kate sentait le soleil lui cuire le bras à travers la vitre. Elle avait mal choisi le moment pour rentrer chez elle. Non seulement le soleil brûlait, mais il était assez bas pour l'éblouir même avec ses lunettes de soleil. La climatisation était à fond et elle était en train de monter le volume de la musique, lorsqu'elle aperçut un gros nuage de poussière un peu plus loin devant elle.

Elle ralentit et vit le nuage prendre la direction de la maison des Barker. Une ruine perdue au milieu de nulle part et inhabitée depuis plus de trois ans. Elle éteignit aussitôt la musique et la climatisation et crut entendre un bruit de moteur venant de la même direction. Bizarre. Qui pouvait bien s'aventurer sur cette route de terre ? Ce devait être un 4x4 ou un quad. Ou alors, c'étaient des jeunes qui s'amusaient. Elle espérait que non. Car l'endroit n'était pas sûr, avec tout ce barbelé qui jonchait le sol de la propriété. Elle le savait parce que les Barker avaient demandé à Clint et Joe de surveiller l'endroit après que des jeunes s'étaient blessés en venant chahuter dans le coin.

Par curiosité, elle s'arrêta sur le bas-côté pour essayer d'identifier le véhicule au moment où il tournerait. Le soleil était à sa gauche et l'espace de quelques secondes, elle crut apercevoir un quad rouge. De la même couleur que celui que conduisait Brad plus tôt. Cela ne voulait pas dire que c'était encore lui dessus. Des quads comme celui-là, chaque ranch en avait au moins un, à commencer par le Sugarloaf. C'était dire si le modèle était répandu. Cependant, cela ne suffit pas à dissiper le sentiment de malaise qui commençait à l'envahir et qui atteignit son apogée lorsque, dans son rétroviseur, elle vit une berline bleue ralentir derrière elle pour prendre un chemin qui menait comme par hasard juste chez les Barker.

Cette voiture, elle l'avait reconnue, c'était celle de Levi Dodd, l'agent immobilier. Pas le genre de voiture adaptée à ce type de route. Fallait-il en conclure qu'il suivait le quad ? Ou peut-être allait-il juste le rejoindre ?

Prenant soudain conscience de l'état de tension dans lequel elle se trouvait, elle prit un moment pour souffler et reprendre ses esprits. Elle ne pouvait pas se permettre de les suivre sans risque de se faire voir. Qui plus est, elle n'était pas certaine qu'il s'agisse bien de Brad et de Dodd. Et si elle appelait Mitch ? Non, il était occupé à se renseigner sur le shérif. Et puis, quand bien même il partageait les mêmes soupçons, cela ne l'avancerait pas beaucoup. Ce qu'elle savait, c'était que les Barker avaient décidé de vendre eux aussi et que Brad avait semblé intéressé. Quant à Dodd, il avait forcément reconnu sa voiture avant de tourner et s'il avait quelque chose à cacher, il aurait sans doute été plus prudent.

Elle se frotta le menton, s'efforçant d'organiser ses pensées et de définir la meilleure marche à suivre. En quoi Brad pouvait-il être lié en même temps au shérif et à Levi Dodd ? Mitch était en train d'enquêter sur le shérif et donc, si Brad et le shérif se connaissaient, il allait sans doute le découvrir. C'était plus la relation entre l'agent et les deux hommes qui l'intriguait et, pour éclaircir ce mystère, elle avait déjà sa petite idée. Tout ce dont elle avait besoin, c'était d'un ordinateur.

Elle jeta un œil en direction de la propriété des Barker où la poussière était retombée et vérifia dans son rétroviseur avant de quitter le bas-côté. Ce Levi Dodd, était-il de Houston ou de Dallas ? Elle ne s'en souvenait plus, mais elle n'allait pas tarder à le savoir. De toute façon, dans un cas comme dans l'autre, c'était bien la première fois qu'elle voyait un agent venir de si loin. Et même venir tout court. Car dans la région, les gens avaient toujours été attachés à leurs terres. Toujours, jusqu'à cette histoire de vols.

Elle sentit son cœur s'emballer face à l'évidence. Etait-il possible que les vols n'aient été qu'un moyen pour pousser les propriétaires au bord de la ruine à abandonner leurs terres ? Elle appuya sur l'accélérateur, pressée d'en savoir plus sur ce Levi Dodd qui, elle en avait le pressentiment, était la clé du mystère.

Mitch se frotta les yeux, vérifia les écrans, puis scruta la nuit noire par la fenêtre. Il aurait dû tirer les rideaux il y avait plus d'une heure déjà, mais il avait oublié, obnubilé qu'il était par Kate. Quelques heures qu'ils s'étaient quittés et elle lui manquait déjà. Il aurait aimé pouvoir partager avec elle les informations qu'il avait trouvées… ou plutôt l'absence d'informations. Car, il fallait bien l'admettre, il avait fait chou blanc.

De même que son contact au FBI, une femme qui lui devait un service. Et pourtant, ils étaient remontés dans le passé du shérif jusqu'au jour de son baccalauréat, mais à l'évidence, l'homme était blanc comme neige. Dans toute sa carrière, il n'avait travaillé que dans un seul autre comté et son supérieur d'alors, qui n'avait pas tari d'éloges sur lui, avait été désolé de le voir partir. Quant à sa mutation, elle avait été, semble-t-il, motivée par le fait que sa femme était malade et qu'il avait décidé, pour plus de commodité, de se rapprocher de sa belle-famille qui habitait Houston.

Bref, l'homme avait tout du citoyen modèle. Du moins sur le papier. Quant à Brad, l'enquête n'avait rien donné non plus. Il était né au Texas et y avait toujours vécu, enchaînant les petits boulots depuis sa majorité.

Autrement dit, pas de quoi fouetter un chat, bien au contraire, mais Mitch n'était pas rasséréné pour autant. Et cela n'avait rien à voir avec son antipathie pour le shérif ni même avec le fait que Brad ait tourné autour de Kate. Non, c'était plutôt ce rendez-vous mystérieux entre les deux hommes en rase campagne qui lui semblait louche.

Il posa les yeux sur son portable. Il était placé sur la table à côté du moniteur et donc, si quelqu'un avait appelé, il ne pouvait pas l'avoir manqué. Il saisit tout de même le téléphone, des fois que le bip d'un texto aurait échappé à sa vigilance. Hélas, sans surprise, il n'y avait pas de messages, ni de Kate, ni de personne d'autre d'ailleurs, mais le simple fait d'en avoir la confirmation le déprima. L'espace d'un instant, il faillit l'appeler, mais il se ravisa. Il s'était promis de ne pas la déranger.

Car il l'avait bien compris, il était pour quelque chose dans sa décision subite de rentrer chez elle. Il l'avait une fois de plus blessée en voulant lui imposer son point de vue et en insinuant que Brad ne pouvait vouloir autre chose que se servir d'elle. Or, que ce dernier ait été impliqué ou non dans les vols, Mitch était bien placé pour savoir qu'il y avait des tas de raisons pour lesquelles un homme pouvait rechercher la compagnie d'une femme aussi extraordinaire que Kate. Et elle aurait dû le savoir elle aussi. Sauf qu'à l'évidence, son ego ne s'était pas encore remis de la blessure que lui avait infligée la tromperie de Dennis.

Pourtant, même si Mitch s'en voulait d'avoir été aussi maladroit avec elle, il était surtout inquiet. Préoccupé même que la soudaine distance de Kate puisse avoir quelque chose à voir avec son projet de reprendre le ranch de ses parents. Peut-être se sentait-elle étouffée ou alors craignait-elle qu'il s'attende à ce qu'elle abandonne sa carrière, ses projets d'avenir pour lui ?

Difficile de se mettre à la place de Kate quand lui-même ne savait pas toujours où il en était. C'était d'ailleurs symptomatique de constater que quelques heures sans elle avaient suffi à ce qu'il y voie plus clair. Il voulait son bonheur et il la voulait aussi à ses côtés. Ce fut sur ce constat qu'il entendit qu'on frappait à la porte. Il regarda en direction des écrans de télésurveillance. Rien à signaler. Il se leva pour jeter un œil par la fenêtre qui donnait sur l'allée. Pas de voiture. Pourtant quelqu'un était là. Oui, mais qui ? S'il avait fait un tant soit peu son boulot, il le saurait. Génial ! Pour quelqu'un qui disait avoir l'habitude de veiller, il commençait bien sa nuit de surveillance. Il se précipita dans l'escalier pour aller ouvrir la porte.

— Kate !

— J'ai une piste, dit-elle en lui passant sous le nez, son ordinateur portable dans les bras.

Il était si heureux de la voir qu'il n'avait même pas entendu ce qu'elle venait de lui dire.

— Kate, je te dois des excuses.

— Je crois que je sais qui se cache derrière tous ces vols, poursuivit-elle en se dirigeant droit vers l'escalier sans prendre le temps de l'écouter. Il ne faut surtout pas relâcher la surveillance.

Il la suivit jusqu'en haut et jeta un œil aux écrans, puis il tira les rideaux et vint s'asseoir à côté d'elle sur le bord du lit pendant qu'elle tapotait sur le clavier de son ordinateur.

— Alors, tu me racontes ? demanda Mitch, impatient de savoir ce qu'elle avait découvert.

— Ce que j'ai trouvé n'a rien à voir avec les vols. En fait, si, mais les vols ne sont qu'un moyen, pas une fin. L'enjeu, ce sont les terres.

Elle leva les yeux de son écran d'ordinateur et poursuivit :

— Dodd rachète des ranchs abandonnés pour une entreprise du nom de West End Minerals, ou du moins, selon la version officielle, il est en charge des achats.

— Est-ce que le shérif et Brad sont impliqués ?

— Je ne sais pas. Peut-être qu'ils travaillent pour Dodd à repérer les ranchs les plus vulnérables ou à organiser les cambriolages. En tout cas, ce que je sais, c'est que la West End a tout racheté dans le coin et qu'elle a fait un malheur sur le charbon et le cuivre récemment.

Elle fit une pause puis, après deux ou trois clics :

— Regarde, dit-elle en affichant un graphique qui étayait ses dires avant de basculer sur une liste de titres de propriété.

La West End Minerals avait sacrément investi dans la région, songea Mitch à qui Kate présentait maintenant une carte de la région indiquant des zones riches en minerai au nord et à l'ouest.

Mitch haussa les épaules.

— Ça ne colle pas. Nous sommes trop au sud pour le charbon et trop au nord pour le cuivre.

— Des gisements ont aussi été trouvés dans cette zone, expliqua-t-elle en pointant un endroit sur la carte. Je crois qu'ils spéculent. Et si ce que t'a dit le shérif est vrai, les voleurs ont bougé au nord.

Elle déplaça son doigt sur la carte pour lui montrer des gisements de charbon.

— Ça se tient, non ?

— Oui, mais si ça se trouve le shérif a dit ça juste pour me balader. Enfin, ça ferait quand même beaucoup de coïncidences, songea Mitch tout haut avant de lui demander : Mais dis-moi, qu'est-ce qui t'a mise sur cette piste ?

— J'ai vu Dodd rejoindre Brad en rentrant chez moi tantôt. Enfin, je crois avoir reconnu Brad et je suis presque sûre que c'était Dodd. Toujours est-il qu'ils se dirigeaient tous les deux vers la maison des Barker.

— Bon sang, Kate, tu aurais pu…

— Ne t'avise pas de continuer, dit-elle en le fusillant du regard.

C'était la première fois qu'il la voyait aussi pâle.

— Tu as raison, dit-il pour ne pas la froisser. Je suis désolé.

Il s'était excusé, mais au fond, il avait trouvé sa réaction un peu exagérée. Pour le coup, il n'était pas en train de jouer les grands frères, il était juste inquiet à l'idée des risques qu'elle avait pris.

— Quoi ? fit-il en la voyant regarder par-dessus son épaule.

— Il y a quelqu'un.

Mitch se retourna aussitôt. Elles n'étaient pas faciles à distinguer dans la nuit noire, mais il y avait bien deux silhouettes d'hommes à côté des bêtes.

— Appelle Joe, dit-il en attrapant la carabine qu'il avait posée à côté de la porte au cas où. Dis-lui de venir avec du renfort, mais sans le shérif.

Il fut surpris de la voir sortir de la chambre avec lui. Il espérait qu'elle l'avait bien entendu mais comme, arrivé à la moitié de l'escalier, elle était toujours derrière lui, il jeta un œil par-dessus son épaule et vit qu'elle tenait une carabine.

— Qu'est-ce que tu fais ? demanda-t-il en s'arrêtant pour lui bloquer le passage. Laisse tomber, tu n'iras pas plus loin.

— On va voir ça, dit-elle en essayant de forcer le passage. Je suis bonne tireuse et tu as besoin de moi.

— Ce dont j'ai surtout besoin, c'est de te savoir en sécurité, s'exclama-t-il en lui agrippant le bras. S'il te plaît, Kate.

— Et moi j'ai besoin d'être là pour te soutenir, rétorqua-t-elle en soutenant son regard.

Il ravala sa salive. Elle choisissait bien mal son moment pour revendiquer son indépendance.

— O.K., on perd du temps.

Ils prirent la voiture de location de Mitch, plus discrète que son vieux camion. Il en abaissa les vitres pour mieux entendre les bruits alentour et roula les phares éteints, ce qui compliquait quelque peu la navigation. Tandis qu'ils roulaient en direction des enclos, elle appela Joe en renfort en lui demandant de ne pas prévenir le shérif.

Le silence tendu qui régnait dans l'habitacle fut bientôt rompu par le bruit du bétail qu'on déplace. Comme ils approchaient, Mitch vit les hommes chargeant le bétail dans un gros fourgon à bestiaux. Ils travaillaient vite et en silence. Il coupa aussitôt le moteur, laissant la voiture rouler quelques mètres pour l'arrêter juste devant le fourgon. Au moment où il faisait signe à Kate qu'il allait descendre, il remarqua un autre homme, posté à côté du camion. A deux contre trois, la situation devenait compliquée.

Il ne voulait pas que Kate sorte de la voiture. Si ces types étaient armés, ils allaient tirer dans le tas, peu importait qu'elle soit une femme. Pourtant, il savait qu'à ses yeux à elle, il y avait beaucoup plus en jeu que sa sécurité. Un sentiment d'impuissance l'envahit. Il fallait qu'il se reconcentre. Ils avaient encore quelques minutes devant eux, le temps que dure le chargement des bêtes. Restait à espérer que Joe arriverait au bon moment.

Il resta immobile et fit signe à Kate de ne pas bouger. Elle acquiesça. Après cinq bonnes minutes, il entendit un des hommes demander :

— C'est le dernier ?

Un autre répondit que oui et Mitch reconnut sa voix. Il fallait passer à l'action, sans plus tarder. Il donna le signal à Kate et ils ouvrirent chacun leur portière en veillant à être le plus discrets possible. Il sentait des gouttes perler sur ses tempes et dut se retenir de tourner les yeux vers Kate. La voir avec une arme à la main était au-dessus de ses forces. De toute façon, il n'avait d'autre choix que de la laisser faire, car elle était si déterminée que s'il s'interposait, c'était lui qui risquait de se prendre une balle dans le ventre.

Il lui fit signe de longer le fourgon par-derrière. Ils devaient les prendre par surprise, à commencer par celui qui avait monté la garde car lui tenait son arme à la main, mais au moment où Mitch s'apprêtait à le mettre en joue, il entendit la voix de Kate de l'autre côté du fourgon :

— Laisse tomber !

Surpris, l'homme qui tenait le pistolet se retourna vers elle et Mitch en profita pour le désarmer d'un coup de pied dans la main. Le plus grand des trois hommes surgit à son tour et elle pointa sa carabine vers lui. C'était Brad.

— Pas un geste ! le menaça-t-elle avec une fermeté au moins équivalente à celle avec laquelle elle tenait son fusil braqué sur lui.

Mitch vit le troisième larron prendre la poudre d'escampette, et celui qu'il venait de désarmer profita de son inattention pour essayer de récupérer son arme. Le sang de Mitch ne fit qu'un tour et il lui décocha un coup de pied dans le ventre qui envoya le malappris au tapis, sans connaissance.

— Et le troisième ? dit Kate qui tenait toujours Brad en joue.

— Il est déjà loin, répondit ce dernier, dépité.

Mitch ramassa son pistolet et le fourra sous la ceinture de son jean, prêt à se lancer à sa poursuite, au moment même où Joe arrivait à la rescousse, accompagné de trois hommes du Sugarloaf et suivi de près par le shérif et son adjoint.

— Putain, Joe ! fit Mitch en braquant son arme sur le shérif.

— Mitch, ce n'est pas ce que tu crois, dit Joe en baissant le canon de son arme. Kate, toi aussi, baisse ton arme !

Elle s'exécuta et le shérif s'avança vers Brad.

— Alors, c'est bon ?

— Pour confondre Dodd, oui, mais c'est tout. Il n'y a plus qu'à prier pour qu'il passe aux aveux.

— Je peux savoir ce qui se passe ? demanda Kate en se tournant vers son frère.

Brad lâcha un long soupir et se tourna vers Kate.

— Texas Ranger Jake Malone, m'dame.

Et d'ajouter, avec un clin d'œil :

— A votre service.

Lorsque Mitch et Kate se retrouvèrent enfin seuls, il faisait déjà presque jour. Après le départ du shérif et de son adjoint, remontés comme jamais contre Mitch d'avoir interféré dans leur plan, elle avait fait du café pour Joe et les employés du Sugarloaf. Jake et les deux autres Texas Rangers appelés en renfort n'étaient pas restés. Ils avaient d'autres arrestations à faire, à commencer par celle de Levi Dodd.

Cela faisait un moment que Malone et Harding le suspectaient, mais ils espéraient qu'avec l'infiltration de Jake, alias Brad, au sein de la bande des voleurs, ils pourraient rassembler les preuves suffisantes pour remonter à la source et incriminer les dirigeants de la West End qui avaient engagé Dodd pour acquérir des terrains. Par tous les moyens.

— Tu as vu la tête que faisait Harding, dit Mitch en rapportant les tasses vides. On aurait dit qu'il voulait me tuer. Jake m'a dit que quand ils ont vu l'avion, ils ont tout de suite su que c'était moi.

— Dans ce cas, ils auraient dû te prévenir, dit Kate en lâchant les tasses dans l'évier plein d'eau, de nouveau nerveuse maintenant qu'ils se retrouvaient seuls tous les deux.

Elle avait quelque chose à lui dire, mais elle n'était pas sûre qu'il ait envie de l'entendre.

— Et c'est reparti ! dit Mitch en l'enserrant dans ses bras musclés.

— Hé, j'ai les mains toutes mouillées, répondit-elle en enroulant ses bras autour de son cou. Qu'est-ce que tu voulais dire quand tu as dit que c'était reparti ?

— C'est vrai que tu as les mains bien mouillées, dit-il en lui embrassant le bout du nez. Tu prends ma défense, tu ne peux pas t'en empêcher.

— Ah bon ? fit-elle en baissant les yeux. Et, ça pose un problème ?

— Non, c'est normal quand on s'aime.

Elle sentit son cœur s'emballer. Il avait bien dit « quand on s'aime ».

— Oui, finit-elle par acquiescer, les jambes en coton. Je suppose que tu as raison.

— Ça veut dire que, moi aussi, je peux avoir envie de te défendre et de te protéger…

Oh ! Il valait mieux qu'il ne décide pas d'un seul coup de la lâcher car elle risquerait de s'effondrer comme un crêpe.

— Sans que cela signifie que je me prenne pour ton frère.

Elle rit en sentant ses joues s'empourprer.

— J'espère, en effet.

Le visage de Mitch redevint tout à coup sérieux.

— Tu veux savoir la chose la plus difficile que j'ai faite dans ma vie ? Te laisser sortir d'ici avec un fusil à la main.

Comme il la regardait droit dans les yeux, elle sentit une boule monter dans sa gorge et elle murmura :

— Je sais, Mitch et je t'en remercie.

— Je veux te savoir en sécurité, Kate, et heureuse.

Il s'interrompit avant d'ajouter :

— Et je veux aussi revenir m'installer ici, mais je ne voudrais surtout pas que ça te perturbe dans ta vie.

Elle s'éclaircit la gorge, craignant que les mots qu'elle s'apprêtait à prononcer ne soient étouffés par son émotion.

— Moi aussi, je veux te savoir heureux, mais le fait est que je doute que tu le sois en revenant vivre ici.

Il allait protester, mais elle secoua la tête.

— Quand je t'ai vu hier aux commandes de cet avion, que j'ai vu l'excitation dans tes yeux et dans ta voix lorsque tu m'as parlé de tous ces endroits magnifiques que tu as survolés, je…

— Attends, Kate, je n'ai jamais dit qu'en m'installant ici, j'allais abandonner tout ce que j'aime dans la vie. C'est même tout le contraire… Et puis, ma décision n'a rien d'un coup de tête, ça fait un moment que j'y réfléchis. Je me sens bien ici, mieux que jamais même, et je compte bien continuer à voler, mais juste pour le plaisir.

— Et tu ne vas pas regretter ton ancienne vie ?

— A certains égards, si, peut-être, mais je préfère cent fois ma nouvelle vie parce que dans celle-là, je t'ai, toi.

— Oh, Mitch si tu savais, s'exclama Kate, au bord des larmes. Et dire qu'hier encore, je croyais dur comme fer que ça ne pourrait jamais marcher entre nous. Tu m'as prouvé le contraire cette nuit en me faisant confiance.

— Content d'avoir passé le test. J'espère juste que ce sera le dernier.

Kate sourit.

— Je t'aime, Mitch. Et je ne parle pas d'une petite amourette, mais de l'amour, du vrai. Celui avec un grand A.

Il ferma les paupières et sourit à son tour.

— Je t'aime aussi, Kate Manning, même si j'avoue que j'ai un peu peur du sort que vont me réserver tes frères. Ils vont sans doute me renvoyer *manu militari* en Floride…

— Pas grave, dit Kate en riant, je viendrai te retrouver.

Epilogue

Kate accrocha la dernière boule au sapin, puis recula pour mieux contempler le résultat. Le mélange hétéroclite de vieilles boules de verre et de petites poupées peintes à la main la fit sourire. Mais bon, au moins avait-elle réussi l'exploit d'accrocher toutes les décorations qui ornaient le sapin de Noël des Colter depuis trois générations sans que le sapin s'écroule sous leur poids.

Il ne restait plus que l'étoile à accrocher. Dès que Mitch rentrerait avec la guirlande, elle lui laisserait l'honneur de la fixer au sommet de l'arbre, lui qui n'avait pas besoin pour y arriver de grimper sur un escabeau. Il lui tardait de voir arriver ses beaux-parents, ainsi que sa belle-sœur, Susie, et ses enfants. Elle avait hâte de voir leur réaction lorsqu'ils verraient ce que Mitch avait fait du ranch. Il avait travaillé sans relâche depuis le début de l'été pour remettre les lieux et les équipements en état. Kate l'avait aidé dans la mesure de ses possibilités, mais elle s'était plutôt cantonnée aux menus travaux dans la maison. Parfois, son métier lui manquait, mais il lui suffisait de repenser à son ex-fiancé pour se dire que son travail de bénévole à la bibliothèque de Willowville était somme toute très agréable.

La porte de la cuisine s'ouvrit et elle se tourna pour voir Mitch enlever ses bottes avant de passer le seuil de l'entrée.

— On a de la visite, ma chérie, dit-il avec un geste de la tête.

— Ah oui ? Qui ?

Elle s'empressa de le débarrasser des guirlandes qu'il tenait dans ses bras.

— Jake Malone. Il vient d'arriver et je lui ai proposé d'entrer.

Tous deux n'avaient pas revu le ranger depuis au moins trois mois, lorsqu'ils avaient témoigné devant le juge.

— Ton rival ? plaisanta Kate. Si j'étais toi, mon chéri, je ferais gaffe, on n'est pas encore mariés.

Il sourit, passa son bras autour de ses épaules et lui donna un rapide baiser.

— Non, tu ne me ferais quand même pas ça, quinze jours avant le mariage ?

— Bien, je vois que l'affaire est dans le sac, dit Jake qui se tenait debout à la porte, son chapeau posé sur sa poitrine.

— Quelle affaire ? demanda Kate en lui faisant signe d'entrer.

— Je venais t'inviter à dîner, mais je vois que Colter a fini par prendre les devants, fit Jake en secouant la tête d'un air déçu. Je me doutais bien que vous maniganciez quelque chose tous les deux.

Kate sentit le rouge lui monter aux joues et elle glissa un regard à Mitch. La lueur possessive dans ses yeux la fit frissonner des pieds à la tête.

— C'est que j'ai dû batailler dur pour en arriver là. Je te sers quelque chose ?

— Non, merci, répondit Jake en fixant le sapin des yeux. C'est vrai que Noël est dans une semaine.

— Qu'est-ce que tu as prévu pour le réveillon ? lui demanda Kate.

Jake haussa les épaules.

— Je suis d'astreinte.

— La famille de Mitch sera là, ainsi que mes frères et quelques gars du Sugarloaf.

Jake secoua la tête.

— On risque de m'appeler.

— En tout cas, Malone, tu es le bienvenu, dit Mitch en passant sa main dans le dos de Kate. On se marie la semaine d'après et pour l'occasion, on organise une petite fête au Sugarloaf. L'invitation tient aussi.

— Je suis content pour vous, dit Jake en déposant un baiser

sur la joue de Kate. Vous faites un joli couple. Peut-être bien que j'aurai une bonne nouvelle à vous annoncer le jour de la noce.

Mitch se raidit.

— Tu as trouvé des gens prêts à témoigner contre Wellsley ?

— Pas encore, mais ça ne devrait pas tarder.

Tout excitée, Kate serra le bras de Mitch. Si Jake arrivait à apporter la preuve que le patron de la société minière tirait les ficelles, toutes les victimes seraient indemnisées. Elle et Mitch n'avaient pas à se plaindre côté financier, mais nombre d'éleveurs du coin avaient beaucoup perdu dans cette affaire.

— Je vous tiens au courant, dit Jake en remettant son chapeau sur sa tête. Sur ce, je vous laisse, je vais rendre visite au shérif, mais motus sur ce que je viens de vous dire ! C'est entre vous et moi.

— Nous sommes d'accord, dit Mitch en lui serrant la main. Merci pour tout.

— Pas de problème. Passez un joyeux Noël.

Ils se dirent au revoir et dès que Jake eut fermé la porte, Kate prit Mitch dans ses bras.

— Tu imagines si tout le monde était dédommagé ?

— Ce serait un magnifique cadeau de Noël, dit Mitch en lui embrassant le bout du nez. J'aime bien ce type. Il n'abandonne jamais.

— Et il est très séduisant.

— Hé !

Kate sourit.

— Il ne t'arrive pas à la cheville, dit-elle en l'embrassant. Dans quinze jours, je serai mariée au plus bel homme de tout le Texas.

— Pourquoi attendre ?

— Parce que ta famille veut être là pour la cérémonie.

Elle se sentit fondre en voyant le désir qui brillait dans ses yeux.

— Deux semaines, ça passe vite.

— Pas quand on a passé sa vie à attendre, murmura-t-il en l'embrassant.

Elle était au paradis.

— Le 1er décembre —

Passions n°506

L'enfant d'un mensonge - Charlene Sands

Alex Santiago n'est qu'un mensonge – il n'existe pas. Lorsque Cara découvre que son fiancé se nomme en réalité Alejandro del Toro, il est déjà trop tard. Car, si leur mariage a pu être annulé de justesse, les conséquences de la trahison d'Alex n'en demeurent pas moins cruelles pour elle. Jamais elle n'oubliera qu'il s'est servi d'elle, qu'il l'a manipulée, alors qu'elle tombait follement amoureuse de lui. Jamais, surtout, elle ne lui pardonnera de ternir aujourd'hui le bonheur qu'elle porte en elle...

Baisers interdits - Barbara Dunlop

Danielle est une femme réfléchie, une avocate brillante diplômée de Harvard. Et pourtant, face à Travis Jacobs, un cow-boy aussi suffisant qu'exaspérant, elle perd tous ses moyens, chaque fois qu'elle le croise. Aussi, le jour où ils se retrouvent par hasard à Las Vegas, a-t-elle envie de fuir, loin de lui, loin de la tentation que représentent pour elle son corps sculptural, son regard teinté de défi. Mais, dans la ville où toutes les folies sont permises, les baisers interdits peuvent être les plus exquis...

Passions n°507

Le prix d'un secret - Yvonne Lindsay

Tout autour d'elle s'étendent des vignes à perte de vue, et c'est avec émotion que Tamsyn Masters pénètre dans la propriété de sa mère, en Nouvelle-Zélande. Enfin, elle va pouvoir se présenter à celle qui l'a abandonnée autrefois. Du moins le croit-elle. Car, à l'adresse qu'on lui a indiquée, c'est un homme qui l'accueille, et plutôt froidement. Pourquoi Finn Gallagher, puisque c'est son nom, se montre-t-il si hostile à son égard, alors qu'ils ne se sont jamais rencontrés ? Et pourquoi Tamsyn a-t-elle l'impression qu'il lui dissimule un sombre secret ?

Les flocons de la passion - Janice Maynard

Se reposer dans un chalet perdu en pleine montagne ? Un cauchemar pour Léo Cavallo, habitué à mener ses affaires à cent à l'heure. Arrivé aux monts Great Smoky, Tennessee, il n'a déjà plus qu'une envie : repartir. Mais il fait froid, il fait nuit, et une tempête de neige menace, dehors. Hélas, alors qu'il pense que la situation ne peut pas être pire, Léo découvre avec horreur qu'il va devoir cohabiter avec une jeune femme qui, si elle a le mérite d'être belle à se damner, est aussi accompagnée d'un bébé...

Passions n°508

Captive de son regard - Dani Wade

Trois mois. Ziara doit tenir trois mois en tant qu'assistante de Sloan Creighton. Autant dire une éternité, car cet homme d'affaires impitoyable, réputé pour ses conquêtes, n'a de cesse depuis qu'ils se sont rencontrés de la déshabiller du regard, avec un plaisir évident. Or, si Ziara redoute les intentions à peine dissimulées de Sloan de la mettre dans son lit, elle redoute davantage encore les sensations grisantes et bien trop voluptueuses qu'elle éprouve en présence de son nouveau patron...

Le parfum du souvenir - Lilian Darcy

Joe Capelli est de retour en ville, plus beau que jamais. Dès qu'elle l'aperçoit, Mary Jane renoue avec ses dix-huit ans, cette époque troublante où ils fréquentaient le même lycée et où elle le détestait – tout en l'adorant en secret. Bouleversée par leurs retrouvailles, Mary Jane l'est encore davantage par la métamorphose de Joe. L'adolescent impétueux est devenu un père responsable, et son regard autrefois espiègle s'est chargé d'une certaine gravité. Que lui est-il arrivé ? Mary Jane a soudain très envie de le découvrir – en même temps que le goût de ses lèvres...

Passions n°509

Dans les bras d'Aaron - Gina Wilkins

Aaron Walker en a plus qu'assez de vivre dans l'ombre d'Andrew, son jumeau aussi talentueux qu'autoritaire, qui n'a de cesse d'exiger de lui qu'il prenne son destin en main. Décidé à s'offrir une parenthèse loin de la pression familiale, il se rend au Bell Resort, un camp de vacances au parfum de paradis. Mais à peine y a-t-il mis les pieds que ses projets d'évasion tournent au fiasco. Si les membres de la famille Bell, propriétaire du lieu, l'accueillent chaleureusement, c'est qu'ils le prennent tous pour son frère. Et notamment la sublime Shelby qui, sitôt qu'elle croise son regard, se jette à son cou...

Une nuit avec Andrew - Gina Wilkins

Lorsque Andrew Walker apprend par Aaron, son jumeau, que Hannah Bell est enceinte de six mois, il n'hésite pas une seconde à abandonner ses affaires urgentes pour se rendre au Bell Resort, le camp de vacances où la jeune femme habite. Car, il en est persuadé, l'enfant qu'elle porte est le sien. Et, si Hannah n'a pas jugé utile de l'informer que leur liaison n'a pas été sans conséquence, Andrew n'en est pas moins résolu à revendiquer haut et fort sa paternité...

Passions n°51(

Une vengeance si douce - Maureen Child

L'océan turquoise, une plage de sable fin et une végétation luxuriante abritant de splendide cascades. C'est sur l'île de Tesoro que Rico King a bâti son palace – son rêve. Et il ne laisser personne le détruire. Alors, quand il apprend que Teresa Coretti et sa famille de voleurs de bijou ont osé refaire surface à Tesoro, chez lui, Rico est fou de rage. Il se vengera de cette femme qu lui a fait baisser sa garde pour mieux le tromper. Il brisera celle qu'il a passionnément aimée, e qui, en plus d'un trésor inestimable, lui a ravi son cœur et son honneur en prenant la fuite l lendemain de leurs noces...

Un pacte avec lui - Christine Flynn

Depuis trois jours, le monde d'Aurora vacille. Après avoir perdu son emploi, voilà qu'elle est sur l point d'être expulsée de son appartement avec son fils. Aussi, quand un mystérieux bienfaiteu lui propose soudain d'emménager dans la maison de ses rêves, y voit-elle un signe du destin la chance qu'elle espérait de démarrer une nouvelle vie. Mais il y a une condition à cet étrang cadeau de Noël : elle va devoir cohabiter quelques mois avec Erik Sullivan, un homme qui lu manifeste une franche hostilité...

Passions n°51

Juste une aventure... - Leslie Kelly

New York-Chicago en voiture, sur les routes enneigées, et avec Rafe Santori ? Ellie n'imagine pa meilleure définition du cauchemar. A moins que ça ne soit un rêve éveillé au contraire ? Après tou cet homme lui a déjà brisé le cœur par le passé : qu'a-t-elle à perdre de plus si elle décide de profite de cette aventure pour redécouvrir, entre ses bras, le plaisir fou que lui seul savait lui donner ?

Un rival très sexy - Tawny Weber

Ce week-end au calme dans le chalet familial, c'est l'occasion pour Jordan de peaufiner s chronique et de prouver enfin au monde entier qu'elle est une meilleure journaliste que Sebastian Lane, la star de la rédaction. Sebastian, si beau, si doué, si... parfait. Aussi, quand le même Sebastia fait irruption dans son refuge, Jordan est-elle furieuse. Mais, bientôt, elle se demande si ce n'es pas l'occasion d'imaginer une façon bien plus agréable – et torride – de trouver l'inspiration...

Le désir fait homme - Karen Foley

Une peau mate et lisse, des abdominaux d'acier, un profil volontaire, comme ciselé dans la pierre.. L'homme qui travaille, torse nu, dans le jardin voisin est l'inspiration que Lexi cherchait pour la statue d'Apollon qu'elle doit réaliser, elle en est sûre. Mais voilà : l'inconnu l'a surprise alors qu'elle prenait des photos de lui et exige maintenant des explications. Peut-elle vraiment lui avouer *tou* ce que la vue de son corps a éveillé en elle ?

Nuit secrète - Lori Borrill

Un client... Monica est atterrée. Quand, une semaine plus tôt, elle a cédé au désir fou que lu inspirait l'envoûtant inconnu rencontré dans un aéroport, elle n'imaginait pas une seconde le revoir à la fête de Noël donnée par l'entreprise pour laquelle elle travaille... et encore moins à ce qu'il soit un client ! Mais, face aux promesses qu'elle voit briller dans le regard de Kit Baldwin, son angoisse laisse bientôt place à un trouble bien différent... et délicieux.

A paraître le 1er novembre

Best-Sellers n°621 • suspense
Le secret de la nuit - Amanda Stevens

Au loin, elle aperçoit la silhouette familière d'un homme se diriger vers elle. Malgré le masque d'assurance qu'elle s'efforce d'afficher, Amelia Gray se sent blêmir. Robert Fremont est de retour. Une fois encore, cet ancien policier aux yeux constamment dissimulés derrière d'opaques lunettes de soleil est venu lui demander son aide. Pourquoi l'a-t-il choisie elle, simple restauratrice de cimetières, pour tenter d'élucider le meurtre qui a ébranlé la ville dix ans plus tôt ? Amelia ne le sait que trop bien, hélas : Fremont est le seul à avoir perçu le don terrible et étrange qu'elle cache depuis l'enfance... Bien que désemparée, elle accepte la mission qu'il lui confie. Mais tandis que ses recherches la mènent dans les quartiers obscurs de Charleston, elle comprend bientôt qu'elle n'a plus le choix. Si elle veut remporter la terrible course contre la montre dans laquelle elle s'est lancée, elle va devoir solliciter le concours de l'inspecteur John Devlin. Cet homme sombre et tourmenté dont elle est profondément amoureuse mais qu'elle doit à tout prix se contenter d'aimer de loin...

Best-Sellers n°622 • suspense
Neige mortelle - Karen Harper

Un cadavre de femme, retrouvé enseveli sous la neige. Puis, quelques jours plus tard, une autre femme, découverte assassinée à deux pas de chez elle... Comme tous les autres habitants de la petite communauté de Home Valley où elle vit, Lydia Brand est bouleversée. Ces décès inexpliqués sont-ils de simples coïncidences ? Au plus profond de son cœur, Lydia est persuadée que non. Pire, elle éprouve le désagréable sentiment qu'ils sont intimement liés à l'enquête qu'elle mène pour retrouver ses parents biologiques... Cherche-t-on à l'empêcher de découvrir la vérité ?
Bien que gagnée peu à peu par la peur, Lydia se résout à vaincre ses réticences et à se confier à Josh Yoder, l'homme pour qui elle travaille... et qui fait battre son cœur en secret. Aussitôt sur le qui-vive, Josh lui en fait la promesse : il l'aidera à lever le voile sur ses origines, et la protègera de l'ennemi invisible qui la guette dans l'ombre.

Best-Sellers n°623 • thriller
Sur la piste du tueur - Alex Kava

A la vue du corps qui vient d'être déterré par la police sur une aire de repos de l'Interstate 29, dans l'Iowa, l'agent spécial du FBI Maggie O'Dell comprend qu'elle vient enfin de découvrir le lieu où le tueur en série qu'elle traque depuis un mois a enterré plusieurs de ses victimes.
Pour démasquer ce criminel psychopathe qui a fait des aires d'autoroute son macabre terrain de chasse, et l'empêcher de tuer de nouveau, Maggie est prête à tout mettre en œuvre. Et tant pis si pour cela, il lui faut accepter de collaborer avec Ryder Creed, un enquêteur spécialisé que le FBI a appelé en renfort. Un homme mystérieux qui la trouble beaucoup trop à son goût.
Mais tandis que Maggie se rapproche de la vérité, il devient de plus en plus clair que le tueur l'observe sans répit, et qu'elle pourrait bien être son ultime proie...

Best-Sellers n°624 • roman
Noël à Icicle Falls - Sheila Roberts

La magie de Noël va-t-elle opérer à Icicle Falls ?
Tout avait pourtant si bien commencé… Cassie Wilkes, propriétaire de la petite pâtisserie d'Icicle Falls, doit pourtant l'admettre : si le repas familial qu'elle a préparé pour Thanksgiving frise la perfection absolue, il n'en va pas de même pour le reste de son existence. Loin de là. Sa fille unique ne vient-elle pas d'annoncer à table, devant tous les convives, qu'elle comptait se marier le week-end avant Noël (autant dire dans 5 minutes) avant de déménager dans une autre ville ? Pire, qu'elle voulait que son père (autrement dit son épouvantable ex-mari) la conduise à l'autel ? Déjà proche du KO, Cassie doit encaisser l'ultime mauvaise nouvelle de ce repas qui a décidément viré au cauchemar : son ex-mari, sa nouvelle femme et leur chien vont demeurer chez elle le temps des festivités.
Pour Cassie, cette période des fêtes sera à n'en pas douter pleine de surprises et de rebondissements…

Best-Sellers n°625• historique
Séduite par le marquis - Kasey Michaels

Londres, 1816
Lorsque débute sa première saison à Londres, Nicole est aux anges. Elle a tant rêvé de ce moment ! Et certainement pas dans l'espoir de dénicher un mari, comme la plupart des jeunes filles. Non, tout ce qu'elle désire, c'est savourer le plaisir d'être enfin présentée dans le monde et de vivre des aventures passionnantes. Mais à peine arrivée à Londres, elle fait la connaissance d'un ami de son frère, le marquis Lucas Caine. Un gentleman séduisant et charismatique qui, elle le sent aussitôt, pourrait la faire renoncer à ses désirs d'indépendance si elle n'y prenait garde. Mais voilà que Lucas lui fait alors une folle proposition : se faire passer pour son fiancé afin de décourager les soupirants qui ne manqueront pas de se presser autour d'elle. Nicole est terriblement tentée. Grâce à ce stratagème, aucun importun n'osera lui parler de mariage ! Mais si ce plan la séduit, est-ce parce qu'il l'aidera à conserver sa liberté, ou parce qu'il la rapprochera un peu plus de ce troublant marquis ?

Best-Sellers n°626 • roman
Avec vue sur le lac - Susan Wiggs

Etudes brillantes, parcours professionnel sans faute… Sonnet Romano s'efforce chaque jour de gagner la reconnaissance d'un père dont elle est « l'erreur de jeunesse », la fille illégitime. Une vie parfaite et sans vagues qui a un prix : Sonnet ne se sent jamais à sa place…
Mais voilà que le vent se lève en ce début d'été. Une nouvelle bouleversante pousse Sonnet à tout quitter — son poste à l'Unesco et la mission prestigieuse qu'on lui offre à l'étranger —, pour rentrer s'installer au lac des Saules, où elle a grandi. Là-bas, une épreuve l'attend. Une épreuve, mais aussi la chance inestimable d'une nouvelle existence. Portée par l'amour inconditionnel de ses amis, de sa mère adorée, de son beau-père qui l'a toujours soutenue, Sonnet va ouvrir les yeux. Sur la nécessité de sortir du carcan des apparences, sur la liberté de faire ses propres choix. Mais surtout sur la naissance de ses sentiments profonds et passionnés pour Zach, l'ami de toujours, l'homme qu'elle n'attendait pas…

Composé et édité par HARLEQUIN

Achevé d'imprimer en Italie (Milan)
par Rotolito Lombarda
en octobre 2014

Dépôt légal en novembre 2014

Pour l'éditeur, le principe est d'utiliser des papiers composés de fibres naturelles, renouvelables, recyclables, et fabriquées à partir de bois issus de forêts qui adoptent un système d'aménagement durable. En outre, l'éditeur attend de ses fournisseurs de papier qu'ils s'inscrivent dans une démarche de certification environnementale reconnue.